Staub

Patricia Cornwell

Staub

Ein Kay-Scarpetta-Roman

Aus dem Amerikanischen
von Karin Dufner

Die Originalausgabe erschien unter dem Titel
»Trace« bei G. P. Putnam's Sons, New York

Umwelthinweis:
Dieses Buch und der Schutzumschlag wurden auf
chlorfrei gebleichtem Papier gedruckt.
Die Einschrumpffolie - zum Schutz vor Verschmutzung -
ist aus umweltverträglichem und recyclingfähigem PE-Material.

Ungekürzte Lizenzausgabe
der RM Buch und Medien Vertrieb GmbH
und der angeschlossenen Buchgemeinschaften

Umschlag- und Einbandgestaltung: stefanmatlik.de, essenheim
Umschlagfotos: The Image Bank/Piecework Productions (oben);
Photographer's Choice/Martin Barraud (unten)
Satz: Dörlemann Satz, Lemförde
Druck und Bindung: GGP Media GmbH, Pößneck
Printed in Germany 2005
Buch-Nr. 082255
www.derclub.de
www.donauland.at

Für
Ruth und Billy Graham.
Ich kenne niemanden, der so ist wie ihr,
und ich liebe euch.

Ich danke Julia Cameron,
die mich auf meinem künstlerischen
Weg begleitet hat.

Für Charlie und Marty
und Irene.

Ihr alle habt es möglich gemacht.

1

Die gelben Bulldozer und Bagger legen einen alten Gebäudekomplex, der mehr Tote gesehen hat als die meisten Schlachtfelder der Moderne, in Schutt und Asche. Kay Scarpetta bremst ihren gemieteten Geländewagen ab, bis er fast steht. Erschüttert betrachtet sie das Werk der Zerstörung und sieht zu, wie die senffarbenen Baumaschinen ihre Vergangenheit zu Staub verfallen lassen.

Jemand hätte es mir sagen sollen, sagt sie.

Eigentlich wollte sie an diesem grauen Dezembermorgen nur ganz unschuldig in Erinnerungen schwelgen und an ihrer alten Arbeitsstätte vorbeifahren. Sie ahnt nicht, dass das Haus gerade abgerissen wird. Das hätte ihr wirklich jemand erzählen können. Einfach nur der Höflichkeit halber hätte man es erwähnen müssen: »Ach, übrigens, das Gebäude, in dem du gearbeitet hast, als du noch jung und voller Hoffnungen und Träume warst und an die Liebe geglaubt hast, das alte Gebäude, das du immer noch vermisst und für das du so viel empfindest, wird gerade abgerissen.«

Ein Bulldozer stürmt mit angriffslustig gereckter Schaufel voran. Seine lautstarke, maschinengetriebene Zerstörungswut scheint eine Warnung, ein Alarmsignal zu sein. Ich hätte besser hinhören sollen, denkt sie, während sie den rissigen, zerborstenen Beton betrachtet. Der Fassade ihrer alten Wirkungsstätte fehlt schon das halbe Gesicht. Sie wäre gut beraten gewesen, auf ihre Gefühle zu hören, als man sie gebeten hat, nach Richmond zurückzukehren.

»Ich habe einen Fall, bei dem Sie mir vielleicht helfen können«, meinte Dr. Joel Marcus, der derzeitige Chefpathologe des Staates Virginia, der Mann also, der Scarpettas Platz eingenommen hat. Erst gestern Nachmittag hat er sie angerufen.

»Natürlich, Dr. Marcus«, sprach sie ins Telefon, während sie in der Küche ihres Hauses in Südflorida auf und ab ging. »Was kann ich für Sie tun?«

»Eine Vierzehnjährige wurde tot in ihrem Bett aufgefunden. Das war vor zwei Wochen um die Mittagszeit. Sie war krank, hatte die Grippe.«

Scarpetta hätte ihn fragen sollen, warum er sie angerufen hat. Warum ausgerechnet sie? Aber sie hat ihre Gefühle ignoriert. »Also war sie nicht in der Schule?«, erkundigte sie sich.

»Genau.«

»War sie allein?« Den Hörer unters Kinn geklemmt, rührte sie in einer Mischung aus Bourbon, Honig und Olivenöl herum.

»Ja.«

»Wer hat sie gefunden, und was ist die Todesursache?« Sie goss die Marinade in einen Gefrierbeutel aus Plastik, in dem sich ein mageres Sirloin-Steak befand.

»Ihre Mutter. Die Todesursache steht noch nicht fest«, erwiderte er. »Nichts Verdächtiges, nur dass sie, wenn man danach geht, was wir gefunden oder besser nicht gefunden haben, eigentlich noch leben müsste.«

Scarpetta legte den Plastikbeutel mit dem Fleisch und der Marinade in den Kühlschrank, zog die Kartoffelschublade auf und schloss sie wieder, weil sie es sich anders überlegt und beschlossen hatte, keine Kartoffeln zu kochen, sondern lieber Vollkornbrot zu backen. Sie konnte nicht still stehen, geschweige denn sitzen, war nervös und tat alles, um sich das nicht anmerken zu lassen. Warum rief er ausgerechnet sie an? Sie hätte ihn danach fragen sollen.

»Wer wohnt noch in ihrem Haushalt?«, erkundigte sich Scarpetta.

»Ich würde die Einzelheiten lieber persönlich mit Ihnen besprechen«, erwiderte Dr. Marcus. »Der Fall ist recht heikel.«

Beinahe hätte Scarpetta erwidert, dass sie gerade im Begriff sei, zu einem zweiwöchigen Urlaub nach Aspen in Colorado aufzubrechen, aber sie bekam die Worte nicht heraus, weil sie nicht mehr stimmten. Obwohl sie es schon seit Monaten geplant hatte, würde sie nicht nach Aspen fahren. Die Reise war abgesagt. Sie brachte es nicht über sich zu lügen, verschanzte sich stattdessen hinter ihrem Beruf und flüchtete sich in die Ausrede, sie könne nicht nach Richmond kommen, weil sie gerade mitten in einem schwierigen Fall stecke, einem komplizierten Fall, Tod durch Erhängen, die Familie des Toten weigere sich, an Selbstmord zu glauben.

»Was ist bei Erhängen denn das Problem?«, fragte Dr. Marcus. »Rassistischer Hintergrund?«

»Er ist auf einen Baum gestiegen, hat sich ein Seil um den Hals gelegt und die Hände mit Handschellen auf dem Rücken gefesselt, für den Fall, dass er es sich doch noch anders überlegen könnte«, entgegnete sie und öffnete eine Schranktür in ihrer hellen, freundlich wirkenden Küche. »Als er vom Ast gestiegen und gefallen ist, ist sein zweiter Halswirbel gebrochen. Das Seil hat ihm die Kopfhaut zurückgeschoben, sodass es aussah, als runzle er die Stirn und litte Schmerzen. Und jetzt versuchen Sie mal, das und die Handschellen seiner Familie in Mississippi zu erklären, und zwar im allertiefsten Mississippi, wo Army-Klamotten normal sind und schwule Männer nicht.«

»Ich war noch nie in Mississippi«, antwortete Dr. Marcus gleichgültig, als wollte er damit ausdrücken, dass ihn weder der Erhängte noch sonst irgendeine Tragödie, die keine direkten Auswirkungen auf sein Leben hatte, interessierte.

»Ich würde Ihnen ja gern helfen«, meinte Scarpetta, während sie eine noch unangebrochene Flasche naturtrübes Olivenöl öffnete, obwohl das nicht unbedingt jetzt hätte sein müssen. »Aber es ist vermutlich keine gute Idee, wenn ich mich in einen Ihrer Fälle einmische.«

Sie war wütend, gestand es sich aber nicht ein, als sie in ihrer großen, gut ausgestatteten Küche mit den Geräten aus Edelstahl, den Arbeitsflächen aus poliertem Granit und den großen, hellen Fenstern, die einen Blick auf den Intracoastal Waterway boten, umherging. Sie ärgerte sich wegen Aspen, wollte es sich jedoch nicht eingestehen. Und obwohl sie wütend war, wollte sie Dr. Marcus nicht durch einen Wink mit dem Zaunpfahl darauf hinweisen, dass er nun die Vorzüge ebendes Postens genoss, den man ihr weggenommen hatte. Das war auch der Grund, warum sie Virginia verlassen hatte, und sie hatte eigentlich nicht vor, je dorthin zurückzukehren. Aber sein langes Schweigen ließ ihr keine Wahl, als weiterzusprechen und ihm zu erklären, dass sie nicht in aller Freundschaft aus Richmond fortgegangen sei, was er doch sicher wisse.

»Kay, das ist doch schon lange her«, erwiderte er. Sie hatte sich für die professionelle und respektvolle Anrede Dr. Marcus entschieden, und nun nannte er sie einfach Kay. Es erschreckte sie selbst, dass sie das als beleidigend empfand. Aber dann sagte sie sich, dass er nur eine freundschaftliche und persönliche Atmosphäre schaffen wollte, während sie überempfindlich und übertrieben reagierte. Sie fragte sich, ob sie nur neidisch auf ihn war und sich wünschte, dass er scheiterte, und schalt sich im nächsten Moment wegen ihrer eigenen Kleinlichkeit. Es war doch nur verständlich, dass er sie Kay und nicht Dr. Scarpetta nannte, hielt sie sich vor Augen, obwohl ihr Gefühl das Gegenteil sagte.

»Wir haben inzwischen eine andere Gouverneurin«, fuhr er fort. »Vermutlich weiß sie gar nicht, wer Sie sind.«

Nun deutete er an, Scarpetta sei so unwichtig und unbedeutend, dass sie der Gouverneurin sicherlich kein Begriff wäre. Dr. Marcus hatte sie schon wieder beleidigt. Unsinn, rief sie sich sofort zur Ordnung.

»Bei unserer neuen Gouverneurin dreht sich alles um unser augenblickliches Haushaltsdefizit und um die vielen potenziellen terroristischen Angriffsziele, die wir hier in Virginia bieten ...«

Scarpetta konnte sich selbst ihre negative Haltung gegenüber ihrem Nachfolger nicht verzeihen. Schließlich bat er sie nur um Hilfe in einem schwierigen Fall. Warum hätte er sich nicht an sie wenden sollen? Schließlich kam es nicht selten vor, dass Manager, die von einem Großkonzern gefeuert wurden, später als Experten und Berater gefragt waren. Außerdem würde sie ja, wie sie sich vor Augen hielt, ohnehin nicht nach Aspen fahren.

»... Atomkraftwerke, unzählige Militärstützpunkte, die FBI-Akademie, ein nicht unbedingt geheimes CIA-Ausbildungslager, die Bundesbank. Also werden Sie keine Probleme mit der Gouverneurin kriegen, Kay. Dazu ist sie viel zu ehrgeizig. Außerdem steht sie mit einem Bein eigentlich schon in Washington und kümmert sich nicht darum, was sich in meinem Büro tut«, fuhr Dr. Marcus in seinem weichen Südstaatenakzent fort und versuchte Scarpetta die Befürchtung auszureden, dass es Kontroversen auslösen oder Aufmerksamkeit erregen könnte, wenn sie, fünf Jahre nachdem sie aus der Stadt gejagt worden war, wieder hier einzog. Allerdings überzeugte er sie nicht wirklich, weil ihre Gedanken nun in Aspen und bei Benton waren. Benton war dort oben in Colorado, und sie steckte hier in Florida, allein. Deshalb hatte sie nun plötzlich auch jede Menge Zeit totzuschlagen und konnte genauso gut auch einen neuen Fall annehmen.

Scarpetta biegt langsam um die Ecke des Häuserblocks, der in einer Phase, die ihr inzwischen endgültig abgeschlossen erscheint, ihr Lebensmittelpunkt gewesen ist. Staubwolken steigen auf, als Maschinen sich wie riesige gelbe Insekten auf den Kadaver ihres früheren Arbeitsplatzes stürzen. Metallklingen und Schaufeln klappern und wummern gegen Beton und Erdreich. Lastwagen und Maschinen, die Erde bewegen, rollen und rucken hin und her. Reifen zermalmen und Stahlgürtel zerren.

»Tja«, sagt Scarpetta. »Ich bin froh über die Gelegenheit, das sehen zu können. Aber trotzdem hätte es mir jemand erzählen sollen.«

Pete Marino, ihr Beifahrer, beobachtet schweigend, wie das gedrungene, schäbige Gebäude am Rand des Bankenviertels abgerissen wird.

»Und ich freue mich, dass du es auch siehst, Captain«, fügt sie hinzu, obwohl er gar kein Captain mehr ist. Wenn sie ihn Captain nennt, was nicht oft passiert, will sie besonders nett zu ihm sein.

»Genau, was der Arzt mir verschrieben hat«, murmelt er in dem sarkastischen Tonfall, der in seinen meisten Äußerungen mitschwingt wie das Schlüssel-C auf dem Klavier. »Und du hast Recht. Jemand hätte es dir erzählen sollen, und dieser Jemand ist der schwanzlose Kerl, der jetzt auf deinem Stuhl sitzt. Er bettelt dich an, herzufliegen, obwohl du seit fünf Jahren keinen Fuß nach Richmond gesetzt hast, und dann macht er sich nicht einmal die Mühe, dir zu sagen, dass dein altes Büro abgerissen wird.«

»Bestimmt hat er nicht dran gedacht«, erwidert sie.

»Der kleine Wichser«, gibt Marino zurück. »Er ist mir jetzt schon unsympathisch.«

Heute Morgen hat sich Marino mit voller Absicht so ausstaffiert, dass er verschiedene bedrohliche Botschaften ausstrahlt: schwarze Cargohose, schwarze Polizeistiefel, eine schwarze Regenjacke und eine Baseballkappe mit der Aufschrift LAPD, Los Angeles Police Department. Scarpetta ist klar, dass er wie ein cooler Großstädter aussehen will, der mit allen Wassern gewaschen ist, um sich von den Leuten hier abzugrenzen. Immer noch ist er sauer auf die Einwohner dieser sturen Kleinstadt, die ihn während seiner Zeit als Detective bei der hiesigen Polizei schikaniert, dumm angeredet oder herumkommandiert haben. Nur selten kommt ihm die Erkenntnis, dass er es auch verdient haben könnte, wenn er wieder einmal verwarnt, suspendiert, versetzt oder degradiert wurde, und dass er die Unhöflichkeit seiner Mitmenschen normalerweise selbst herausfordert.

Scarpetta findet, dass Marino, wie er so, die Sonnenbrille auf der Nase, in seinem Sitz hängt, ein wenig albern aussieht, denn sie weiß, wie sehr er Prominente im Allgemeinen und die Unterhaltungsindustrie im Besonderen verabscheut. Diese Abneigung erstreckt sich auch auf Leute, einschließlich Polizisten, die zu dieser Welt unbedingt dazugehören wollen. Die Kappe war ein witzig gemeintes Geschenk von ihrer Nichte Lucy, die vor kurzem ein Büro in Los Angeles – oder »Lost Angeles«, wie Marino es nennt – eröffnet hat. Jetzt kehrt Marino in seine eigene verlorene Stadt Richmond zurück und hat seinen Gastauftritt so choreographiert, dass er dabei wie das genaue Gegenteil dessen aussieht, was er ist.

»Hmm«, brummt er, ein wenig leiser, »das war's dann wohl mit Aspen. Bestimmt ist Benton ziemlich sauer.«

»Genau genommen arbeitet er an einem Fall«, erwidert sie. »Also ist es wahrscheinlich sogar das Beste, wenn wir es um ein paar Tage verschieben.«

»Ein paar Tage, dass ich nicht lache. Ein paar Tage reichen nie. Ich wette, dass du es nicht nach Aspen schaffst. An was für einem Fall arbeitet er denn?«

»Das hat er nicht gesagt, und ich habe auch nicht nachgefragt«, antwortet sie und hat nicht vor, weiter über dieses Thema zu reden.

Marino schaut aus dem Fenster und schweigt eine Weile, sodass sie fast hören kann, wie er über ihre Beziehung mit Benton Wesley nachdenkt. Sie weiß, dass Marino sich Gedanken über sie beide macht, vermutlich ununterbrochen und auf eine Art und Weise, die ihm nicht ansteht. Irgendwie ahnt er, dass sie sich von Benton entfernt hat, und zwar körperlich, seit sie wieder zusammen sind. Es ärgert und demütigt sie, dass Marino so etwas spüren kann. Sie will nicht darüber grübeln, warum sie nicht mit ihm nach Aspen gefahren ist und was sie deshalb versäumen könnte. In all den Jahren, die Benton fort war, ist auch ein Teil von ihr fort gewesen. Als Benton dann wieder auftauchte, ist dieser Teil von ihr trotzdem nicht zurückgekommen, und sie hat keine Ahnung, warum.

»War vermutlich Zeit, dass diese Falle abgerissen wird«, sagt Marino und blickt aus dem Beifahrerfenster auf das geschundene Gebäude. »Wahrscheinlich machen sie es wegen Amtrak. Ich glaube, ich habe gehört, dass sie hier ein neues Parkhaus brauchen, weil sie den Bahnhof an der Main Street wieder eröffnen wollen. Ich habe vergessen, wer mir das erzählt hat. Ist schon eine Weile her.«

»Wäre nett gewesen, wenn du es mir gesagt hättest«, erwidert sie.

»Es ist schon eine Weile her, und ich erinnere mich nicht einmal mehr, von wem ich es habe.«

»Trotzdem wäre es nett, wenn ich Informationen wie diese bekäme.«

Er sieht sie an. »Ich kann es dir nicht verdenken, dass du schlechte Laune hast. Ich habe ich dich ja davor gewarnt, herzukommen. Der Abriss ist ein Omen, wenn du mich fragst. Außerdem fährst du gleich Schritttempo. Vielleicht solltest du mal Gas geben.«

»Ich habe keine schlechte Laune«, entgegnet sie. »Aber ich bin nun mal gern über alles im Bilde.« Sie fährt langsam weiter und betrachtet dabei das Gebäude, in dem früher ihr Arbeitsplatz war.

»Ich sage dir, es ist ein Omen«, wiederholt er, blickt sie an und starrt dann wieder aus dem Fenster.

Anstatt Gas zu geben, beobachtet Scarpetta weiter den Zerstörungsprozess. Langsam dämmert ihr die Wahrheit, und zwar etwa in demselben Tempo, in dem sie um den Häuserblock fährt. Das frühere Büro des Chefpathologen und die Labors der Gerichtsmedizin müssen einem Parkhaus für den restaurierten Bahnhof an der Main Street weichen, wo in dem Jahrzehnt, als sie und Marino hier gearbeitet haben, kein einziger Zug gehalten hat. Das gewaltige gotische Bahnhofsgebäude besteht aus einem Stein, der die Farbe getrockneten Blutes hat. Viele Jahre lang hat es im Dornröschenschlaf gelegen, nur unterbrochen von gelegentlichen Zuckungen, als es erst zum Einkaufszentrum umfunktioniert wurde – das bald Pleite machte – und später die Büros von Behörden beherbergte, die ebenso rasch wieder umzogen. Sein hoher Turm mit der Uhr galt als Wahrzeichen am Horizont und wachte über die geschwungenen Kurven des Highway I-95 und der Eisenbahnbrücken, ein geisterhaft bleiches Zifferblatt mit filigranen Zeigern, auf dem die Zeit stehen geblieben war.

Richmond hat sich ohne Scarpetta weiterentwickelt. Der Bahnhof an der Main Street wurde wieder zum Leben erweckt und ist nun ein Knotenpunkt für die Züge der Amtrak. Die Uhr funktioniert. Es ist sechzehn Minuten nach acht. In all den Jahren, in denen Scarpetta die Uhr in verschiedenen Rückspiegeln gesehen hat, als sie kreuz und quer durch die Stadt fuhr, um sich um die Toten zu kümmern, hat sie nie die richtige Zeit angezeigt. Das Leben in Virginia ist weitergegangen, und niemand hat sich die Mühe gemacht, sie davon in Kenntnis zu setzen.

»Ich weiß nicht, was ich erwartet habe«, sagt sie und schaut aus dem Seitenfenster. »Vielleicht, dass sie es entkernen und als Lagerhaus, Archiv oder Materialkammer verwenden. Aber gleich abreißen!«

»Eigentlich ist es das Beste so«, verkündet Marino.

»Keine Ahnung, warum, aber ich hätte nie gedacht, dass sie es wirklich tun.«

»Es gehört nicht unbedingt zu den architektonischen Weltwundern«, entgegnet er und ist plötzlich wütend auf das alte Gebäude. »Ein beschissener Betonhaufen aus den Siebzigern. Denk an all die Ermordeten, die dort durchgeschleust worden sind. Die AIDS-Opfer, die Obdachlosen mit Wundbrand. Vergewaltigte, erwürgte und erstochene Frauen und Kinder. Spinner, die von Dächern gesprungen sind oder sich vor einen Zug geworfen haben. Es gibt keine Todesart, die dieses Gebäude nicht gesehen hat. Ganz zu schweigen von all den rosafarbenen Gummileichen in den Bodenwannen der Anatomie. Die fand ich immer am schlimmsten. Weißt du noch, wie man sie an Ketten und Haken in den Ohren aus den Wannen gehoben hat? Alle nackt und rosa wie die drei kleinen Schweinchen und mit angewinkelten Beinen.« Als er die Beine hebt, um es vorzumachen, recken sich seine Knie in der schwarzen Cargohose in Richtung Sonnenblende.

»Vor nicht allzu langer Zeit hättest du deine Beine niemals so weit hochgekriegt«, stellt sie fest. »Noch vor drei Monaten konntest du kaum die Knie beugen.«

»Hmm.«

»Das meine ich ernst. Ich wollte dir schon lange sagen, wie gut du inzwischen in Form bist.«

»Das Bein heben schafft sogar ein Hund, Doc«, witzelt er, und dank des Kompliments bessert sich seine Laune sichtlich. Sie hat ein schlechtes Gewissen, weil sie ihn nicht schon früher gelobt hat. »Vorausgesetzt, der fragliche Hund ist ein Männchen.«

»Mal ganz ehrlich, ich bin beeindruckt.« Seit Jahren macht sie sich schon Sorgen, dass Marino wegen seiner schauerlich ungesunden Lebensweise irgendwann einmal tot umfallen könnte – und trotzdem hat sie Monate gebraucht, um ihn zu loben, obwohl er sich solche Mühe gibt. Offenbar musste erst ihr alter Arbeitsplatz abgerissen werden, damit sie etwas Nettes zu ihm sagen kann. »Tut mir Leid, dass ich es bis jetzt nicht erwähnt habe«, fügt sie hinzu. »Aber ich hoffe auch, dass du dich nicht mehr nur von Eiweiß und Fett ernährst.«

»Ich bin jetzt ein Florida-Boy«, erwidert er vergnügt. »Und auf South-Beach-Diät. Allerdings werd ich den Teufel tun und in South Beach rumhängen. Da wimmelt es nur von Schwuchteln.«

»Nimm nicht solche Wörter in den Mund«, gibt sie zurück, denn sie kann es nicht leiden, wenn er so redet, was natürlich genau der Grund ist, warum er es tut.

»Erinnerst du dich an den Ofen da unten?«, schwelgt Marino weiter in seinen Erinnerungen. »Man wusste immer, wenn Leichen verbrannt wurden, weil dann Rauch durch den Schornstein aufstieg.« Er zeigt auf den schwarzen Kamin des Krematoriums oben auf dem halb zerstörten alten Gebäude. »Wenn ich die Qualmwolke sah, ist mir die Lust vergangen, hier rumzufahren und die Luft einzuatmen.«

Scarpetta fährt am hinteren Teil des Gebäudes vorbei, der noch intakt ist und so aussieht wie früher. Der Parkplatz ist leer bis auf einen großen gelben Traktor, der fast genau an der Stelle steht, wo sie immer geparkt hat, als sie noch Chefpathologin war, gleich rechts neben dem riesigen geschlossenen Rolltor. Für einen Moment hört sie das Kreischen und Ächzen des Tors, das sich ratternd aufwärts oder abwärts bewegte, wenn jemand drinnen auf den großen grünen oder den roten Knopf drückte. Sie hört Stimmen, das Rumpeln von Leichen- und Krankenwagen, das Aufgehen und Zuknallen von Türen und das Klappern und Scheppern der Bahren, wenn verhüllte Leichen die Rampe hinauf- und hinuntergeschoben wurden, rein und raus, Tag und Nacht, ein ständiges Kommen und Gehen.

»Schau es dir gut an«, sagt sie zu Marino.

»Das habe ich schon getan, als du das erste Mal um den Block gefahren bist«, erwidert er. »Hast du vor, den ganzen Tag hier im Kreis rumzukurven?«

Sie biegt an der Main Street links ab, umfährt, diesmal ein wenig schneller, die Abrissstelle und denkt, dass das Gebäude bald aussehen wird wie der wunde Stumpf eines Amputierten. Als wieder der Parkplatz in Sicht kommt, bemerkt sie einen Mann in olivgrüner Hose und schwarzer Jacke, der neben dem großen gelben Traktor steht und sich am Motor zu schaffen macht. Er hat wohl Probleme mit dem Traktor, aber sie fände es besser, wenn er nicht vor dem riesigen schwarzen Hinterreifen stehen würde, während er am Motor herumfummelt.

»Ich glaube, du solltest die Kappe im Auto lassen«, sagt sie zu Marino.

»Hä?«, fragt er und wendet ihr das flächige, wettergegerbte Gesicht zu.

»Du hast mich sehr wohl verstanden. Nur ein Tipp in aller Freundschaft und zu deinem eigenen Besten«, erwidert sie, während der Traktor und der Mann hinter ihr immer kleiner werden und irgendwann nicht mehr zu sehen sind.

»Du behauptest immer, dass es in aller Freundschaft und nur zu meinem eigenen Besten ist«, gibt er zurück. »Aber es stimmt nie.« Er nimmt die LAPD-Kappe ab und betrachtet sie nachdenklich. Schweißperlen glänzen auf seinem kahlen Schädel. Er hat die schütteren grauen Haarsträhnen, die ihm die Natur freundlicherweise noch lässt, selbst entfernt.

»Ich wusste gar nicht, dass du dir jetzt den Kopf rasierst«, meint sie.

»Man muss halt mit der Zeit gehen«, antwortet er. »Wenn man kaum noch Haare hat, ist es das Beste, sie loszuwerden.«

»Das klingt logisch«, erwidert sie. »In etwa so logisch wie alles andere auch.«

2

Edgar Allan Pogue räkelt sich im Liegestuhl und starrt auf seine nackten Zehen. Schmunzelnd überlegt er, wie die Leute wohl reagieren werden, falls sie herausfinden, dass er nun in Hollywood wohnt. Er, Edgar Allan Pogue, hat hier einen Zweitwohnsitz, wo er die Sonne genießen, sich amüsieren und ungestört bleiben kann.

Niemand wird ihn fragen, welches Hollywood er meint. Bei diesem Wort denken alle nur an den großen weißen Schriftzug »Hollywood« in den Hügeln, von Mauern geschützte Villen, offene Sportwagen und die Schönen und Reichen, die Götter. Kein Mensch würde jemals vermuten, dass Edgar Allan Pogues Hollywood in Broward County, etwa eine Autostunde nördlich von Miami, liegt und kein Tummelplatz der Reichen und Berühmten ist. Er wird es seinem Arzt erzählen, denkt er und spürt leichte Schmerzen. Ja, sein Arzt wird der Erste sein, der es erfährt, und dann wird ihm beim nächsten Mal nicht der Grippe-Impfstoff ausgehen, denkt Pogue, diesmal mit einem Anflug von Furcht. Kein Arzt der Welt würde einem Patienten mit Wohnsitz in Hollywood die Grippe-Schutzimpfung verweigern, ganz gleich, wie knapp der Impfstoff auch sein mag, sagt sich Pogue, nun ein wenig erbost.

»Siehst du, liebe Mutter, wir sind hier. Wir haben es tatsächlich geschafft. Es ist kein Traum«, sagt Pogue in der verwaschenen Sprechweise eines Menschen, der einen Gegenstand im Mund hat, welcher die Bewegungen seiner Lippen und der Zunge hemmt.

Seine ebenmäßigen gebleichten Zähne schließen sich fester um den hölzernen Bleistift.

»Und du hast gedacht, dieser Tag würde niemals kommen«, fährt er trotz Bleistift fort, sodass ein Speicheltropfen über seine Unterlippe tritt und das Kinn hinabrinnt.

Aus dir wird nie etwas werden, Edgar Allan, Versager, Versager, Versager. Er spricht mit dem Bleistift im Mund und ahmt den tückischen Tonfall und das betrunkene Lallen seiner Mutter nach. Du bist eine Flasche, Edgar Allan, genau das bist du. Verlierer, Verlierer, Verlierer.

Sein Liegestuhl steht mitten in dem stickigen, übel riechenden Wohnzimmer seiner Zwei-Zimmer-Wohnung im ersten Stockwerk des Häuserblocks, der an der Garfield Street liegt. Die Straße ist nach einem amerikanischen Präsidenten benannt und verläuft in ostwestlicher Richtung parallel zum Hollywood Boulevard und zur Sheridan Avenue. Der blassgelb verputzte einstöckige Komplex trägt aus unbekannten Gründen den Namen Garfield Court. Es gibt hier keinen Garten, nicht einmal einen einzigen Grashalm, nur einen Parkplatz und drei schwindsüchtige Palmen mit zotteligen Wedeln, die Pogue an die rissigen Flügel der Schmetterlinge erinnern, die er als Kind auf Pappe gespießt hat.

Nicht genug Saft im Stamm. Das ist dein Problem.

»Hör auf, Mutter. Hör sofort auf. Du sollst so was nicht sagen.«

Als Pogue vor zwei Wochen seinen Zweitwohnsitz mietete, hat er nicht um den Preis verhandelt, obwohl neunhundertfünfzig Dollar im Vergleich dazu, was er in Richmond für dieses Geld kriegen würde, der reinste Wucher ist. Allerdings zahlt er in Richmond keine Miete. Doch es ist nicht einfach, hier in dieser Gegend eine passende Wohnung zu finden, und als er nach einer sechzehnstündigen Fahrt endlich in Broward County ankam, wusste er nicht, wo er zu suchen anfangen sollte. Erschöpft, aber aufgedreht, war er herumgefahren, um sich zu orientieren und nach einer Unterkunft Ausschau zu halten. Er hatte keine Lust, sich mit einem Motelzimmer zu begnügen, nicht einmal für eine Nacht. Sein alter weißer Buick war mit seinen Habseligkeiten voll gepackt, und er wollte nicht das Risiko eingehen, dass irgendein jugendlicher Rotzlöffel die Wagenfenster einschlug, um seinen Videorecorder und den Fernseher zu stehlen – ganz zu schweigen von seinen Klamotten, seinen Kosmetiksachen, dem Laptop, der Perücke, dem Liegestuhl, der Lampe, der Bettwäsche, den Büchern, dem Papier, den Stiften, den Flaschen roten, weißen und blauen Lacks zum Nachlackieren seines heiß geliebten Kinder-Baseballschlägers und einiger anderer lebenswichtiger Dinge, einschließlich der alten Freunde.

»Es war schrecklich, Mutter«, erzählt er die Geschichte noch einmal, um sie von ihrem betrunkenen Genörgel abzuhalten. »Bestimmte Umstände erforderten, dass ich unser reizendes kleines Südstaatenstädtchen sofort verließ, wenn auch nicht für immer, ganz gewiss nicht. Nun habe ich einen Zweitwohnsitz und werde natürlich zwischen Hollywood und Richmond hin- und herpendeln. Wir beide haben doch schon immer von Hollywood geträumt, wohin wir uns wie Siedler im Planwagentreck auf den Weg machen wollten, um unser Glück zu finden.«

Sein Trick funktioniert. Er hat es geschafft, ihre Aufmerksamkeit auf die Reise durch eine malerische Landschaft zu schicken, sodass ihm eine erneute Tirade über sein Versagen erspart bleibt.

»Allerdings fühlte ich mich nicht sehr wohl, als ich an der North Twenty-Fourth Street abfuhr und in einem gottverlassenen Slum namens Liberia landete, wo es einen Eiswagen gab.«

Er spricht mit dem Bleistift im Mund, als wäre es eine Trense. Der Stift ist sein Tabakersatz, weil das Rauchen nicht nur ungesund und eine schlechte Angewohnheit, sondern außerdem auch ziemlich teuer ist. Pogue hat eine Schwäche für Zigarren. Obwohl er sich sonst nur wenig gönnt, muss er seine Indios und Cubitas und A Fuentes und vor allem die Cohibas, die sagenumwobene Schmuggelware aus Kuba, haben. Er ist fasziniert von Cohibas und weiß, wo man sie bekommen kann. Es ist ein Riesenunterschied, wenn kubanischer Rauch seine gequälte Lunge liebkost. Mit unreinem Kraut ruiniert man sich die Lunge, doch der reine Tabak aus Kuba hat eine heilende Wirkung.

»Ist das zu fassen? Ein Eiswagen, der seine süße, unschuldige Melodie dudelte, und viele Negerkinder, die mit Kleingeld angelaufen kamen, um sich etwas Süßes zu kaufen. Und dabei waren wir mitten im einem Ghetto, einem Kriegsgebiet, und die Sonne war bereits untergegangen. Ich wette, dass in Liberia nachts viel geschossen wird. Natürlich habe ich mich sofort aus dem Staub gemacht und bin schließlich in einem besseren Viertel gelandet. Ich habe dich sicher und wohlbehalten nach Hollywood gebracht, richtig, Mutter?«

Zufällig befand er sich auf der Garfield Street und fuhr langsam an den winzigen eingeschossigen, verputzten Häuschen mit ihren schmiedeeisernen Geländern, den Jalousien vor den Fenstern, den Autostellplätzen und den Miniaturrasenflächen vorbei, die beim besten Willen keinen Platz für einen Swimming-Pool boten. Es waren reizende kleine Behausungen, vermutlich in den Fünfzigern und Sechzigern erbaut. Sie sprachen ihn an, weil sie Jahrzehnte voller zerstörerischer Hurrikans und umwälzender demographischer Veränderungen überstanden hatten, ebenso wie gnadenlose Erhöhungen der Grundsteuer, die die alten Besitzer vertrieben hatten. Diese waren von Neuankömmlingen ersetzt worden, die vermutlich kein Englisch sprachen und sich auch keine Mühe gaben, es zu lernen. Und dennoch hatte das Viertel überlebt. Und während ihm all diese Gedanken im Kopf herumgingen, erschien plötzlich der Wohnblock vor seiner Windschutzscheibe wie eine Vision.

Vor dem Haus steht ein Schild mit der Aufschrift GARFIELD COURT und einer Telefonnummer. Pogues Reaktion auf die Vision bestand darin, dass er auf den Parkplatz einbog, sich die Nummer notierte, anschließend zur nächsten Tankstelle fuhr und dort den Münzfernsprecher benutzte. Ja, es sei eine Wohnung frei. Und keine Stunde später hatte er seine erste und hoffentlich letzte Begegnung mit Benjamin P. Shupe, dem Vermieter.

Das geht nicht, das geht nicht, lautete Shupes ständige Litanei, als er Pogue in seinem Erdgeschossbüro am Schreibtisch gegenübersaß. Das Büro war heiß und stickig und außerdem von dem übermächtigen Geruch von Shupes schauderhaftem Herrenparfüm verpestet. Wenn Sie eine Klimaanlage wollen, müssen Sie sich selbst ein Gerät fürs Fenster kaufen. Das ist Ihre Sache. Doch wir haben jetzt die schönste Zeit im Jahr, Touristensaison. Wer braucht denn da eine Klimaanlage?

Benjamin P. Shupe bleckte sein weißes Gebiss, das Pogue an Badezimmerkacheln erinnerte. Der mit Gold behängte Miethai klopfte mit einem pummeligen Zeigefinger auf die Tischplatte und ließ einen dicken Diamantring aufblitzen. Sie haben Glück. Die ganze Welt will um diese Jahreszeit hier wohnen. Ich habe eine Warteliste von zehn Interessenten allein für diese Wohnung. Shupe, der Slumkönig, machte eine Geste, die den Zweck hatte, seine goldene Rolex so gut wie möglich zur Geltung zu bringen. Er ahnte nicht, dass Pogues dunkel getönte Brille nur aus Fensterglas besteht und dass es sich bei seiner langen schwarzen Lockenmähne um eine Perücke handelt. In zwei Tagen werden es zwanzig Interessenten sein. Eigentlich sollte ich Ihnen die Wohnung zu diesem Preis gar nicht überlassen.

Pogue bezahlte bar. Keine Kaution oder andere Sicherheiten wurden verlangt, keine Fragen gestellt, und kein Nachweis seiner Identität war erforderlich, ja, nicht einmal erwünscht. In drei Wochen wird er wieder in bar für den Monat Januar bezahlen müssen, falls er die Absicht haben sollte, seinen Zweitwohnsitz während der Hochsaison in Hollywood zu behalten. Allerdings ist es noch ein bisschen früh für ihn, um zu wissen, was er nach Neujahr vorhat.

»Es gibt Arbeit, viel Arbeit«, murmelt er, während er die Fachzeitschrift für Bestattungsunternehmer durchblättert und eine Seite aufschlägt, auf der Urnen und Erinnerungsstücke abgebildet sind. Er studiert die bunten Bilder, die er schon in- und auswendig kennt. Seine Lieblingsurne ist und bleibt die Zinnschatulle, die wie ein Stapel schöner Bücher geformt ist. Obenauf liegt ein Federkiel, und er malt sich aus, dass es sich bei den Büchern um alte Bände von Edgar Allan Poe handelt. Er fragt sich, wie viel Hunderte von Dollar diese elegante Zinnschatulle wohl kosten würde, wenn er die gebührenfreie Nummer anruft.

»Ich sollte einfach anrufen und bestellen«, meint er vergnügt. »Ich sollte es einfach tun, oder, Mutter?« Er neckt sie, als hätte er ein Telefon, sodass er sein Vorhaben gleich in die Tat umsetzen könnte. »Oh, die würde dir gefallen, stimmt's?« Er berührt die Abbildung der Urne. »Edgar Allans Urne wäre doch was für dich, nicht wahr? Aber erst wenn es was zu feiern gibt, und im Moment läuft es mit der Arbeit nicht so wie geplant, Mutter. O ja, du hast mich sehr wohl verstanden. Ein kleiner Rückschlag, wie ich fürchte.«

Ein Versager, das bist du.

»Nein, Mutter, damit hat es überhaupt nichts zu tun.« Kopfschüttelnd blättert er weiter die Zeitschrift durch. »Jetzt fangen wir nicht wieder damit an. Wir sind in Hollywood. Ist es nicht hübsch hier?«

Er denkt an die lachsfarbene Villa am Wasser, nicht sehr weit nördlich von hier, und wird von verwirrenden Gefühlen ergriffen. Wie geplant hat er die Villa gefunden. Wie geplant ist er dort eingedrungen. Aber dann lief alles schief, und jetzt gibt es nichts zu feiern.

»Falsch gedacht, falsch gedacht.« Er schnippt sich mit zwei Fingern gegen die Stirn, wie seine Mutter es früher getan hat. »So hätte es nicht laufen dürfen. Was soll ich tun, was soll ich tun? Der kleine Fisch ist entkommen.« Er vollführt Schwimmbewegungen mit den Fingern. »Und hat den großen Fisch zurückgelassen.« Er schwimmt mit beiden Armen durch die Luft. »Der kleine Fisch ist weggefahren, und ich weiß nicht, wohin. Aber das ist mir egal, absolut egal. Denn der große Fisch ist noch da, und ich habe den kleinen Fisch vertrieben. Ganz bestimmt ist der große Fisch nicht glücklich darüber. Ganz bestimmt nicht. Bald wird es was zu feiern geben.«

Entkommen? Wie doof kann ein Mensch denn sein? Du hast den kleinen Fisch nicht gefangen und glaubst, du könntest den großen kriegen? Was bist du nur für ein Versager! Und so was ist mein Sohn!

»Red nicht so daher, Mutter. Das ist unhöflich«, sagt er, den Kopf über die Fachzeitschrift für Bestattungsunternehmer gebeugt.

Sie fixiert ihn mit einem Blick, mit dem man ein Schild an einen Baum nageln könnte. Sein Vater kannte ihren berüchtigten Blick immer: Haare auf den Augäpfeln. Aber Augäpfel haben keine Haare. Nicht soweit er im Bilde ist, und er müsste es eigentlich wissen. Es gibt nicht viel, was er nicht weiß. Er lässt die Zeitschrift zu Boden fallen, erhebt sich aus dem gelb-weißen Liegestuhl und holt seinen Kinder-Baseballschläger aus der Ecke, wo er ihn hingestellt hat. Die geschlossene Jalousie vor dem einzigen Fenster sperrt das Sonnenlicht aus dem Wohnzimmer aus und taucht den Raum in einen angenehmen Dämmerschein, kaum erhellt durch die einsame Lampe auf dem Boden.

»Sehen wir mal. Was machen wir heute?«, fährt er, immer noch den Bleistift im Mund, fort. Er spricht mit einer Keksdose, die unter dem Liegestuhl steht. Dann überprüft er am Baseballschläger die roten, weißen und blauen Sterne und Streifen, die er nachgemalt hat, und zwar, wenn er nachzählt, genau einhundertelfmal. Liebevoll poliert er den Baseballschläger mit einem weißen Taschentuch. Dann reibt er sich die Hände mit dem Taschentuch ab. Wieder und wieder. »Heute sollten wir etwas ganz Besonderes unternehmen. Ich glaube, ein Ausflug ist angesagt.«

Er schlendert zur Wand, nimmt den Bleistift aus dem Mund und hält ihn in einer Hand. Den Baseballschläger hat er in der anderen, als er mit zur Seite geneigtem Kopf die ersten Striche einer Skizze auf dem schmuddeligen, beige gestrichenen Rigips betrachtet. Sanft berührt er mit der stumpfen Bleistiftspitze ein starrendes Auge und strichelt die Wimpern dicker. Der Stift ist feucht und steckt zwischen den Spitzen von Zeigefinger und Daumen, während er zeichnet.

»So.« Er tritt zurück, neigt wieder den Kopf und bewundert das große starrende Auge und den Schwung einer Wange. Der Baseballschläger zuckt in seiner anderen Hand.

»Habe ich dir schon gesagt, wie hübsch du heute aussiehst? So eine schöne Farbe wirst du bald an den Wangen haben, ganz erhitzt und rosig, als wärst du draußen in der Sonne gewesen.«

Er steckt sich den Bleistift hinters Ohr, hält sich die Hand nah vors Gesicht und dreht sie mit gespreizten Fingern hin und her, um jedes Gelenk, jede Falte, jede Narbe und Linie und die zarten Rillen in seinen kleinen, abgerundeten Nägeln zu mustern. Er massiert die Luft und sieht dem Spiel der feinen Muskeln zu, während er sich vorstellt, wie er kalte Haut reibt, kaltes, träges

Blut aus dem Unterhautgewebe herausknetet und das Fleisch bearbeitet, bis er den Tod vertrieben hat und ein hübscher rosiger Schimmer entsteht. Der Baseballschläger zuckt in seiner anderen Hand, und er malt sich aus, wie er ihn schwingt. Er vermisst es, kalkigen Staub zwischen den Handflächen zu reiben und mit dem Baseballschläger auszuholen, und er bebt vor Begierde, ihn in das Auge an der Wand zu rammen. Aber er tut es nicht. Er kann nicht und er darf nicht, und als er hin und her geht, rast das Herz in seiner Brust. Das Durcheinander erfüllt ihn mit ohnmächtiger Wut.

Das Durcheinander existiert, obwohl die Wohnung leer ist. Die Arbeitsfläche in der Küche ist mit Papierservietten, Plastiktellern, Konservendosen und Tüten mit Makkaroni und Spaghetti bedeckt, weil Pogue sich noch nicht die Mühe gemacht hat, die Sachen in dem einzigen Küchenschrank zu verstauen. Ein Topf und eine Bratpfanne sind in einem mit kaltem, fettigem Wasser gefüllten Spülbecken eingeweicht. Auf dem fleckigen blauen Teppich liegen Reisetaschen, Kleidungsstücke, Bücher, Bleistifte und Papier herum. In Pogues Zweitwohnsitz macht sich allmählich der abgestandene Geruch nach seinen Kochkünsten, den Zigarren und seinem muffigen Schweiß breit. Es ist sehr warm hier drin, und er ist nackt.

»Ich glaube, wir sollten nach Mrs. Arnette sehen. Schließlich geht es ihr nicht gut«, sagt er zu seiner Mutter, ohne sie anzuschauen. »Hättest du heute gern Besuch? Ich frage dich lieber vorher. Doch es würde uns beide sicher aufheitern. Ich bin ein bisschen niedergeschlagen, wie ich zugeben muss.« Er denkt an den kleinen Fisch, der entkommen ist, und betrachtet das Durcheinander ringsum. »Besuch wäre da doch genau das Richtige, was meinst du?«

Das wäre schön.

»Ach, wäre es das?« Seine Baritonstimme hebt und senkt sich, als spräche er mit einem Kind oder einem Haustier. »Hättest du gern Besuch? Also gut! Das ist ja fabelhaft!«

Seine nackten Füße tappen über den Teppich. Dann geht er vor einem Pappkarton voller Videobänder, Zigarrenkisten und Umschlägen mit Fotos in die Hocke, die alle seine kleine ordentliche Handschrift tragen. Fast ganz unten im Karton findet er Mrs. Arnettes Zigarrenkiste und den Umschlag mit den Polaroid-Fotos.

»Mutter, Mrs. Arnette ist da, um dich zu besuchen«, sagt er mit einem zufriedenen Seufzer, während er die Zigarrenkiste öffnet und sie auf den Liegestuhl stellt. Er schaut die Fotos durch und greift nach dem, das ihm am besten gefällt. »Du erinnerst dich doch noch an sie, oder? Ihr seid euch schon einmal begegnet. Eine alte Dame, wie sie im Buche steht. Schau, sie hat sogar bläulich getönte Haare.«

Ja, das hat sie wirklich.

»Jadashassiewillich«, ahmt er die schleppende Sprache und das schwerzüngige Lallen nach, mit dem sie sich durch die Wörter kämpft, wenn sie wieder einmal viel zu tief in die Wodkaflasche geschaut hat.

»Gefällt dir ihre neue Schachtel?«, fragt er, während er den Finger in die Zigarrenkiste steckt und ein Wölkchen Staub in die Luft pustet. »Jetzt sei nicht neidisch, aber sie hat abgenommen, seit du sie zuletzt gesehen hast. Ich frage mich, wie sie das bloß anstellt«, neckt er, steckt wieder den Finger hinein und pustet noch mehr Staub in die Luft, damit seine abstoßend fette Mutter es auch sehen kann und neidisch wird. Dann wischt er sich die Finger mit dem weißen Taschentuch ab. »Ich glaube, unsere liebe Freundin Mrs. Arnette sieht wirklich absolut hinreißend aus.«

Er mustert das Foto von Mrs. Arnette, deren Haar das rosige tote Gesicht umgibt wie eine bläuliche Aura. Dass ihr Mund zugenäht ist, weiß er nur deshalb, weil er sich daran erinnert, es selbst getan zu haben. Ansonsten ist sein fachkundiger chirurgischer Eingriff kaum zu erkennen. Ein Außenstehender würde nie vermuten, dass die runde Form ihrer Augen durch die Kappen unter ihren Lidern zustande kommt. Er weiß noch, wie er die Kappen sanft auf die eingesunkenen Augäpfel gelegt und sie mit Vaselineklecksen befestigt hat.

»Und jetzt sei nett und frag Mrs. Arnette, wie sie sich fühlt«, sagt er zu der Keksdose unter dem Liegestuhl. »Sie hatte Krebs. Das hatten so viele von ihnen.«

3

Dr. Joel Marcus begrüßt Scarpetta mit einem steifen Lächeln, und sie schüttelt seine trockene, feingliedrige Hand. Sie schätzt ihn als einen Menschen ein, der ihr Gelegenheit geben könnte, ihn zu verachten. Aber bis auf diese düstere Vorahnung, die sie sofort tief in einem dunklen Winkel ihres Herzens ablegt, fühlt sie nichts.

Vor vier Monaten hat sie von seiner Existenz gehört, und zwar auf dieselbe Weise, wie sie das meiste erfährt, was mit ihrem früheren Leben in Virginia zu tun hat: durch puren Zufall. Sie saß gerade im Flugzeug und las *USA Today*, als ihr eine Meldung auffiel, in der es um Virginia ging. »Gouverneurin ernennt nach langer Suche neuen Chefpathologen …«, stand da. Endlich, nach vielen Jahren ohne einen oder nur mit einem kommissarischen Chefpathologen, hatte Virginia jetzt endlich einen gefunden. Scarpetta war während dieser endlosen, quälenden Suche nicht nach ihrer Meinung gefragt oder um Rat gebeten worden.

Hätte man sie gefragt, dann hätte sie zugegeben, dass sie den Mann nicht kannte. Darauf wäre die diplomatische Andeutung gefolgt, sie sei ihm sicher schon bei einem bundesweiten Kongress begegnet, könne sich aber an den Namen nicht erinnern. Gewiss sei er ein anerkannter forensischer Pathologe, hätte sie weiter erklärt, sonst würde man ihn auch wohl kaum zum Leiter der einflussreichsten gerichtsmedizinischen Behörde in den gesamten Vereinigten Staaten machen.

Doch als sie Dr. Marcus jetzt die Hand schüttelt und ihm in die kleinen kalten Augen blickt, stellt sie fest, dass er ihr absolut fremd ist. Er ist eindeutig weder jemals Mitglied eines bedeutenden Gremiums gewesen, noch hat er bei einem pathologischen, gerichtsmedizinischen oder forensischen Kongress referiert, bei dem sie anwesend war. Ansonsten würde sie sich an ihn erinnern. Namen vergisst sie hin und wieder, aber niemals ein Gesicht.

»Kay, endlich lernen wir uns kennen«, sagt er und beleidigt sie damit wieder, nur dass es diesmal schlimmer ist, weil sie sich persönlich gegenüberstehen.

Was sie am Telefon nur widerstrebend so gedeutet hat, lässt sich nun, als sie ihm in der Vorhalle des Gebäudes namens Biotech II begegnet, wo sie zuletzt als Chefpathologin tätig war, nicht mehr von der Hand weisen. Dr. Marcus ist ein kleiner, magerer Mann mit einem kleinen, mageren Gesicht und einem kleinen, mageren Kranz schmutzig grauer Haare hinten an seinem kleinen Kopf und sieht somit so aus, als hätte die Natur bei ihm am Material gespart. Er trägt eine altmodische schmale Krawatte, eine formlose graue Hose und Mokassins. Unter dem billigen weißen, durchgeknöpften Hemd, das ihm um den dünnen Hals schlottert, ist ein ärmelloses Unterhemd zu sehen. Der Hemdkragen ist schmuddelig und voller aufgerauter Knötchen.

»Gehen wir rein«, sagt er. »Ich fürchte, heute ist hier ziemlich viel los.«

Sie will ihm gerade erklären, dass sie nicht allein ist, als Marino aus der Herrentoilette kommt. Er zieht sich die schwarze Cargohose hoch und hat die LAPD-Kappe tief in die Stirn geschoben. Scarpetta stellt ihn vor und beschränkt sich dabei auf das Nötigste.

»Mr. Marino war früher bei der Polizei von Richmond und ist ein sehr erfahrener Ermittler«, sagt sie, während Dr. Marcus' Miene sich verfinstert.

»Sie haben nicht erwähnt, dass Sie jemanden mitbringen wollten«, erwidert er barsch. Sie befinden sich in Scarpettas ehemaliger geräumiger Vorhalle aus Granit und Glasbausteinen, wo sie sich gerade angemeldet und dann zwanzig Minuten wie bestellt und nicht abgeholt herumgestanden und darauf gewartet hat, dass Dr. Marcus oder irgendjemand sonst sie zur Kenntnis nimmt. »Ich dachte, ich hätte klargestellt, dass es sich um eine äußerst sensible Situation handelt.«

»Hey, machen Sie sich keinen Kopf drüber. Ich bin sehr sensibel«, erwidert Marino laut.

Dr. Marcus tut so, als hätte er ihn nicht gehört, doch innerlich kocht er offenbar. Scarpetta kann förmlich spüren, wie seine Wut die Luft im Raum verdrängt.

»Im Jahrbuch meiner Abschlussklasse hieß es über mich: ›Wird aller Wahrscheinlichkeit nach sehr sensibel werden‹«, fügt Marino nicht weniger laut hinzu. »Hey, Bruce!«, ruft er dann einem uniformierten Wachmann zu, der gerade aus der Asservatenkammer in die Vorhalle tritt. »Wie geht's, wie steht's, Mann? Spielst du immer noch Bowling bei den Pin Heads, diesen Versagern?«

»Habe ich es nicht erwähnt?«, meint Scarpetta. »Das tut mir aber Leid.« Sie hat es wirklich nicht erwähnt, bedauert das allerdings nicht im Geringsten. Wenn sie zu einem Fall hinzugezogen wird, kann sie mitbringen, wen und was sie will.

Bruce, der Wachmann, wirkt überrascht. »Marino! Heiliger Strohsack, bist du es wirklich? Oder ein Geist aus der Vergangenheit?«

»Nein, haben Sie nicht«, antwortet Dr. Marcus Scarpetta. Kurz scheint er aus dem Konzept gebracht, und seine Verunsicherung ist so deutlich wahrnehmbar wie das Flügelschlagen eines aufgeschreckten Vogelschwarms. »Ich weiß nicht, ob ich das gestatten kann. Es liegt keine Genehmigung vor.«

»Mann, na klar bin ich's und kein Geist«, ruft Marino so laut wie möglich.

»Wie lange bleibst du in der Stadt?«

»So lange wie nötig, Mann.«

Es war ein Fehler, und zwar ein schwer wiegender, denkt Scarpetta. Ich hätte doch nach Aspen fahren sollen.

»Komm vorbei, wenn du mal Zeit hast.«

»Klar, Kumpel.«

»Jetzt reicht es«, zischt Dr. Marcus. »Wir sind hier nicht in einer Bar.«

Er trägt einen Generalschlüssel zu seinem Königreich an einer Kordel um den Hals und muss sich bücken, um die Magnetkarte an den Infrarotscanner neben einer Tür aus Milchglas zu halten. Dahinter befindet sich der Gebäudeflügel, in dem die Gerichtsmedizin untergebracht ist. Scarpettas Mund ist trocken. Sie schwitzt unter den Achseln und hat ein hohles Gefühl im Magen, als sie diese Abteilung des modernen Gebäudes betritt, an dessen Planung und Finanzierung sie selbst beteiligt und in das sie kurz vor ihrer Kündigung eingezogen war. Das elegante dunkelblaue Sofa mit passendem Sessel, der Couchtisch aus Holz und das Gemälde an der Wand, das eine ländliche Szene darstellt, sind noch dieselben. Im Empfangsbereich hat sich nichts geändert, nur dass die beiden Maispflanzen und die vielen Malven verschwunden sind. Sie hat sich hingebungsvoll um ihre Pflanzen gekümmert, sie gegossen, die abgestorbenen Blätter entfernt und sie umgestellt, wenn sich die Lichtverhältnisse mit den Jahreszeiten änderten.

»Ich fürchte, Sie können keinen Gast mitbringen«, entscheidet Dr. Marcus, als sie vor einer weiteren verschlossenen Tür stehen. Diese führt in die Verwaltungsbüros und ins Leichenschauhaus, ins Allerheiligste also.

Wieder wirkt seine Magnetkarte als Sesam-öffne-dich, und die Tür springt mit einem Klicken auf. Er tritt zuerst ein und geht schnell weiter. Das Neonlicht spiegelt sich in den Gläsern seiner kleinen Metallbrille. »Ich bin im Stau stecken geblieben und jetzt spät dran. Wir haben ein volles Haus. Acht Fälle«, fährt er fort, wobei er sich nur an Scarpetta wendet, als wäre Marino nicht vorhanden. »Ich muss sofort in eine Mitarbeiterbesprechung. Wahrscheinlich ist es das Beste, Kay, wenn Sie währenddessen einen Kaffee trinken. Es könnte eine Weile dauern. Julie?«, ruft er einer Sekretärin zu, die unsichtbar hinter einer Trennwand sitzt und die Tastatur ihres Computers unter den Fingern klappern lässt wie Kastagnetten. »Wären Sie so nett, unseren Gästen zu zeigen, wo sie einen Kaffee bekommen?« Dann wendet er sich wieder an Scarpetta: »Machen Sie es sich einfach in der Bibliothek gemütlich. Ich kümmere mich um Sie, sobald ich kann.«

Die Höflichkeit unter Kollegen würde zumindest gebieten, eine forensische Pathologin, die auf Besuch ist, bei der Mitarbeitersitzung und im Leichenschauhaus willkommen zu heißen, insbesondere dann, wenn sie dem gerichtsmedizinischen Institut, dem sie einst vorgestanden hat, kostenlos ihre Beraterdienste zur

Verfügung stellt. Dr. Marcus' Verhalten ist ein Schlag ins Gesicht. Er könnte Scarpetta genauso gut gebeten haben, seine Wäsche in die Reinigung zu bringen oder auf dem Parkplatz auf ihn zu warten.

»Ich fürchte, Ihr Gast darf sich nicht hier aufhalten«, stellt er noch einmal klar und blickt sich dabei ungeduldig um. »Julie, und könnten Sie diesen Herrn davor noch zurück in die Vorhalle begleiten?«

»Er ist nicht mein Gast, und er wartet auch nicht in der Vorhalle«, sagt Scarpetta mit ruhiger Stimme.

»Pardon?« Dr. Marcus dreht ihr sein kleines, mageres Gesicht zu.

»Wir sind zusammen hier.«

»Vielleicht verstehen Sie die Situation nicht ganz«, sagt er spitz.

»Mag sein. Also reden wir darüber.« Das ist keine Bitte.

Dr. Marcus zuckt merklich zusammen. »Meinetwegen«, gibt er dann nach. »Setzen wir uns kurz in die Bibliothek.«

»Entschuldigst du uns einen Augenblick?« Sie lächelt Marino zu.

»Kein Problem.« Er geht zu Julies Schreibtisch, greift nach einem Stapel Autopsiefotos und lässt sie durch die Finger gleiten wie Spielkarten. Dann schnippt er ein Foto zwischen Zeigefinger und Daumen hervor wie ein Croupier am Blackjack-Tisch. »Wissen Sie, warum Drogendealer weniger Körperfett haben als, sagen wir mal, Sie oder ich?« Er lässt das Bild auf ihre Tastatur fallen.

Julie, die höchstens fünfundzwanzig und recht attraktiv, aber ein bisschen pummelig ist, starrt auf das Foto eines muskulösen jungen Schwarzen, der so nackt ist wie am Tag seiner Geburt. Mit aufgeklapptem Brustkorb liegt er ausgehöhlt auf einem Autopsietisch; seine Organe sind verschwunden, bis auf ein auffällig großes, vermutlich sein allerwichtigstes, als er sich noch lebendig genug fühlte, um es einzusetzen. »Wie bitte?«, fragt Julie. »Sie wollen mich auf den Arm nehmen, stimmt's?«

»Ich bin so ernsthaft wie ein Herzinfarkt.« Marino zieht einen

Stuhl heran und setzt sich neben sie, und zwar sehr dicht. »Schauen Sie, Schätzchen, der Körperfettanteil steht in direktem Zusammenhang mit dem Gewicht des Gehirns. Denken Sie nur mal an uns beide. Es ist ein ständiger Kampf, richtig?«

»Das können Sie laut sagen. Und Sie glauben wirklich, dass kluge Leute eher dick werden?«

»Das ist eine Tatsache.«

»Und was halten sie von diesen Leuten, die behaupten, man könne essen, was man will, solange es nicht weiß ist.«

»Sie haben's erfasst, Baby, davon halte ich sehr viel. Ich fasse nichts Weißes an, abgesehen von Frauen. Aber wenn ich ein Drogendealer wäre, könnte mir das alles scheißegal sein. Ich würde in mich reinstopfen, worauf ich Lust hätte. Plätzchen, Kuchen, Weißbrot mit Marmelade. Und das läge daran, dass ich kein Hirn hätte, stimmt's? Wissen Sie, die toten Drogendealer sind deshalb tot, weil sie dumm sind. Und deshalb haben sie kein Körperfett und können so viel weißes Zeug essen, wie sie wollen.«

Ihre Stimmen und ihr Gelächter werden leiser, als Scarpetta einem Flur folgt, der ihr so vertraut ist, dass sie sich sogar an das Geräusch des grauen Teppichbodens unter ihren Schuhen erinnert und noch genau weiß, wie sich dieser kleinmaschige Belag anfühlt, den sie bei der Planung des Gebäudeteils selbst ausgesucht hat.

»Sein Benehmen ist wirklich ausgesprochen unpassend«, sagt Dr. Marcus gerade. »An einem Ort wie diesem setze ich etwas mehr Pietät voraus.«

Die Wände wirken abstoßend, und die Norman-Rockwell-Drucke, die Scarpetta selbst gekauft und gerahmt hat, hängen schief. Zwei fehlen. Als sie im Vorbeigehen durch die offenen Türen in die Büros schaut, bemerkt sie schlampig aufgestapelte Akten, Mappen mit Objektträgern und Röhrenmikroskope, die wie große, müde graue Vögel auf überfüllten Schreibtischen kauern. Jeder Anblick und jedes Geräusch strecken sich ihr entgegen wie flehende Hände, und tief in ihrem Innersten spürt sie, was hier verloren gegangen ist. Das schmerzt sie mehr, als sie es je für möglich gehalten hätte.

Nach einer Rechtskurve bleiben sie nicht am Kaffeeautomaten stehen; stattdessen öffnet Dr. Marcus eine massive Holztür, die in die Bibliothek führt. Scarpetta wird von medizinischen Fachbüchern begrüßt, die verlassen auf langen Tischen liegen. Andere Nachschlagewerke stehen windschief wie Betrunkene in den Regalen. Der riesige hufeisenförmige Tisch ist eine Müllkippe, die aus Zeitschriften, Zetteln, schmutzigen Kaffeebechern und sogar einer Schachtel besteht, die einmal Doughnuts enthalten hat. Mit klopfendem Herzen sieht sie sich um. Sie hat diesen großzügig geschnittenen Raum selbst entworfen und war stolz darauf, wie viel Geld sie dabei gespart hat, denn medizinische und wissenschaftliche Fachbücher und eine Bibliothek, um sie aufzubewahren, sind ein ausgesprochen teures Vergnügen und sprengen eigentlich den Rahmen dessen, was der Staat in eine Behörde, deren Kundschaft keine Steuern mehr zahlt, investieren möchte. Scarpettas Aufmerksamkeit bleibt an den Bänden von Greenfields *Neuropathology* und den juristischen Fachzeitschriften hängen, die sie aus ihrer eigenen Sammlung gespendet hat. Die Bände sind nicht in der richtigen Reihenfolge. Einer steht sogar auf dem Kopf. Allmählich wird sie wütend.

Sie blickt Dr. Marcus an. »Ich glaube, wir sollten zuerst ein paar Regeln festlegen«, sagt sie.

»Was meinen Sie damit, Kay? Welche Regeln?«, gibt er mit einem verdatterten Stirnrunzeln zurück, das aufgesetzt und ärgerlich zugleich ist.

Sie findet seine unverhohlene Gönnerhaftigkeit unfassbar. Er erinnert sie an einen Verteidiger, und zwar einen schlechten, der das Gewicht ihres Gutachtens abschwächen will, indem er ihre siebzehn Jahre lange Ausbildung an der Universität unterschlägt und sie im Zeugenstand auf »Ma'am«, »Mrs.«, »Ms.« oder – was das Schlimmste ist – »Kay« reduziert.

»Ich habe das Gefühl, dass es gegen meine Anwesenheit hier gewisse Widerstände gibt …«, beginnt sie.

»Widerstände? Ich fürchte, das verstehe ich nicht ganz.«

»Ich denke schon …«

»Lassen wir die Unterstellungen.«

»Bitte fallen Sie mir nicht ins Wort, Dr. Marcus. Ich bin freiwillig hier.« Als sie den zugemüllten Tisch und die lieblos behandelten Bücher betrachtet, fragt sie sich, ob er mit seinen eigenen Besitztümern auch so nachlässig umgeht. »Was in Gottes Namen ist denn hier passiert?«

Er schweigt einen Moment, als bräuchte er Zeit, um zu begreifen, was sie meint. »Die Medizinstudenten von heute«, erwidert er dann gleichmütig. »Wahrscheinlich hat ihnen nie jemand beigebracht, hinter sich aufzuräumen.«

»Haben die sich in fünf Jahren wirklich so verändert?«, fragt sie spöttisch.

»Vielleicht missdeuten Sie mein Verhalten«, wechselt er jetzt in denselben einschmeichelnden Tonfall wie gestern am Telefon. »Zugegeben, ich habe ziemlich viel um die Ohren, aber ich freue mich trotzdem sehr, dass Sie hier sind.«

»Sie wirken aber nicht sehr erfreut.« Sie fixiert ihn mit Blicken, während er standhaft an ihr vorbeischaut. »Zunächst möchte ich Folgendes klarstellen: Nicht *ich* habe Sie angerufen, sondern Sie mich. Warum?« Das hätte ich eigentlich schon gestern fragen sollen, denkt sie sich.

»Ich habe geglaubt, ich hätte mich klar ausgedrückt, Kay. Sie sind eine sehr angesehene forensische Pathologin und genießen als Beraterin einen guten Ruf.« Es klingt wie eine abgedroschene Empfehlung für jemanden, den er insgeheim eigentlich nicht ausstehen kann.

»Wir kennen uns nicht. Wir sind uns nie begegnet. Und es fällt mir schwer zu glauben, dass Sie mich angerufen haben, weil ich anerkannt bin und einen guten Ruf habe.« Sie hat die Arme verschränkt und ist froh, dass sie einen streng wirkenden dunklen Hosenanzug trägt. »Ich mag solche Spielchen nicht, Dr. Marcus.«

»Und ich habe ganz gewiss keine Zeit dafür.« Jede Spur von geheuchelter Herzlichkeit ist auf einmal wie weggeblasen, und engstirnige Verbissenheit blitzt auf wie eine scharfe Klinge.

»Hat man Sie angewiesen, mich anzurufen?« Sie wittert Politik.

Er schaut zur Tür, ein Wink mit dem Zaunpfahl, dass er ein beschäftigter und wichtiger Mann ist, auf den acht Fälle und eine Mitarbeitersitzung warten. Vielleicht befürchtet er auch, jemand könnte sie belauschen. »Das bringt uns nicht weiter«, sagt er. »Ich halte es für das Beste, dieses Gespräch zu beenden.«

»Gut.« Sie greift nach ihrem Aktenkoffer. »Ich habe nicht die geringste Lust, mich wie eine Schachfigur herumschieben zu lassen. Und auch nicht, den halben Tag lang in irgendeinem Hinterzimmer Kaffee zu trinken. Für jemanden, die nicht offen mit mir ist, kann ich nicht arbeiten. Und meine Regel Nummer eins lautet, Dr. Marcus, dass Offenheit die Grundvoraussetzung darstellt, wenn man mich um Hilfe bittet.«

»Meinetwegen. Wenn Sie Offenheit wollen, bitte sehr.« Sein herrischer Tonfall kann seine Furcht nicht verbergen. Er will nicht, dass sie geht. Eindeutig nicht. »Offen gesagt war es nicht meine Idee, Sie hinzuzuziehen. Offen gesagt wollte der Gesundheitsminister eine Meinung von außen hören und ist irgendwie auf Sie gekommen«, erklärt er, als sei ihr Name aus einem Hut gezogen worden.

»Dann hätte er mich selbst anrufen sollen«, erwidert sie. »Das wäre aufrichtiger gewesen.«

»Ich habe ihm angeboten, das zu übernehmen. Offen gesagt wollte ich nicht, dass Sie sich unter Druck gesetzt fühlen«, entgegnet er, und je öfter er die Phrase »offen gesagt« in den Mund nimmt, desto weniger glaubt sie ihm. »Es geht um Folgendes: Dr. Fielding konnte weder Todesursache noch Todesart Gilly Paulssons feststellen, und deshalb hat sich der Vater des Mädchens an den Gesundheitsminister gewandt.«

Sie zuckt zusammen, als Dr. Fieldings Name fällt. Sie wusste nicht, ob er noch hier arbeitet, und hat auch nicht danach gefragt.

»Und wie ich schon sagte, hat der Gesundheitsminister daraufhin mich angerufen. Er sagte, er wolle eine Untersuchung mit allen Schikanen. Das waren seine Worte.«

Der Vater muss ziemlich großen Einfluss haben, denkt Scarpetta. Anrufe von aufgebrachten Familienangehörigen sind keine Seltenheit, führen jedoch kaum jemals dazu, dass ein hochrangiges Regierungsmitglied die Hinzuziehung eines Experten von außen verlangt.

»Kay, ich kann verstehen, wie unangenehm das alles für Sie sein muss«, sagt Dr. Marcus. »Auch ich wäre nicht gern in Ihrer Situation.«

»In welcher Situation bin ich Ihrer Meinung nach, Dr. Marcus?«

»Es ist nie einfach, zurückzukommen. Sie haben Mut. Das muss ich Ihnen lassen. Ich glaube, ich wäre nicht so großzügig gewesen, wenn ich mich von meinem früheren Arbeitgeber ungerecht behandelt gefühlt hätte. Also kann ich gut verstehen, dass Sie so empfinden.«

»Es geht nicht um mich«, erwidert sie. »Sondern um eine tote Vierzehnjährige. Und um Ihre Behörde – ja, eine Behörde, die mir gut vertraut ist, aber …«

Er fällt ihr ins Wort. »Sie haben eine sehr abgeklärte Haltung …«

»Lassen Sie mich das Offensichtliche feststellen«, unterbricht sie ihn. »Wenn ein Kind stirbt, schreibt ein Bundesgesetz vor, dass dieser Todesfall eingehend untersucht wird, um nicht nur Ursache und Art des Todes zu ermitteln, sondern auch, ob der Fall im Zusammenhang mit anderen, ähnlich gelagerten Ereignissen steht. Sollte sich herausstellen, dass Gilly Paulsson ermordet wurde, wird man jeden Winkel Ihrer Behörde gründlich unter die Lupe nehmen und sämtliche Details ans Licht der Öffentlichkeit zerren. Außerdem wäre ich Ihnen sehr verbunden, wenn Sie mich in Gegenwart Ihrer Mitarbeiter und Kollegen nicht Kay nennen würden. Eigentlich wäre es mir das Liebste, wenn Sie das überhaupt ließen.«

»Vermutlich möchte der Gesundheitsminister Schadensbegrenzung betreiben«, sagt Dr. Marcus, als wäre ihre Bitte, sie nicht Kay zu nennen, nie ausgesprochen worden.

»Ich bin nicht bereit, mich an einer wie auch immer gearteten Show für die Medien zu beteiligen«, stellt sie klar. »Als Sie gestern anriefen, war ich damit einverstanden, zu tun, was ich kann, um herauszufinden, was Gilly Paulsson zugestoßen ist. Und das ist unmöglich, wenn Sie nicht absolut offen zu mir und den Menschen sind, die ich zu meiner Unterstützung mitbringe. Und in diesem Fall ist das Pete Marino.«

»Offen gesagt dachte ich nicht, dass Sie große Lust haben, einer Mitarbeitersitzung beizuwohnen.« Wieder schaut er auf die Uhr, eine alte Armbanduhr mit einem schmalen Lederarmband. »Aber wie Sie wollen. Bei uns gibt es keine Geheimnisse. Später gehe ich mit Ihnen den Fall Paulsson durch. Wenn Sie möchten, können Sie sie noch einmal obduzieren.«

Als er Scarpetta die Tür der Bibliothek aufhält, starrt sie ihn ungläubig an.

»Ihre Leiche wurde noch nicht an die Familie freigegeben, obwohl sie schon zwei Wochen tot ist?«, fragt sie.

»Angeblich stehen sie zu sehr unter Schock, um die nötigen Schritte einzuleiten«, erwidert er. »Vielleicht hoffen sie auch einfach, dass wir die Beerdigung bezahlen.«

4

Im Konferenzraum der Gerichtsmedizin zieht sich Scarpetta einen Stuhl am Fußende des Tisches heran.

Marino holt sich einen Stuhl, der an der Wand steht, und platziert ihn neben ihrem. Er beugt sich zu ihr hinüber. »Die Mitarbeiter hassen ihn wie die Pest«, flüstert er.

Sie antwortet nicht und nimmt an, dass Julie, die Sekretärin, die Quelle für diese Information ist. Dann kritzelt er etwas auf einen Block und schiebt ihn ihr hin. »FBI eingeschaltet«, liest sie.

Offenbar hat Marino herumtelefoniert, während Scarpetta mit Dr. Marcus in der Bibliothek war. Sie ist verblüfft, denn Gilly Paulssons Tod fällt eigentlich nicht unter den Zuständigkeitsbereich des FBI. Im Augenblick wird noch nicht einmal von einem Verbrechen ausgegangen, da weder eine Todesursache noch eine Todesart bekannt ist. Als sie den Notizblock dezent zu Marino zurückschiebt, spürt sie, dass Dr. Marcus sie beide beobachtet. Kurz fühlt sie sich wie in ihrer Schulzeit, als sie heimlich Zettel weitergereicht hat und dafür von den Nonnen zurechtgewiesen wurde. Marino wagt es tatsächlich, eine Zigarette herauszuholen und damit auf den Notizblock zu klopfen.

»Ich fürchte, in diesem Gebäude ist das Rauchen verboten«, durchschneidet Dr. Marcus' befehlsgewohnte Stimme die Stille.

»Und das ist auch gut so«, gibt Marino zurück. »Passivrauchen kann nämlich tödlich sein.«

Aus Dr. Marcus' Mitarbeiterstab kennt Scarpetta niemanden – mit Ausnahme seines Stellvertreters Jack Fielding, der ihrem Blick bis jetzt ausgewichen ist und seit ihrer letzten Begegnung offenbar eine Hautkrankheit bekommen hat. Fünf Jahre sind vergangen, denkt sie, und sie kann kaum fassen, was aus ihrem eitlen, Bodybuilding treibenden ehemaligen Kollegen geworden ist. Fielding war nie sehr begabt in Verwaltungsdingen und auch nicht unbedingt für hochfliegende medizinische Theorien bekannt, doch er hat sich in den zehn Jahren, die er für sie gearbeitet hat, stets loyal, respektvoll und aufmerksam gezeigt. Nie hat er versucht, ihre Autorität zu untergraben oder ihren Platz einzunehmen. Allerdings ist er auch nicht für sie in die Bresche gesprungen, als Mächte, die skrupelloser waren als er, erfolgreich beschlossen haben, sie loszuwerden.

Fielding hat den Großteil seiner Haarpracht verloren, und sein früher attraktives Gesicht ist heute fleckig und verquollen. Seine Augen tränen. Er schnieft ständig. Drogen würde er niemals anrühren, da ist sich Scarpetta ganz sicher, aber er sieht aus wie ein Trinker. Sie bezweifelt, dass er eine Erkältung, die Grippe oder eine sonstige ansteckende Krankheit hat. Vielleicht ist es ja ein Kater. Womöglich leidet er an einer Histamin-Reaktion auf irgendetwas. Scarpetta entdeckt einen rot entzündeten Ausschlag oben im V-Ausschnitt seines OP-Anzugs, und ihr Blick gleitet die weißen Ärmel seines offenen Labormantels und die Konturen seiner Arme entlang bis zu den wunden, schuppigen Händen. Fielding hat beträchtlich an Muskelmasse verloren. Er ist beinahe abgemagert und scheint an einer oder mehreren Allergien zu leiden. Unselbständige Menschen neigen dazu, Allergien, Krankheiten und Probleme mit der Haut zu entwickeln, und Fielding geht es gesundheitlich offensichtlich ganz und gar nicht gut. Aber vielleicht soll das ja auch so sein, denn wenn es ihm ohne sie gut ginge, würde das bedeuten, dass der Bundesstaat Virginia und die Menschheit im Allgemeinen aufatmen konnten, als man sie vor einem halben Jahrzehnt aus dem Amt gejagt hat. Doch im nächsten Moment zieht sich das kleine, gemeine Ungeheuer in Scarpetta, das sich an Fieldings Leiden ergötzt, schon wieder in sein dunkles Loch zurück, und sie wird von Bestürzung und Sorge ergriffen. Wieder sieht sie ihn an, aber er weigert sich, Blickkontakt zu ihr aufzunehmen.

»Hoffentlich haben wir vor meiner Abreise Gelegenheit, ein wenig zu plaudern«, sagt sie von ihrem grün gepolsterten Stuhl am Fußende des Tisches aus, als wäre sonst niemand im Raum, nur Fielding und sie. Ganz wie früher, als sie hier Chefin gewesen ist und ein solches Ansehen genoss, dass sie ab und zu von naiven Medizinstudenten und frisch gebackenen Polizisten um ein Autogramm gebeten wurde.

Wieder spürt sie, wie Dr. Marcus sie beobachtet, und zwar so deutlich, als wären seine Blicke Nadeln, die sich in ihre Haut bohren. Er trägt weder Labormantel noch einen Arztkittel, was sie nicht überrascht. Wie die meisten gleichgültigen Chefpathologen, die schon vor Jahren ihren Beruf an den Nagel hätten hängen sollen, da sie ihn vermutlich ohnehin nie geliebt haben, gehört er offensichtlich zu den Leuten, die niemals eine Autopsie selbst durchführen würden, solange sich ein anderer dafür findet.

»Fangen wir an«, verkündet er. »Ich fürchte, wir haben heute Morgen ein volles Haus. Außerdem haben wir Gäste – Dr. Scarpetta und Captain Marino … Oder war es Lieutenant? Arbeiten Sie jetzt in Los Angeles?«

»Kommt ganz drauf an«, erwidert Marino. Seine Augen werden vom Schirm der Baseballkappe verdeckt, und er fingert an seiner nicht angezündeten Zigarette herum.

»Tut mir Leid, aber soweit ich mich erinnere, hat Dr. Scarpetta nicht erwähnt, dass sie Sie mitbringen wollte.« Auch Scarpetta bekommt ihren öffentlichen Dämpfer.

Anscheinend hat er vor, seine Seitenhiebe ab jetzt in Gegenwart von Publikum auszuteilen. Er wird sie dafür büßen lassen, dass sie ihn in seiner schlampigen Bibliothek zur Rede gestellt hat. Dann denkt sie an Marinos Telefonate. Vielleicht hat einer seiner Gesprächspartner Dr. Marcus ja gewarnt.

»Oh, aber natürlich.« Plötzlich fällt es ihm wieder ein. »Sie hat gesagt, dass Sie beide zusammenarbeiten, richtig?«

»Ja«, bestätigt Scarpetta vom Fuß des Tisches aus.

»Also, wir sprechen nur rasch die Fälle durch«, teilt er ihr mit. »Wenn Sie und … äh … Mr. Marino, wenn Sie beide also einen Kaffee trinken wollen. Oder eine Zigarette rauchen, solange das draußen geschieht. Sie sind bei unserer Mitarbeiterbesprechung gern willkommen, aber Sie müssen nicht bleiben.«

Scarpetta erkennt die Warnung, die in seinem Tonfall mitschwingt. Wenn sie sich weiter aufdrängt, wird sie sich eine Art von Aufmerksamkeit gefallen lassen müssen, die bestimmt nicht angenehm sein wird. Dr. Marcus ist Politiker, allerdings kein guter. Offenbar haben die Mächtigen ihn bei seiner Ernennung als willfähig und harmlos eingestuft, also als das genaue Gegenteil von ihr. Allerdings kann es durchaus sein, dass sie sich geirrt haben.

Er wendet sich zu der Frau, die gleich rechts neben ihm sitzt. Sie ist groß und grobknochig, hat ein Pferdegesicht und kurz geschorenes graues Haar. Offenbar ist sie für die Verwaltungsarbeit zuständig, und er fordert sie mit einem Nicken auf anzufangen.

»Okay«, beginnt sie, und alle betrachten die gelben Fotokopien der heutigen Abweisungen, Leichenschauen und Autopsien. »Dr. Ramie, Sie hatten letzte Nacht Bereitschaft?«, fragt sie.

»Allerdings. In der besten Jahreszeit«, erwidert die Angesprochene.

Niemand lacht. Eine düstere Stimmung hängt wie ein Leichentuch über dem Konferenzraum. Und sie hat nichts mit den Patienten am Ende des Flurs zu tun, die auf die letzte und invasivste Untersuchung warten, die je ein irdischer Arzt an ihnen vornehmen wird.

»Als Erstes haben wir Sissy Shirley, eine zweiundneunzigjährige Schwarze aus Hanover County, herzkrank, tot im Bett aufgefunden«, sagt Dr. Ramie mit einem Blick in ihre Notizen. »Sie lebte in einer Einrichtung für betreutes Wohnen und war ein bemerkenswerter Anblick. Ich habe die Leichenschau bereits durchgeführt. Dann hätten wir noch Benjamin Franklin – der heißt wirklich so. Neunundachtzigjähriger Schwarzer, ebenfalls tot im Bett aufgefunden, herzkrank und Nervenversagen …«

»Was?«, unterbricht Dr. Marcus. »Was zum Teufel ist Nervenversagen?«

Einige Anwesende lachen, und Dr. Ramies Gesicht wird rot. Sie ist eine übergewichtige, unscheinbare junge Frau, deren Gesicht nun leuchtet wie ein voll aufgedrehter Halogenstrahler.

»Ich glaube nicht, dass Nervenversagen eine anerkannte Todesursache ist«, weidet sich Dr. Marcus an der Scham seiner Mitarbeiterin. Er ist wie ein Schauspieler, der sich vor einem gebannten Publikum produziert. »Bitte sagen Sie jetzt nicht, wir hätten einen armen Teufel in unsere Klinik gebracht, weil er angeblich an Nervenversagen gestorben ist.«

Seine Scherze sind nicht freundlich gemeint. Kliniken sind für die Lebenden. Mit wenigen Worten hat er es geschafft, die Wirklichkeit der Menschen am Ende des Flurs zu leugnen und sich darüber lustig zu machen. Menschen, die kläglich, kalt und steif in Leichensäcken aus Vinyl, Kunstpelz-Beuteln aus dem Bestattungsinstitut oder nackt auf harten Bahren sowie Stahltischen liegen und dort auf das Skalpell und die Stryker-Säge warten.

»Tut mir Leid«, sagt Dr. Ramie mit glühend roten Wangen. »Ich habe mich verlesen. Hier steht Nierenversagen. Manchmal kann ich meine eigene Handschrift nicht mehr entziffern.«

Dr. Marcus' Blick ist kalt und undurchdringlich.

Monoton fährt Dr. Ramie fort: »An Mr. Franklin musste ebenfalls eine Leichenschau durchgeführt werden. Das habe ich bereits erledigt. Dann hätten wir da noch Finky ... äh ... Finder ...«

»Finky Finder? Ist das der richtige Name?« Dr. Marcus' Stimme unterbricht sie in schneidendem Ton.

Bei Dr. Ramies Anblick befürchtet Scarpetta, die arme Frau könnte in Tränen ausbrechen und aus dem Raum laufen. »Ich habe den Namen vorgelesen, der mir genannt wurde«, entgegnet sie förmlich. »Zweiundzwanzigjährige Schwarze, tot auf der Toilette, Nadel noch im Arm. Vermutlich eine Überdosis Heroin. Das ist der zweite Fall in vier Tagen in Spotsylvania. Und das hier habe ich eben erhalten.« Umständlich zieht sie eine Telefonnotiz hervor. »Unmittelbar vor der Mitarbeitersitzung haben wir einen Anruf wegen eines zweiundvierzigjährigen Weißen namens Theodore Whitby bekommen. Verletzt beim Arbeiten mit einem Traktor.«

Dr. Marcus' Augen blinzeln hinter der kleinen Metallbrille. Die Mienen der Anwesenden sind ausdruckslos. Lass es, sagt Scarpetta lautlos zu Marino. Aber er tut es trotzdem.

»Verletzt?«, fragt er. »Lebt er denn noch?«

»Den Anruf«, stammelt Dr. Ramie, »habe ich nicht selbst entgegengenommen. Nicht persönlich. Dr. Fielding ...:«

»Nein, ich auch nicht«, fällt Fielding ihr ins Wort wie ein zuschnappendes Pistolenschloss.

»Sie auch nicht? Oh, dann war es Dr. Martin. Die Notiz ist von ihm«, fährt Dr. Ramie fort, den hochroten Kopf verlegen über die Telefonnotiz gebeugt. »Niemand scheint genau zu wissen, was passiert ist, aber er saß angeblich auf dem Traktor oder stand daneben. Und im nächsten Moment sahen seine Kollegen ihn schwer verletzt auf dem Boden liegen. Gegen halb neun heute Morgen, also vor einer knappen Stunde. Offenbar hat er sich selbst überfahren, ist runtergefallen oder so, und der Traktor ist über ihn hinweggerollt. Als der Rettungswagen eintraf, war er schon tot.«

»Oh. Er hat sich also umgebracht. Ein Selbstmord«, schlussfolgert Marino und dreht langsam seine Zigarette zwischen den Fingern.

»Eine Ironie des Schicksal, dass es bei dem alten Gebäude an der Nine North Fourteenth Street passiert ist, das gerade abgerissen wird«, fügt Dr. Ramie hinzu.

Scarpetta erinnert sich an den Mann in olivgrüner Hose und dunkler Jacke, der am Heck des Traktors unweit des Rolltors stand. Zu diesem Zeitpunkt lebte er noch. Er sollte sich nicht so dicht am Reifen aufhalten, während er sich am Motor zu schaffen macht, hat sie vorhin noch gedacht. Und jetzt ist er tot.

»Er ist ein Fall für eine Leichenöffnung«, sagt Dr. Ramie, die ihre Fassung und ihre Autorität wenigstens teilweise wiedergewonnen hat.

Scarpetta erinnert sich daran, wie sie in ihrem Leihwagen um die Ecke gebogen und um das alte Gebäude herumgefahren ist und wie der Mann und sein Traktor danach aus ihrem Blickfeld verschwanden. Offenbar hat er den Traktor wenig später wieder zum Laufen gebracht und ist dann gestorben.

»Dr. Fielding, ich schlage vor, Sie übernehmen den Traktortod«, meint Dr. Marcus. »Vergewissern Sie sich, dass er keinen Herzinfarkt oder einen anderen Anfall hatte, bevor er überfahren wurde. Die Auflistung seiner Verletzungen wird umfangreich sein und viel Zeit in Anspruch nehmen. Ich brauche Sie nicht daran zu erinnern, wie gründlich wir in solchen Fällen vorgehen müssen. Ein makaberer Tod.« Er sieht Scarpetta an. »Es war ein bisschen vor meiner Zeit, aber Sie haben doch früher in dem Gebäude in der Nine North Fourteenth Street gearbeitet.«

»Richtig«, erwidert sie. Der Geist der Vergangenheit. Sie hat das Bild von Mr. Whitby in Schwarz und Olivgrün vor Augen, den sie aus der Ferne gesehen hat und der jetzt auch ein Geist ist. »In diesem Gebäude habe ich angefangen. Ein bisschen vor Ihrer Zeit«, sagt sie. »Dann bin ich hierher umgezogen.« Sie will ihm klar machen, dass sie auch in diesem Gebäude tätig war. Im nächsten Moment fühlt sie sich deshalb ein wenig albern, weil diese Tatsache schließlich allgemein bekannt ist.

Dr. Ramie trägt weiter ihre Fälle vor: ein Tod im Gefängnis ohne verdächtige Begleitumstände, doch dem Gesetz nach muss jeder, der im Gefängnis stirbt, in die Gerichtsmedizin. Ein Mann wurde tot auf einem Parkplatz gefunden, vermutlich erfroren. Eine Frau, die an Diabetes litt, ist beim Aussteigen aus dem Auto aus heiterem Himmel tot umgefallen. Ein plötzlicher Kindstod. Und ein Neunzehnjähriger, der tot mitten auf der Straße lag, möglicherweise aus einem fahrenden Auto erschossen.

»Ich habe einen Gerichtstermin in Chesterfield«, beendet Dr. Ramie ihre Ausführungen. »Jemand muss mich hinfahren. Mein Auto ist schon wieder in der Werkstatt.«

»Ich bringe Sie hin«, erbietet Marino an und zwinkert ihr zu.

Sie macht ein entsetztes Gesicht.

Alle wollen aufstehen, aber Dr. Marcus hält sie zurück. »Bevor Sie gehen«, sagt er, »möchte ich Sie um Ihre Hilfe bitten. Wahrscheinlich können Sie auch ein bisschen Hirngymnastik gebrauchen. Wie Sie wissen, veranstaltet das Institut einen weiteren Lehrgang zum Thema Ermittlung von Todesursachen, und wie immer hat man mich gebeten, einen Vortrag über die Gerichtsmedizin zu halten. Ich habe mir gedacht, ich probiere in dieser Runde einmal ein paar Testfälle aus, da wir heute schließlich eine Expertin in unserer Mitte haben.«

Dreckskerl, denkt Scarpetta. So wird ihre Zusammenarbeit also aussehen. Das Gespräch in der Bibliothek hat überhaupt nichts geändert.

Er hält inne und lässt seinen Blick über den Tisch schweifen. »Eine zwanzigjährige Weiße«, beginnt er, »ist in der siebten Woche schwanger. Ihr Freund tritt sie in den Bauch. Sie ruft die Polizei und wird ins Krankenhaus eingeliefert. Einige Stunden später stößt sie den Fötus und die Placenta ab. Die Polizei verständigt mich. Was tue ich?«

Niemand antwortet. Offensichtlich sind Dr. Marcus' Mitarbeiter keine Denksportaufgaben gewohnt, denn sie starren ihn einfach nur an.

»Kommen Sie«, drängt er mit einem Lächeln. »Sagen wir mal, ich hätte gerade so einen Anruf erhalten, Dr. Ramie.«

»Sir?« Wieder errötet sie.

»Los, erklären Sie mir, wie ich mich verhalten soll, Dr. Ramie.«

»So wie bei einem Tod auf dem Operationstisch?«, mutmaßt sie, als hätte eine außerirdische Macht sie soeben ihrer jahrelangen medizinischen Ausbildung beraubt.

»Sonst noch jemand?«, fragt Dr. Marcus. »Dr. Scarpetta?« Er spricht ihren Namen betont langsam aus, als wolle er hervorheben, dass er sie nicht mehr Kay nennt. »Hatten Sie je so einen Fall?«

»Leider ja«, antwortet sie.

»Dann verraten Sie uns doch bitte, wie er juristisch aussieht«, fordert er sie scheinbar freundlich auf.

»Eine Schwangere zu verprügeln ist ganz eindeutig eine Straftat«, erwidert sie. »Und deshalb würde ich auf dem Formular CME-1 den Tod dieses Fötus als Tötungsdelikt bezeichnen.«

»Interessant.« Dr. Marcus sieht sich am Tisch um und feuert dann den nächsten Schuss auf sie ab. »In Ihrem Anfangsbericht würde also Tötungsdelikt stehen. Wäre das nicht ein wenig kühn? Schließlich ist es Aufgabe der Polizei und nicht unsere, festzustellen, ob Vorsatz vorliegt.«

Hinterhältiger Mistkerl, denkt sie. »Dem Gesetz nach ist es unsere Aufgabe, Ursache und Art des Todes zu bestimmen«, entgegnet sie. »Wie Sie sich möglicherweise erinnern, wurde dieser Paragraph in den späten Neunzigern geändert, nachdem ein Mann einer Frau in den Bauch geschossen hatte. Sie überlebte, aber ihr ungeborenes Kind starb. In dem Szenario, das Sie uns eben geschildert haben, Dr. Marcus, würde ich vorschlagen, dass Sie den Fötus herbringen lassen. Obduzieren Sie ihn, und geben Sie ihm eine Fallnummer. Auf dem Totenschein mit dem gelben Rand gibt es keine Zeile für Todesart, weshalb Sie unter die Rubrik Todesursache eintragen müssen: Tod des Fötus im Mutterleib in Folge eines Übergriffs auf die Mutter. Sie müssen einen Totenschein mit gelbem Rand nehmen, da der Fötus ja nicht geboren wurde. Heften Sie der Fallakte eine Kopie bei, da der Totenschein in einem Jahr, wenn das Amt für Statistik seine Daten komplettiert hat, nicht mehr existieren wird.«

»Und was machen wir mit dem Fötus?«, fragt Dr. Marcus, nun nicht mehr so freundlich.

»Das hängt von der Familie ab.«

»Er ist nicht einmal zehn Zentimeter groß. Das reicht nicht für eine Beerdigung.«

»Dann legen Sie ihn in Formalin ein. Geben Sie ihn der Familie, und lassen Sie sie selbst entscheiden.«

»Und ich soll es als Tötungsdelikt bezeichnen«, sagt er kühl.

»So will es das neue Gesetz«, erinnert sie ihn. »In Virginia ist ein Angriff in der Absicht, Familienmitglieder, ob nun geboren oder nicht, zu töten, ein Kapitalverbrechen. Selbst wenn Sie den Vorsatz nicht nachweisen können und die Anklage schließlich auf Körperverletzung zum Schaden der Mutter lautet, steht darauf dieselbe Strafe wie auf Mord. Beim Weg durch die Instanzen wird dann irgendwann Totschlag oder Ähnliches daraus. Der springende Punkt ist, dass kein Vorsatz vorliegen muss. Der Fötus muss nicht einmal lebensfähig gewesen sein. Es hat in jedem Fall ein Gewaltverbrechen stattgefunden.«

»Irgendwelche Einwände?«, fragt Dr. Marcus seine Mitarbeiter. »Keine Anmerkungen?«

Niemand antwortet, nicht einmal Fielding.

»Dann versuchen wir es mit einem anderen Fall«, verkündet Dr. Marcus mit einem verkniffenen Lächeln.

Nur zu, denkt Scarpetta. Mach schon, du mieser Hund.

»Ein junger Mann liegt in einem Hospiz«, beginnt Dr. Marcus. »Er wird an AIDS sterben und bittet den Arzt, den Stecker zu ziehen. Als dieser die lebenserhaltenden Maschinen abschaltet, stirbt der Patient. Ist das ein Fall für die Gerichtsmedizin oder nicht? Handelt es sich um ein Tötungsdelikt? Warum fragen wir nicht wieder unsere Gastexpertin? Hat der Arzt ein Tötungsdelikt begangen?«

»Es ist ein natürlicher Tod, solange der Arzt dem Patienten keine Kugel in den Kopf jagt«, erwidert Scarpetta.

»Aha. Dann sind Sie also eine Befürworterin der Euthanasie.«

»Zustimmung im Vollbesitz der geistigen Kräfte ist ein sehr schwammiger Begriff.« Sie geht nicht auf seine alberne Anschuldigung ein. »Häufig leidet der Patient an Depressionen, und jemand in diesem Zustand kann keine Entscheidung im Vollbesitz seiner geistigen Kräfte fällen. Es ist eher eine gesellschaftliche Frage.«

»Darf ich Ihre Ausführungen erläutern?«, sagt Dr. Marcus.

»Ich bitte darum.«

»Da liegt also ein Mann im Hospiz und meint: ›Ich glaube, ich möchte heute sterben.‹ Soll sein Hausarzt dieser Bitte entsprechen?«

»Tatsache ist, dass ein Patient in einem Hospiz bereits über diese Möglichkeit verfügt. Er kann beschließen zu sterben«, erwidert sie. »Er kann Morphium gegen die Schmerzen bekommen, wann immer er das wünscht, also bittet er einfach um mehr, schläft ein und stirbt an einer Überdosis. Er kann ein Armband mit der Aufschrift ›Nicht wiederbeleben‹ tragen. Dann müssen die Sanitäter ihn auch nicht zurückholen. Und so stirbt er, wahrscheinlich, ohne dass das für jemanden Konsequenzen hat.«

»Aber hätte es das nicht in unserem Fall?«, beharrt Dr. Marcus. Sein mageres Gesicht ist starr vor Wut, als er sie finster anblickt.

»Menschen liegen in Hospizen, weil sie ohne Schmerzen leben und in Frieden sterben wollen«, antwortet sie. »Menschen, die im Vollbesitz ihrer geistigen Kräfte beschließen, das bereits oben erwähnte Armband zu tragen, wollen im Grunde genommen dasselbe. Eine Überdosis Morphium, das Abschalten lebenserhaltender Maschinen in einem Hospiz, ein Mensch, der ein Armband trägt und nicht wiederbelebt wird. Das sind nicht unsere Themen. Falls man Sie je zu so einem Fall hinzuzieht, Dr. Marcus, hoffe ich, dass Sie ablehnen.«

»Irgendwelche Anmerkungen?«, fragt Dr. Marcus spitz, sucht seine Akten zusammen und schickt sich an zu gehen.

»Ja«, sagt Marino laut. »Haben Sie schon mal daran gedacht, als Moderator bei einer Quizsendung anzufangen?«

5

Benton Wesley geht in seinem Vier-Zimmer-Stadthaus im Aspen Club von Fenster zu Fenster. Der Empfang seines Mobiltelefons ist mal gut und mal weniger gut, sodass Marinos Stimme manchmal deutlich und dann wieder verzerrt klingt.

»Was? Tut mir Leid, das musst du nochmal wiederholen.« Benton geht drei Schritte zurück und bleibt stehen.

»Ich habe gesagt, das ist noch nicht mal die Hälfte. Es sieht viel schlimmer aus, als du gedacht hast.« Marinos Stimme ist jetzt ohne Störung zu verstehen. »Offenbar hat er sie nur gerufen, um sie vor versammelter Mannschaft fertig zu machen. Oder um es zumindest zu versuchen. Mit Betonung auf *versuchen.*«

Benton starrt aus dem Fenster in den Schnee, der sich in den Astgabeln der Bäume sammelt und auf den gedrungenen Nadeln der schwarzen Fichte liegt. Zum ersten Mal seit Tagen ist der Morgen sonnig und klar, und die Elstern tollen von Ast zu Ast, landen flatternd und stieben dann, kleine weiße Schneewölkchen aufwirbelnd, davon. Ein Teil von Bentons Verstand nimmt diese Vorgänge wahr und versucht, hinter die Gründe zu kommen. Vielleicht lassen sich die gymnastischen Übungen dieser langschwänzigen Vögel ja biologisch erklären. Allerdings spielt das keine Rolle. Seine Grübeleien sind so vorherbestimmt wie das Verhalten der Fauna und so unablässig wie das Gleiten der Seilbahnkabinen bergauf und bergab.

»Versuchen, ja.« Benton schmunzelt ein wenig, als er es sich vorstellt. »Aber du darfst nicht vergessen, dass er sie nicht aus freien Stücken eingeladen hat. Es war eine Anweisung von oben. Der Gesundheitsminister steckt dahinter.«

»Und woher weißt du das?«

»Es hat mich ein Telefonat gekostet, nachdem sie mir erzählt hatte, dass sie hinfährt.«

»Wirklich ein Jammer wegen Asp…« Marinos Stimme bricht ab.

Benton geht zum nächsten Fenster. Hinter ihm im Kamin knistern die Flammen und knackt das Holz. Er starrt weiter durch die vom Boden bis zur Decke reichenden Scheiben. Sein Blick ist auf das Steinhaus gegenüber gerichtet, als sich dort die Eingangstür öffnet. Ein Mann und ein Junge, dem Wetter entsprechend gekleidet, kommen aus dem Haus; der Atem steht ihnen wie eine Dampfwolke vor dem Mund.

»Inzwischen weiß sie, dass sie benutzt wird«, sagt Benton. Er kennt Scarpetta so gut, dass seine Vorhersagen in den meisten Fällen zutreffen. »Leider steckt jedoch noch mehr dahinter, viel mehr. Kannst du mich verstehen?«

Er sieht zu, wie der Mann und der Junge Ski und Stöcke schultern und, unbeholfen in ihren halb offenen Skistiefeln, davontrotten.

»Hm?« Marino sagt das in letzter Zeit häufig, er geht Benton damit auf die Nerven.

»Kannst du mich verstehen?«, fragt Benton.

»Ja, ich höre dich gut«, ist Marino nun wieder zu vernehmen. »Er braucht sie als Sündenbock. Deshalb hat er sie überhaupt hergeholt. Sonst kann ich dir noch nicht viel sagen, ich muss erst mehr in Erfahrung bringen. Über das Mädchen, meine ich.«

Benton ist über Gilly Paulsson im Bilde. Ihr geheimnisvoller Tod wurde zwar nicht in den landesweiten Nachrichten gemeldet – noch nicht –, aber im Internet kann man alles lesen, was die Medien in Virginia über den Fall gebracht haben. Außerdem hat Benton seine eigenen Mittel und Wege, um an Informationen heranzukommen. Auch Gilly Paulsson wird benutzt, weil es dafür nicht unbedingt notwendig ist, dass man noch lebt.

»Ist die Verbindung schon wieder abgebrochen? Verdammt«, schimpft Benton.

»Alles verstanden, Boss.« Marinos Stimme ist plötzlich wieder deutlich zu hören. »Warum telefonierst du nicht im Festnetz? Damit wäre die Hälfte unseres Problems gelöst.«

»Geht nicht.«

»Glaubst du, du wirst abgehört?« Marino macht keine Witze. »Das kann man doch rausfinden. Wende dich an Lucy.«

»Danke für den Tipp.« Benton braucht Lucys Hilfe in Sachen Überwachung nicht, denn Wanzen sind nicht sein Problem.

Er blickt dem Mann und dem Jungen nach und denkt dabei an Gilly Paulsson. Der Junge muss etwa in Gillys Alter sein, so alt wie das Mädchen war, als es starb. Dreizehn, vielleicht vierzehn. Nur dass Gilly nie die Gelegenheit zum Skilaufen hatte. Sie war noch nie in Colorado oder sonst irgendwo. Sie wurde in Richmond geboren. Dort ist sie auch gestorben, und während ihres kurzen Lebens hat sie fast nur gelitten. Benton stellt fest, dass der Wind auffrischt. Schnee wird von den Bäumen geweht und treibt durch die Luft wie Rauch.

»Ich möchte, dass du ihr Folgendes sagst«, beginnt Benton, und die Betonung auf dem Wort *ihr* bedeutet, dass er Scarpetta meint. »Ihr Nachfolger, wie ich ihn leider nennen muss …«, fährt er fort, denn er will weder Dr. Marcus' Namen aussprechen noch irgendwelche Einzelheiten ausführen; außerdem kann er den Gedanken nicht ertragen, dass jemand, insbesondere dieser Wurm Dr. Joel Marcus, der Nachfolger von Scarpetta sein könnte. »Die Person, die uns interessiert …«, setzt Benton seine geheimnisvollen Andeutungen fort. »Wenn sie ankommt«, fügt er hinzu, womit er wieder Scarpetta meint, »spreche ich alles persönlich mit ihr durch. Aber bis dahin seid vorsichtig, äußerst vorsichtig.«

»Was soll das heißen: ›Wenn sie ankommt‹? Ich nehme an, dass sie eine Weile hier festsitzen wird.«

»Sie soll mich anrufen.«

»Äußerst vorsichtig?«, beschwert sich Marino. »Mist. Typisch, dass du so was sagst.«

»Bleib immer in ihrer Nähe.«

»Hm?«

»Bleib in ihrer Nähe. Habe ich mich klar genug ausgedrückt?«

»Das wird ihr gar nicht gefallen«, erwidert Marino.

Benton blickt hinaus auf die schroffen Hänge der mit Schnee bedeckten Rockies, eine Schönheit, die von grausam tosenden Winden und der ungehemmten Zerstörungskraft von Gletschern geformt wurde. Espen und Immergrün bedecken wie Stoppeln die

Berge, die die alte Bergarbeiterstadt umgeben wie ein Kessel. Im Osten, hinter einem Felskamm, breitet sich ein entfernter grauer Wolkenschleier langsam über den leuchtend blauen Himmel aus. Heute wird es wieder schneien.

»Das kann ich mir denken«, antwortet Benton.

»Sie sagt, du würdest an einem Fall arbeiten.«

»Ja.« Benton darf nicht darüber reden.

»Also wirst du wahrscheinlich in Aspen bleiben und weiterarbeiten.«

»Für den Moment schon«, entgegnet Benton.

»Muss was Ernstes sein, wenn du dafür deinen Urlaub opferst«, fischt Marino im Trüben.

»Ich darf nicht darüber reden.«

»Hm? Diese verdammten Mobiltelefone«, schimpft Marino. »Lucy müsste was erfinden, das man weder anzapfen noch mit einem Scanner abhören kann. Sie würde ein Vermögen damit verdienen.«

»Ich glaube, sie ist bereits reich.«

»Das kannst du laut sagen.«

»Also, lass es dir gut gehen«, meint Benton. »Wenn du in den nächsten Tagen nichts von mir hörst, pass auf sie auf. Sei auf der Hut, das ist mein Ernst.«

»Als ob ich das nicht schon wäre«, gibt Marino zurück. »Und tu dir nicht weh, wenn du im Schnee spielst.«

Benton beendet das Gespräch, kehrt zum Sofa zurück, das zu den Fenstern hin ausgerichtet ist und vor dem Kamin steht, und setzt sich wieder. Auf dem wurmstichigen Couchtisch aus Kastanienholz liegt ein Notizblock, voll gekritzelt mit seiner fast unleserlichen Handschrift. Daneben eine Glock, Kaliber .40. Nachdem er eine Lesebrille aus der Brusttasche seines Jeanshemdes genommen hat, stützt er sich auf die Armlehne und beginnt, den Notizblock durchzublättern. Jede der linierten Seiten ist nummeriert, und in der oberen rechten Ecke steht ein Datum. Benton reibt mit der Hand über sein kantiges Kinn, und ihm fällt ein, dass er sich seit zwei Tagen nicht rasiert hat. Seine rauen, grauen Bartstoppeln erinnern ihn an die Nadelbäume auf den Bergen. Mit einem

Stift zieht er einen Kreis um die Wörter »gemeinsame Paranoia«, hebt den Kopf und späht durch die Lesebrille auf seiner geraden, spitzen Nase.

»Scheint glaubhaft, wenn die Lücken gefüllt sind«, kritzelt er an den Rand. »Ernsthafte Lücken. Ohne Bestand. L. ist das wahre Opfer, nicht H. H. ist narzisstisch.« Er unterstreicht »narzisstisch« dreimal. Dann schreibt er »launenhaft« und unterstreicht es zweimal. Anschließend blättert er zu einer anderen Seite, die die Überschrift »Verhalten nach der Tat« trägt, und horcht auf das Rauschen von fließendem Wasser, erstaunt, dass er es noch nicht wahrgenommen hat. »Kritischer Punkt. Wird höchstens bis Weihnachten durchhalten. Spannung unerträglich. Wird noch vor Weihnachten töten, wenn nicht früher«, schreibt er und blickt wortlos auf, denn er spürt ihre Gegenwart, bevor er sie gehört hat.

»Wer war das?«, fragt Henri. Sie steht oben an der Treppe, ihre zierliche Hand ruht auf dem Geländer. Henrietta Walden schaut Benton quer durchs Wohnzimmer an.

»Guten Morgen«, sagt er. »Normalerweise duschst du doch immer. Der Kaffee ist fertig.«

Henri zieht den schlichten roten Morgenmantel aus Flanell fester um ihren schlanken Körper zusammen. Aus müden, undurchdringlichen grünen Augen betrachtet sie Benton und mustert ihn, als ob eine Meinungsverschiedenheit oder eine Konfrontation zwischen ihnen bestünde. Sie ist achtundzwanzig Jahre alt und auf eine aparte Art attraktiv. Ihre Gesichtszüge sind nicht vollkommen, da ihre Nase kräftig und – nach ihrer eigenen verzerrten Wahrnehmung – zu groß ist. Auch sind ihre Zähne nicht perfekt, und im Moment könnte nichts sie davon überzeugen, dass sie trotzdem ein wunderschönes Lächeln hat und auf verwirrende Weise verführerisch ist, auch wenn sie nicht versucht, es zu sein. Benton hat nichts getan, um diese Überzeugungsarbeit zu leisten. Es ist zu gefährlich.

»Ich habe dich mit jemandem reden hören«, fährt sie fort. »War es Lucy?«

»Nein«, erwidert er.

»Oh«, entgegnet sie, während sie vor Enttäuschung ihre Mundwinkel nach unten zieht und Ärger in ihren Augen aufblitzt. »Wer war es dann?«

»Es war ein Privatgespräch, Henri.« Er nimmt die Lesebrille ab. »Wir haben doch schon so oft über Grenzen gesprochen. Jeden Tag führen wir diese Debatte, stimmt's?«

»Schon gut«, sagt sie vom Treppenabsatz aus, die Hand immer noch auf dem Geländer. »Wenn es nicht Lucy war, wer dann? Ihre Tante? Sie spricht zu viel über ihre Tante.«

»Ihre Tante weiß nicht, dass du hier bist, Henri«, erwidert Benton sehr geduldig. »Das wissen nur Lucy und Rudy.«

»Ich bin über dich und ihre Tante im Bilde.«

»Nur Lucy und Rudy wissen, dass du hier bist«, wiederholt er.

»Dann war es Rudy. Was wollte er? Ich habe schon immer gespürt, dass er mich mag.« Als sie lächelt, ist ihr Gesichtsausdruck seltsam und beunruhigend. »Rudy ist geil. Ich hätte es mit ihm machen sollen. Das hätte ich gekonnt. Als wir im Ferrari unterwegs waren. Ich hätte es mit jedem machen können, als ich den Ferrari hatte. Was nicht heißt, dass ich Lucy brauche, um einen Ferrari zu kriegen.«

»Grenzen, Henri«, sagt Benton. Er weigert sich, den Abgrund des Scheiterns wahrzunehmen, der sich tief und dunkel vor ihm auftut und immer breiter und tiefer wird, seit Lucy Henri nach Aspen gebracht und ihm anvertraut hat.

Du wirst ihr nicht wehtun, hatte Lucy damals zu ihm gemeint. Jemand anderer als du würde sie verletzen und ausnutzen und auf diese Weise etwas über mich und das, was ich tue, herausfinden.

Ich bin kein Psychiater, hatte Benton erwidert.

Sie hat ein posttraumatisches Stresssyndrom und braucht einen Therapeuten. Und das ist dein Job. Du wirst es schaffen. Du kannst herausfinden, was geschehen ist. Wir müssen es wissen, hatte Lucy beharrt. Sie war außer sich, und Lucy geriet sonst niemals in Panik. Doch jetzt war sie nervös. Sie glaubt, dass Benton jeden Menschen entschlüsseln kann. Aber selbst wenn er das könnte, würde das nicht bedeuten, dass allen Menschen zu helfen ist. Henri ist keine Geisel. Sie könnte jederzeit gehen. Und es beunruhigt ihn zutiefst, dass sie offenbar nicht die geringste Absicht dazu hat und die Situation anscheinend genießt.

Benton hat in den vier Tagen, die er inzwischen mit Henri Walden verbracht hat, eine Menge herausgefunden. Sie leidet an einer Persönlichkeitsstörung, und das war auch schon vor dem Mordversuch so. Ohne die Fotos vom Tatort und ohne den Umstand, dass wirklich jemand in Lucys Haus war, hätte Benton möglicherweise den Verdacht, dass es nie einen Mordversuch gegeben hat. Er befürchtet, dass Henris augenblickliches Verhalten lediglich eine Steigerung ihres früheren ist, und diese Erkenntnis macht ihm schwer zu schaffen. Er kann sich nicht vorstellen, was Lucy sich dabei gedacht hat, Henri abzuschleppen. Wahrscheinlich hat sie gar nicht gedacht, beschließt er. Das ist eine plausible Antwort.

»Hat Lucy dich ihren Ferrari fahren lassen?«, fragt er.

»Nicht den schwarzen.«

»Und den silbernen, Henri?«

»Die Farbe heißt nicht Silber, sondern California Blue. Den bin ich gefahren, sooft ich wollte.« Sie betrachtet ihn vom Treppenabsatz aus, die Hand auf dem Geländer, das lange Haar zerwühlt und die Augen sinnlich und schläfrig, als posiere sie für eine Erotikaufnahme.

»Bist du allein gefahren, Henri?« Er möchte auf Nummer sicher gehen. Ein sehr wichtiges fehlendes Stück des Puzzles ist die Frage, wie der Täter überhaupt auf Henri gekommen ist. Benton glaubt nicht an einen Zufall oder an Pech – eine hübsche junge Frau in der falschen Villa oder im falschen Ferrari zum falschen Zeitpunkt.

»Das habe ich dir doch schon erzählt«, sagt Henri. Ihr Gesicht ist bleich und ausdruckslos. Nur ihre Augen wirken lebendig, und die Energie darin ist wetterwendisch und beängstigend. »An den schwarzen lässt sie niemanden ran.«

»Wann hast du den blauen Ferrari zum letzten Mal gefahren?«, erkundigt sich Benton in dem sanften, gleichmäßigen Tonfall, den er sich antrainiert hat, um möglichst viele Informationen zu erhalten. Sobald ein Thema zur Sprache kommt, versucht er, ihr das Wissen zu entlocken, bevor es wieder verschwindet. Dabei interessiert ihn weniger Henris Schicksal als die Frage, wer in Lucys Haus war und warum. Lucy ist diejenige, die ihm wirklich etwas bedeutet.

»In diesem Auto bin ich jemand«, erwidert Henri, und ihre Augen leuchten in ihrem sonst ausdruckslosen Gesicht.

»Und du hast ihn oft gefahren, Henri.«

»Immer, wenn ich wollte.« Sie starrt ihn an.

»Jeden Tag zum Ausbildungslager?«

»Immer, wenn ich wollte, verdammt.« Ihr gleichgültiges, blasses Gesicht ist auf ihn gerichtet, und ihre Augen funkeln zornig.

»Kannst du dich an das letzte Mal erinnern, als du den Wagen gefahren hast? Wann war das, Henri?«

»Keine Ahnung. Bevor ich krank wurde.«

»Also bevor du die Grippe gekriegt hast. Und wann war das? Vor etwa zwei Wochen?«

»Ich weiß nicht.« Sie ist störrisch geworden und wird sich jetzt nicht mehr zum Thema Ferrari äußern. Er drängt sie nicht, denn ihr Leugnen und Ausweichen sprechen Bände.

Benton ist ziemlich gut darin, Schweigen zu interpretieren. Und sie hat gerade gesagt, dass sie den Ferrari gefahren hat, wann immer es ihr gefiel. Außerdem war sie sich dessen bewusst, dass sie damit Aufmerksamkeit erregte, und hatte Spaß daran, weil sie nur glücklich ist, wenn sie im Auge des Sturms steht. Selbst ohne eine Krise muss Henri im Zentrum des Chaos sein und Chaos erzeugen. Sie ist die Hauptdarstellerin in ihrem selbst verfassten wahnwitzigen Drama – ein Grund, warum die meisten Polizisten und forensischen Psychologen schlussfolgern würden, dass sie den Mordversuch an sich selbst nur vorgetäuscht und den Tatort dementsprechend präpariert und dass es nie einen Überfall gegeben hat. Aber es gab einen. Dieses bizarre und gefährliche Drama ist wirklich wahr, und Benton macht sich Sorgen um Lucy. Das tut er zwar schon immer, aber noch nie so sehr wie jetzt.

»Mit wem hast du telefoniert?«, kehrt Henri zu ihrem ursprünglichen Thema zurück. »Rudy vermisst mich. Ich hätte es mit ihm machen sollen. Ich habe so viel Zeit dort verschwendet.«

»Fangen wir den Tag damit an, dass wir unsere Grenzen im Blick behalten, Henri«, wiederholt Benton geduldig, was er schon gestern Morgen und vorgestern Morgen gepredigt hat, während er sich auf dem Sofa Notizen machte.

»Okay«, erwidert sie, immer noch auf dem Treppenabsatz stehend. »Es war Rudy, der da angerufen hat. Ganz bestimmt.«

6

Wasser plätschert in Becken, und auf den Leuchttischen liegen Röntgenaufnahmen, als Scarpetta sich dicht über eine Schnittwunde beugt, die dem toten Traktorfahrer fast die Nase vom Gesicht getrennt hat.

»Ich würde einen Alkohol- und einen CO_2-Test an ihm durchführen«, meint sie zu Dr. Jack Fielding, der auf der anderen Seite der Bahre aus Edelstahl steht. Die Leiche liegt zwischen ihnen.

»Ist Ihnen was in dieser Richtung aufgefallen?«, fragt er.

»Ich rieche keinen Alkohol, und kirschrosa ist er auch nicht. Nur, um auf Nummer sicher zu gehen. Ich sage Ihnen was: Bei Fällen wie diesem wittere ich buchstäblich den Ärger, Jack.«

Der Tote trägt noch seine olivgrüne Arbeitshose, die mit rotem Tonstaub bedeckt und an den Oberschenkeln aufgerissen ist. Körperfett, Muskeln und zerschmetterte Knochen lugen aus der aufgeplatzten Haut. Der Traktor hat seinen Körper in der Mitte überrollt. Es könnte eine Minute oder vielleicht fünf Minuten nachdem Scarpetta um die Ecke gebogen ist, passiert sein, denn sie ist sicher, dass der Mann, den sie gesehen hat, Mr. Whitby war. Obwohl sie versucht, ihn sich nicht lebend vorzustellen, steht er ihr etwa alle zwei Minuten vor Augen, wie er vor dem riesigen Reifen des Traktors am Motor herumhantiert.

»Hey«, ruft Fielding einem jungen Mann mit rasiertem Schädel zu, vermutlich ein Soldat des Toten-Bergungskommandos aus Fort Lee. »Wie heißen Sie?«

»Bailey, Sir.«

Scarpetta erkennt einige andere junge Männer in OP-Kleidung, mit Schuhhüllen, Kopfbedeckung, Gesichtsmasken und Handschuhen, vermutlich Praktikanten von der Army, die hier den Umgang mit Leichen erlernen sollen. Sie fragt sich, ob sie wohl in den Irak geschickt werden. Als sie die olivgrünen Armeeuniformhosen betrachtet, stellt sie fest, dass Mr. Whitbys zerrissene Arbeitshose dieselbe Farbe hat.

»Tun Sie dem Beerdigungsinstitut einen Gefallen, Bailey, und binden Sie die Karotidarterie ab«, brummt Fielding. Als er noch für Scarpetta gearbeitet hat, war er nicht so unfreundlich und hat seine Mitmenschen nicht lautstark herumkommandiert oder Fehler bei ihnen gesucht.

Dem Soldaten ist es sichtlich peinlich. Sein muskulöser, tätowierter Arm erstarrt mitten in der Bewegung, die Finger sind um eine lange, gebogene Nadel geschlossen, in die ein Faden Stärke 7 eingefädelt ist. Er hilft einem Assistenten, den Y-Schnitt nach einer Autopsie zuzunähen, die vor der Mitarbeitersitzung durchgeführt wurde, und es ist der Assistent, nicht der Soldat, der eigentlich wissen sollte, dass man die Arterie abbinden muss. Scarpetta hat Mitleid mit dem Soldaten, und wenn Fielding noch ihr Mitarbeiter wäre, würde sie ihn sich vorknöpfen, damit er sich in ihrem Leichenschauhaus einen deutlich höflicheren Ton angewöhnt.

»Ja, Sir«, sagt der junge Soldat. »Das wollte ich gerade tun, Sir.«

»Wirklich?«, fragt Fielding, und jeder im Leichenschauhaus kann hören, wie er den jungen Soldaten herunterputzt. »Wissen Sie, warum man die Karotidarterie abbindet?«

»Nein, Sir.«

»Aus Höflichkeit, das ist der Grund«, fährt Fielding fort. »Man bindet einen Faden um wichtige Blutgefäße wie die Karotidarterie, damit die Einbalsamierer im Beerdigungsinstitut nicht danach suchen müssen. Das gebietet der gute Ton, Bailey.«

»Ja, Sir.«

»Meine Güte«, stöhnt Fielding. »Ich muss mir das jeden Tag antun, weil er Gott und die Welt hier hereinlässt. Und sehen Sie ihn selbst irgendwo?« Er macht sich noch ein paar Notizen auf seinem Klemmbrett. »Seit vier Monaten ist er jetzt schon bei uns, ohne auch nur eine einzige Autopsie durchgeführt zu haben. Oh, und falls Sie noch nicht dahintergekommen sein sollten: Er lässt andere Leute gern warten. Das ist seine Lieblingsbeschäftigung. Anscheinend hat Ihnen noch niemand erzählt, welche Leichen er im Keller hat. Verzeihen Sie den Ausdruck.« Er weist auf die Leiche zwischen ihnen auf der Bahre. »Wenn Sie mich angerufen hätten, hätte ich Ihnen gleich gesagt, dass Sie sich die Mühe sparen können, herzukommen.«

»Ich hätte Sie wirklich anrufen sollen«, erwidert sie, während sie zusieht, wie fünf Leute mühsam eine monströs fette Frau von einer Bahre auf einen Edelstahltisch wuchten. Blutige Flüssigkeit tropft ihr aus Mund und Nase. »Das ist ja ein gewaltiger Pannikulus.« Scarpetta meint damit die Fettschürze, die bei Menschen, die so übergewichtig sind wie diese Frau, über den Bauch hängt. Doch in Wirklichkeit will sie das Thema wechseln, weil sie hier an diesem Ort, in seinem Leichenschauhaus und umgeben von seinen Mitarbeitern, ganz bestimmt keine Gespräche über Dr. Marcus führen wird.

»Tja, es ist mein gottverdammter Fall«, fährt Fielding fort, womit er auf Dr. Marcus und Gilly Paulsson anspielt. »Das Arschloch hat, verdammt nochmal, nicht einmal einen Fuß ins Leichenschauhaus gesetzt, als ihre Leiche eingeliefert wurde. Und das, obwohl jedermann wusste, dass es mit diesem Fall Ärger geben wird. Den ersten großen Ärger seiner Karriere. Ach, bitte schauen Sie mich nicht so an, Dr. Scarpetta.« Er würde nie aufhören, sie so zu nennen, obwohl sie ihm angeboten hatte, Kay zu ihr zu sagen, weil sie einander respektierten und sie ihn als Freund betrachtete. Aber er nahm das Angebot nicht an, als er noch für sie gearbeitet hat, und er wird es auch jetzt nicht tun. »Haben Sie heute Abend schon was vor?«

»Mit Ihnen, hoffe ich.« Sie hilft ihm, Mr. Whitby die schlammigen Arbeitsstiefel aus Leder auszuziehen, schnürt die schmutzigen Schuhbänder auf und klappt die schmuddelige Lederzunge heraus. Die Totenstarre ist noch nicht weit fortgeschritten; die Leiche ist noch beweglich und warm.

»Gut. Um sieben bei mir. Ich habe noch dieselbe Adresse. Aber sagen Sie, haben Sie eine Idee, wie es dieser Bursche geschafft hat, sich selbst zu überfahren?«, schiebt Fielding noch eine Frage nach.

»Ich verrate Ihnen, wie es meistens passiert«, antwortet sie und erinnert sich daran, wie Mr. Whitby vor dem Traktorreifen gestanden und am Motor herumgebastelt hat. »Die Technik streikt, Sie klettern vom Sitz und fingern am Anlasser herum. Womöglich versuchen Sie, das Ding mit dem Schraubenzieher zu starten, und vergessen dabei, dass ein Gang eingelegt ist. Wenn Sie Pech haben, springt der Motor an. Und bei der ganzen Aktion stehen sie direkt vor dem Hinterreifen. In diesem Fall hat der Traktor ihn in der Mitte überrollt.« Sie zeigt auf das schlammige Reifenprofil auf Mr. Whitbys grüner Arbeitshose und seiner schwarzen Regenjacke, auf die mit dickem rotem Faden sein Name *T. Whitby* eingestickt ist. »Wurde er unter dem Reifen liegend gefunden?«

»Der Traktor ist über ihn drübergefahren und dann weitergerollt.« Fielding zieht dem Toten schlammige Socken aus, die Maschenabdrücke auf den großen weißen Füßen hinterlassen haben. »Erinnern Sie sich an den dicken, gelb lackierten Pfosten, der bei unserem alten Gebäude an der Hintertür aus dem Asphalt ragt? Da ist der Traktor reingefahren und wurde dadurch aufgehalten. Ansonsten wäre er wahrscheinlich mitten durch das Rolltor gerauscht. Aber das wäre ja eigentlich auch egal gewesen, weil die Bude sowieso abgerissen wird.«

»Dann ist er vermutlich nicht erstickt. Eine diffuse Quetschung, so breit wie der Reifen«, meint sie und betrachtet die Leiche. »Verblutet. Sie müssen mit einer Bauchhöhle voller Blut, einer zerquetschten Milz, Leber und Blase und sicher auch mit zerdrückten Gedärmen und einem zerschmetterten Becken rechnen. Also bis um sieben.«

»Was ist mit Ihrem Gehilfen?«

»Nennen Sie ihn bloß nicht so, sonst wird er sauer.«

»Er ist auch eingeladen. Mit der LAPD-Kappe sieht er ziemlich dämlich aus.«

»Ich habe ihn gewarnt.«

»Woher, glauben Sie, hat er die Schnittwunde im Gesicht? Von etwas auf dem Boden oder hinten am Traktor?«, fragt Fielding. Blut rinnt Mr. Whitby seitlich übers bartstoppelige Gesicht, als Fielding die halb abgetrennte Nase berührt.

»Vielleicht ist es ja gar keine Schnittwunde. Als der Reifen über seinen Körper gerollt ist, kann er Haut mitgerissen haben. Diese Verletzung«, sie weist auf die tiefe, gezackte Wunde, die über seine Wangen und den Nasenrücken verläuft, »könnte auch ein Riss und kein Schnitt sein. Falls es wichtig werden sollte, müssten Sie unter dem Mikroskop eigentlich Rost oder Schmieröl und eindeutige Hautbrücken durch den Abriss erkennen können. Übrigens würde ich an Ihrer Stelle alle Fragen beantworten.«

»Oh, ja.« Fielding blickt von seinem Klemmbrett auf, wo er gerade mit einem Kugelschreiber, der an einer Stahlklammer hängt, das Formular »Kleidung und persönliche Gegenstände« ausfüllt.

»Die Chancen stehen hoch, dass die Familie dieses Mannes eine Entschädigung für ihren schmerzlichen Verlust einklagen wird«, sagt sie. »Ein tödlicher Arbeitsunfall, ein Arbeitsplatz, über den man reden wird.«

»Stimmt. Ausgerechnet dort zu sterben.«

Fieldings Latexhandschuhe verfärben sich rot, als er die Wunde im Gesicht des Mannes berührt. Warmes Blut fließt ungehindert, als er die halb abgetrennte Nase hin und her bewegt. Dann blättert er eine Seite auf dem Klemmbrett um und fängt an, die Verletzung auf einem Körperdiagramm einzuzeichnen. Er beugt sich tief über die Leiche und mustert sie eingehend durch eine Schutzbrille aus Plastik. »Ich sehe weder Rost noch Schmieröl«, stellt er fest. »Aber das muss nicht heißen, dass keines da ist.«

»Richtig. Ich würde einen Abstrich machen und ihn im Labor überprüfen lassen. Untersuchen Sie alles. Es würde mich nicht wundern, wenn jemand behauptet, dass dieser Mann überfahren, vom Traktor geworfen oder davor gestoßen wurde und dass ihm vorher jemand eine Schaufel ins Gesicht geschlagen hat. Man kann nie wissen.«

»Oh, ja. Das liebe Geld.«

»Es ist nicht nur das«, entgegnet sie. »Eine Geldfrage machen dann die Anwälte daraus. Doch eigentlich geht es viel mehr um Schock, Schmerz und Verlust. Darum, dass es einen Schuldigen geben muss. Kein Angehöriger will glauben, dass es ein sinnloser Tod war, der zu vermeiden gewesen wäre. Dass jemand, der Erfahrung mit Traktoren hat, so leichtsinnig ist, sich vor einen Hinterreifen zu stellen, am Anlasser herumzubasteln und die Sicherheitsvorrichtung zu umgehen, die bewirkt, dass man den Traktor nur im Leerlauf anlassen kann, nicht wenn ein Gang eingelegt ist. Aber so sind die Leute nun mal. Sie fühlen sich zu sicher, haben es eilig und denken nicht nach. Und es entspricht nun einmal der menschlichen Natur, abzustreiten, dass jemand, der uns etwas bedeutet, seinen eigenen Tod herbeigeführt haben könnte, sei es absichtlich oder aus Versehen. Doch Sie kennen meine Vorträge ja.«

Fielding wurde unter Scarpettas Leitung zum Facharzt ausgebildet. Sie hat ihm forensische Pathologie beigebracht und ihn gelehrt, nicht nur kompetente, sondern auch gründliche und eingehende gerichtsmedizinische Tatortuntersuchungen und Autopsien durchzuführen. Es macht sie traurig, wenn sie an seine offene Begeisterung denkt, als er ihr gegenüber am Autopsietisch arbeiten durfte. Wie begierig er alles in sich aufgesogen und wie er sie, wenn die Zeit es zuließ, zum Gericht begleitet hat, um sich ihre Aussagen anzuhören. Wie oft hat er bei ihr im Büro gesessen und ist seine Berichte mit ihr durchgegangen, um etwas zu lernen. Inzwischen ist er ausgebrannt und hat Probleme mit der Haut, während sie ihren Posten verloren hat. Und jetzt stehen sie beide hier.

»Ich hätte Sie anrufen sollen«, sagt sie, während sie Mr. Whitbys billigen Ledergürtel öffnet und den Reißverschluss seiner olivgrünen Hose aufzieht. »Wir werden gemeinsam am Fall Gilly Paulsson arbeiten und rauskriegen, was dahintersteckt.«

»Oh, ja«, erwidert Fielding. Das hat er früher auch nicht so oft gesagt.

7

Henri Walden trägt Wildlederpantoffeln mit Vliesfutter, die auf dem Teppich kein Geräusch erzeugen, als sie wie eine schwarze Geistergestalt auf den hellbraunen Ohrensessel gegenüber dem Sofa zugleitet.

»Ich habe geduscht«, verkündet sie, kauert sich auf die Sesselkante und schlägt die schlanken Beine unter.

Kurz erhascht Benton den ihm absichtlich dargebotenen Blick auf junge Haut und die bleichen Einbuchtungen oben an den Oberschenkeln. Aber anders als die meisten Männer reagiert er nicht darauf.

»Ich habe dich mit jemandem reden hören«, meint sie.

»Das ist ein Problem«, entgegnet er und sieht ihr über den Brillenrand hinweg in die Augen. Wie vorhin liegt der Notizblock auf seinem Schoß, es sind weitere Einträge hinzugekommen, nämlich »schwarzer Ferrari« und »ohne Erlaubnis« und »wahrscheinlich ist ihr jemand vom Ausbildungslager aus gefolgt« und »Kontaktpunkt schwarzer Ferrari«.

»Ein Privatgespräch ist das, was der Name besagt«, meint er. »Also müssen wir wohl noch einmal über unsere Abmachung reden, Henri. Erinnerst du dich, wie die lautete?«

Sie zieht die Pantoffeln aus und lässt sie auf den Teppich fallen. Ihre zarten nackten Füße ruhen auf dem Sesselpolster, und als sie sich vorbeugt, um sie zu betrachten, klafft ihr roter Morgenmantel leicht auseinander. »Nein.« Ihre Stimme ist kaum zu hören, und sie schüttelt den Kopf.

»Ich weiß, dass du dich erinnerst, Henri.« Benton wiederholt häufig ihren Namen, um ihr vor Augen zu halten, wer sie ist, und um wieder persönlich zu machen, was entpersönlicht und bis zu einem gewissen Grade unwiederbringlich beschädigt wurde. »Wir haben Respekt vereinbart, schon vergessen?«

Sie beugt sich noch weiter vor und spielt an einem unlackierten Zehennagel herum; den Blick starr auf ihre Beschäftigung gerichtet, bietet sie ihm ihre Nacktheit unter dem Bademantel dar.

»Und zu Respekt gehört, seinen Mitmenschen eine Privatsphäre zuzugestehen. Und sich nicht aufdringlich zu entblößen«, fährt er ruhig fort. »Wir haben viel über Grenzen gesprochen. Wer anderen seine Nacktheit aufdrängt, verletzt ihre Grenzen.«

Ihre freie Hand kriecht zur Brust hinauf und zieht den Bademantel zusammen, während sie weiter ihre Zehen betrachtet und an ihnen herumspielt. »Ich bin eben erst aufgestanden«, erwidert sie, als wäre das eine Erklärung für ihren Exhibitionismus.

»Danke, Henri.« Es ist wichtig für sie zu glauben, dass Benton sie nicht sexuell begehrt, nicht einmal in seinen Phantasien. »Aber du bist nicht eben erst aufgestanden. Du bist aufgestanden, reingekommen, wir haben geredet, und dann hast du geduscht.«

»Ich heiße nicht Henri«, sagt sie.

»Wie soll ich dich sonst nennen?«

»Gar nicht.«

»Du hast zwei Namen«, spricht er weiter. »Du hast den Namen, den du bei deiner Geburt bekommen hast, und den, den du als Schauspielerin benutzt hast und immer noch benutzt.«

»Gut, dann bin ich eben Henri«, gibt sie nach und betrachtet ihre Zehen.

»Also nenne ich dich Henri.«

Sie nickt und schaut unverwandt ihre Zehen an. »Wie nennst du sie?«

Benton weiß, wen sie meint, aber er antwortet nicht.

»Du schläfst mit ihr. Lucy hat mir alles darüber erzählt.« Sie betont das Wort *alles.*

Benton spürt, wie kurz Wut in ihm aufsteigt, doch er lässt es sich nicht anmerken. Lucy hätte Henri nie alles über seine Beziehung mit Scarpetta verraten. Henri will ihn wieder provozieren und seine Grenzen austesten. Nein, sie durchbricht sie sogar gewaltsam.

»Warum ist sie nicht hier bei dir?«, fragt sie. »Du hast doch Urlaub, oder? Und sie ist nicht hier. Viele Leute haben nach einer Weile keine Lust mehr auf Sex. Das ist der Grund, warum ich keine feste Beziehung will, wenigstens keine lange. Kein Sex. Die meisten Leute haben nach einem halben Jahr keinen Sex mehr. Sie ist nicht hier, weil ich hier bin.« Henri starrt ihn an.

»Das stimmt«, erwidert er. »Sie ist nicht hier, weil du hier bist, Henri.«

»Sie muss sauer gewesen sein, als du ihr gesagt hast, dass sie nicht kommen kann.«

»Sie versteht das«, entgegnet er, doch jetzt ist er nicht ganz ehrlich.

Scarpetta hat es einerseits verstanden, andererseits aber auch nicht. Du kannst im Moment nicht nach Aspen kommen, hat er ihr eröffnet, nachdem er Lucys panischen Anruf erhalten hatte. Ich fürchte, ich habe einen neuen Fall, um den ich mich kümmern muss.

Dann bleibst du also nicht in Aspen, hat Scarpetta gemutmaßt.

Ich darf über den Fall nicht sprechen, erwiderte er, und wie er annimmt, vermutet sie ihn zurzeit überall, nur nicht in Aspen.

Das ist wirklich unfair, Benton, hat sie erwidert. Ich habe diese beiden Wochen extra für uns freigehalten. Ich habe auch Fälle.

Bitte hab Geduld mit mir, antwortete er. Ich verspreche, dir später alles zu erklären.

Ausgerechnet jetzt, beklagte sie sich. Der Moment ist ausgesprochen ungünstig. Wir brauchen die Zeit für uns.

Damit hat sie Recht gehabt, und trotzdem sitzt er jetzt hier mit Henri zusammen. »Erzähl mir, was du letzte Nacht geträumt hast. Erinnerst du dich daran?«, wendet er sich jetzt an sie.

Ihre geschmeidigen Finger betasten ihre linke große Zehe, als wäre sie verletzt. Benton steht auf. Beiläufig nimmt er die Glock und durchquert das Wohnzimmer in Richtung Küche. Dort öffnet er einen Schrank, legt die Pistole in ein oberes Fach, nimmt zwei Tassen heraus und schenkt Kaffee ein. Er und Henri trinken ihn schwarz.

»Er ist vielleicht ein bisschen stark. Aber ich kann auch neuen kochen.« Mit diesen Worten setzt er ihre Tasse auf einem Beistelltisch ab und kehrt zu seinem Platz auf dem Sofa zurück. »Vorletzte Nacht hast du von einem Ungeheuer geträumt. Du hast es als ›die Bestie‹ bezeichnet, richtig?« Sein aufmerksamer Blick richtet sich auf ihre traurigen Augen. »Hast du das Ungeheuer letzte Nacht wieder gesehen?«

Sie antwortet nicht. Ihre Stimmung hat sich im Vergleich zu vorhin drastisch verändert. In der Dusche muss irgendetwas vorgefallen sein, doch damit wird er sich später befassen.

»Wir müssen nicht über das Ungeheuer sprechen, wenn du nicht möchtest, Henri. Aber je mehr du mir über den Mann erzählst, desto besser kann ich ihn finden. Du willst doch, dass ich ihn finde, oder?«

»Mit wem hast du vorhin telefoniert?«, fragt sie in derselben leisen Kinderstimme. Doch sie ist kein Kind und alles andere als unschuldig. »Du hast über mich geredet«, beharrt sie; der Gürtel ihres Morgenmantels lockert sich, und mehr nackte Haut ist zu sehen.

»Ich schwöre, ich habe nicht über dich geredet. Niemand weiß, dass du hier bist. Niemand außer Lucy und Rudy. Ich dachte, du vertraust mir, Henri.« Er hält inne und schaut sie an. »Ich dachte, du vertraust Lucy.«

Ihr Blick wird zornig, als sie Lucys Namen hört.

»Ich dachte, du vertraust uns, Henri«, fährt Benton fort. Er sitzt ruhig da, die Beine übereinander geschlagen und die Hände auf dem Schoß verschränkt. »Ich möchte, dass du dich richtig anziehst, Henri.«

Sie zupft ihren Morgenmantel zurecht, steckt ihn zwischen den Beinen fest und strafft den Gürtel. Benton weiß genau, wie ihr nackter Körper aussieht, aber er stellt ihn sich nicht vor. Er kennt die Fotos, und er wird sie sich erst wieder mit Kollegen anschauen. Irgendwann vielleicht auch mit ihr selbst, falls sie jemals dazu bereit sein wird. Im Augenblick hält sie – entweder absichtlich oder unabsichtlich – die Einzelheiten des Verbrechens zurück und gebärdet sich stattdessen in einer Art und Weise, die schwächere Menschen, die ihre Tricks nicht verstehen, entweder verführen oder ihnen den letzten Nerv rauben würde. Ihre unablässigen Versuche, Benton ins Bett zu kriegen, haben nicht nur einfach etwas mit Übertragung zu tun, sondern sind ein Beweis dafür, wie narzisstisch sie ist. Sie ist nur glücklich, wenn sie jeden Menschen, der es wagt, sie zu mögen, kontrollieren, beherrschen, demütigen und zerstören kann. Henris Verhalten und ihre Reaktionen haben ihre Wurzeln in Selbsthass und Wut.

»Warum hat Lucy mich weggeschickt?«, fragt sie.

»Kannst du mir das nicht selbst sagen? Warum erzählst du mir nicht, wieso du hier bist?«

»Weil ...« Sie wischt sich mit dem Ärmel des Morgenmantels über die Augen. »Die Bestie.«

Benton hält seinen sicheren Posten auf dem Sofa und lässt sie nicht aus den Augen. Die Aufzeichnungen in seinem Notizblock sind von ihrem Platz aus nicht zu lesen und außerhalb ihrer Reichweite. Er drängt sie nicht zu sprechen und übt sich in Geduld wie ein Jäger im Wald, der reglos verharrt und atemlos abwartet.

»Die Bestie ist ins Haus gekommen. Ich erinnere mich nicht.«

Benton beobachtet sie schweigend.

»Lucy hat sie ins Haus gelassen.«

Benton hat zwar nicht vor, Druck auf sie auszuüben, doch Fehlinformationen und unverfrorene Lügen kann er nicht dulden. »Nein, Lucy hat sie nicht ins Haus gelassen«, verbessert er sie. »Niemand hat sie ins Haus gelassen. Die Bestie konnte eindringen, weil die Hintertür nicht verschlossen und die Alarmanlage nicht eingeschaltet war. Weißt du, warum?«

Sie starrt auf ihre Zehen. Ihre Hände bewegen sich nicht.

»Wir haben doch schon über den Grund gesprochen«, fährt er fort.

»Ich hatte die Grippe«, erwidert sie und fixiert eine andere Zehe. »Ich war krank, und sie war nicht zu Hause. Ich habe gefroren und bin deshalb raus in die Sonne gegangen und habe dann vergessen, die Tür abzuschließen und die Alarmanlage wieder einzuschalten. Ich habe nicht dran gedacht, weil ich Fieber hatte. Und jetzt gibt Lucy mir die Schuld.«

Benton trinkt einen Schluck Kaffee. »Hat Lucy gesagt, dass es deine Schuld ist?«

»Sie denkt es.« Jetzt schaut Henri an ihm vorbei aus den Fenstern hinter seinem Kopf. »Für sie bin immer nur ich schuld.«

»Mir hat sie nie gesagt, dass sie dir die Schuld gibt«, erwidert er. »Du wolltest mir doch von deinen Träumen erzählen«, kehrt er zum ursprünglichen Thema zurück. »Deinen Träumen von letzter Nacht.«

Sie blinzelt und reibt wieder ihre große Zehe.

»Hast du Schmerzen?«

Sie nickt.

»Das tut mir Leid. Soll ich dir was dagegen geben?«

Sie schüttelt den Kopf. »Das würde nichts nützen.«

Sie meint zwar nicht ihre rechte große Zehe, doch sie stellt eine Verbindung her; dazwischen, dass diese gebrochen ist, und dem Umstand, dass sie sich jetzt hier befindet, mehr als tausendfünfhundert Kilometer entfernt von Pompano Beach, Florida, wo sie beinahe ihr Leben verloren hätte. Henris Augen blitzen auf.

»Ich ging einen Pfad entlang«, beginnt sie. »Auf einer Seite waren Felsen, eine nackte Felswand ganz dicht am Weg. Sie hatte

Risse, Risse zwischen den Steinen. Ich weiß nicht, warum, aber ich habe mich hineingequetscht und bin stecken geblieben.« Ihr Atem stockt, und als sie sich das blonde Haar aus dem Gesicht schiebt, zittert ihre Hand. »Ich klemmte zwischen den Felsen fest … Ich konnte mich nicht bewegen, ich konnte nicht atmen. Und ich konnte nicht raus. Niemand hat es geschafft, mich zu befreien. Beim Duschen ist mir der Traum wieder eingefallen. Das Wasser schlug mir ins Gesicht, und als ich die Luft angehalten habe, habe ich mich an den Traum erinnert.«

»Hat jemand versucht, dich rauszuholen?« Benton geht nicht auf ihre Angst ein und fällt auch kein Urteil darüber, ob sie echt oder nur gespielt ist. Er kann es nicht sagen. Es gibt so vieles, was er an ihr nicht versteht.

»Du hast gerade erzählt, niemand hätte es geschafft, dich zu befreien«, sagt Benton im gelassenen Ton des Therapeuten. »War denn noch jemand da? Vielleicht mehrere Leute?«

»Ich weiß nicht.«

Er wartet.

»Ich erinnere mich nicht. Keine Ahnung, warum, aber einen Moment lang habe ich geglaubt, dass jemand … es ist mir eingefallen, in meinem Traum, dass jemand die Felsen vielleicht weghacken könnte. Und dann dachte ich, nein. Das Gestein ist viel zu hart. Niemand schafft das. Ich werde sterben. Ich wusste, dass ich sterben würde. Und dann hielt ich es nicht mehr aus, und der Traum war zu Ende.« Ihre verworrene Schilderung endet so schlagartig, wie es vermutlich auch bei dem Traum der Fall war. Henri holt tief Luft, und ihre Verkrampfung lockert sich. Ihr Blick richtet sich auf Benton. »Es war schrecklich.«

»Ja«, erwidert er. »Es muss entsetzlich gewesen sein. Ich kann mir nichts Beängstigenderes vorstellen, als keine Luft mehr zu bekommen.«

Sie legt die flache Hand aufs Herz. »Meine Brust konnte sich nicht bewegen. Ich habe keine Luft mehr gekriegt.«

Möglicherweise hat der Angreifer versucht, sie zu ersticken oder zu erwürgen. Benton stellt sich die Fotos vor und hält in Gedanken eines nach dem anderen hoch, um Henris Verletzungen in Augenschein zu nehmen und zu verstehen, was sie gerade gesagt hat. Er sieht Blut, das ihr aus der Nase läuft, auf ihren Wangen verschmiert ist und das Laken unter ihrem Kopf befleckt, als sie bäuchlings auf dem Bett liegt. Ihr Körper ist nackt und nicht zugedeckt; die Arme sind, mit den Handflächen nach unten, über den Kopf gestreckt, die Beine gebeugt, eines mehr als das andere.

Gerade ruft sich Benton ein anderes Foto ins Gedächtnis, als Henri aus ihrem Sessel aufsteht. Sie murmelt, dass sie sich einen Kaffee holen will. Benton hört ihre Ankündigung und denkt an die Pistole, die sich im Küchenschrank befindet. Allerdings weiß sie nicht, in welchem, weil sie ihm den Rücken zugekehrt hat, als er die Waffe verschwinden ließ. Er beobachtet sie und interpretiert, was sie tut, während er gleichzeitig die Hieroglyphen ihrer Verletzungen und der seltsamen Spuren auf ihrem Körper zu deuten versucht. Ihre Handrücken waren rot, weil er oder sie – Benton hat sich, was den Täter angeht, noch nicht auf ein Geschlecht festgelegt – sie gequetscht hat. Es befanden sich dort frische Blutergüsse, und sie hatte auch einige gerötete Stellen oben am Rücken. In den Tagen danach verfärbten sich die Rötungen, die von geplatzten subkutanen Blutgefäßen herrührten, in ein kräftiges Violett.

Benton sieht zu, wie Henri sich Kaffee eingießt. Er denkt an die Fotos ihres besinnungslosen Körpers am Tatort. Dass dieser Körper schön ist, ist für Benton nur insofern von Bedeutung, als dass alles an ihrem Aussehen und Verhalten die gewalttätige Reaktion des Menschen, der sie töten wollte, ausgelöst haben könnte. Henri ist schlank, aber ganz eindeutig nicht androgyn. Sie hat Brüste und Schamhaare und wäre für einen Pädophilen ganz sicher nicht anziehend. Zur Zeit des Überfalls hatte sie eine sexuelle Beziehung.

Er beobachtet, wie sie, beide Hände um die Kaffeetasse gelegt, zum Ledersessel zurückkehrt. Ihre Rücksichtslosigkeit stört ihn nicht, auch wenn ein höflicher Mensch wahrscheinlich gefragt hätte, ob er vielleicht auch noch einen Kaffee möchte. Aber Henri ist vermutlich die egoistischste und gefühlloseste Person, die

Benton je begegnet ist. Sie war schon vor dem Überfall so und wird es immer bleiben. Es wäre wünschenswert, wenn sie sich in Zukunft von Lucy fern hielte. Doch er hat, wie er sich sagt, nicht das Recht, das zu verlangen.

»Henri«, sagt Benton. Er steht auf und holt sich selbst einen Kaffee. »Fühlst du dich heute Morgen in der Lage, die Fakten durchzugehen?«

»Ja. Aber ich kann mich nicht erinnern.« Ihre Stimme folgt ihm in die Küche. »Ich weiß, dass du mir nicht glaubst.«

»Wie kommst du darauf?« Er schenkt sich Kaffee ein und kehrt ins Wohnzimmer zurück.

»Der Arzt hat mir auch nicht geglaubt.«

»Oh, ja, der Arzt. Er sagte, dass er dir nicht glaubt«, meint Benton und nimmt wieder auf dem Sofa Platz. »Und obwohl du weißt, was ich von diesem Arzt halte, werde ich es noch einmal wiederholen. Für ihn sind alle Frauen hysterisch, und er mag sie nicht. Er empfindet eindeutig keinen Respekt vor ihnen, und das liegt daran, dass er Angst vor ihnen hat. Außerdem ist er Arzt in der Notaufnahme und hat keine Ahnung von Gewaltverbrechen und deren Opfern.«

»Er denkt, ich hätte mir die Verletzungen selbst zugefügt«, meint Henri zornig. »Er glaubt wohl, ich hätte nicht gehört, was er zu der Krankenschwester gesagt hat.«

Benton überlegt, wie er darauf reagieren soll. Henri rückt mit einer neuen Information heraus, und er kann nur hoffen, dass sie auch stimmt. »Erzähl es mir«, fordert er sie auf. »Mich würde brennend interessieren, was er zu der Krankenschwester gesagt hat.«

»Ich sollte das Arschloch verklagen«, fügt sie hinzu.

Benton wartet und trinkt seinen Kaffee.

»Vielleicht verklage ich ihn wirklich«, spricht sie trotzig weiter. »Er dachte, ich könnte ihn nicht hören, weil ich die Augen zuhatte, als er ins Zimmer kam. Ich lag im Halbschlaf da, die Schwester stand in der Tür, und dann erschien er. Also habe ich so getan, als wäre ich weggetreten.«

»Du hast dich schlafend gestellt«, meint Benton.

Sie nickt.

»Du bist ausgebildete Schauspielerin. Es war einmal dein Beruf.«

»Das ist es immer noch. Man hört nicht einfach auf, Schauspielerin zu sein. Ich bin zurzeit nur an keiner Produktion beteiligt, weil ich anderes zu tun habe.«

»Ich kann mir vorstellen, dass du schon immer eine gute Schauspielerin warst«, erwidert er.

»Ja.«

»Und du warst schon immer gut darin, dich zu verstellen.« Er hält inne. »Tust du häufig so als ob, Henri?«

Als sie ihn ansieht, wird ihr Blick hart. »Im Krankenhaus habe ich mich schlafend gestellt, um zu hören, was der Arzt sagt. Ich habe jedes Wort mitgekriegt. Er meinte: ›Es gibt nichts Besseres, als *Vergewaltigung* zu schreien, wenn man sauer auf jemanden ist. Dann muss er so richtig bluten.‹ Und anschließend hat er gelacht.«

»Ich kann gut verstehen, dass du ihn verklagen willst«, meint Benton. »Und das war in der Notaufnahme?«

»Nein, nein, in meinem Zimmer. Später am Tag, als sie mich nach den Untersuchungen auf eine Station verlegt haben. Ich weiß nicht mehr, auf welche.«

»Das ist ja noch schlimmer«, sagt Benton. »Er hätte gar nicht in dein Zimmer kommen dürfen. Schließlich arbeitet er in der Notaufnahme und nicht auf einer der Stationen. Er hat nur vorbeigeschaut, weil er neugierig war, und das ist nicht in Ordnung.«

»Ich werde ihn verklagen. Ich hasse ihn.« Wieder reibt sie ihre Zehe. Die Blutergüsse auf Zehe und Handrücken sind zu einem Nikotingelb verblasst. »Dann hat er eine Bemerkung über Dextro-Junkies gemacht. Ich weiß nicht, was das ist, aber er hat mich jedenfalls beleidigt.«

Wieder eine neue Information. In Benton wächst die Hoffnung, dass sie sich mit der Zeit und mit viel Geduld an mehr erinnern oder zumindest näher bei der Wahrheit bleiben wird. »Ein Dextro-Junkie ist jemand, der opiathaltige Allergie- und Grippemedikamente oder Hustensäfte missbraucht. Bei Jugendlichen sehr beliebt.«

»Dieses Arschloch«, murmelt sie und zupft an ihrem Morgenmantel herum. »Kannst du denn nichts tun, damit er Schwierigkeiten kriegt?«

»Henri, hast du irgendeine Ahnung, warum er angedeutet hat, du wärst vergewaltigt worden?«, fragt Benton.

»Ich weiß nicht. Ich glaube nicht, dass es so war.«

»Erinnerst du dich an die Schwester?«

Sie schüttelt langsam den Kopf.

»Du wurdest in ein Untersuchungszimmer neben der Notaufnahme gebracht, wo eine Ausrüstung zur Sicherstellung von Beweisen benutzt wurde. Du weißt doch, was das ist, oder? Als du die Schauspielerei damals satt hattest, bist du zur Polizei gegangen. Dann, vor ein paar Monaten im Herbst, hat Lucy dich in Los Angeles kennen gelernt und dich eingestellt. Also hast du Erfahrung mit dem Nehmen von Abstrichen und dem Einsammeln von Haaren und Fasern und so weiter.«

»Ich hatte es nicht satt, sondern brauchte nur eine Pause, um etwas anderes zu tun.«

»Meinetwegen. Aber erinnerst du dich an die Sicherstellung der Beweise?«

Sie nickt.

»Und die Schwester? Man hat mir gesagt, sie sei sehr nett. Sie heißt Brenda. Sie hat dich auf Verletzungen durch ein Sexualverbrechen und auf Spuren untersucht. Da in diesem Raum auch Kinder behandelt werden, gibt es dort Plüschtiere. Die Tapete hat Winnie-Puh-Motive mit Bärchen, Honigtöpfen und Bäumen. Brenda trug keine Schwesterntracht, sondern hatte einen hellblauen Hosenanzug an.«

»Du warst nicht dabei.«

»Sie hat es mir am Telefon erzählt.«

Henri betrachtet ihre nackten Füße auf dem Sesselpolster. »Du hast sie gefragt, was sie anhatte?«

»Sie hat haselnussbraune Augen und kurzes schwarzes Haar«, versucht Benton freizulegen, was Henri tatsächlich oder angeblich verdrängt hat. Es ist Zeit, über die Sicherstellung der Spuren zu sprechen. »Es wurde keine Samenflüssigkeit gefunden, Henri. Keine Hinweise auf einen sexuellen Übergriff. Doch Brenda hat

Fasern entdeckt, die an deiner Haut klebten. Offenbar hattest du irgendeine Lotion oder ein Körperöl aufgetragen. Weißt du noch, ob du dich an diesem Morgen eingecremt hast?«

»Nein«, erwidert sie leise. »Aber ich könnte auch nicht behaupten, dass es nicht so war.«

»Deine Haut war fettig«, sagt Benton. »Laut Brenda. Sie hat auch einen Geruch wahrgenommen, einen angenehmen Duft wie von einer parfümierten Körperlotion.«

»Er hat mich nicht eingerieben.«

»Er?«

»Es muss doch ein Er gewesen sein. Oder glaubst du, es war eine Sie?«, meint sie in einem gekünstelt hoffnungsfrohen Tonfall, sodass sich ihre Stimme anhört wie die eines Menschen, der entweder sich selbst oder anderen etwas vormachen will. »Eine Sie kann es nicht gewesen sein. Eine Frau. Frauen tun so was nicht.«

»Frauen tun alles Mögliche. Im Augenblick wissen wir noch nicht, ob es ein Mann oder eine Frau war. Auf der Matratze im Schlafzimmer wurden einige Kopfhaare gefunden. Schwarz, lockig und etwa fünfzehn bis achtzehn Zentimeter lang.«

»Tja, dann erfahren wir es ja bald, stimmt's? Man kann aus den Haaren die DNS herauslösen und feststellen, dass es keine Frau war«, sagt sie.

»Ich fürchte, das geht nicht. Die durchgeführte DNS-Untersuchung kann das Geschlecht nicht bestimmen. Vielleicht die Rasse, aber nicht das Geschlecht. Und sogar das wird mindestens einen Monat dauern. Glaubst du, du könntest die Körperlotion selbst aufgetragen haben?«

»Nein. Aber er war es auch nicht. Das hätte ich nie zugelassen. Ich hätte mich gegen ihn gewehrt, wenn das möglich gewesen wäre. Vielleicht wollte er es ja tun.«

»Und du hast dich auch nicht selbst eingecremt?«

»Ich habe doch schon nein gesagt, genügt das denn nicht? Außerdem geht es dich nichts an.«

Benton versteht. Wenn Henri die Wahrheit sagt, hat die Lotion nichts mit dem Übergriff zu tun. Als er an Lucy denkt, wird er gleichzeitig von Mitleid und Wut ergriffen.

»Erzähl du es mir«, fordert Henri ihn auf. »Erzähl mir, was deiner Ansicht nach mit mir passiert ist. Du schilderst mir, was geschehen ist, und ich sage dann, ob es stimmt oder nicht.« Sie lächelt plötzlich.

»Lucy kam nach Hause«, beginnt Benton. »Es war ein paar Minuten nach zwölf Uhr mittags, und als sie die Vordertür aufschloss, bemerkte sie sofort, dass die Alarmanlage nicht eingeschaltet war. Sie hat nach dir gerufen, und als du nicht geantwortet hast und sie hörte, wie die Hintertür, die zum Pool führt, gegen den Türpfosten schlug, ist sie dorthin gelaufen. In der Küche sah sie, dass die Tür zum Pool weit offen stand.«

Henri starrt wieder mit aufgerissenen Augen an Benton vorbei und aus dem Fenster. »Ich wünschte, sie hätte ihn getötet.«

»Sie hat ihn nie zu Gesicht bekommen. Vermutlich hat die Person gehört, wie sie in ihrem schwarzen Ferrari vorfuhr, und ist abgehauen ...«

»Er war doch bei mir im Zimmer und musste zuerst die vielen Stufen hinunter«, unterbricht Henri, während sie weiter ins Leere blickt. Diesmal hat Benton das Gefühl, dass sie die Wahrheit sagt.

»Lucy hat nicht in der Garage geparkt, da sie nur kurz vorbeikommen wollte, um nach dir zu sehen«, spricht Benton weiter. »Also hat sie die Vordertür rasch erreicht und ist hereingekommen, während er durch die Hintertür geflüchtet ist. Sie hat ihn nicht verfolgt, weil er zu schnell für sie war. Außerdem hat sich Lucy in diesem Moment mehr für dich interessiert als für den Menschen, der ins Haus eingedrungen ist.«

»Das stimmt nicht«, meint Henri, beinahe triumphierend.

»Dann erzähl mir, wie es war.«

»Sie ist nicht in ihrem schwarzen Ferrari gekommen. Der stand in der Garage. Sondern mit dem blauen. Der parkte vor dem Haus.«

Weitere neue Informationen. Benton bleibt ruhig und gibt sich lässig. »Bist du sicher, dass du weißt, mit welchem Auto sie an diesem Tag gefahren ist?«

»Das weiß ich immer. Sie hat den schwarzen Ferrari nicht gefahren, weil er beschädigt war.«

»Wie ist das passiert?«

»Er hat auf einem Parkplatz was abgekriegt«, erwidert Henri und betrachtet wieder ihre lädierte Zehe. »Du kennst doch das Fitness-Studio in der Atlantic Avenue, oben in Coral Springs, wo wir manchmal trainieren gehen.«

»Weißt du, wann das geschehen ist?«, erkundigt sich Benton, ohne sich seine Aufregung anmerken zu lassen. Diese Information ist neu und wichtig, und er ahnt, wohin sie führen wird. »Der schwarze Ferrari wurde beschädigt, während du im Fitness-Studio warst?«, drängt er sie, die Wahrheit zu sagen.

»Ich habe nie gesagt, dass ich im Fitness-Studio war«, zischt sie, und ihr feindseliger Ton bestätigt seinen Verdacht.

Sie ist mit Lucys schwarzem Ferrari ins Fitness-Studio gefahren, und zwar offenbar ohne Lucys Erlaubnis. Niemand darf den schwarzen Ferrari benutzen, nicht einmal Rudy.

»Erzähl mir von dem Schaden«, sagt Benton.

»Er war zerkratzt, mit einem Autoschlüssel oder so. Jemand hat ein Bild hineingeritzt.« Sie starrt auf ihre Füße und fummelt an der gelblich angelaufenen großen Zehe herum.

»Was stellte das Bild dar?«

»Danach wollte sie ihn nicht mehr fahren. Man fährt nicht in einem zerkratzten Ferrari herum.«

»Bestimmt war Lucy sauer«, meint Benton.

»Das kann man doch reparieren. Alles kann man reparieren. Wenn sie ihn umgebracht hätte, bräuchte ich nicht hier zu sein. Jetzt muss ich den Rest meines Lebens Angst haben, dass er mich wieder aufspürt.«

»Ich tue mein Bestes, damit du dir deshalb keine Sorgen zu machen brauchst, Henri. Aber du musst mir helfen.«

»Vielleicht erinnere ich mich ja nie.« Sie sieht ihn an. »Dagegen kann ich nichts tun.«

»Lucy ist drei Treppen hinauf ins Schlafzimmer gerannt. Dort warst du«, sagt Benton. Dabei mustert er sie eindringlich, um sicherzugehen, dass sie seine Schilderung verkraftet, auch wenn sie diesen Teil schon mal gehört hat. Die ganze Zeit über hat er befürchtet, dass es keine Schauspielerei ist und dass alles, was sie sagt und tut, der Wahrheit entspricht. Aber was ist, wenn es sich nicht so verhält? Genauso gut könnte sie endgültig mit der Realität brechen, psychotisch werden und vollständig durchdrehen. Sie hört zwar zu, aber ihr Verhalten ist merkwürdig. »Als Lucy dich fand, warst du bewusstlos, doch Atmung und Herzschlag waren normal.«

»Ich hatte nichts an.« Dieses Detail stört sie nicht. Es macht ihr Spaß, ihn an ihren nackten Körper zu erinnern.

»Schläfst du oft nackt?«

»Das tue ich gerne.«

»Erinnerst du dich, ob du deinen Pyjama ausgezogen hast, bevor du an diesem Vormittag wieder ins Bett gegangen bist?«

»Wahrscheinlich schon.«

»Also war es nicht der Angreifer. Mal angenommen, dass es ein Mann ist.«

»Das brauchte er nicht mehr. Allerdings bin ich sicher, dass er es getan hätte.«

»Lucy sagt, als sie dich zuletzt gesehen hat, also gegen acht Uhr morgens, hättest du einen roten Satinpyjama und einen hellbraunen Morgenmantel aus Frottee angehabt.«

»Stimmt. Weil ich rausgehen wollte. Ich habe mich in einen Liegestuhl am Pool in die Sonne gesetzt.«

Wieder neue Informationen, und er schiebt eine Frage hinterher: »Um wie viel Uhr war das?«

»Gleich nachdem Lucy weg war, glaube ich. Sie ist im blauen Ferrari losgefahren. Tja, nicht gleich«, verbessert sie sich in ausdruckslosem Tonfall und starrt in die schneebedeckte Landschaft hinaus, die in der Morgensonne funkelt. »Ich war sauer auf sie.«

Benton steht langsam auf und legt einige Scheite ins Feuer. Funken stieben im Kamin, und die Flammen lecken gierig am staubtrockenen Holz. »Sie hat dich gekränkt«, meint er und zieht das Kamingitter zu.

»Lucy ist nicht sehr nett, wenn man krank wird«, entgegnet Henri und wirkt wieder konzentrierter und sachlicher. »Sie wollte mich nicht pflegen.«

»Was ist mit der Körperlotion?«, fragt er. Er kann sich zwar seinen Teil denken und ist sicher, dass seine Theorie stimmt, hält es jedoch für klug, auf Nummer sicher zu gehen.

»Na und? Ist doch nicht weiter wichtig, oder? Das war nur ein Gefallen. Weißt du, wie viele Leute danach lechzen würden, es zu tun? Ich habe sie gelassen, um ihr einen Gefallen zu tun. Sie macht nämlich nur das absolute Minimum, und auch das bloß, wenn es ihr in den Kram passt. Und dann hat sie genug davon, sich um mich zu kümmern. Ich hatte Kopfschmerzen, und wir haben uns gestritten.«

»Wie lange hast du am Pool gesessen?«, erkundigt sich Benton. Er gibt sich Mühe, sich nicht durch Gedanken an Lucy ablenken zu lassen und sich nicht zu fragen, wo sie nur ihren Kopf hatte, als sie Henri Walden begegnete. Gleichzeitig jedoch ist ihm klar, welchen Charme Soziopathen versprühen können und dass sie selbst Menschen um den Finger wickeln, die es eigentlich besser wissen müssten.

»Nicht lange, es ging mir nicht gut.«

»Eine Viertelstunde? Eine halbe?«

»Schätzungsweise eine halbe Stunde.«

»Hast du andere Leute gesehen? Oder Boote?«

»Mir ist nichts aufgefallen. Vielleicht waren da ja auch keine. Was hat Lucy gemacht, als sie in mein Zimmer kam?«

»Sie hat die Notrufnummer gewählt, immer wieder nachgesehen, ob du noch lebst, und auf den Rettungswagen gewartet«, erwidert Benton. Er beschließt, ein weiteres Detail hinzuzufügen, obwohl das gefährlich ist. »Und sie hat fotografiert.«

»Hatte sie eine Pistole?«

»Ja.«

»Ich wünschte, sie hätte ihn getötet.«

»Du sagst immer ›er‹.«

»Und sie hat Fotos gemacht? Von mir?«, fragt Henri.

»Du warst zwar bewusstlos, aber dein Zustand war stabil. Also hat sie dich fotografiert, bevor sie dich weggebracht haben.«

»Weil ich aussah, als ob ich angegriffen worden wäre?«

»Weil dein Körper in einer ungewöhnlichen Stellung dalag, Henri. Und zwar so.« Er streckt die Arme aus und hält sie über den Kopf. »Du hast auf dem Bauch gelegen, die Arme von dir gestreckt und mit den Handflächen nach unten. Außerdem hattest du Nasenbluten und warst voller Blutergüsse, wie du ja weißt. Und deine rechte große Zehe war gebrochen, auch wenn das erst später festgestellt wurde. Offenbar weißt du nicht mehr, wie du sie dir gebrochen hast.«

»Vielleicht habe ich sie mir gestoßen, als ich die Treppe runtergegangen bin«, sagt sie.

»Erinnerst du dich daran?«, fragt er, da sie bis jetzt im Zusammenhang mit ihrer Zehe nichts erzählt hat. »Wann könnte das passiert sein?«

»Als ich beim Pool war. Die Steinstufen. Kann sein, dass ich über eine Stufe gestolpert bin, wegen der vielen Medikamente oder weil ich Fieber hatte. Ich weiß noch, dass ich geweint habe. Daran erinnere ich mich. Weil es wehgetan hat. Ich habe überlegt, ob ich sie anrufen soll, es dann aber gelassen. Sie mag es nicht, wenn ich krank bin.«

»Du hast dir die Zehe auf dem Weg zum Pool gebrochen und hast überlegt, ob du Lucy anrufen sollst, es aber nicht getan.« Er will keine Missverständnisse aufkommen lassen.

»Stimmt«, entgegnet sie spöttisch. »Wo waren mein Pyjama und mein Morgenmantel?«

»Ordentlich zusammengefaltet auf einem Stuhl neben dem Bett. Hast du sie zusammengefaltet und dort hingelegt?«

»Vermutlich. War ich zugedeckt?«

Er weiß, worauf sie hinauswill, aber es ist wichtig, ihr die Wahrheit zu sagen. »Nein«, antwortet er. »Die Decke war zum Fußende des Bettes gezogen worden und hing von der Matratze.«

»Ich hatte nichts an, und sie hat mich fotografiert«, sagt Henri, und ihr Gesicht ist ausdruckslos, als sie ihn mit harten, undurchdringlichen Augen ansieht.

»Ja«, erwidert Benton.

»Typisch für sie, so was zu tun. Sie ist und bleibt ein Cop.«

»Du bist auch ein Cop, Henri. Was hättest du an ihrer Stelle getan?«

»Typisch für sie«, wiederholt sie nur.

8

»Wo bist du?«, fragt Marino, nachdem er im Display seines vibrierenden Mobiltelefons Lucys Nummer erkannt hat. »Wo steckst du gerade?« Das will er immer von ihr wissen, auch wenn es nicht von Belang ist.

Marino hat sein ganzes Erwachsenenleben mit der Verbrechensbekämpfung verbracht, und der Aufenthaltsort eines Menschen ist ein Detail, das ein guter Polizist niemals übersieht. Es nützt überhaupt nichts, zum Funkgerät zu greifen und »Mayday« zu brüllen, wenn man keine Ahnung hat, wo man sich befindet. Marino betrachtet sich als Lucys Mentor, und das lässt er sie nicht vergessen, obwohl sie selbst ihn schon seit Jahren nicht mehr so sieht.

»Atlantic Boulevard«, hört er Lucys Stimme im rechten Ohr. »Ich sitze im Auto.«

»Wär ich nie drauf gekommen, Sherlock. Du klingst, als würdest du in einem Müllcontainer hocken.« Marino lässt sich keine Gelegenheit entgehen, sie wegen ihrer Autos aufzuziehen.

»Neid ist eine so hässliche Eigenschaft«, gibt sie zurück.

Er entfernt sich ein paar Schritte vom Kaffeeautomaten in der Gerichtsmedizin und blickt sich um, bis er sich vergewissert hat, dass niemand sein Gespräch belauscht. »Pass auf, hier bei uns läuft es nicht so gut.« Er späht dabei durch das kleine Fenster in der Bibliothekstür, um festzustellen, ob sich jemand im Raum befindet. Alles menschenleer. »Der Laden ist ganz schön den Bach runtergegangen«, sagt er in sein winziges Mobiltelefon. »Ich wollte dich nur auf dem Laufenden halten.«

»Auf dem Laufenden halten? Sehr komisch«, entgegnet Lucy nach einer Pause. »Was soll ich für dich tun?«

»Verdammt, ist dieses Auto laut.« Beim Auf-und-ab-Gehen huschen seine Augen unablässig unter dem Schirm der LAPD-Baseballkappe hin und her, die Lucy ihm geschenkt hat.

»Gut, jetzt hast du es geschafft, dass ich mir Sorgen mache«, überbrüllt sie das Dröhnen ihres Ferrari. »Als du erzählt hast, es wäre nichts Großes, hätte ich gleich wittern müssen, dass es Probleme geben wird. Mist. Ich habe dich gewarnt. Ich habe euch beide gewarnt, keinen Fuß mehr in diese Stadt zu setzen.«

»Es geht nicht nur um das tote Mädchen«, erwidert er leise. »Darauf will ich hinaus. Eigentlich geht es überhaupt nicht um die Kleine. Damit möchte ich natürlich nicht sagen, dass sie nicht das Hauptproblem wäre. Aber hier ist noch etwas im Busch. Unser gemeinsamer Freund« – damit meint er Benton – »hat sich da unmissverständlich ausgedrückt. Und du kennst sie ja.« Jetzt spricht er von Scarpetta. »Sie wird sich ordentlich Ärger einhandeln.«

»Etwas ist im Busch? Was denn? Gib mir einen Wink.« Lucys Tonfall verändert sich. Wenn sie sehr ernst ist, wird ihre Stimme zäh und starr und erinnert Marino an trocknenden Klebstoff.

Falls es in Richmond zu Problemen kommen sollte, denkt Marino, gibt es für ihn kein Entrinnen. Lucy wird ihm ordentlich die Leviten lesen. »Ich muss dir mal was sagen, Boss«, fährt er fort. »Einer der Gründe, warum ich noch lebendig rumlaufe, ist, dass ich Instinkte habe.«

Marino nennt sie Boss, als ob es ihm nichts ausmachen würde, dass sie sein Chef ist, obwohl ihm nichts ferner liegt als das. Insbesondere dann, wenn seine berüchtigten Instinkte ihn warnen, dass er sich einen Rüffel von ihr einhandeln wird. »Und meine Instinkte brüllen mich geradezu an, Boss«, fährt er fort, wohl wissend, dass Lucy und ihre Tante Kay Scarpetta es sofort als Unsicherheit deuten, wenn er großspurig wird, mit seinen Instinkten prahlt oder Frauen in Machtpositionen Boss, Sherlock oder noch Schlimmeres nennt. Aber er ist machtlos dagegen, auch wenn er die Situation dadurch nicht gerade verbessert. »Und ich setze noch einen drauf«, fährt er fort. »Ich hasse diese stinkende Stadt. Verdammt, ich hasse dieses Drecksnest. Weißt du, was mit dieser Scheißstadt nicht stimmt? Kein Mensch hier hat Respekt.«

»Ich sage jetzt nicht, dass ich dich ja gewarnt habe«, reibt Lucy ihm unter die Nase. Ihr Tonfall wird immer trockener. »Sollen wir kommen?«

»Nein«, antwortet er, und es ärgert ihn, dass Lucy sofort glaubt, sie müsse etwas unternehmen, wenn er ihr sagt, was er denkt. »Im Moment will ich dich nur auf dem Laufenden halten, Boss«, wiederholt er und wünscht, er hätte Lucy gar nicht angerufen. Es war ein Fehler, sich bei ihr zu melden, denkt er. Aber wenn sie rauskriegen sollte, dass ihre Tante in Schwierigkeiten steckt und er kein Wort darüber verloren hat, würde sie ihm ordentlich die Hölle heiß machen.

Bei ihrer ersten Begegnung war sie zehn Jahre alt. Zehn. Eine pummelige kleine Göre mit Brille und einem schrecklichen Benehmen. Anfangs konnten sie einander nicht ausstehen. Dann änderte sich alles, und sie begann, ihn als Helden zu verehren. Sie wurden Freunde. Er hatte Spaß daran, ihr im Laufe der Jahre das Auto- und Motorradfahren, das Schießen und das Biertrinken beizubringen und ihr zu erklären, woran man es erkennt, wenn jemand lügt. Die wichtigen Dinge im Leben eben. Damals hatte er noch keine Angst vor ihr. Vielleicht ist Angst ja nicht das richtige Wort, um seine Gefühle zu beschreiben, aber Lucy hat im Gegensatz zu ihm Macht. Wenn er nach einem Telefonat mit ihr den Hörer auflegt, fühlt er sich meistens niedergeschlagen und uneins mit sich selbst. Sie kann tun und lassen, was ihr gefällt, und hat trotzdem Geld und die Möglichkeit, andere Menschen herumzukommandieren. Er nicht. Nicht einmal als Polizeibeamter konnte er seine Macht so offen zur Schau stellen wie sie. Doch er will keine Angst vor ihr haben, sagt er sich. Auf keinen Fall, verdammt.

»Wir kommen, falls du uns brauchst«, sagt Lucy am Telefon. »Allerdings ist der Zeitpunkt ungünstig. Ich stecke hier mitten in einer Sache und bin voll damit beschäftigt.«

»Ich sagte doch, dass du nicht zu kommen brauchst«, knurrt Marino. Seine Brummigkeit war schon immer der Zaubertrick, mit dem er die Menschen zwingt, sich mehr Gedanken über ihn und seine Launen zu machen als über sich selbst und ihre eigenen Gefühle. »Ich wollte dir nur erzählen, was los ist, mehr nicht. Ich komme auch ohne dich zurecht. Du kannst hier nichts tun.«

»Gut«, erwidert Lucy. Brummigkeit funktioniert bei ihr nicht mehr, was Marino immer wieder vergisst. »Ich muss weiter.«

9

Als Lucy mit dem linken Zeigefinger die Schaltwippe berührt, schaltet der Motor mit einem Dröhnen auf tausend Umdrehungen, und der Wagen wird langsamer. Ihr Sonarradar zirpt, und der Radarwarner blinkt rot, ein Hinweis darauf, dass irgendwo auf der Strecke Polizisten mit einem Radargerät lauern.

»Ich rase nicht«, sagt sie zu Rudy Musil, der auf dem Beifahrersitz neben dem Feuerlöscher sitzt und den Tacho beobachtet. »Nicht mal zehn Kilometer schneller als erlaubt.«

»Ich hab doch gar nichts gesagt«, erwidert er und wirft einen Blick in den Seitenspiegel.

»Lass mich sehen, ob ich Recht habe.« Sie bleibt im vierten Gang und fährt nur etwas über sechzig Kilometer pro Stunde. »An der nächsten Kreuzung lauert ein Streifenwagen auf uns Provinzler, die es nicht erwarten können, zum Strand zu kommen, um uns zu zeigen, was eine Harke ist.«

»Was ist mit Marino los? Lass mich raten«, spricht Rudy weiter. »Ich soll meinen Koffer packen.«

Beide beobachten weiter aufmerksam die Umgebung, schauen in sämtliche Spiegel, mustern andere Autos und nehmen jede Palme, jeden Fußgänger und jedes Gebäude in dieser brettebenen, von Ladenzeilen mit angrenzenden Parkplätzen geprägten Landschaft wahr. Auf dem Atlantic Boulevard in Pompano Beach, nördlich von Fort Lauderdale, ist der Verkehr im Moment spärlich und verhältnismäßig ruhig.

»Ja«, entgegnet Lucy. »Und auf geht's.« Sie passieren einen blauen Ford LTD, der gerade von der Powerline Road rechts abgebogen ist; an der Kreuzung befinden sich ein Eckerd's-Drogeriemarkt und eine Discount-Metzgerei. Der Ford, ein ziviles Polizeifahrzeug, fädelt sich hinter ihr in die linke Spur ein.

»Du hast ihn neugierig gemacht«, meint Rudy.

»Tja, für Neugier wird er aber nicht bezahlt«, entgegnet sie gereizt, als der Ford ihr folgt. Sie weiß genau, dass der Cop nur darauf wartet, einen Grund zu bekommen, das Blaulicht einzuschalten und den Wagen und das junge Paar darin zu kontrollieren. »Schau dir das an. Die Leute überholen mich schon rechts, und bei dem Auto da vorne ist die Inspektionsplakette abgelaufen.« Sie zeigt mit dem Finger darauf. »Aber der Cop interessiert sich mehr für mich.«

Sie hört auf, im Rückspiegel Ausschau nach ihm zu halten, und wünscht, Rudy wäre nicht so bedrückter Stimmung. Seit sie ein Büro in Los Angeles eröffnet hat, wirkt er niedergeschlagen. Sie weiß zwar nicht, warum, aber offenbar hat sie seinen Ehrgeiz und seine Bedürfnisse im Leben falsch eingeschätzt. Sie hat angenommen, dass Rudy ein Hochhaus am Wilshire Boulevard gefallen würde, wo die Aussicht so phantastisch ist, dass man an klaren Tagen Catalina Island erkennen kann. Aber sie hat sich in ihm geirrt, so sehr geirrt wie bis jetzt noch nie in ihrem Leben.

Von Süden zieht eine Gewitterfront heran. Der Himmel ist in Schichten aufgeteilt, die von dichtem Dunst zu sonnendurchflutetem Perlgrau changieren. Kühlere Luft schiebt den Regen fort, der heute hin und wieder vom Himmel geprasselt ist und Pfützen hinterlassen hat, die lautstark gegen den Unterboden von Lucys tief liegendem Wagen schwappen. Dicht vor ihnen schwirrt ein Schwarm umherziehender Möwen über die Straße. Die Vögel stieben wild durcheinander in alle Richtungen. Lucy fährt weiter, den zivilen Polizeiwagen beharrlich hinter sich.

»Marino hatte nicht viel zu sagen«, beantwortet sie Rudys Frage von vorhin. »Nur, dass in Richmond etwas im Busch ist. Wie immer ist meine Tante voll ins Fettnäpfchen getreten.«

»Ich habe mitgekriegt, wie du angeboten hast zu kommen. Ich dachte, sie sollte die Leute dort nur in einem Fall beraten. Was ist denn los?«

»Keine Ahnung, ob wir etwas unternehmen müssen. Das wird sich zeigen. Der dortige Chef, ich kann mir seinen Namen einfach nicht merken, hat sie gebeten, ihm bei einem Fall zu helfen. Ein Kind, ein Mädchen, ist plötzlich gestorben, und er hat keine Ahnung, warum. Seine Mitarbeiter kommen auch nicht weiter, keine große Überraschung also. Er ist noch nicht einmal vier Monate im Amt und versucht, das erste große Problem, mit dem er konfrontiert wird, abzuwälzen. Also ruft er meine Tante an. Hey, was halten Sie davon, herzukommen und sich mit diesem Mist rumzuschlagen, damit ich mir die Hände nicht schmutzig machen muss? Verstehst du? Ich habe ihr geraten, die Finger davon zu lassen, und jetzt scheint es tatsächlich Ärger zu geben. Große Überraschung. Ich weiß nicht. Ich habe ihr gesagt, sie soll einen Bogen um Richmond machen, aber sie hört einfach nicht auf mich.«

»Sie hört ungefähr genauso auf dich wie du auf sie«, merkt Rudy an.

»Weißt du was? Ich mag diesen Typen nicht.« Lucy betrachtet den zivilen Ford im Rückspiegel.

Er klebt ihr immer noch an der Stoßstange. Hinter dem Steuer sitzt eine dunkelhäutige Person, vermutlich ein Mann. Doch Lucy kann das nicht richtig sehen, und sie will nicht den Eindruck erwecken, dass sie sich für den Fahrer interessiert oder ihn überhaupt wahrnimmt. Dann fällt ihr etwas auf.

»Verdammt, bin ich blöd!«, ruft sie ungläubig. »Mein Radar gibt kein Signal. Wo habe ich nur meinen Kopf? Das Ding hat keinen Mucks gemacht, seit der Wagen hinter uns herfährt. Es ist kein Zivilauto mit Radar. Und es verfolgt uns trotzdem.«

»Immer mit der Ruhe«, erwidert Rudy. »Fahr einfach weiter, und achte nicht auf ihn. Wahrscheinlich nur irgendein Typ, der sich dein Auto anschauen will. Das hat man davon, wenn man in solchen Kisten rumkurvt. Das predige ich dir ja immer wieder. Mist.«

Früher hat Rudy ihr nie Vorträge gehalten. Vor vielen Jahren haben sie sich an der FBI-Akademie kennen gelernt und sind erst Kollegen, dann Partner und schließlich Freunde geworden. Damals hat er sie persönlich und beruflich so geschätzt, dass er kurz nach ihr den Feds den Rücken gekehrt und in ihrer Firma Das Letzte Revier angeheuert hat, die man als international operierende Privatdetektei bezeichnen könnte.

»Überprüf das Nummernschild«, sagt Lucy.

Rudy holt seinen Palmtop heraus und geht ins Netz. Doch er

kann die Nummer nicht eingeben, weil er sie nicht sieht. Der Wagen hat nämlich, wie in Florida üblich, vorne kein Nummernschild. Lucy kommt sich reichlich dämlich vor, weil sie nicht daran gedacht hat.

»Lass dich überholen«, fordert Rudy sie auf.

Sie berührt die rechte Schaltwippe und schaltet in den zweiten Gang. Nun fährt sie deutlich langsamer, als erlaubt ist, doch der andere Wagen bleibt weiter hinter ihr. Der Fahrer scheint kein Interesse daran zu haben, sie zu überholen.

»Okay. Lass das Spiel beginnen«, sagt sie. »Da hast du dich mit der Falschen angelegt, Arschloch.« Ohne Vorwarnung biegt sie scharf in den Parkplatz eines Einkaufszentrums ein.

»Oh, Mist. Was zum Teufel ...? Jetzt weiß er, dass du ihn ärgern willst«, schimpft Rudy.

»Schreib dir die Nummer auf. Jetzt müsstest du sie lesen können.«

Er dreht sich im Sitz um, kann aber das Nummernschild trotzdem nicht sehen, denn der Ford LTD ist mit ihnen abgebogen, klebt weiter an ihrer Stoßstange und folgt ihnen über den Parkplatz.

»Bleib stehen!«, befiehlt Rudy. Er hat eine Stinkwut auf sie. »Halt sofort das Auto an!«

Als sie vorsichtig auf die Bremse tritt und in den Leerlauf schaltet, stoppt der Ford direkt hinter ihr. Rudy steigt aus und geht auf den Wagen zu, während der Fahrer das Fenster hinunterlässt. Lucys Fenster ist ebenfalls offen. Die Pistole auf dem Schoß, beobachtet sie das Geschehen im Seitenspiegel und versucht, ihre Gefühle in den Griff zu bekommen. Sie kommt sich dumm vor, ist verlegen und wütend und hat ein wenig Angst.

»Haben Sie ein Problem?«, hört sie Rudy zu dem Fahrer, einem jungen Latino, sagen.

»Ob ich ein Problem habe? Ich hab doch nur geschaut.«

»Vielleicht wollen wir das aber nicht.«

»Es ist ein freies Land. Ich kann schauen, so viel ich will. Verdammt. Du bist derjenige, der ein Problem hat, du Scheißer.«

»Suchen Sie sich was anderes zum Anglotzen. Und jetzt hauen

Sie endlich ab!«, meint Rudy, ohne die Stimme zu heben. »Wenn Sie uns weiter verfolgen, stecke ich Sie höchstpersönlich in den Knast.«

Albernerweise würde Lucy am liebsten laut loslachen, als Rudy seinen gefälschten Dienstausweis zückt. Sie schwitzt, das Herz klopft ihr bis zum Halse, und sie möchte lachen und aussteigen und den jungen Latino abknallen. Auf der anderen Seite würde sie am liebsten weinen, weil sie ihre Gefühle einfach nicht versteht. Sie sitzt hinter dem Steuer des Ferrari, ohne sich zu rühren. Der Latino erwidert etwas, das sie nicht hören kann, und fährt wütend und mit quietschenden Reifen davon. Rudy kehrt zum Ferrari zurück und steigt ein.

»Spitzenleistung«, sagt er, während sie sich wieder in den Verkehr auf dem Atlantic Boulevard einfädelt. »Nur ein Penner, der sich für dein Auto interessiert hat, und du machst eine Staatsaffäre daraus. Erst glaubst du, dass dich ein Cop verfolgt, weil der Wagen ein blauer LTD ist. Dann merkst du, dass dein Radar kein gottverdammtes Signal auffängt, und denkst sofort ... was? Was hast du gedacht? Die Mafia? Ein bezahlter Killer, der dir mitten auf einem belebten Highway die Rübe wegpusten will?«

Sie macht es Rudy nicht zum Vorwurf, dass er die Geduld mit ihr verliert. Allerdings darf sie es nicht zulassen. »Schrei mich nicht an«, sagt sie.

»Weißt du was? Du hast dich nicht mehr im Griff. Du bist ein Sicherheitsrisiko.«

»Es geht um etwas anderes«, erwidert sie so selbstbewusst wie möglich.

»Da hast du verdammt Recht«, gibt er zurück. »Es geht um sie. Du lässt jemanden bei dir wohnen – und schau dir an, was passiert. Sie hätte tot sein können. Und du auch. Wenn du dich nicht zusammenreißt, wird noch etwas viel Schlimmeres passieren.«

»Sie wurde verfolgt, Rudy. Tu nicht so, als wäre das meine Schuld. Ich kann nichts dafür.«

»Verfolgt. Du hast verdammt Recht. Natürlich wurde sie verfolgt, verflucht, und das ist nur deine Schuld. Wenn du zum Beispiel einen Jeep aus der Firma fahren würdest ... oder den Explorer. Warum nimmst du nicht hin und wieder den? Warum hast du ihr deinen verdammten Ferrari überlassen, damit Miss Hollywood den großen Star spielen kann? Mein Gott. Du mit deinen bescheuerten Ferrari.«

»Sei nicht eifersüchtig. Ich hasse …«

»Ich bin nicht eifersüchtig!«, brüllt er.

»Seit wir sie eingestellt haben, benimmst du dich aber so.«

»Es geht nicht darum, dass du sie eingestellt hast. Wozu eigentlich? Soll sie etwa unsere Klienten in Los Angeles schützen? Das ist doch wohl ein Scherz! Für welche Aufgaben hast du sie also angeheuert?«

»Ich erlaube dir nicht, so mit mir zu reden«, sagt Lucy ruhig. Sie ist erstaunlich gelassen, aber ihr bleibt auch gar nichts anderes übrig. Wenn sie zurückschreit, werden sie wirklich in Streit geraten, und dann könnte Rudy etwas Schreckliches tun. Kündigen zum Beispiel.

»Ich lasse mir nicht in mein Leben hineinpfuschen. Ich fahre, welches Auto ich will, und wohne, wo es mir gefällt.« Sie starrt zornig geradeaus auf den Atlantic Boulevard und auf die Autos, die in Seitenstraßen und Parkplätze einbiegen. »Ich kann großzügig sein, zu wem es mir passt. Den schwarzen Ferrari durfte sie nicht fahren, das weißt du genau. Aber sie hat ihn trotzdem genommen, und damit hat es angefangen. Er hat sie gesehen und sie verfolgt, und dann ist es passiert. Aber sie ist nicht schuld daran. Schließlich hat sie ihn nicht dazu aufgefordert, mein Auto zu beschädigen, ihr nachzufahren und zu versuchen, sie umzubringen.«

»Sehr gut. Du lebst, wie du willst«, erwidert Rudy. »Und so werden sich Situationen wie vorhin auf dem Parkplatz weiter wiederholen. Nur dass ich beim nächsten Mal möglicherweise irgendeinen unschuldigen Fremden zusammenschlage, der einfach nur deinen blöden Ferrari angaffen wollte. Verdammt, vielleicht kriege ich sogar die Chance, jemanden zu erschießen. Oder ich werde selbst erschossen. Das wäre doch noch besser. Dass ich wegen einem bescheuerten Auto abgeknallt werde.«

»Beruhig dich«, entgegnet Lucy und stoppt an einer roten

Ampel. »Bitte beruhig dich. Ich hätte das besser regeln sollen, einverstanden.«

»Regeln? Ich habe nicht bemerkt, dass du überhaupt was geregelt hättest. Du hast einfach nur idiotisch reagiert.«

»Rudy, hör auf. Bitte.« Sie will nicht so wütend auf ihn werden, dass sie einen Fehler macht. »Zwing mich nicht, auf meine Stellung zu pochen.«

Sie biegt am Highway A1A links ab und fährt langsam den Strand entlang. Einige Jugendliche fallen fast von ihren Rädern, als sie sich umdrehen, um ihr Auto anzustarren. Rudy schüttelt den Kopf und zuckt die Achseln, als wolle er »Ich geb's auf« sagen. Allerdings geht es bei dem Gespräch längst nicht mehr um den Ferrari. Wenn Lucy ihre Lebensweise änderte, würde sie *ihn* gewinnen lassen. Sie glaubt, dass die Bestie ein Mann ist. Henri ist zumindest überzeugt davon, und Lucy teilt ihre Ansicht. Zum Teufel mit der Wissenschaft, zum Teufel mit Beweisen, zum Teufel mit dem ganzen Rest. Sie weiß genau, dass die Bestie ein Mann ist.

Entweder ist er eine übertrieben selbstbewusste oder eine dumme Bestie, weil er zwei bruchstückhafte Fingerabdrücke auf der Glasplatte des Nachttischs hinterlassen hat. Das war leichtsinnig von ihm. Bis jetzt gab es aber keine Übereinstimmung zwischen diesen Fingerspuren und den Abdrücken im Integrierten Automatisierten Fingerabdruck-Identifikations-System IAFIS. Das kann heißen, dass seine Abdrücke nicht in einer Datenbank registriert wurden, weil er möglicherweise nie verhaftet wurde. Vielleicht war es ihm auch gleichgültig, dass er drei Haare, drei schwarze Kopfhaare, auf dem Bett zurückgelassen hat. Warum sollte ihn das auch interessieren? Selbst bei einem wichtigen Fall wie diesem dauert die Analyse der Mitochondrien-DNS dreißig bis neunzig Tage. Dabei gibt es keine Garantie für verwertbare Ergebnisse, denn eine zentralisierte Datenbank für Mitochondrien-DNS, die einen weiterbringen würde, existiert nicht, und anders als bei der Nukleus-DNS, die man aus Blut und Gewebe gewinnt, gibt die Mitochondrien-DNS aus Haaren und Knochen keinen Aufschluss über das Geschlecht des Täters. Also spielen die von der Bestie hinterlassenen Spuren keine Rolle. Möglicherweise kommen sie ja nie zum Tragen, außer man findet einen Verdächtigen und kann direkte Vergleiche anstellen.

»Zugegeben, ich bin durcheinander und nicht ich selbst. Es hat mich ein bisschen aus der Bahn geworfen«, sagt Lucy und konzentriert sich voll aufs Fahren. Sie macht sich Sorgen, dass sie sich wirklich nicht mehr im Griff und dass Rudy Recht haben könnte. »So wie gerade eben hätte ich mich nie verhalten dürfen. Niemals. Für so einen Mist bin ich eigentlich viel zu professionell.«

»Du schon. Sie nicht.« Rudy hat den Kiefer störrisch vorgeschoben. Seine Augen sind hinter der verspiegelten Sonnenbrille verschwunden. Er will nicht, dass Lucy ihm in die Augen schauen kann, und das gefällt ihr gar nicht.

»Ich dachte, wir reden über den Latino von eben«, erwidert sie.

»Du weißt, was ich dir von Anfang an gepredigt habe«, fährt Rudy fort. »Über die Gefahr, die es bedeutet, jemanden bei dir wohnen zu lassen. Jemanden, der dein Auto und deine Sachen benutzt. Jemanden, der solo in deinem Luftraum fliegt. Jemanden, der deine und meine Regeln nicht kennt und, zum Teufel nochmal, nicht unsere Ausbildung hat. Und der auch nicht an denselben Dingen hängt wie wir. An unserem Leben zum Beispiel.«

»Es darf doch nicht immer alles von der Ausbildung abhängen«, entgegnet Lucy. Es ist einfacher, über das Thema Ausbildung zu sprechen, als darüber, ob man dem Menschen, den man liebt, wirklich etwas bedeutet. Ein Gespräch über den Latino ist unkomplizierter als eines über Henri. »Ich hätte mich vorhin niemals so verhalten dürfen, und ich entschuldige mich dafür.«

»Vielleicht hast du vergessen, wie es im Leben wirklich zugeht«, gibt Rudy zurück.

»Bitte, nein, verschon mich mit deinen Weisheiten‹«, zischt sie, tritt aufs Gas und fährt nach Norden in Richtung Hillsboro, wo ihre lachsfarben verputzte Villa im mediterranen Stil steht. »Ich glaube nicht, dass du die Situation objektiv beurteilen kannst. Du schaffst es ja nicht mal, ihren Namen auszusprechen, und redest immer nur von ›jemand‹.«

»Objektiv! Dass ich nicht lache! Das sagst ausgerechnet du.« Sein Tonfall klingt fast schon böse und schneidend. »Die blöde Kuh hat alles kaputtgemacht. Und dazu hattest du nicht das Recht. Du hattest nicht das Recht, mich zum Mitspielen zu zwingen.«

»Rudy, wir müssen aufhören, uns zu streiten«, versucht Lucy ihn zu beruhigen. »Warum gehen wir so miteinander um?« Sie blickt ihn an. »Es ist nicht alles kaputt.«

Er antwortet nicht.

»Warum brüllen wir uns an? Ich finde es zum Kotzen«, versucht sie es weiter.

Früher haben sie sich nie gestritten. Er hat zwar ab und zu geschmollt, sie aber nie offen kritisiert, bis sie das Büro in Los Angeles eröffnet und Henri vom LAPD abgeworben hat. Ein dumpfer Sirenenton kündigt an, dass die Zugbrücke gleich geöffnet wird. Lucy schaltet herunter und stoppt. Diesmal reckt ein Mann in einer Corvette den Daumen beifällig in die Höhe.

Mit einem traurigen Lächeln schüttelt sie den Kopf. »Ja, ich kann ganz schön dämlich sein«, meint sie. »Liegt wohl in den Genen. Von dem durchgeknallten Latino, meinem leiblichen Vater. Hoffentlich habe ich nicht auch was von meiner Mutter mitgekriegt, das wäre nämlich noch schlimmer. Und zwar um einiges.«

Rudy schweigt und starrt auf die Brücke, die hochklappt, um eine Jacht durchzulassen.

»Lass uns nicht streiten«, fährt sie fort. »Es ist nicht alles kaputt. Komm schon.« Sie greift nach seiner Hand und drückt sie. »Waffenstillstand? Neuanfang? Müssen wir Benton anrufen, damit er die Geiselverhandlungen moderiert? Denn inzwischen bist du nicht nur mein Freund und Partner, sondern auch meine Geisel. Und ich bin wahrscheinlich auch deine, richtig? Du, weil du den Job brauchst oder ihn zumindest behalten willst, und ich, weil ich ohne dich aufgeschmissen wäre. So ist es nun mal.«

»Ich brauche überhaupt nichts«, entgegnet er, und seine Hand rührt sich nicht. Sie fühlt sich an wie tot, sodass Lucy loslässt und ihre Hand wegnimmt.

»Das weiß ich sehr wohl«, erwidert sie, gekränkt, dass er ihre

Berührung nicht erwidert. Sie legt die zurückgewiesene Hand wieder aufs Lenkrad. »Mit dieser Angst lebe ich inzwischen ständig. Damit, dass du sagen könntest, ich verschwinde, *good-bye* und viel Spaß noch.«

Er starrt auf die Jacht, die durch die offene Brücke hinaus aufs Meer segelt. Die Menschen an Deck tragen Bermudas und bewegen sich mit dem Selbstbewusstsein der wenigen wirklich Reichen. Lucy ist sehr reich. Sie glaubt es nur nicht. Beim Anblick dieser Jacht fühlt sie sich weiterhin arm. Und als sie Rudy ansieht, kommt sie sich sogar noch ärmer vor.

»Kaffee?«, fragt sie. »Trinkst du einen Kaffee mit mir? Wir können uns an den Pool setzen, den ich nie benutze, und aufs Wasser hinausschauen, das ich nie wahrnehme, in diesem Haus, von dem ich wünschte, ich hätte es nie besessen. Ich kann sehr dumm sein«, meint sie. »Trink einen Kaffee mit mir.«

»Ja, okay.« Er schaut aus dem Fenster wie ein schmollender kleiner Junge, als Lucys Briefkasten in Sicht kommt. »Ich dachte, den wollten wir abnehmen«, sagt er und deutet darauf. »Du kriegst doch zu Hause keine Post. In diesem Ding findest du höchstens etwas Unerwünschtes. Vor allem jetzt.«

»Ich werde den Gärtner bitten, ihn abzumontieren, wenn er das nächste Mal kommt«, antwortet sie. »Ich war in letzter Zeit kaum hier. Die Eröffnung des Büros und so weiter. Ich fühle mich wie die Lucy aus *Hoppla Lucy*. Erinnerst du dich an die Folge, in der sie in einer Bonbonfabrik arbeitet und völlig überfordert ist, weil die Bonbons so schnell vom Fließband purzeln?«

»Nein.«

»Wahrscheinlich hast du dir in deinem ganzen Leben nie *Hoppla Lucy* angeschaut«, meint sie. »Meine Tante und ich haben immer zusammengesessen und uns Jackie Gleason, *Bonanza* und *Hoppla Lucy* angesehen, die Sendungen, die sie schon aus ihrer Kindheit in Miami kannte.« Sie rollt im Schritttempo an dem Anstoß erregenden Briefkasten am Ende der Auffahrt vorbei. Verglichen mit Lucy wohnt Scarpetta sehr bescheiden, und sie hat ihre Nichte davor gewarnt, in dieses Haus zu ziehen.

Es ist eindeutig zu protzig für dieses Viertel, hat Scarpetta zu ihr gesagt. Es war eine falsche Entscheidung, es zu kaufen, und Lucy bereut es inzwischen. Sie nennt das zweistöckige Haus mit den vierhundert Quadratmetern Wohnfläche ihr Neun-Millionen-Dollar-Stadthäuschen, weil es auf zwölfhundert Quadratmetern Grund steht. Die Rasenfläche ist so klein, dass sie nicht einmal ein Kaninchen ernähren würde. Der restliche Garten besteht aus Plattenwegen, einem kleinen eingelassenen Pool, einem Brunnen und ein paar Palmen und anderen Pflanzen. Hat ihre Tante Kay ihr nicht genügend Vorhaltungen gemacht, weil sie dort eingezogen ist? Weder Privatsphäre noch Sicherheitsvorkehrungen, dafür aber frei zugänglich für jedermann, der ein Boot besitzt, hat Scarpetta gemeint. Aber Lucy war zu beschäftigt und geistesabwesend, um ihrem Zweitwohnsitz die gebührende Aufmerksamkeit zu widmen, da sie nichts anderes im Kopf hatte, als Henri glücklich zu machen. Du wirst es noch bedauern, hat Scarpetta gewarnt. Lucy ist vor knapp drei Monaten hier eingezogen, und sie bedauert es wie noch nie etwas in ihrem Leben.

Sie betätigt die Fernbedienung, um das Tor zu öffnen, und dann eine zweite, die ihr die Zufahrt zur Garage ermöglicht.

»Warum die Mühe?« Rudy deutet auf das sich öffnende Tor. »Die verdammte Auffahrt ist ja nur drei Meter lang.«

»Das brauchst du mir nicht auch noch unter die Nase zu reiben«, erwidert Lucy gereizt. »Ich hasse diese Scheißbude.«

»Jemand könnte sich von hinten heranschleichen und wäre in deiner Garage, bevor du nur einen Mucks machst.«

»Dann muss ich denjenigen eben umlegen.«

»Das ist kein Scherz.«

»Ich scherze nicht«, entgegnet Lucy, während sich das Garagentor langsam hinter ihnen schließt.

10

Lucy parkt den Ferrari Modena neben dem schwarzen Ferrari, einem Zwölf-Zylinder-Scaglietti, der in einer Welt voller Geschwindigkeitsbeschränkungen nie die Möglichkeit haben wird, an die Grenzen seiner Kraft zu gehen. Als sie und Rudy aus dem Modena steigen, wendet sie den Blick von der beschädigten Motorhaube des schwarzen Ferrari ab, wo unbeholfen ein riesiges Auge mit Wimpern in den wunderschön schimmernden Lack gekratzt ist.

»Das Thema ist zwar recht unangenehm«, sagt Rudy, während er zwischen den beiden Ferrari zur Tür geht, die ins Innere der Villa führt. »Aber könnte es möglich sein, dass sie es selbst getan hat?« Er deutet auf die zerkratzte Motorhaube des Scaglietti, aber Lucy schaut nach wie vor nicht hin. »Ich frage mich nämlich immer noch, ob sie die ganze Sache nicht vorgetäuscht hat.«

»Sie war es nicht«, erwidert sie.

»Das lässt sich reparieren«, erwidert Rudy und steckt die Hände in die Hosentaschen, während Lucy die Tür öffnet und die Alarmanlage deaktiviert, die mit jeder möglichen Erkennungsfunktion ausgestattet ist. Auch Kameras, im Haus und draußen, gehören dazu. Allerdings zeichnen die Kameras nicht auf. Lucy wollte nicht, dass ihr Privatleben im Haus und auf dem Grundstück auf Video gebannt wird, und Rudy kann das bis zu einem gewissen Grad nachvollziehen. Ihm würde es auch nicht gefallen, wenn versteckte Kameras ihn überall in seinem Haus filmen würden. Und er wohnt allein. Lucy hingegen hatte eine Mitbewohnerin, als sie beschlossen hat, dass sie das, was in ihrem Haus und auf ihrem Grundstück geschieht, lieber nicht aufnehmen möchte.

»Vielleicht sollten wir deine Kameras in Betrieb nehmen und aufzeichnen«, meint er.

»Ich verkaufe dieses Haus«, erwidert Lucy.

Er folgt ihr in die riesige, mit Granit ausgestattete Küche und sieht sich in dem eindrucksvollen Ess- und Wohnzimmer um. Durch das Fenster hat man eine malerische Aussicht auf den Meeresarm und den Ozean. Die Decke ist sechs Meter hoch und mit einem Fresko im Stil von Michelangelo bemalt, in dessen Mitte ein Kronleuchter aus Bleikristall hängt. Der Esstisch ist aus Glas, sieht aus wie aus Eis gehauen und ist das faszinierendste Möbelstück, das Rudy je untergekommen ist. Er denkt lieber gar nicht daran, wie viel Lucy für diesen Tisch und die butterweiche Ledergarnitur, die Gemälde mit afrikanischen Tiermotiven – riesige Leinwände voller Elefanten, Zebras, Giraffen und Geparden – bezahlt hat. Rudy könnte sich nicht einmal eine Lampe aus Lucys Zweitwohnsitz leisten und auch keinen der Seidenteppiche. Vermutlich würden selbst manche der Zimmerpflanzen sein Budget übersteigen.

»Ich habe es satt«, sagt sie, während er sich weiter umschaut. »Ich fliege Helikopter und weiß nicht einmal, wie man hier das Heimkino bedient. Ich hasse diese Bude.«

»Erwarte nicht, dass ich Mitleid mit dir habe.«

»Hey.« Sie unterbricht das Gespräch in einem Tonfall, der ihm vertraut ist. Sie hat genug von seinen Sticheleien.

Auf der Suche nach dem Kaffee öffnet er einen der Gefrierschränke. »Was hast du denn Essbares da?«, fragt er.

»Chili. Selbst gekocht. Gefroren, aber wir können es in der Mikrowelle auftauen.«

»Klingt prima. Kommst du später mit ins Fitness-Studio? So gegen halb sechs?«

»Mir bleibt wohl nichts anderes übrig«, antwortet sie.

In diesem Moment fällt ihnen die Hintertür auf, die zum Pool führt, dieselbe Tür, durch die der Eindringling, wer immer er auch sein mag, vor einer knappen Woche das Haus betreten und es wieder verlassen hat. Die Tür ist zwar verschlossen, aber etwas klebt von außen an der Glasscheibe. Lucy eilt bereits darauf zu, und bevor Rudy klar wird, was geschieht, hat sie die Tür schon aufgerissen und betrachtet das weiße Blatt Papier, das mit einem einzigen Klebestreifen daran festgemacht ist.

»Was ist das?«, fragt Rudy, schließt den Gefrierschrank und starrt sie an. »Was zum Teufel ist das?«

»Wieder ein Auge«, sagt Lucy. »Eine Zeichnung von demselben Auge. Mit Bleistift. Und du hattest Henri in Verdacht. Sie ist mehr als fünfzehnhundert Kilometer weit weg von hier, und du hast gedacht, dass sie es war. Tja, jetzt hast du die Antwort. Er will mir mitteilen, dass er mich beobachtet«, fügt sie zornig hinzu und tritt nach draußen, um sich die Zeichnung von dem Auge besser anzuschauen.

»Nicht anfassen!«, ruft er.

»Hältst du mich für blöd, oder was?«, schreit sie zurück.

11

Verzeihung«, meint ein junger Mann, der einen violetten OP-Anzug, einen Gesichtsschild mit Maske, eine Kopfbedeckung, Schuhe und zwei Paar Latexhandschuhe übereinander trägt. Als er sich Scarpetta nähert, sieht er aus wie die Karikatur eines Astronauten. »Was sollen wir denn mit ihrem Gebiss machen?«

Scarpetta will ihm schon erklären, dass sie nicht hier arbeitet, doch ihr fehlen die Worte, und sie starrt stattdessen auf die dicke tote Frau, die gerade von zwei Leuten – ebenfalls vermummt, als hätten sie Angst, sich die Pest zu holen – in einen Leichensack gesteckt wird. Sie liegt auf einer Bahre, die stabil genug ist, um ihr gewaltiges Gewicht zu tragen.

»Sie hat ein Gebiss«, wendet sich der junge Mann im violetten OP-Anzug nun an Fielding. »Wir haben es in eine Schachtel gelegt und vergessen, es in den Beutel zu tun, bevor wir sie wieder zugenäht haben.«

»Es gehört auch nicht in den Beutel.« Scarpetta beschließt, sich dieses sonderbaren Problems anzunehmen. »Sondern in ihren Mund. Dem Beerdigungsinstitut und der Familie wird es lieber sein, wenn sie es im Mund hat. Und sie fände es vermutlich auch besser, wenn sie mit ihren Zähnen beerdigt würde.«

»Also müssen wir sie nicht wieder aufschneiden und den Beutel rausholen«, erwidert der Soldat in Violett. »Da bin ich aber erleichtert.«

»Vergessen Sie den Beutel«, sagt Scarpetta zu ihm. »Gebisse gehören grundsätzlich nicht dort hinein.« Sie meint den stabilen durchsichtigen Plastikbeutel, der sich nun in der leeren Brusthöhle der dicken Frau befindet. Der Beutel enthält ihre obduzierten Organe, die nicht an die anatomisch korrekte Stelle zurückgelegt wurden, da es nicht die Aufgabe eines forensischen Pathologen ist, Menschen wieder zusammenzusetzen. Dies wäre auch gar nicht möglich und in etwa damit vergleichbar, als wolle man aus einem Gulasch eine Kuh rekonstruieren. »Wo ist das Gebiss?«, fragt Scarpetta.

»Gleich da drüben.« Der junge Mann im violetten OP-Anzug zeigt auf eine Arbeitsfläche auf der anderen Seite des Autopsiesaals. »Bei ihren Papieren.«

Fielding, der mit diesem albernen Problem nichts zu tun haben will, ignoriert den Mann einfach. Er sieht zu jung für einen Medizinstudenten im Praktikum aus und gehört vermutlich auch zu den Soldaten aus Fort Lee. Wahrscheinlich hat er nicht mehr als einen Highschool-Abschluss vorzuweisen und tut jetzt Dienst in der Gerichtsmedizin, weil die militärischen Vorschriften verlangen, dass er lernt, mit Gefallenen umzugehen. Am liebsten würde Scarpetta ihm sagen, dass selbst von Granaten in die Luft gesprengte Soldaten es gern hätten, wenn man ihr Gebiss mit ihnen nach Hause schickt, und zwar vorzugsweise im Mund, falls sie noch einen haben. Aber sie verkneift es sich.

»Kommen Sie«, fordert sie den Soldaten stattdessen auf. »Schauen wir uns die Sache mal an.«

Sie begleitet ihn über den Fliesenboden und geht an einer anderen Bahre vorbei, die gerade hereingerollt wurde. Darauf liegt das Opfer einer Schießerei, ein junger Schwarzer mit kräftigen Armen, die mit Tätowierungen bedeckt und nun starr vor seiner Brust verschränkt sind. Er hat eine Gänsehaut, eine postmortale Reaktion der Muskeln, die die Haarwurzeln aufrichten, auf die Totenstarre, die ihn aussehen lässt, als fröre er, habe Angst oder beides. Der Soldat aus Fort Lee nimmt eine Plastikschachtel von der Arbeitsfläche und will sie Scarpetta schon reichen, als er bemerkt, dass sie keine Handschuhe trägt.

»Wahrscheinlich ziehe ich besser noch mal welche an«, sagt sie. Sie verzichtet lieber auf die grünen Nitril-Handschuhe und entscheidet sich für altmodische aus Latex, die sie aus dem Karton auf einem neben ihr stehenden Instrumentenwagen nimmt. Nachdem sie hineingeschlüpft ist, holt sie das Gebiss aus der Schachtel.

Dann kehren sie und der Soldat über den Fliesenboden zu der zahnlosen Toten zurück.

»Falls Ihnen dieses Problem nochmal unterkommen sollte«, sagt Scarpetta zu dem jungen Soldaten, »legen Sie das Gebiss einfach zu ihren persönlichen Sachen und überlassen Sie den Rest dem Beerdigungsinstitut. Aber stecken Sie es niemals in den Beutel. Die Dame ist allerdings ziemlich jung für ein Gebiss.«

»Ich glaube, sie war auf Drogen.«

»Woraus schließen Sie das?«

»Jemand hat es gesagt.«

»Ich verstehe«, antwortet Scarpetta und beugt sich über die gewaltige zugenähte Leiche auf der Bahre. »Gefäßverengende Drogen wie zum Beispiel Kokain lassen die Zähne ausfallen.«

»Ich habe mich schon immer gefragt, warum Drogen diese Wirkung haben«, bemerkt der Soldat in Violett. »Sind Sie neu hier?« Er sieht sie an.

»Nein, ganz im Gegenteil«, entgegnet Scarpetta und steckt der Toten die Finger in den Mund. »Ich gehöre quasi schon zum alten Eisen. Ich bin nur auf Besuch.«

Er nickt verwirrt. »Tja, aber Sie scheinen zu wissen, was Sie tun«, meint er verlegen. »Entschuldigung, dass ich das Gebiss nicht wieder eingesetzt habe. Ich komme mir wirklich bescheuert vor. Hoffentlich verrät es niemand dem Chef.« Er schüttelt den Kopf und seufzt laut auf. »Das hätte mir gerade noch gefehlt. Er kann mich sowieso nicht ausstehen.«

Da die Totenstarre schon abgeklungen ist, sperren sich die Kiefermuskeln der Toten nicht gegen Scarpettas bohrende Finger. Allerdings nehmen die Kiefer das Gebiss nicht auf, und zwar aus dem einfachen Grund, weil es nicht passt.

»Das ist nicht ihres«, stellt Scarpetta fest, legt das Gebiss wieder in die Schachtel und gibt sie dem Soldaten in Violett zurück. »Es ist zu groß, viel zu groß. Vielleicht von einem Mann? Hatten Sie vorhin noch jemanden mit einem Gebiss hier? Es könnte ja eine Verwechslung sein.«

Der Soldat ist verdattert, allerdings auch erleichtert zu hören, dass ihn keine Schuld trifft. »Keine Ahnung«, erwidert er. »Es waren natürlich eine ganze Menge Leute hier. Also ist es nicht ihres? Ein Glück, dass ich nicht versucht habe, es ihr in den Mund zu zwängen.«

Fielding hat bemerkt, dass etwas geschehen ist. Plötzlich steht er neben ihnen und starrt auf die hellrosafarbenen künstlichen Gaumen und die weißen Porzellanzähne in der Schachtel, die der junge Soldat in der Hand hält. »Was zum Teufel ist hier los?«, poltert Fielding. »Wer ist für dieses Durcheinander verantwortlich? Haben Sie die falsche Fallnummer auf die Schachtel geschrieben?«

Er funkelt den Soldaten, der nicht älter als zwanzig sein kann, finster an. Kurzes hellblondes Haar lugt unter der blauen OP-Mütze des jungen Mannes hervor, und seine großen braunen Augen spähen ängstlich durch die zerkratzte Schutzbrille.

»Ich habe sie gar nicht beschriftet, Sir«, antwortet er Fielding, seinem Vorgesetzten. »Ich wusste nur, dass sie da war, als ich anfing, an der Leiche zu arbeiten. Und sie hatte keine Zähne im Mund. Nicht, als wir mit ihr angefangen haben.«

»*Da*? Was meinen Sie mit *da*?«

»Auf ihrem Wagen.« Der Soldat deutet auf den Wagen, auf

dem die chirurgischen Instrumente für Tisch vier liegen, der auch der grüne Tisch heißt. In Dr. Marcus' Leichenschauhaus wird weiterhin Scarpettas System angewendet: Die Instrumente werden mit farbigem Klebeband markiert, damit zum Beispiel eine Zange oder eine Knochensäge nicht irgendwo sonst im Autopsiesaal landen. »Diese Schachtel stand auf ihrem Wagen. Dann hat sie irgendjemand rüber auf die Arbeitsfläche zu ihren Papieren gestellt.« Er blickt durch den Raum zu der Arbeitsfläche, wo immer noch, ordentlich ausgebreitet, die Papiere der Toten liegen.

»An diesem Tisch hat vorhin eine Leichenschau stattgefunden«, sagt Fielding.

»Richtig, Sir. Ein alter Mann, der im Bett gestorben ist. Ob die Zähne vielleicht seine sind?«, schlägt der Soldat vor. »War das auf dem Wagen sein Gebiss?«

Fielding erinnert an einen wütenden Eichelhäher, als er durch den Autopsiesaal rauscht und die gewaltige Edelstahltür des Kühlhauses aufreißt. Er verschwindet in einer Wolke aus kalter, abgestandener Luft. Im nächsten Moment kommt er wieder heraus, und zwar mit einem Gebiss, das er dem alten Mann offenbar aus dem Mund genommen hat. Fielding balanciert es auf der Fläche seiner behandschuhten Hand, die mit dem Blut des Traktorfahrers, der sich selbst überrollt hat, bespritzt ist.

»Dass das Gebiss viel zu klein für diesen Typen ist, sieht doch ein Blinder«, schimpft Fielding. »Wer hat es ihm in den Mund gesteckt, ohne sich zu vergewissern, ob es auch passt?«, fragt er in den von Geräuschen hallenden, überfüllten, mit Dichtmasse isolierten Raum hinein, in dem vier blutige, nasse Stahltische, Röntgenaufnahmen von Projektilen und Knochen auf eingeschalteten Leuchttischen, Waschbecken und Schränke aus Stahl sowie lange Arbeitsflächen voll mit Papieren, persönlicher Habe und Streifen von Computer-Klebeetiketten für Schachteln und Teströhrchen wild durcheinander liegen und stehen.

Die anderen Ärzte, die Studenten, die Soldaten und die Toten des Tages haben Dr. Jack Fielding, dem zweiten Mann nach dem Chef, nichts zu sagen. Scarpetta ist schockiert, angewidert und traut ihren Augen nicht. Ihre früher so beispielhafte Behörde ist offenbar völlig aus den Fugen geraten. Die Mitarbeiter haben sich nicht mehr im Griff. Sie wirft einen Blick auf den toten Traktorfahrer, der halb entkleidet und auf einem mit Blut befleckten Laken auf der Bahre liegt. Dann betrachtet sie das Gebiss in Fieldings beschmierter behandschuhter Hand.

»Reinigen Sie das Ding, bevor Sie es ihr in den Mund stecken«, kann sie sich nicht verkneifen zu bemerken, als Fielding dem Soldaten das verwechselte Gebiss reicht. »Sie wollen schließlich nicht, dass die DNS einer anderen Person in ihren Mund gerät«, wendet sie sich an den Soldaten. »Auch wenn es sich nicht um einen Todesfall unter verdächtigen Umständen handelt. Also reinigen Sie ihr Gebiss, sein Gebiss und alle anderen Gebisse.«

Sie reißt sich die Handschuhe von den Händen und wirft sie in den leuchtend orangefarbenen Behälter für biologisch kontaminierte Abfälle. Während sie davongeht, fragt sie sich, wo Marino steckt, und sie hört, wie der Soldat in Violett etwas sagt. Offenbar interessiert ihn, wer genau Scarpetta ist, was sie hier will und was das gerade sollte.

»Sie war früher hier der Chef«, erklärt Fielding, fügt allerdings nicht hinzu, dass damals in der Gerichtsmedizin ein anderer Wind wehte.

»Ach, du Scheiße!«, ruft der Soldat aus.

Als Scarpetta mit dem Ellenbogen auf einen großen Knopf an der Wand drückt, schwingen die Flügel einer Edelstahltür weit auf. Sie durchquert den Umkleideraum, vorbei an Schränken voller OP-Anzüge und Kittel, und dann den Damenwaschraum mit seinen Toiletten, Waschbecken und den Neonlichtern, die den Spiegel zum Feind machen. Als sie stehen bleibt, um sich die Hände zu waschen, bemerkt sie das ordentlich geschriebene Schild, das sie selbst dort aufgehängt hat und das die Mitarbeiter daran erinnert, das Leichenschauhaus nicht in denselben Schuhen zu verlassen, die sie drinnen getragen haben. Verteilen Sie keine gefährlichen Keime auf den Teppichen im Flur, hat sie ihren Untergebenen immer wieder gepredigt, aber sie ist sicher, dass sich inzwischen niemand mehr an diese Anweisung hält. Sie zieht die Schuhe aus, reinigt die Sohlen mit antibakterieller Seife und heißem Wasser und trocknet sie mit Papiertüchern ab, bevor sie durch eine andere Schwingtür auf den nicht sehr sterilen, mit einem blauen Teppich ausgelegten Korridor tritt.

Gleich gegenüber vom Damenwaschraum befinden sich die verglasten Büroräume des Chefpathologen. Zumindest hat Dr. Marcus sich die Mühe gemacht, etwas an der Inneneinrichtung zu verändern. Das Büro seiner Sekretärin ist mit hübschen auf Kirsche gebeizten Möbeln und Kunstdrucken im Kolonialstil ausgestattet. Ihr Bildschirmschoner zeigt tropische Fische, die unermüdlich über eine leuchtend blaue Fläche schwimmen. Die Sekretärin selbst ist nicht da, und Scarpetta klopft an die Tür des Chefs.

»Ja«, ertönt seine Stimme gedämpft von der anderen Seite.

Sie öffnet die Tür und betritt ihr ehemaliges Büro. Obwohl sie sich absichtlich nicht umsieht, nimmt sie wahr, wie ordentlich und aufgeräumt die Bücherregale und Dr. Marcus' Schreibtisch sind. Sein Arbeitsplatz wirkt steril. Nur in der restlichen Gerichtsmedizin herrscht Chaos.

»Sie kommen wie gerufen«, sagt Dr. Marcus, der auf einem Drehstuhl aus Leder hinter seinem Schreibtisch sitzt. »Bitte nehmen Sie Platz. Ich möchte Ihnen etwas über Gilly Paulsson erzählen, bevor Sie sich die Leiche ansehen.«

»Dr. Marcus, ich weiß, dass ich hier nicht mehr zuständig bin«, beginnt Scarpetta. »Und ich möchte mich auch nicht aufdrängen, aber ich mache mir Sorgen.«

»Das brauchen Sie nicht.« Er betrachtet sie mit schmalen, eiskalten Augen. »Schließlich habe ich Sie nicht als Unternehmensberaterin hergeholt.« Er verschränkt die Hände auf der Schreibtischunterlage. »Ihre Meinung ist hier nur in einem einzigen Fall gefragt, und zwar in dem von Gilly Paulsson. Also würde ich Ihnen dringend empfehlen, sich nicht an den Veränderungen aufzureiben, die Sie hier antreffen werden. Sie waren lange fort. Fünf Jahre, richtig? Während des Großteils dieser Zeit gab es hier nur einen kommissarischen Chefpathologen. Genau genommen fungierte Dr. Fielding als Leiter, als ich vor ein paar Monaten hier anfing. Also ist natürlich vieles anders. Wir beide haben einen völlig unterschiedlichen Führungsstil, was einer der Gründe ist, warum der Staat *mich* eingestellt hat.«

»Meiner Erfahrung nach gibt es Probleme, wenn der Chef sich nie im Leichenschauhaus blicken lässt«, sagt Scarpetta, und es ist ihr völlig gleichgültig, ob er es hören will. »Zumindest vermittelt es den Ärzten den Eindruck, dass sich niemand für ihre Arbeit interessiert. Auch Ärzte können nachlässig und faul werden, und viele sind irgendwann ausgebrannt, wenn sie tagein, tagaus solchem Grauen ausgesetzt sind.«

Seine Augen sind so glanzlos und starr wie angelaufenes Kupfer, und er hat die Lippen zu einem dünnen Strich zusammengepresst. Die Fensterscheiben hinter seinem Kopf mit dem schütteren Haar sind so sauber, dass sie nicht vorhanden zu sein scheinen. Scarpetta stellt fest, dass er das kugelsichere Glas ausgetauscht hat. In der Ferne ragt das Coliseum auf wie ein brauner Pilz, und ein trüber Nieselregen hat eingesetzt.

»Ich kann vor dem, was ich sehe, nicht die Augen verschließen, nicht wenn Sie wollen, dass ich Ihnen helfe«, fährt sie fort. »Es interessiert mich nicht, ob es hier nur einzig und allein um einen Fall geht, wie Sie es ausgedrückt haben. Es muss Ihnen doch klar sein, dass alles gegen uns verwendet wird, sowohl vor Gericht als auch anderswo. Und im Moment ist es das Anderswo, das mir Sorgen macht.«

»Ich fürchte, Sie sprechen in Rätseln«, erwidert Dr. Marcus und starrt sie an, während sich ein verärgerter Ausdruck auf seinem mageren Gesicht abzeichnet. »Anderswo? Was meinen Sie mit anderswo?«

»Einen Skandal. Eine Anzeige. Oder schlimmstenfalls einen Strafprozess, der wegen Formfehlern eingestellt wird. Wegen Beweisen, die aufgrund von nicht vorschriftsmäßigem Vorgehen oder fachlichem Versagen für nicht zulässig erklärt werden, sodass es keine Gerichtsverhandlung und kein Urteil gibt.«

»Ich habe so etwas gleich befürchtet«, sagt er. »Ich habe den Gesundheitsminister gewarnt, es wäre eine schlechte Idee.«

»Daraus kann ich Ihnen keinen Vorwurf machen. Niemand

möchte, dass der ehemalige Chef an seinem Arbeitsplatz erscheint, um Ordnung …«

»Ich habe dem Gesundheitsminister zu bedenken gegeben, dass eine verbitterte ehemalige Mitarbeiterin, die hier hereinschneit und alles besser weiß, das Letzte ist, was wir derzeit gebrauchen können«, fährt er fort, greift nach einem Stift und legt ihn wieder weg. Seine Hände wirken nervös und zornig.

»Ich kann es Ihnen nicht verdenken, dass Sie so …«

»… Insbesondere, wenn diese Person fanatisch ist«, ergänzt er mit kalter Stimme. »Nichts ist schlimmer als ein Fanatiker. Abgesehen von einem Fanatiker, der sich ungerecht behandelt fühlt.«

»Das verbitte …«

»Aber jetzt sitzen wir eben hier. Machen wir das Beste daraus.«

»Ich würde mich freuen, wenn Sie mir nicht ständig ins Wort fielen«, sagt Scarpetta. »Und falls Sie darauf bestehen, mich als Fanatikerin zu bezeichnen, werde ich es als Kompliment deuten. Jetzt möchte ich mit Ihnen über Gebisse sprechen.«

Er starrt sie an, als hätte sie den Verstand verloren.

»Ich bin gerade Zeugin einer Verwechslung im Leichenschauhaus geworden«, erklärt sie. »Das falsche Gebiss beim falschen Verstorbenen. Nachlässigkeit. Zu viel Handlungsfreiraum für junge Soldaten aus Fort Lee, die keinerlei medizinische Ausbildung haben und eigentlich hier sind, um etwas von Ihnen zu lernen. Stellen Sie sich vor, was passiert, wenn eine Familie ihren geliebten Angehörigen im Beerdigungsinstitut aufbahren lässt, der Sarg ist offen, und das Gebiss fehlt oder passt nicht. Das wäre der Anfang eines Zerfallsprozesses, der nur schwer aufzuhalten ist. Die Presse liebt solche Geschichten, Dr. Marcus. Und sollten Sie so ein Gebiss in einem Mordfall verwechseln, machen Sie dem Verteidiger damit ein hübsches Geschenk, auch wenn die Zähne mit dem Verbrechen an sich gar nichts zu tun haben.«

»Wessen Gebiss?«, fragt er stirnrunzelnd. »Fielding müsste eigentlich die Aufsicht führen.«

»Dr. Fielding ist überarbeitet«, entgegnet sie.

»Das ist es also. Ihr ehemaliger Assistent.« Dr. Marcus erhebt sich von seinem Stuhl. Er ragt nicht hoch über seinem Schreibtisch auf, aber das hat Scarpetta auch nicht getan, weil sie nicht sehr groß ist. Allerdings wirkt Dr. Marcus wie ein Zwerg, als er hinter seinem Schreibtisch hervorkommt und an dem Tisch vorbeieilt, auf dem ein Mikroskop unter einer Plastikhaube steht. »Am besten fangen Sie jetzt mit Gilly Paulsson an. Sie liegt im Kühlraum für verweste Leichen. Sie sollten auch in diesem Raum arbeiten. Dort stört Sie niemand. Vermutlich haben Sie entschieden, eine zweite Autopsie vorzunehmen.«

»Aber nicht ohne einen Zeugen«, entgegnet Scarpetta.

12

Lucy übernachtet nicht mehr im großen Schlafzimmer im zweiten Stock, sondern schließt sich in einem viel kleineren Raum im Geschoss darunter ein. Dabei sagt sie sich, dass sie triftige Gründe hat, nicht in dem Bett zu schlafen, in dem Henri überfallen wurde, dem riesigen Bett mit dem handbemalten Kopfbrett, das mitten in einem fürstlichen Gemach mit Blick aufs Wasser steht. Indizien, denkt sie. Ganz gleich, wie gründlich Rudy und sie auch vorgegangen sind, besteht trotzdem die Möglichkeit, dass sie etwas übersehen haben.

Rudy ist im blauen Modena losgefahren, um zu tanken. Zumindest lautete so seine Ausrede, als er den Schlüssel von der Anrichte in der Küche genommen hat. Aber Lucy vermutet, dass er etwas anderes vorhat. Er kurvt ziellos umher, um festzustellen, ob ihm jemand folgen wird. Auch wenn wahrscheinlich niemand so leichtsinnig wäre, einen großen, kräftigen Burschen wie Rudy zu belästigen, treibt sich die Bestie, die das Auge – inzwischen sind es zwei Augen – gezeichnet hat, irgendwo da draußen herum. Vielleicht hat der Mann gar nicht mitbekommen, dass Henri fort ist, und beobachtet das Haus und die Garage. Womöglich gerade jetzt in diesem Moment.

Lucy geht über den gelbbraunen Teppich und am Bett vorbei. Es ist noch ungemacht, die weichen, teuren Decken sind am Fußende über die Matratze gezogen und ergießen sich auf den Boden wie ein seidener Wasserfall. Die Kissen sind zur Seite geschoben und liegen genau dort, wo sie waren, als Lucy die Steintreppen hinaufgerannt ist und Henri bewusstlos im Bett gefunden hat. Zuerst hat Lucy sie für tot gehalten. Dann wusste sie nicht mehr, was sie denken sollte. Und daran hat sich seitdem nichts geändert. Vor lauter Angst hat sie die Notrufnummer 911 gewählt, und das hat zu einem riesigen Durcheinander geführt. Nun müssen sie sich auch noch mit der hiesigen Polizei herumschlagen. Kein Wunder, dass Rudy immer noch stinksauer ist.

Erst als Lucy Henri mit einem Privatflugzeug nach Aspen gebracht hat, hat Benton eine Erklärung für das alles gefunden, die leider Sinn ergibt. Henri wurde wirklich überfallen und mag vorübergehend bewusstlos gewesen sein. Doch danach hat sie nur noch Theater gespielt.

»Auf keinen Fall«, protestierte Lucy, als Benton ihr das eröffnete.

»Sie ist Schauspielerin«, sagte er.

»Nicht mehr.«

»Aber sie war ihr halbes Leben lang Schauspielerin, bevor sie beschlossen hat, den Beruf zu wechseln. Vielleicht war es auch nur eine spannende Rolle für sie, zur Polizei zu gehen. Möglicherweise kann sie nichts weiter außer Theaterspielen.«

»Warum sollte sie so etwas tun? Ich habe sie immer wieder gerüttelt, auf sie eingeredet, versucht, sie wachzukriegen. Welchen Grund hätte sie haben können?«

»Scham, Wut, wer kann das so genau sagen?«, erwiderte er.

»Vielleicht erinnert sie sich nicht, was geschehen ist, und hat es verdrängt. Doch es löst Gefühle in ihr aus. Kann sein, dass sie dich bestrafen will.«

»Bestrafen. Wofür denn? Ich habe ihr doch nichts getan. Was sollte sie damit bezwecken wollen? Sie wird beinahe ermordet, und dann fällt ihr plötzlich ein, ach, wenn ich schon mal dabei bin, bestrafe ich kurz mal Lucy.«

»Es würde dich überraschen, wozu Menschen fähig sind.«

»Das würde sie nie tun«, beteuerte Lucy. Und je mehr sie darauf beharrte, desto klarer wurde es Benton, dass er Recht hatte.

Sie geht durchs Schlafzimmer zu einer Wand, die acht Fenster hat. Sie liegen so hoch, dass man die obere Hälfte nicht mit Jalousien verdecken muss; diese sind nur an der unteren Hälfte geschlossen. Als Lucy auf einen Knopf an der Wand drückt, werden die Jalousien mit einem elektronischen Surren aufgezogen. Sie blickt in den sonnigen Tag hinaus und sucht ihr Grundstück nach Veränderungen ab. Rudy und sie sind bis in die frühen Morgenstunden in Miami gewesen. Da sie seit drei Tagen nicht zu Hause war, hatte die Bestie mehr Zeit als genug, sich hier herumzudrücken und zu spionieren. Er war da, um nach Henri zu suchen. Er ist einfach über die Terrasse zur Hintertür spaziert und hat seine Zeichnung daran geheftet, damit Henri ihn nicht vergisst und um sie zu verhöhnen. Und niemand hat die Polizei gerufen. Die Leute in diesem Viertel sind das Hinterletzte, denkt Lucy. Es interessiert sie nicht, ob man totgeprügelt oder Opfer eines Einbruchs wird, solange man bloß nichts tut, was unangenehme Auswirkungen auf ihr Leben haben könnte.

Sie betrachtet den Leuchtturm auf der anderen Seite des Meeresarms und fragt sich, ob sie es wagen soll, nach nebenan zu gehen. Die Frau, die dort wohnt, verlässt ihr Haus nie. Lucy kennt ihren Namen nicht und weiß nur, dass sie neugierig ist und durch die Fensterscheibe Fotos macht, wenn der Gärtner die Hecken schneidet oder hinten am Pool den Rasen mäht. Wie Lucy annimmt, sammelt die Nachbarin Beweise, für den Fall, dass sie an ihrem Garten etwas verändern lässt, das ihr den Blick verstellt oder das sie als seelische Grausamkeit empfinden könnte. Wenn sie Lucy nicht die Erlaubnis verweigert hätte, auf ihre einen Meter fünfzig hohe Mauer eine schmiedeeiserne Krone von noch einmal sechzig Zentimetern aufzusetzen, hätte die Bestie es natürlich nicht so leicht gehabt, ihre Terrasse und ihr Haus zu erreichen und in das Schlafzimmer einzudringen, wo Henri grippekrank im Bett lag. Aber die neugierige Nachbarin hat Einspruch gegen diese bauliche Veränderung eingelegt und gewonnen, und deshalb wäre Henri beinahe ermordet worden. Jetzt hat Lucy eine Zeichnung von einem Auge gefunden, die aussieht wie jene, die in die Motorhaube ihres Autos gekratzt wurde.

Zwei Stockwerke tiefer ist die Fläche des Pools unterhalb der Kante nicht zu sehen. Dahinter liegen die tiefblauen Gewässer des Intracoastal Waterway. Dann kommen ein winziger Strand und der dunkelblaue aufgewühlte Ozean. Vielleicht ist er ja mit dem Boot gefahren, überlegt sie. Er bindet es an den Wellenbrecher und braucht nur die Leiter hinaufzuklettern, um mitten auf meiner Terrasse zu stehen. Allerdings glaubt sie nicht, dass er mit dem Boot hier war oder überhaupt eines besitzt, auch wenn sie nicht weiß, warum. Lucy dreht sich um und nähert sich dem Bett. Links davon liegt in der obersten Nachttischschublade Henris Colt .357 Magnum, ein wunderschöner Revolver aus Edelstahl, den Lucy ihm geschenkt hat, weil er das wunderbarste Schloss der Welt hat. Henri kann mit der Waffe umgehen und ist kein Feigling. Deshalb ist Lucy felsenfest davon überzeugt, dass sie die Bestie im Haus nicht gehört hat. Sonst hätte sie den Eindringling, Grippe oder nicht, nämlich erschossen.

Sie drückt auf den Knopf an der Wand und schließt die Jalousien. Dann macht sie die Lichter aus und verlässt das Schlafzimmer. Gleich daneben befinden sich ein kleiner Fitnessraum, zwei große Wandschränke und ein riesiges Badezimmer mit einem Whirlpool, eingelassen in Achat in der Farbe von Tigeraugen. Es gibt keinen Grund zu der Annahme, dass der Mann, der Henri angegriffen hat, im Fitnessraum, in den Wandschränken oder im Bad war, und immer wenn Lucy diese Räume betritt, hält sie inne, um festzustellen, was sie empfindet. Im Fitnessraum und in den Wandschränken empfindet sie nichts, dafür aber im Bad. Sie betrachtet die Wanne und die Fenster dahinter, die Blick auf das Wasser und den Himmel von Florida bieten, und versucht mit den Augen des Eindringlings zu sehen. Sie weiß nicht, warum, doch wenn sie die riesige, tiefe, in Achat eingelassene Wanne mustert, hat sie das Gefühl, dass er sie auch angeschaut hat.

Dann kommt ihr ein Gedanke. Sie weicht zurück zu dem Türbogen, der ins Bad führt. Vielleicht ist er auf dem Weg die Steintreppe hinauf und zum Schlafzimmer nicht nach rechts, sondern nach links gegangen und so zuerst im Bad gelandet. Der Morgen war hell und sonnig, sodass Licht durch die Fenster hereingefallen sein muss. Möglicherweise hat er kurz gezögert und die Wanne betrachtet, bevor er sich umgedreht hat und lautlos ins Schlafzimmer geschlichen ist, wo Henri, verschwitzt, elend und mit hohem Fieber, bei heruntergelassenen Jalousien im Dunkeln lag und zu schlafen versuchte.

Also warst du in meinem Badezimmer, sagt Lucy zu der Bestie. Du hast hier auf dem Marmorboden gestanden und dir meine Wanne angeschaut. Vielleicht ist dir so eine Wanne noch nie untergekommen. Kann sein, dass du dir vorgestellt hast, eine nackte Frau liege darin und nähme nichts um sich herum wahr, bevor du sie ermordest. Wenn das deine Phantasie ist, sagt sie in Gedanken zu dem Eindringling, bist du nicht besonders originell. Sie verlässt das Badezimmer und geht die Treppe hinunter in den ersten Stock, wo sie schläft und ihr Büro hat.

Neben dem gemütlichen Heimkino liegt ein großes Gästezimmer, das sie, mit eingebauten Bücherregalen und Verdunkelungsvorhängen an den Fenstern, zur Bibliothek umgestaltet hat. Selbst an sonnigen Tagen ist es hier dunkel genug, um Filme zu entwickeln. Als sie Licht macht, sind Hunderte von Nachschlagewerken, Loseblattsammlungen und ein langer Tisch mit Laborgeräten zu sehen. An einer Wand steht ein Schreibtisch, auf dem sich ein Krimesite-Imager, ein Gerät, das mithilfe ultravioletter Belichtungstechnologie latente Fingerabdrücke lokalisiert, befindet. Es sieht aus wie ein verkürztes Teleskop auf einem Dreifuß.

Daneben liegt ein versiegelter Asservatenbeutel aus Plastik, der die Zeichnung von dem Auge enthält.

Lucy zieht Untersuchungshandschuhe aus einem Karton auf dem Tisch. Wenn sie Fingerabdrücke finden wird, dann auf dem Klebestreifen, doch das wird sie später testen, weil man dazu Chemikalien anwenden muss, die die Beschaffenheit des Materials verändern. Obwohl sie ihre gesamte Hintertür und das Fenster daneben mit Magnadust eingepinselt hat, hat sie keinen einzigen Fingerabdruck mit klaren Rillen entdeckt, nur Schmierer. Und wenn doch ein brauchbarer Abdruck dabei gewesen wäre, hätte er gewiss vom Gärtner, von Rudy, von ihr selbst oder von dem Menschen gestammt, der zuletzt die Fenster geputzt hat. Davon darf sie sich jedoch nicht entmutigen lassen. Abdrücke an der Außenseite eines Hauses haben ohnehin nicht viel zu bedeuten. Wesentlich interessanter ist, was sich auf der Zeichnung finden lässt. Nachdem Lucy die Handschuhe übergestreift hat, öffnet sie die Verschlüsse eines schwarzen Aktenkoffers, der mit Schaumgummi ausgepolstert ist, und nimmt vorsichtig eine SKSUV30-Ultraviolett-Lampe heraus. Sie trägt sie zum Schreibtisch und steckt sie in eine Stromleiste mit Überspannungsschutz ein. Dann schaltet sie das hochintensive, kurzwellige ultraviolette Licht ein. Anschließend aktiviert sie den Krimesite-Imager.

Sie macht den Plastikbeutel auf und zieht das weiße Papier an einer Ecke heraus. Als sie es umdreht, starrt sie das mit Bleistift gezeichnete Auge an. Sie hält den Zettel ins Licht. Das weiße Papier leuchtet auf. Es ist kein Wasserzeichen zu erkennen, nur Millionen billiger Holzfasern. Das Auge wird dunkler, als Lucy die Zeichnung sinken lässt und das Blatt auf den Tisch legt. Beim Aufhängen des Bildes hat die Bestie den Klebestreifen auf der Rückseite des Blattes befestigt, damit das Auge durch die Glasscheibe in ihr Haus starrt. Lucy setzt eine orangefarben getönte Schutzbrille auf und legt die Zeichnung unter die Linse des Krimesite-Imagers, die auch militärischen Zwecken genügen würde. Dann späht sie durch das Okular und öffnet den Schacht für die UV-Strahlung, so weit es geht, während sie langsam Vergrößerungsfaktor und Schärfe einstellt, bis ein wabenförmiges Raster zu sehen ist. Anschließend bewegt sie das Papier langsam hin und her und sucht nach Fingerabdrücken. Sie hofft, dass das Gerät sie sichtbar machen wird, damit sie nicht zu zerstörerischen Chemikalien wie Ninhydrin und Zyanoacrylat greifen muss. Im ultravioletten Licht bekommt das Papier unter der Linse eine gespenstische grünlich gelbe Färbung.

Sie schiebt das Papier mit der Fingerspitze weiter, bis der Klebestreifen zu sehen ist. Nichts, nicht einmal ein Schmierer, denkt sie. Sie könnte es mit Rosanilinchlorid oder Kristallviolett versuchen, aber dazu fehlt ihr jetzt die Zeit. Vielleicht später. Sie setzt sich an den Schreibtisch und betrachtet die Zeichnung von dem Auge. Mehr ist nicht zu erkennen. Nur ein Auge. Die mit Bleistift gezeichneten Umrisse eines Auges mit Iris und Pupille, umrahmt von langen Wimpern. Das Auge einer Frau, denkt sie, offenbar mit einem Bleistift Stärke 2 gezeichnet. Mit einem Kameraadapter schließt sie eine Digitalkamera an und fotografiert vergrößerte Ausschnitte der Zeichnung. Anschließend druckt sie diese aus.

Als sie hört, wie das Garagentor aufgeht, schaltet sie UV-Lampe und Krimesite-Imager ab und verstaut die Zeichnung wieder im Plastikbeutel. Ein Videobildschirm auf ihrem Schreibtisch zeigt Rudy, der gerade den Ferrari rückwärts in die Garage lenkt. Lucy überlegt, wie sie weiter mit ihm umgehen soll, während sie die Tür der Bibliothek schließt und rasch die Steintreppe hinuntereilt. Sie stellt sich vor, dass er zur Tür hinausmarschieren und nie zurückkommen könnte, und sie hat keine Ahnung, was dann aus ihr und ihrem geheimen Imperium werden soll. Ein solcher Schlag würde ihr furchtbar wehtun. Aber irgendwann würde sie darüber hinwegkommen. Das sagt sie sich wenigstens, als sie die Küchentür öffnet. Er steht da und hält ihren Autoschlüssel hoch, als fasse er eine tote Maus am Schwanz.

»Ich denke, wir sollten die Cops einschalten«, meint sie und nimmt den Schlüssel entgegen. »Es kann nicht schaden, wenn sie die Sache aufnehmen. Wer weiß, ob es nicht doch einmal für etwas gut ist, dass sie diese Information bekommen.«

»Ich nehme an, du hast keine Fingerabdrücke oder sonst etwas Wichtiges gefunden«, stellt Rudy fest.

»Nicht mit dem Krimesite-Imager. Wenn es uns mit Mr. Dalessios Hilfe gelingt, dass die Polizei die Zeichnung nicht einkassiert, versuche ich es mit Chemikalien. Aber es ist trotzdem das Beste, wenn wir anrufen. Hast du unterwegs jemanden gesehen?« Sie durchquert die Küche und greift zum Telefon. »Das heißt, jemanden außer den Frauen, die bei deinem Anblick die Flucht ergriffen haben.« Sie betrachtet das Tastenfeld und tippt 9-1-1 ein.

»Also bis jetzt keine Fingerabdrücke«, sagt Rudy. »Wir dürfen trotzdem nicht lockerlassen. Was ist mit durchgedrückter Handschrift?«

Sie schüttelt den Kopf. »Ich möchte eine verdächtige Person melden«, beginnt sie.

»Befindet sich diese Person noch auf Ihrem Grundstück, Ma'am?«, erkundigt sich die Telefonistin in ruhigem, Vertrauen erweckendem Tonfall.

»Vermutlich nicht«, erwidert Lucy. »Aber ich glaube, es könnte mit einem Einbruch zusammenhängen, über den Ihre Kollegen schon Bescheid wissen.«

Die Telefonistin lässt sich die Adresse geben und fragt die Anruferin nach ihrem Namen, da auf ihrem Bildschirm als Besitzer der Immobilie die Gesellschaft mit beschränkter Haftung erscheint, die Lucy für diesen Zweck ausgesucht hat. Sie hat vergessen, wie der Name des Unternehmens lautet. Schließlich besitzt sie verschiedene Immobilien, die offiziell alle einer anderen Firma gehören.

»Ich heiße Tina Franks.« Lucy benutzt dasselbe Alias wie an dem Vormittag, als sie das erste Mal die Polizei verständigt hat. Dem Vormittag, als Henri überfallen wurde, Lucy in Panik geraten ist und den Fehler gemacht hat, die Notrufnummer zu wählen. Sie nennt der Telefonistin ihre Adresse, oder besser die von Tina Franks.

»Ma'am, ich schicke sofort einen Streifenwagen zu Ihrem Haus«, sagt die Frau.

»Gut. Wissen Sie vielleicht, ob Mr. John Dalessio heute Dienst hat?« Lucy spricht ganz ungezwungen und ohne Angst. »Er würde sich möglicherweise dafür interessieren. Er war derjenige, der beim letzten Mal bei mir war und weiß, worum es geht.« Sie nimmt zwei Äpfel aus einer Obstschale auf dem Küchenblock.

Lucy poliert einen Apfel an ihrer Jeans und wirft ihn Rudy zu. Dann wischt sie den zweiten Apfel blank und beißt hinein, als telefoniere sie mit einem Pizza-Service, einer Reinigung oder einem Baumarkt und nicht mit dem Büro des Sheriffs von Broward County.

»Wissen Sie, welcher Detective ursprünglich für Ihren Einbruch zuständig war?«, fragt die Telefonistin. »Normalerweise kontaktieren wir nicht die Spurensicherung, sondern den Detective.«

»Ich weiß nur, dass ich mit Mr. Dalessio zu tun hatte«, antwortet Lucy. »Ich glaube, es war überhaupt kein Detective hier im Haus. Nur im Krankenhaus. Meine Besucherin musste nämlich ins Krankenhaus.«

»Laut Dienstplan hat er zwar frei, aber ich kann ihm eine Nachricht zukommen lassen«, erklärt die Telefonistin. Inzwischen klingt sie ein wenig verunsichert, und dazu hat sie auch allen Grund, denn John Dalessio ist ein Mensch, mit dem sie noch nie im Leben gesprochen hat. Sie ist ihm auch nie begegnet oder hat seine Stimme im Funk gehört. Sie weiß nicht, dass John Dalessio eine Phantasiefigur ist, die nur in den Computern existiert, in die Lucy oder ihre Mitarbeiter sich hineinhacken. Und in diesem Fall ist es der Rechner des Büros des Sheriffs von Broward County gewesen.

»Ich habe ja noch seine Karte. Ich rufe ihn selbst an. Danke für Ihre Hilfe«, sagt Lucy und legt auf.

Sie und Rudy stehen in der Küche, essen ihre Äpfel und sehen einander an.

»Irgendwie komisch, wenn man genauer darüber nachdenkt«, meint sie und hofft, dass auch Rudy anfangen wird, ihren Umgang mit der hiesigen Polizei komisch zu finden. »Wir rufen die

Polizei eigentlich ja immer nur aus rein formalen Gründen. Oder, noch schlimmer, weil wir es unterhaltsam finden.«

Er zuckt die muskulösen Schultern, beißt krachend in den Apfel und wischt sich mit dem Handrücken den Saft vom Mund. »Es ist immer ratsam, die örtliche Polizei einzubeziehen. Natürlich nur innerhalb gewisser Grenzen. Du hast Recht, man weiß nie, ob man sie nicht mal brauchen kann.« Nun tut er so, als wäre es sein Lieblingsspiel, die Polizei zu rufen. »Du hast nach Dalessio gefragt, also steht das jetzt in den Akten. Ist ja nicht unsere Schuld, dass der Typ so schwer aufzutreiben ist.«

»Er und Tina Franks«, erwidert Lucy und kaut ein Stück Apfel.

»Tatsache ist«, entgegnet er, »dass es dir um einiges schwerer fallen dürfte, zu beweisen, dass du Lucy Farinelli bist, als Tina Franks oder wer du sonst zu sein beliebst. Unsere Geburtsurkunden und der ganze andere Papierkram lauten auf dieselben Namen wie unsere falschen Ausweise. Verdammt, ich habe nicht einmal eine Ahnung, was aus meiner echten Geburtsurkunde geworden ist.«

»Ich bin mir nicht mehr sicher, wer ich überhaupt bin«, sagt sie und reicht ihm ein Papierhandtuch.

»Ich auch nicht.« Er beißt ein großes Stück von dem Apfel ab. »Ich bin auch nicht sicher, ob ich weiß, wer du bist, wenn wir schon mal dabei sind. Wenn die Polizei kommt, gehst du an die Tür und lässt Detective Dalessio anrufen, damit der die Zeichnung abholt.«

»Das ist ein guter Plan.« Rudy grinst. »Hat beim letzten Mal prima geklappt.«

Lucy und Rudy haben Notfalltaschen mit Kleidung und Spurensicherungsausrüstungen an strategischen Punkten wie verschiedenen Häusern und Fahrzeugen deponiert. Es ist erstaunlich, was einem alles geglaubt wird, wenn man knöchelhohe schwarze Lederstiefel, schwarze Polohemden, schwarze Cargohosen und dunkle Windjacken trägt, auf deren Rückseite in dicken gelben Buchstaben SPURENSICHERUNG steht; dazu noch die üblichen Kameras und andere unverzichtbare Gerätschaften sowie – was am wichtigsten ist – Körpersprache und Verhalten. Normalerweise ist der einfachste Plan der beste, und nachdem Lucy Henri aufgefunden, Panik bekommen und einen Rettungswagen gerufen hat, hat sie Rudy verständigt. Er hat sich umgezogen und ist einfach ein paar Minuten nach der Polizei zur Eingangstür hereinspaziert. Er sagte, er sei neu bei der Spurensicherung und die Beamten bräuchten nicht zu warten, während er das Haus durchsuchte. Die Polizisten hatten nichts dagegen einzuwenden, weil das Warten auf die Spurensicherung für sie nichts weiter ist als Babysitten.

Lucy – oder Tina Franks, wie sie sich an diesem schrecklichen Tag nannte – hat den Polizisten an jenem Morgen jede Menge Lügen aufgetischt. Henri, die ebenfalls einen falschen Namen angab, sei eine Freundin von außerhalb. Während Lucy geduscht habe, habe sie ihren Rausch ausgeschlafen, den Einbrecher gehört und sei in Ohnmacht gefallen. Da sie dazu neige, hysterisch zu werden und zu hyperventilieren, und außerdem möglicherweise angegriffen worden sei, habe Lucy einen Krankenwagen gerufen. Nein, den Einbrecher habe sie nicht gesehen. Nein, soweit sie feststellen könne, sei nichts gestohlen worden. Nein, sie glaube nicht, dass Henri Opfer eines sexuellen Übergriffs geworden sei, aber sie solle im Krankenhaus daraufhin untersucht werden. Das sei doch üblich, oder? Schließlich sei es in den Krimisendungen im Fernsehen auch immer so.

»Ich frage mich, wann ihnen auffallen wird, dass Detective Dalessio nie irgendwo anzutreffen ist außer bei dir«, meint Rudy schmunzelnd. »Und dass er immer seinen freien Tag hat, wenn sie ihn auf dem Dienstplan suchen. Gut, dass sie inzwischen für den Großteil von Broward zuständig sind. Das Gebiet ist so groß wie Texas, und kein Mensch kennt den anderen.«

Lucy schaut auf die Uhr und rechnet aus, wann der Streifenwagen, der vermutlich schon unterwegs ist, hier sein wird. »Tja, das Wichtigste ist, dass wir Mr. Dalessio einbezogen haben, damit er sich nicht ausgeschlossen fühlt.«

Rudy lacht, seine Laune hat sich sehr gebessert. Wenn sie zusammen einen Plan aushecken, schafft er es nicht, lange knurrig zu bleiben. »Okay, die Polizei wird jeden Moment vor der Tür stehen. Vielleicht solltest du dich besser verdrücken. Ich gebe dem Cop nicht die Zeichnung, sondern nur Dalessios Nummer und sage ihm, dass du lieber mit dem Detective persönlich sprechen möchtest, da du ihn letzte Woche im Zusammenhang mit dem Einbruch kennen gelernt hast. Er wird Dalessios Voice-Mail erreichen, und wenn er wieder weg ist, wird meine Wenigkeit, der legendäre Dalessio, ihn zurückrufen und ihm mitteilen, dass er sich um alles kümmern wird.«

»Lass die Cops nicht in mein Büro.«

»Die Tür ist doch abgeschlossen, oder?«

»Ja«, erwidert sie. »Falls du Befürchtungen hast, dass sie dir den Dalessio nicht abnehmen, ruf mich an. Dann komme ich sofort zurück und spreche selbst mit der Polizei.«

»Wo willst du hin?«, fragt Rudy.

»Ich glaube, es ist Zeit, dass ich mich mit meiner Nachbarin bekannt mache«, antwortet Lucy.

13

Der Raum für Leichen im fortgeschrittenen Stadium der Verwesung ist ein kleiner Seziersaal, der mit einer Kühlkammer, zwei Waschbecken und Schränken – allesamt aus Edelstahl – und außerdem mit einem speziellen Entlüftungssystem ausgestattet ist, das ekelhafte Gerüche und Mikroorganismen durch eine Abluftanlage entsorgt. Wände und Boden sind mit einem rutschfesten, grauen keimabweisenden Acrylanstrich versehen, der sowohl wisch- als auch desinfektionsmittelfest ist.

Das Mittelstück des Raumes bildet ein transportabler Autopsietisch – eigentlich nicht mehr als ein fahrbares Gestell mit Laufrollen und schwenkbaren Rädern, die Bremsen haben – mit einer Auflage für die Toten, die sich auf Lagern bewegt. All diese modernen Vorrichtungen erfüllen eigentlich den Zweck, dem Menschen das Heben von Leichen zu ersparen, was aber in der Wirklichkeit nicht funktioniert. Wer in der Pathologie arbeitet, muss sich auch weiterhin mit dem Gewicht von Verstorbenen abmühen, und das wird wohl immer so bleiben. Der Tisch ist leicht geneigt, damit Flüssigkeiten ablaufen können, wenn man ihn am Waschbecken befestigt. Doch das wird heute Morgen nicht nötig sein, da es nichts mehr zum Ablaufen gibt. Gilly Paulssons Körperflüssigkeit wurde bereits vor zwei Wochen gesammelt und weggespült, als Fielding sie zum ersten Mal obduziert hat.

Nun steht der Autopsietisch mitten auf dem Boden mit dem Acrylanstrich. Gilly Paulssons Leiche befindet sich in einem schwarzen Sack, der auf dem schimmernden Stahltisch wie ein Kokon wirkt. Der Raum hat keine Fenster, jedenfalls keine, die ins Freie führen, nur ein Beobachtungsfenster, das viel zu hoch liegt, als dass jemand hindurchsehen könnte. Allerdings hat Scarpetta sich bei ihrem Einzug in das Gebäude vor acht Jahren nicht über diesen architektonischen Patzer beschwert, da niemand zu beobachten braucht, was in diesem Raum vor sich geht, wo die Toten aufgedunsen und grünlich und von Maden bedeckt oder so schwer verbrannt sind, dass sie verkohltem Holz ähneln.

Sie ist gerade hereingekommen. Zuvor hat sie einige Minuten in der Damenumkleide verbracht, um sich in den vor Kontakt mit infektiösem Material schützenden Anzug zu vermummen. »Tut mir Leid, dass ich Sie von Ihrem anderen Fall weghole«, sagt sie zu Fielding, und vor ihrem geistigen Auge sieht sie Mr. Whitby in olivgrüner Hose und schwarzer Jacke. »Aber ich glaube, Ihr Chef dachte allen Ernstes, ich würde das hier ohne Sie machen.«

»Wie viel hat er Ihnen denn erzählt?«, dringt seine Stimme durch die Schutzmaske.

»Im Grunde genommen gar nichts«, erwidert sie, während sie sich die Handschuhe überstülpt. »Ich bin nicht schlauer als gestern, als er mich in Florida anrief.«

Fielding runzelt die Stirn und bricht in Schweiß aus. »Waren Sie nicht gerade bei ihm im Büro?«

Ihr fällt ein, dass der Raum vielleicht verwanzt ist. Dann erinnert sie sich daran, dass sie in ihrer Zeit als Chefpathologin im Autopsiesaal mit den verschiedensten Diktiergeräten experimentiert hat, und zwar stets vergeblich, da die Vielzahl der Hintergrundgeräusche in einem Leichenschauhaus selbst die besten Mikrofone und Recorder schachmatt setzt. Deshalb geht sie zum Waschbecken und dreht das Wasser auf, bis es laut und blechern gegen den Stahl prasselt.

»Warum tun Sie das?«, erkundigt sich Fielding und öffnet den Sack.

»Ich dachte, Sie hätten bei der Arbeit vielleicht gern ein bisschen Wassermusik.«

Er blickt sie an. »Hier drinnen können wir unbelauscht reden, da bin ich ziemlich sicher. So schlau ist er nicht. Außerdem glaube ich nicht, dass er diesen Raum jemals betreten hat. Wahrscheinlich weiß er nicht mal, wo er ist.«

»Man gerät leicht in Versuchung, Menschen zu unterschätzen, die man nicht leiden kann«, entgegnet sie und hilft ihm, die Laschen des Leichensacks aufzuschlagen.

Durch zwei Wochen Kühlung wurde der Verwesungsprozess zwar aufgehalten, aber der Körper ist ausgedörrt und befindet sich auf dem Weg zur Mumifizierung. Der Gestank ist heftig, doch Scarpetta nimmt das nicht persönlich. Ein übler Geruch ist nun einmal die Art einer Leiche, sich auszudrücken, ohne damit jemandem zu nahe treten zu wollen. Gilly Paulsson ist machtlos dagegen, wie sie aussieht, riecht oder dass sie tot ist. Sie ist bleich, leicht grünlich und blutleer. Ihr Gesicht wirkt durch die Austrocknung abgezehrt, die Augen sind zu Schlitzen geöffnet, die Sklera unter den Lidern ist beinahe schwarz. Ihre trockenen, braunen Lippen sind halb geöffnet. Langes blondes Haar klebt ihr an den Ohren und unter dem Kinn. Scarpetta kann keine äußerlichen Verletzungen am Hals feststellen, auch nicht solche, die bei der Autopsie entstanden sein können, wie zum Beispiel die Todsünde eines Knopfloches, die eigentlich niemandem unterlaufen dürfte. Allerdings kommt es immer wieder dazu, wenn ein unerfahrener oder achtloser Mensch Gewebe in der Kehle beiseite schiebt, um die Zunge und den Kehlkopf zu entfernen, und dabei versehentlich die Haut durchstößt. Eine bei der Obduktion zugefügte Schnittwunde am Hals lässt sich trauernden Familien nur schwer erklären.

Der Y-Schnitt beginnt an den Enden des Schlüsselbeins, trifft am Brustbein zusammen, verläuft nach unten, umrundet den Nabel und endet im Schambereich. Er ist mit Stichen zugenäht, die Fielding nun mit einem Skalpell öffnet, als trenne er die Nähte einer mit der Hand geflickten Stoffpuppe auf. Währenddessen nimmt Scarpetta eine Aktenmappe von der Arbeitsfläche und beginnt, Gillys Autopsieprotokoll und den vorläufigen Ermittlungsbericht durchzulesen. Sie war einen Meter sechzig groß, wog siebenundvierzig Kilo und wäre, wenn sie noch leben würde, im Februar fünfzehn geworden. Ihre Augen waren blau. In Fieldings Autopsiebericht kommt wiederholt der Ausdruck »im normalen Bereich« vor. Ihr Gehirn, ihr Herz, ihre Leber, ihre Lunge, ja, alle ihre Organe waren in genau dem Zustand, in dem sie bei einem gesunden jungen Mädchen auch sein sollten.

Doch Fielding hat auch Spuren gefunden, die nun noch besser zu sehen sein müssten, da ihr Körper blutleer ist, während Blut, das in Form eines Blutergusses im Gewebe eingeschlossen war, sich kräftig von der leichenblassen Haut abhebt. Auf ein Körperdiagramm hat er Hämatome auf ihren Handrücken eingetragen. Scarpetta legt die Akte zurück auf die Theke, während Fielding den schweren Beutel mit den sezierten Organen aus der Brusthöhle nimmt. Sie tritt näher, um sich die Leiche anzusehen, und greift nach einer ihrer kleinen Hände. Die Hand ist eingeschrumpft, blass und feuchtkalt. Scarpetta hält sie in ihren behandschuhten Händen, dreht sie um und betrachtet den Bluterguss. Hand und Arm sind schlaff. Die Totenstarre ist abgeklungen, und der Körper sperrt sich nicht mehr, als ob es sich nun, da das Leben in ihm schon so lange erloschen ist, nicht mehr lohnt, sich gegen den Tod zu stemmen. Der Bluterguss hebt sich dunkelrot von der geisterhaft bleichen Haut ab und befindet sich direkt auf dem Rücken ihrer schlanken, verschrumpelten Hand. Die Rötung zieht sich vom Daumenknöchel bis zum Knöchel des kleinen Fingers. Ein ähnlicher Bluterguss ist auch auf ihrer anderen Hand, der linken, zu erkennen.

»Oh, ja«, meint Fielding. »Komisch, nicht wahr? Als hätte sie jemand festgehalten. Aber wozu?« Er wickelt eine Schnur oben vom Beutel ab. Dem bräunlichen Brei darin entsteigt ein abscheulicher Gestank. »Puh! Keine Ahnung, was Sie da drin zu finden hoffen. Aber tun Sie sich keinen Zwang an.«

»Stellen Sie es einfach auf den Tisch. Ich sehe es mir im Beutel an. Vielleicht hat sie jemand runtergedrückt. Wie wurde sie denn gefunden? Beschreiben Sie mir ihre Körperhaltung«, sagt Scarpetta, geht zum Waschbecken und nimmt ein Paar dicke Gummihandschuhe, die ihr fast bis zu den Ellenbogen reichen.

»Ich bin nicht sicher. Als ihre Mutter heimkam, hat sie versucht, sie wiederzubeleben. Sie meint, sie könne sich nicht erinnern, ob Gilly bäuchlings, auf dem Rücken oder auf der Seite lag. Sie hat keine Ahnung, was mit ihren Händen war.«

»Was ist mit *Livor Mortis*?«

»Keine Chance. So lange war sie noch nicht tot.«

Wenn das Blut nicht länger fließt, sackt es aufgrund der Schwerkraft in die untere Körperhälfte und erzeugt ein Muster aus tief rosafarbenen und bleichen Stellen, wo die Körperoberfläche auf einen Gegenstand drückt. Sosehr man hofft, einen Toten so schnell wie möglich zu finden, hat eine Verzögerung auch ihre Vorteile. Ein paar Stunden genügen schon, damit *Livor Mortis* und *Rigor Mortis* einsetzen und verraten, in welcher Stellung sich der Tote befand, als er starb, selbst wenn später Lebende auf der Bildfläche erschienen sind, um den Tatort zu manipulieren und die Geschichte in ihrem Sinne zu ändern.

Scarpetta zieht vorsichtig Gillys Unterlippe herunter und hält Ausschau nach Verletzungen, die darauf hinweisen, dass jemand ihr gewaltsam den Mund zugehalten oder sie erstickt hat, indem er ihr Gesicht in die Kissen drückte.

»Nur zu, aber danach habe ich auch schon gesucht«, lautet Fieldings Kommentar dazu. »Ich konnte keine anderen Verletzungen entdecken.«

»Und ihre Zunge?«

»Sie hat nicht hineingebissen. Nichts deutet darauf hin. Ich verrate Ihnen ja nur ungern, wo die Zunge jetzt ist.«

»Ich kann es mir denken«, erwidert sie, steckt die Hand in den Beutel mit den kalten, matschigen Organteilen und tastet darin herum.

Fielding wäscht sich die behandschuhten Hände unter dem kräftigen Wasserstrahl, der sich ins Metallbecken ergießt, und trocknet sie mit einem Handtuch ab. »Warum ist Marino nicht mit von der Partie?«

»Ich weiß nicht, wo er steckt«, antwortet Scarpetta. Sie ist nicht sonderlich erfreut darüber.

»Seine Begeisterung für verweste Leichen hielt sich schon immer in Grenzen.«

»Mir machen eher die Leute Sorgen, die eine Schwäche dafür haben.«

»Und für Kinder. Jeder, der was für tote Kinder übrig hat«, fügt Fielding hinzu. Er lehnt an der Theke und sieht ihr zu. »Hoffentlich finden Sie was, denn ich habe nichts entdecken können. Das frustriert mich ziemlich.«

»Was ist mit Petechien? Ihre Augen sind in einem schrecklichen Zustand, sodass ich nichts mehr feststellen kann.«

»Sie war ziemlich mit Blut überfüllt, als sie eingeliefert wurde«, erwidert Fielding. »Schwer zu sagen, ob sie petechiale Blutungen hatte, aber mir sind keine aufgefallen.«

Scarpetta stellt sich vor, wie Gillys Leiche im Leichenschauhaus eintraf. Sie war erst wenige Stunden tot, ihr Gesicht mit Blut überfüllt und rot, die Augen ebenfalls gerötet. »Lungenödem?«, erkundigt sie sich.

»Ein leichtes.«

Scarpetta hat die Zunge entdeckt. Sie geht zu den Waschbecken, um sie abzuspülen, und tupft sie mit einem kleinen weißen Frottiertuch besonders billiger Qualität trocken, wie sie der Staat einzukaufen pflegt. Dann rollt sie eine OP-Lampe heran, schaltet sie ein und richtet sie auf die Zunge. »Haben Sie eine Lupe?«, fragt sie, während sie die Zunge noch einmal mit dem Handtuch abtupft und die Lampe einrichtet.

»Kommt sofort.« Er zieht eine Schublade auf, kramt ein Vergrößerungsglas heraus und reicht es ihr. »Sehen Sie was? Ich habe nichts bemerkt.«

»Hat sie unter Krampfanfällen gelitten?«

»Nicht, soweit ich informiert bin.«

»Tja, ich kann keine Verletzung feststellen.« Sie sucht nach Hinweisen darauf, dass Gilly sich auf die Zunge gebissen hat. »Und haben Sie Abstriche von ihrer Zunge und aus der Mundhöhle genommen?«

»Klar doch. Von allen Körperöffnungen«, entgegnet Fielding, kehrt zur Theke zurück und lehnt sich wieder daran. »Alles ohne Befund. Im Labor wurde auch nichts gefunden, was auf sexuellen Missbrauch hindeutet. Keine Ahnung, was – wenn überhaupt etwas – sie sonst noch ermittelt haben.«

»Auf ihrem CME-1-Formular steht, dass ihre Leiche bei der Einlieferung mit einem Pyjama bekleidet war. Das Oberteil war mit der Innenseite nach außen gedreht.«

»Klingt richtig.« Er greift nach der Akte und beginnt, sie durchzublättern.

»Sie haben ja supergründlich fotografiert.« Sie fragt nicht, sondern deutet nur sarkastisch an, was eigentlich die normale Vorgehensweise sein sollte.

»Hey«, erwidert er lachend. »Von wem habe ich traurige Gestalt denn meinen Job gelernt?«

Scarpetta blickt ihn kurz an. Sie hat ihm ein sorgfältigeres Arbeiten beigebracht, aber sie spricht es nicht aus. »Ich freue mich, dass Sie an der Zunge nichts übersehen haben.« Sie steckt sie zurück in den Beutel, wo sie auf den anderen bräunlichen Teilen von Gillys verwesenden Organen landet. »Kommen Sie, wir drehen sie um. Dazu müssen wir sie aus dem Leichensack nehmen.«

Sie gehen Schritt für Schritt vor. Fielding packt die Leiche unter den Achseln und hebt sie an, während Scarpetta den Sack unter ihr wegzieht. Dann dreht er die Tote auf den Bauch, und Scarpetta zerrt den Sack aus dem Weg. Als sie ihn zusammenfaltet und auf die Bahre legt, ächzt und stöhnt das dicke Vinyl. Sie und Fielding sehen den Bluterguss auf Gillys Rücken gleichzeitig.

»Um Himmels willen!«, ruft er erschrocken aus.

Es ist eine leichte Rötung, rund und etwa so groß wie ein Silberdollar, auf der linken Seite ihres Rückens, gleich unterhalb des Schulterblatts.

»Ich schwöre, das war nicht da, als ich sie obduziert habe«, meint er, beugt sich vor und rückt die OP-Lampe zurecht, um sich die Stelle besser anzuschauen. »Scheiße. Ich fasse es nicht, dass mir das entgangen ist.«

»So was kann vorkommen«, entgegnet Scarpetta und verschweigt ihm, was sie in Wirklichkeit denkt. Es bringt nichts, ihn zu kritisieren. Dafür ist es zu spät. »Blutergüsse sind nach der Obduktion immer besser sichtbar«, erklärt sie.

Sie nimmt ein Skalpell vom Instrumentenwagen und macht einige tiefe lineare Einschnitte in das gerötete Gebiet, um festzustellen, ob die Verfärbung erst nach dem Tod herbeigeführt wurde und deshalb nur oberflächlich ist. Aber das ist sie nicht. Das Blut in dem darunter liegenden weichen Gewebe ist diffus, was für gewöhnlich auf ein Trauma und geplatzte Blutgefäße hinweist, als der Körper noch einen Blutdruck hatte. Schließlich ist ein Bluterguss oder eine Beule nichts anderes als eine Ansammlung von kleinen Blutgefäßen, die nach einer Quetschung lecken. Fielding legt ein zwanzig Zentimeter langes Plastiklineal an die eingeschnittene Stelle und fängt an zu fotografieren.

»Was ist mit ihrer Bettwäsche?«, fragt Scarpetta. »Haben Sie die untersucht?«

»Die habe ich nie zu Gesicht gekriegt. Die Polizei hat sie mitgenommen und ins Labor gebracht. Wie ich schon sagte, keine Samenflüssigkeit. Verdammt, ich kapiere nicht, wie ich den Bluterguss übersehen konnte.«

»Wir sollten uns erkundigen, ob auf den Laken oder auf dem Kopfkissen Flüssigkeit von einem Lungenödem festgestellt wurde. Wenn ja, muss der Fleck auf ziliare Schleimhautepithelzellen überprüft werden. Denn das würde die Theorie eines Todes durch Ersticken unterstützen.«

»Scheiße«, schimpft er. »Ich weiß nicht, wie mir dieser Bluterguss nicht auffallen konnte. Also sind Sie überzeugt, dass ein Tötungsdelikt vorliegt?«

»Ich glaube, jemand hat sich auf sie draufgesetzt«, beginnt Scarpetta. »Sie lag auf dem Bauch, der Täter drückte ihr das Knie oben in den Rücken, lehnte sich mit seinem ganzen Gewicht auf sie, hielt ihr die Hände über dem Kopf fest und presste sie mit den Handflächen nach unten aufs Bett. Das würde die Blutergüsse auf ihren Handrücken und ihrem Rücken erklären. Ich glaube, wir haben es mit mechanischer Asphyxie zu tun, also eindeutig mit einem Tötungsdelikt. Jemand hat sich auf die Brust oder den Rücken des Opfers gesetzt, sodass dieses keine Luft mehr bekam. Was für eine schreckliche Art zu sterben.«

14

Ihre Nachbarin wohnt in einem Haus mit Flachdach, das aus weißem geschwungenem Beton und Glas besteht. Es fügt sich in die Natur ein, soll offenbar das Zusammenspiel von Wasser, Erde und Himmel symbolisieren und erinnert Lucy an Gebäude, die sie in Finnland gesehen hat. Nachts wirkt das Nachbarhaus wie eine gewaltige erleuchtete Laterne.

Im Vorgarten, wo hohe Palmen und Kakteen mit weihnachtlich bunten Lichterketten dekoriert sind, steht ein Brunnen. Ein aufblasbarer grüner Grinch – der Bösewicht aus dem Weihnachtsmärchen von Dr. Seuss – lauert mit finsterer Miene neben der gewaltigen Doppeltür aus Glas, ein Hauch von Festlichkeit, den Lucy komisch finden würde, wenn dieses Haus von anderen Leuten bewohnt wäre. In der oberen linken Ecke der Tür hängt eine Kamera, die eigentlich unsichtbar sein sollte, und als Lucy klingelt, malt sie sich aus, wie ihr Gesicht auf dem Bildschirm der Überwachungsanlage erscheint. Niemand macht auf. Lucy drückt noch einmal auf die Klingel. Wieder keine Reaktion.

Also gut. Ich weiß, dass du zu Hause bist, weil du deine Zeitung reingeholt hast. Außerdem ist an deinem Briefkasten der Signalwimpel hochgeklappt, was heißt, dass der Briefträger deine Post mitnehmen soll. Mir ist klar, dass du mich beobachtest. Wahrscheinlich sitzt du in der Küche, gaffst mich auf dem Bildschirm an und hast die Gegensprechanlage am Ohr, um festzustellen, ob ich atme oder Selbstgespräche führe. Also, du blöde Kuh, mach die verdammte Tür auf, sonst bleibe ich den ganzen Tag hier stehen.

Das geht etwa fünf Minuten so. Lucy wartet vor der schweren Glastür und ist überzeugt, dass sie in ihren Jeans, dem T-Shirt, der Gürteltasche und den Turnschuhen bestimmt keinen bedrohlichen Eindruck macht. Allerdings geht sie der Hausbesitzerin sicher auf die Nerven, weil sie immer wieder auf die Klingel drückt. Vielleicht steht die Dame ja unter der Dusche und glotzt gar nicht auf den Überwachungsbildschirm. Lucy läutet noch einmal. Die Frau kommt einfach nicht an die Tür. Ich wusste, dass du nicht aufmachen wirst, du blöde Ziege, sagt Lucy in Gedanken zu ihrer Nachbarin. Ich könnte hier draußen einen Herzinfarkt kriegen und umfallen, ohne dass du deinen Hintern bewegst. Also werde ich dich wohl zwingen müssen, an die Tür zu gehen. Sie denkt daran, wie Rudy vor knapp zwei Stunden seinen falschen Dienstausweis gezückt und dem Latino einen gehörigen Schrecken eingejagt hat. Nun gut, dann versuchen wir es einmal damit und schauen, wie du dann reagierst. Sie holt eine dünnes schwarzes

Mäppchen aus der Gesäßtasche ihrer engen Jeans und hält eine Dienstmarke dicht an die nicht so geheime Kamera.

»Hallo«, ruft sie laut. »Polizei. Haben Sie keine Angst. Ich wohne zwar nebenan, aber ich bin Polizistin. Bitte kommen Sie an die Tür.« Wieder läutet sie und hält ihre gefälschte Dienstmarke vor die stecknadelkopfgroße Kameralinse.

Schwitzend blinzelt Lucy ins Sonnenlicht. Sie wartet und lauscht, kann aber nichts hören. Als sie ihre gefälschte Dienstmarke noch einmal hochhalten will, ertönt plötzlich eine Stimme, die klingt, als wäre Gott eine zickige Frau.

»Was wollen Sie?«, fragt die Stimme durch einen unsichtbaren Lautsprecher, der offenbar neben der Kamera oben am Türrahmen hängt.

»Bei mir hat sich ein Fremder auf dem Grundstück herumgetrieben, Ma'am«, erwidert Lucy. »Ich dachte, es könnte Sie vielleicht interessieren, was bei Ihnen nebenan passiert.«

»Sie sagten doch, Sie wären bei der Polizei«, gibt die unfreundliche Stimme vorwurfsvoll zurück. Die Frau hat einen starken Südstaatenakzent.

»Ich bin beides.«

»Beides was?«

»Bei der Polizei und Ihre Nachbarin, Ma'am. Ich heiße Tina und würde mich freuen, wenn Sie an die Tür kämen.«

Schweigen. Dann, weniger als zehn Sekunden später, sieht Lucy durch die Glastür eine Gestalt auf sich zuschweben. Die Gestalt verwandelt sich in eine Frau Mitte vierzig, die einen Trainingsanzug und Joggingschuhe trägt. Es dauert eine Ewigkeit, sämtliche Schlösser zu entriegeln, doch schließlich hat es die Nachbarin geschafft; sie schaltet die Alarmanlage ab und öffnet einen Türflügel. Allerdings scheint sie nicht die Absicht zu haben, Lucy hereinzubitten, denn sie steht in der Tür und sieht ihre Besucherin mit unverhohlener Feindseligkeit an.

»Fassen Sie sich kurz«, sagt die Frau. »Ich mag keine Fremden und habe auch kein Interesse daran, meine Nachbarn kennen zu lernen. Ich wohne hier, weil ich keine Lust auf Nachbarn habe. Falls es Ihnen noch nicht aufgefallen sein sollte, ist das hier keine

Neighborhood, sondern eine Gegend, wohin die Leute ziehen, um ungestört zu sein und ihre Ruhe zu haben.«

»Was meinen Sie mit *das hier?*«, treibt Lucy ihr Spiel weiter. Sie erkennt sofort, dass sie eine egoistische, verwöhnte, reiche Zicke vor sich hat, und stellt sich ein wenig naiv. »Ihr Haus oder die Gegend hier?«

»Was?« Die ablehnende Haltung der Frau wird kurz von Verwirrung abgelöst. »Wovon reden Sie?«

»Davon, was nebenan bei mir passiert ist. Er war wieder da«, erwidert Lucy, als ob die Frau genau wüsste, worum es geht. »Es kann heute am frühen Morgen gewesen sein, aber ich bin nicht sicher, weil ich seit gestern auswärts war und gerade erst mit dem Helikopter in Boca Raton angekommen bin. Ich habe keine Ahnung, was er will, aber ich mache mir Sorgen um Sie. Es wäre wirklich nicht richtig, wenn Sie von der Bugwelle mitgerissen würden, falls Sie verstehen, was ich meine.«

»Oh«, sagt sie. Am Wellenbrecher hinter ihrem Haus liegt ein ausgesprochen schickes Boot, und sicher weiß sie genau, was eine Bugwelle ist und wie unangenehm und möglicherweise fatal es sein kann, hineinzugeraten. »Wie können Sie als Polizistin in so einem Haus leben?«, fragt sie, ohne zu Lucys lachsfarbener Villa im mediterranen Stil hinüberzuschauen. »Was für ein Helikopter? Jetzt sagen Sie nicht, dass Sie auch einen Helikopter besitzen.«

»Mein Gott, Sie sind ganz nah dran«, seufzt Lucy resigniert. »Es ist eine lange Geschichte, und sie hat mit Hollywood zu tun. Ich bin erst vor kurzem von L.A. hierher gezogen. Ich hätte besser in Beverly Hills bleiben sollen, wo ich hingehöre. Aber dieser verdammte Film, verzeihen Sie mir die Ausdrucksweise. Tja, ich bin sicher, Sie haben schon davon gehört, wie aufwändig es ist, einen Film zu machen, und welche Umstände es bedeutet, an Originalschauplätzen zu drehen.«

»Nebenan?« Ihre Augen weiten sich. »Sie wollen nebenan in Ihrem Haus einen Film drehen?«

»Ich finde, es ist keine gute Idee, dieses Gespräch hier draußen zu führen.« Lucy sieht sich vorsichtig um. »Haben Sie was dagegen, wenn ich reinkomme? Aber Sie müssen mir versprechen, dass alles unter uns bleibt. Wenn es sich herumspricht … tja, Sie können es sich ja denken.«

»Ha!« Die Frau deutet mit dem Finger auf Lucy und zeigt beim Lächeln die Zähne. »Ich wusste, dass Sie ein Promi sind.«

»Nein! Bitte sagen Sie jetzt nicht, dass ich so leicht zu durchschauen bin!«, meint Lucy erschrocken, als sie in das minimalistisch ganz in Weiß eingerichtete Wohnzimmer tritt, dessen Glasfront über zwei Etagen reicht und Blick auf eine mit Granit gepflasterte Terrasse, den Pool und das acht Meter lange Rennboot freigibt. Lucy bezweifelt, dass ihre verwöhnte und eitle Nachbarin überhaupt weiß, wie man das Boot anlässt, geschweige denn damit fährt. Es trägt den Namen *It's Settled* und ist sicher auf Grand Cayman registriert, einer Karibikinsel, auf der es keine Einkommensteuer gibt.

»Ein tolles Boot«, sagt Lucy, als sie auf den weißen Möbeln Platz nehmen, die zwischen Himmel und Wasser zu schweben scheinen. Sie legt ein Mobiltelefon auf den Couchtisch aus Glas.

»Es ist aus Italien.« Die Frau lächelt ein verschwörerisches, nicht sehr hübsches Lächeln.

»Erinnert mich an Cannes«, erwidert Lucy.

»Oh, ja, das Filmfestival.«

»Nein, nicht so sehr daran. An die Ville de Cannes, die Boote, und, ach ja, die Jachten. Gleich hinter dem alten Clubhaus kommt man zum Quai Nummer eins. Dort sind die Bootsverleihe Poseidon und Amphitrite, die ihre Hauptfilialen in Marseille haben. Die Jungs, die dort arbeiten, sind sehr nett. Paul fährt einen quietschgelben Pontiac, ein seltener Anblick in Südfrankreich. Man geht einfach an den Lagerschuppen vorbei, biegt zum Quai Nummer vier ein und spaziert weiter bis zum Ende, wo der Leuchtturm steht. Noch nie im Leben habe ich so viele Mangusta und Leopard gesehen. Ich hatte einmal ein Zodiac mit einem ziemlich leistungsstarken Suzuki-Motor. Aber ein größeres Boot? Wer hat Zeit für so was? Tja, Sie vielleicht.« Sie wirft einen Blick auf das Schnellboot, das im Trockendock liegt. »Natürlich haben einen der Sheriff und der Zoll gleich beim Wickel, wenn man hier in diesem Ding schneller als fünfzehn Stundenkilometer fährt.«

Die Nachbarin versteht die Welt nicht mehr. Sie ist hübsch, allerdings nicht auf eine Weise, die Lucy anziehend findet. Außerdem sieht sie sehr reich und verwöhnt aus und ist vermutlich abhängig von Botox, Collagen, Thermobehandlungen und den sonstigen Zauberkunststückchen aus der Trickkiste der Hautärzte. Wahrscheinlich hat sie schon seit Jahren nicht mehr die Stirn gerunzelt. Allerdings ist eine negative Mimik bei ihr ohnehin überflüssig, da der verbitterte und böse Gesichtsausdruck offenbar der Normalzustand ist.

»Wie ich schon sagte, heiße ich Tina. Und Sie?«

»Sie können mich Kate nennen. So nennen mich meine Freunde«, erwidert die verwöhnte reiche Dame. »Ich wohne seit sieben Jahren in diesem Haus und hatte bis jetzt nie ein Problem, außer mit Jeff, der sich zum Glück aus dem Staub gemacht hat, um unter anderem auf den Cayman Islands sein eigenes Leben zu führen. Bestimmt werden Sie mir jetzt gleich eröffnen, dass Sie keine richtige Polizistin sind.«

»Ich muss mich wirklich dafür entschuldigen, dass ich ein bisschen geflunkert habe, aber ich wusste nicht, was ich sonst tun sollte, damit Sie an die Tür kommen, Kate.«

»Ich habe eine Dienstmarke gesehen.«

»Ja, ich habe sie hochgehalten, damit Sie das denken. Sie ist nicht echt – nicht wirklich. Aber wenn ich eine Rolle einstudiere, versuche ich, sie auch zu leben, so gut es geht. Mein Regisseur hat mir vorgeschlagen, dass ich nicht nur in das Haus ziehen soll, wo wir drehen werden. Ich soll auch eine Dienstmarke tragen und dieselben Autos fahren wie die Agentin im Film.«

»Ich wusste es!« Wieder zeigt Kate mit dem Finger auf sie. »Die Sportwagen. Aha! Das gehört alles zu Ihrer Rolle, richtig?« Sie lässt ihren langbeinigen, mageren Körper in den tiefen weißen Sessel sinken und klopft ein Kissen auf ihrem Schoß zurecht. »Sie kommen mir aber gar nicht bekannt vor.«

»Ich versuche, das zu vermeiden.«

Kate versucht sich an einem Stirnrunzeln. »Aber man könnte

doch meinen, dass ich Ihr Gesicht schon mal gesehen haben müsste. Außerdem habe ich Ihren Namen, glaube ich, noch nie gehört. Tina wer?«

»Mangusta«, nennt sie den Namen ihres Lieblingsbootes, wobei sie recht sicher ist, dass ihre Nachbarin dieses Wort nicht direkt mit ihrer vorherigen Bemerkung über Cannes in Verbindung bringen wird. Stattdessen wird sie glauben, dass Mangusta sich irgendwie vertraut anhört.

»Ja, ich denke, dieser Name ist mir schon mal unterkommen. Kann sein«, meint Kate, inzwischen ein wenig selbstsicherer.

»Ich hatte noch keine großen Rollen, obwohl einige wichtige Filme dabei waren. Dieser Film soll sozusagen mein Durchbruch werden. Ich habe in freien Theaterproduktionen angefangen, mich zu B-Filmen hochgearbeitet und genommen, was ich kriegen konnte. Ich hoffe nur, dass es Sie nicht nerven wird, wenn die ganzen Lastwagen und Busse hier vorfahren. Aber zum Glück passiert das erst im Sommer. Vielleicht aber auch gar nicht, denn da ist nämlich so ein Verrückter, der uns offenbar hierher verfolgt hat.«

»Wie schade.« Sie beugt sich in dem großen weißen Sessel vor.

»Das können Sie laut sagen.«

»Ach, du meine Güte.« Kates Blick verfinstert sich, und sie sieht besorgt aus. »Er hat Sie den ganzen Weg von der Westküste hierher verfolgt? Sie sagten doch, Sie hätten einen Helikopter.«

»Ich bin ziemlich sicher, dass er es ist«, erwidert Lucy. »Wenn Sie noch nie von einem Stalker verfolgt worden sind, haben Sie gar keine Vorstellung davon, was für ein Albtraum das ist. Ich würde es meinem ärgsten Feind nicht wünschen. Ich dachte, wenn wir hierher kommen, sind wir das Problem los. Aber irgendwie hat er uns aufgespürt, und jetzt ist er hier. Ich bin überzeugt, dass er es ist. Der Himmel steh mir bei, wenn mir jetzt plötzlich zwei Spinner auf den Fersen wären. Also hoffe ich komischerweise fast, dass es derselbe Typ ist. Und, ja, ich reise mit dem Helikopter, wenn es nötig ist, allerdings nicht den ganzen Weg von der Westküste hierher.«

»Wenigstens wohnen Sie nicht allein«, meint Kate.

»Meine Mitbewohnerin, eine Schauspielerkollegin, ist vor kurzem ausgezogen und an die Westküste zurückgekehrt. Und zwar wegen dem Typen, der mich verfolgt.«

»Und was ist mit Ihrem gut aussehenden Freund? Offen gestanden frage ich mich schon die ganze Zeit, ob er Schauspieler und prominent ist. Aber ich komme einfach nicht auf den Namen.« Sie grinst verschwörerisch. »Dem Typen steht Hollywood ins Gesicht geschrieben. Was macht er denn so?«

»Hauptsächlich Ärger.«

»Tja, falls er Sie über den Tisch ziehen will, Schätzchen, kommen Sie einfach zu Kate.« Sie klopft auf das Kissen auf ihrem Schoß. »Ich kenne mich aus mit manchen Dingen.«

Lucy blickt zur *It's Settled* hinaus, die lang, schnittig und weiß in der Sonne funkelt, und überlegt, ob Kates Ex-Mann sich, inzwischen bootlos, auf den Caymans vor dem Finanzamt versteckt. »Letzte Woche war der Stalker auf meinem Grundstück«, sagt sie. »Ich vermute zumindest, dass er es war. Ich wollte nur wissen ...«

In Kates faltenlos gestrafftes Gesicht malt sich Verständnislosigkeit. »Oh«, erwidert sie dann. »Der Typ, der Sie verfolgt? Aber nein. Den habe ich nicht gesehen, nicht, dass ich wüsste. Allerdings treiben sich hier eine ganze Menge Leute herum – Gärtner, Poolreiniger, Bauarbeiter und so weiter. Doch die Polizeiautos und der Krankenwagen sind mir aufgefallen. Ich hatte eine Todesangst. Solche Dinge können ein Viertel vor die Hunde gehen lassen.«

»Also waren Sie zu Hause. Meine Kollegin lag mit einem Kater im Bett. Vielleicht ist sie ja rausgegangen, um sich in die Sonne zu setzen.«

»Ja, das habe ich gesehen.«

»Wirklich?«

»Oh, ja«, entgegnet Kate. »Ich war oben im Fitnessraum und habe zufällig runtergeschaut, als sie aus der Küchentür gekommen ist. Ich erinnere mich, dass sie einen Pyjama und einen Morgenmantel trug. Jetzt, wo Sie sagen, dass sie einen Kater hatte, erklärt das alles.«

»Wissen Sie noch, wie spät es war?«, erkundigt sich Lucy, während das Mobiltelefon auf dem Tisch ihr Gespräch aufzeichnet.

»Lassen Sie mich überlegen. Neun? Etwa um diese Zeit muss es gewesen sein.« Kate zeigt hinter sich auf Lucys Haus. »Sie saß am Pool.«

»Und dann?«

»Ich war auf dem Ellipsentrainer«, erwidert sie, denn in Kates Welt dreht sich alles um Kate. »Lassen Sie mich überlegen. Ich glaube, ich wurde von etwas abgelenkt, das gerade im Vormittagsprogramm lief. Nein, das Telefon hat geläutet. Ich weiß nämlich noch, dass sie weg war, als ich das nächste Mal rausgeschaut habe. Offenbar war sie wieder ins Haus gegangen. Jedenfalls war sie nicht mehr draußen.«

»Wie lange waren Sie auf dem Ellipsentrainer? Hätten Sie was dagegen, mir Ihren Fitnessraum zu zeigen, damit ich genau feststellen kann, wo Sie waren, als Sie sie gesehen haben?«

»Klar, kommen Sie mit, Honey.« Kate erhebt sich aus dem großen weißen Sessel. »Was halten Sie von etwas zu trinken? Ich glaube, ich könnte nach all dem Gerede über Spinner, laute Filmlastwagen, die hier vorfahren werden, und Helikopter einen Mimosa vertragen. Normalerweise verbringe ich eine halbe Stunde auf dem Ellipsentrainer.«

Lucy nimmt ihr Mobiltelefon vom Couchtisch. »Ich trinke dasselbe wie Sie.«

15

Es ist halb zwölf, als Scarpetta Marino am Mietwagen auf dem Parkplatz ihrer ehemaligen Wirkungsstätte trifft. Die dunklen Wolken erinnern sie an Fäuste, die zornig im Himmel geschüttelt werden. Immer wieder schlüpft die Sonne zwischen ihnen hindurch, und plötzliche Windböen zerren an Scarpettas Kleidern und Haaren.

»Kommt Fielding mit?«, fragt Marino, während er den Geländewagen aufschließt. »Ich nehme an, du möchtest, dass ich fahre. Irgendein Schwein hat sie also festgehalten und erstickt. So ein Dreckskerl. Ein junges Mädchen umzubringen. Der Typ muss ganz schön kräftig gebaut gewesen sein, um sie so festzuhalten, dass sie sich nicht rühren konnte. Meinst du nicht?«

»Fielding kommt nicht mit. Du darfst fahren. Wenn man keine Luft mehr kriegt, gerät man in Panik und schlägt wie wild um sich. Also brauchte der Täter nicht kräftig gebaut zu sein, nur groß und stark genug, um sie fest nach unten zu drücken. Wahrscheinlich handelt es sich um eine mechanische Asphyxie, nicht um Ersticken.«

»Und das Gleiche müsste man auch mit diesem Arschloch machen, wenn man ihn erst mal erwischt. Ein paar Kleiderschränke von Gefängniswärtern sollten sich auf seine Brust setzen, bis ihm die Luft wegbleibt, damit er mal sieht, wie schön das ist.« Sie steigen ein, und Marino lässt den Motor an. »Ich melde mich freiwillig. Ich bin sofort dabei. Mein Gott, so etwas einem Kind anzutun.«

»Verschieben wir das Thema ›Legt sie alle um, und überlasst den Rest dem lieben Gott‹ auf später«, unterbricht sie ihn. »Wir haben viel zu tun. Was weißt du über ihre Mutter?«

»Da Fielding nicht mitkommt, nehme ich an, dass du sie angerufen hast.«

»Ich habe ihr erklärt, dass wir mit ihr reden wollen, mehr nicht. Sie war am Telefon ein bisschen seltsam und glaubt allen Ernstes, Gilly wäre an der Grippe gestorben.«

»Wirst du ihr die Wahrheit sagen?«

»Das weiß ich noch nicht.«

»Tja, eines steht zumindest fest. Das FBI wird sich vor Begeisterung überschlagen, wenn es erfährt, dass du wieder Hausbesuche machst, Doc. Die krallen sich nämlich am liebsten Fälle, die sie nichts angehen, und könnten dir die Einmischung übel nehmen.« Er schmunzelt und fährt im Schritttempo über den überfüllten Parkplatz.

Scarpetta ist die Meinung des FBI herzlich gleichgültig. Sie betrachtet ihr früheres Gebäude, das den Namen Biotech II trug, die klaren grauen Linien, abgesetzt mit dunkelrotem Klinker, und die überdachte Zufahrt zur Leichenhalle, die sie an ein weißes, seitlich herausragendes Iglu erinnert. Jetzt, da sie wieder hier ist, fühlt sie sich, als wäre sie nie weggewesen. Sie empfindet es gar nicht als seltsam, dass sie unterwegs zum Fundort einer Leiche – aller Wahrscheinlichkeit auch einem Tatort – in Richmond, Virginia, ist. Und wie das FBI, Dr. Marcus oder sonst jemand ihre Hausbesuche beurteilt, interessiert sie nicht.

»Ich habe den Eindruck, auch dein Freund Dr. Marcus wird vor Freude ganz aus dem Häuschen sein«, fügt Marino spöttisch hinzu, als könnte er ihre Gedanken lesen. »Hast du ihm schon verraten, dass Gilly ermordet worden ist?«

»Nein«, erwidert sie.

Sie hat sich die Mühe gespart, Dr. Marcus erreichen oder ihm etwas mitteilen zu wollen, nachdem sie mit Gilly Paulsson fertig war, alles sauber gemacht, wieder ihren Hosenanzug angezogen und sich noch einige Proben unter dem Mikroskop angesehen hatte. Fielding kann Dr. Marcus die Fakten erläutern und ihm ausrichten, dass sie ihn gerne später informieren wird und dass er sie, wenn nötig, auf dem Mobiltelefon anrufen kann. Aber Dr. Marcus wird sich nicht melden. Er möchte so wenig wie möglich mit dem Fall Gilly Paulsson zu tun haben. Wie Scarpetta inzwischen glaubt, ist er schon vor seinem Anruf bei ihr in Florida zu dem Schluss gekommen, dass ihm der Tod dieses vierzehnjährigen Mädchens nur Ärger einbringen wird und dass es deshalb für ihn am ratsamsten ist, sich einen Sündenbock zu suchen. Und wem ließe sich die Schuld besser in die Schuhe schieben als seiner umstrittenen Vorgängerin Kay Scarpetta, die sich so vorzüglich als Blitzableiter eignet? Vermutlich hat er schon von Anfang an den Verdacht gehabt, dass Gilly Paulsson ermordet wurde. Und er hat aus irgendwelchen Gründen entschieden, sich nicht die Hände mit dem Fall schmutzig zu machen.

»Wer ist der zuständige Detective?«, fragt Scarpetta Marino, während sie darauf warten, dass der Verkehr, der vom Highway I-95 abbiegt, an der Fourth Street an ihnen vorbeirollt. »Jemand, den wir kennen?«

»Nein. Er war zu unserer Zeit noch nicht da.« Marino entdeckt eine Lücke, startet durch und schießt auf die rechte Spur. Seit er wieder in Richmond ist, hat er zu seinem alten Fahrstil zurückgefunden, den er sich in seinen Anfangsjahren bei der New Yorker Polizei angewöhnt hat.

»Weißt du etwas über ihn?«

»Genug.«

»Wie ich annehme, wirst du die Baseballkappe den ganzen Tag über aufbehalten«, meint sie.

»Warum nicht? Oder hast du eine bessere für mich? Außerdem wird es Lucy freuen, zu hören, dass ich ihre Kappe trage. Wusstest du, dass die Polizeizentrale umgezogen ist? Sie ist nicht mehr in der Ninth Street, sondern in der Nähe des Jefferson Hotel im alten Farm Bureau Building. Abgesehen davon hat sich bei der Polizei nichts geändert, bis auf die Lackierung der Streifenwagen und dass sie hier jetzt auch Baseballkappen tragen dürfen wie in New York.«

»Vermutlich werden diese Kappen uns alle überleben.«

»Genau. Also hör auf, an meiner rumzumeckern.«

»Wer hat dir eigentlich erzählt, dass sich das FBI eingeschaltet hat?«

»Der Detective. Er heißt Browning und macht einen ganz vernünftigen Eindruck. Allerdings hat er noch nicht viel Erfahrung mit Mordfällen, und die, mit denen er bis jetzt zu tun hatte, fallen eher in die Kategorie Stadterneuerung: Ein Arschloch knallt ein anderes Arschloch ab.« Marino klappt einen Notizblock auf und wirft einen Blick darauf, während er quer durch die Stadt zur Broad Street fährt. »Am Donnerstag, dem 4. Dezember, wurde er verständigt, weil das Opfer beim Eintreffen des Krankenwagens bereits tot war. Er fuhr zu der Adresse im Fan, zu der wir gerade auf dem Weg sind, drüben, wo früher das Stuart Circle Hospital stand, bevor sie es in sündhaft teure Eigentumswohnungen umgewandelt haben. Wusstest du das? Es ist passiert, als du schon nicht mehr hier warst. Würdest du in einem ehemaligen Krankenhauszimmer wohnen wollen? Nein, danke.«

»Hast du eine Ahnung, was das FBI will, oder machst du es absichtlich so spannend?«, fragt sie.

»Richmond hat es hinzugezogen. Das ist einer der vielen Aspekte dieses Falles, die für mich keinen Sinn ergeben. Ich begreife einfach nicht, warum die Polizei von Richmond das FBI gebeten hat, seine Nase reinzustecken, oder warum das FBI überhaupt bereit dazu war.«

»Was meint Browning dazu?«

»Für ihn hat der Fall keine große Priorität. Er glaubt, das Mädchen wäre an irgendeiner Art von Krampfanfall gestorben.«

»Da irrt er sich aber gewaltig. Und was ist mit der Mutter?«

»Sie ist ein wenig seltsam. Dazu komme ich noch.«

»Und der Vater?«

»Geschieden, wohnt in Charleston, South Carolina. Er ist Arzt. Wirklich absurd, findest du nicht? Ein Arzt weiß doch genau, wie es in einem Leichenschauhaus so zugeht, und dann lässt er sein kleines Mädchen zwei Wochen lang in einem Leichensack dort herumliegen, weil er und seine Frau sich nicht einigen können, wer für die Beerdigung zuständig ist, wo die Kleine beigesetzt werden soll und was es sonst noch für Hickhack gibt.«

»An deiner Stelle würde ich ziemlich bald rechts in die Grace abbiegen«, sagt Scarpetta. »Und dann geht es nur noch geradeaus.«

»Ich danke dir, Magellan. Ich bin jahrelang in dieser Stadt herumgefahren. Wie habe ich das nur geschafft, ohne dass du mich lotst?«

»Ich kann mir sowieso nicht vorstellen, wie du überlebst, wenn ich nicht in deiner Nähe bin. Erzähl mir mehr über Browning. Wie war die Situation, als er bei den Paulssons ankam?«

»Das Mädchen lag auf dem Rücken im Bett. Es trug einen Pyjama. Die Mutter war hysterisch, wie du dir ja sicher vorstellen kannst.«

»War sie zugedeckt?«

»Die Decke war zurückgeschlagen und hing auf den Boden hinunter. Die Mutter hat Browning erklärt, sie hätte das Mädchen so vorgefunden, als sie vom Drugstore nach Hause kam. Aber sie leidet an Gedächtnisschwund, wie du vermutlich weißt. Ich glaube, dass sie lügt.«

»In welcher Hinsicht?«

»Ich bin nicht sicher. Das schließe ich nur aus Brownings Schilderung am Telefon. Wenn ich sie persönlich kennen lerne, mache ich mir selbst ein Bild.«

»Was ist mit Hinweisen auf einen möglichen Einbruch?«, erkundigt sich Scarpetta. »Gibt es welche?«

»Offenbar nichts, was Browning aufgefallen wäre. Wie ich schon sagte, nimmt er die Sache auf die leichte Schulter. Das ist nie ein gutes Zeichen, denn wenn der Detective kein großes Interesse zeigt, werden die Leute von der Spurensicherung ebenfalls nachlässig. Wo soll man anfangen, nach Fingerabdrücken zu suchen, wenn man nicht an einen Einbruch glaubt?«

»Jetzt erzähle mir bloß nicht, das hätten sie nicht getan.«

»Wie ich bereits sagte, mache ich mir selbst ein Bild, wenn ich dort gewesen bin.«

Inzwischen befinden sie sich in dem Bezirk, der Fan District heißt. Das Viertel wurde kurz nach dem Bürgerkrieg eingemeindet und irgendwann wegen seiner Form »Fan« – Fächer – genannt. Seine schmalen, gewundenen Straßen enden plötzlich ohne ersichtlichen Grund und tragen Obstnamen wie Strawberry, Cherry oder Plum. Die meisten Einfamilien- und Reihenhäuser wurden restauriert und verströmen mit ihren großzügig geschnittenen Veranden, den klassischen Säulen und den schmiedeeisernen Verzierungen wieder den Charme vergangener Zeiten. Das Haus der Paulssons ist nicht so schmuck und verspielt wie die anderen, sondern ein bescheidenes Gebäude mit klaren Linien, einer schlichten Backsteinfassade, einer Veranda, die sich über die gesamte Vorderfront erstreckt, und einem Schieferdach mit vorgetäuschter Mansarde, das Scarpetta an einen Schlapphut erinnert.

Marino parkt vor dem Haus neben einem dunkelblauen Minivan, und sie steigen aus. Der Gartenweg, den sie entlanggehen, ist mit Backsteinen gepflastert, alt und an manchen Stellen glatt und abgetreten. Es ist später Vormittag und bewölkt, und Scarpetta wäre nicht überrascht, wenn es gleich zu schneien beginnen würde. Allerdings hofft sie, dass sie von überfrierendem Regen verschont bleiben. Diese Stadt hat sich nie an das unwirtliche Winterwetter gewöhnt, und sobald auch nur das Wort »Schnee« fällt, stürmen die Bewohner von Richmond die Supermärkte und Lebensmittelläden. Die Stromleitungen verlaufen überirdisch und werden meist in Mitleidenschaft gezogen, wenn gewaltige alte Bäume umstürzen oder im heftigen Sturm und unter zu schwer gewordenen Eisschichten abknicken. Deshalb schickt Scarpetta ein Stoßgebet zum Himmel, dass es keinen überfrierenden Regen geben wird, solange sie in der Stadt ist.

Der Türklopfer aus Messing hat die Form einer Ananas. Marino betätigt ihn dreimal. Das laute, scharfe Pochen lässt sie zusammenzucken und wirkt angesichts des Grundes für ihren Besuch ein wenig pietätlos. Rasche Schritte sind zu hören, dann schwingt die Tür weit auf. Die Frau, die vor ihnen steht, ist klein und mager. Ihr Gesicht ist aufgequollen, als ob sie nicht genug isst, dafür aber reichlich trinkt und viel geweint hat. Unter besseren Umständen könnte man sie als hübsch bezeichnen, wenn auch auf eine billige, blondierte Art.

»Kommen Sie rein«, sagt sie mit verstopfter Nase. »Ich bin erkältet, aber es ist nicht ansteckend.« Ihr Blick aus verschwollenen Augen richtet sich auf Scarpetta. »Aber das muss ich einer Ärztin ja nicht erklären. Ich nehme an, dass Sie die Ärztin sind, mit der ich gerade gesprochen habe.« Wie sollte es auch anders sein, denn Marino ist ein Mann in schwarzem Kampfanzug und mit LAPD-Baseballkappe.

»Ich bin Dr. Scarpetta.« Sie hält ihr die Hand hin. »Das mit Gilly tut mir sehr Leid.«

Helle Tränen schimmern in Mrs. Paulssons Augen. »Kommen Sie schon rein. In letzter Zeit habe ich den Haushalt ein bisschen schleifen lassen. Ich habe gerade Kaffee gekocht.«

»Klingt gut«, erwidert Marino und stellt sich vor. »Detective Browning hat mit mir gesprochen. Doch ich dachte, wir machen uns besser selbst ein Bild, wenn Ihnen das recht ist.«

»Wie möchten Sie Ihren Kaffee?«

Marino ist vernünftig genug, ihr nicht seine Standardantwort zu geben: Wie meine Frauen, süß und weiß.

»Schwarz ist in Ordnung«, sagt Scarpetta. Sie folgen Mrs. Paulsson einen Flur mit altem Dielenfußboden entlang. Rechts liegt ein gemütliches kleines Wohnzimmer mit dunkelgrünen Ledermöbeln und Kamingerätschaften aus Messing. Links befindet sich ein steif möblierter, formeller Salon, der unbenutzt wirkt. Im Vorbeigehen schlägt Scarpetta daraus die Kälte entgegen.

»Darf ich Ihnen die Mäntel abnehmen?«, fragt Mrs. Paulsson. »Typisch für mich. An der Tür rede ich von Kaffee, und nach Ihren Mänteln frage ich erst, wenn Sie schon in der Küche stehen. Kümmern Sie sich nicht darum. Ich bin zurzeit nicht auf dem Damm.«

Nachdem sie aus den Mänteln geschlüpft sind, hängt Mrs. Paulsson diese an hölzernen Haken in der Küche auf. Scarpetta bemerkt einen hellroten handgestrickten Schal an einem der Haken und überlegt aus irgendeinem Grund, ob er vielleicht Gilly gehört hat. Die Küche ist in den letzten Jahrzehnten nicht modernisiert worden; der Boden hat ein altmodisches schwarz-weißes Schachbrettmuster, und die Geräte sind alt und weiß. Durch das Fenster sieht man einen kleinen Garten mit einem Holzzaun. Dahinter befindet sich ein niedriges Schieferdach mit fehlenden Pfannen. Es ist mit Moos bewachsen, und die Dachrinnen sind mit Laub verstopft.

Mrs. Paulsson schenkt Kaffee ein. Dann setzen sie sich an einen Holztisch an das Fenster, das Blick auf den Zaun und das bemooste Dach bietet. Scarpetta fällt auf, wie sauber und ordentlich die Küche ist. Töpfe und Pfannen hängen an Eisenhaken über einem Metzgerblock. Abtropfbrett und Spüle sind leer und fleckenlos. Sie bemerkt eine Flasche Hustensaft auf der Anrichte neben einem Papierhandtuchspender. Es ist ein nicht verschreibungspflichtiger Hustensaft mit Schleimlöser. Scarpetta trinkt ihren schwarzen Kaffee.

»Ich weiß nicht, wo ich anfangen soll«, sagt Mrs. Paulsson. »Eigentlich habe ich auch gar keine Ahnung, wer Sie sind. Detective Browning hat mich heute Morgen angerufen, erklärt, Sie seien Experten von außerhalb, und mich gebeten, zu Hause zu sein. Dann haben Sie sich gemeldet.« Sie sieht Scarpetta an.

»Also hat Browning Sie angerufen«, meint Marino.

»Er war wirklich nett.« Sie betrachtet Marino und scheint etwas an ihm interessant zu finden. »Keine Ahnung, warum all diese Leute ... Tja, vermutlich weiß ich nicht allzu viel.« Wieder steigen ihr Tränen in die Augen. »Ich sollte dankbar sein. Nicht auszudenken, wie es wäre, wenn einem so etwas zustößt und niemand kümmert sich darum.«

»Alle sind sehr betroffen«, erwidert Scarpetta. »Deshalb sind wir ja hier.«

»Wo wohnen Sie?« Sie starrt weiter Marino an, greift nach ihrer Tasse, trinkt einen Schluck und mustert ihn dabei eindringlich.

»In Südflorida, ein Stück nördlich von Miami«, antwortet Marino.

»Ach, ich dachte, Sie wären vielleicht aus Los Angeles«, entgegnet sie, und ihr Blick wandert zu seiner Kappe.

»Wir haben Geschäftsverbindungen nach L.A.«, sagt Marino.

»Es ist erstaunlich«, fährt sie fort, wirkt aber gar nicht erstaunt. Allmählich erahnt Scarpetta eine andere Seite an Mrs. Paulsson, ein Geschöpf, das sprungbereit in ihr lauert. »Das Telefon läutet ununterbrochen. So viele Reporter, so viele Leute.« Sie dreht sich auf ihrem Stuhl um und deutet auf die Vorderseite des Hauses. »In riesigen Übertragungswagen mit Parabolantennen, oder wie die Dinger sonst heißen. Eigentlich ist es ja pietätlos. Aber die FBI-Agentin, die letztens hier war, meinte, es läge daran, dass niemand weiß, was Gilly zugestoßen ist. Sie sagte, es sei nicht so schlimm, wie es sich anhört, was immer das auch bedeuten mag. Sie habe schon viel schrecklichere Dinge gesehen, aber das kann ich mir nicht vorstellen.«

»Vielleicht hat sie ja die Medien gemeint«, erwidert Scarpetta mitfühlend.

»Was könnte schrecklicher sein als das, was mit meiner Gilly passiert ist?«, fragt Mrs. Paulsson und wischt sich die Augen ab.

»Was, glauben Sie, ist ihr denn passiert?«, erkundigt sich Marino und streicht mit dem Daumen über den Rand seiner Kaffeetasse.

»Sie ist an der Grippe gestorben«, antwortet Mrs. Paulsson. »Gott hat sie zu sich geholt. Warum, kann ich nicht sagen. Ich wünschte, jemand würde es mir erklären.«

»Es gibt Leute, die nicht so sicher sind, dass es die Grippe war«, entgegnet Marino.

»Mein kleines Mädchen lag mit Grippe im Bett. In diesem Jahr sind viele Menschen an der Grippe gestorben.« Sie sieht Scarpetta an.

»Mrs. Paulsson«, beginnt Scarpetta. »Ihre Tochter ist nicht an der Grippe gestorben. Ich bin sicher, dass man Ihnen das bereits mitgeteilt hat. Sie haben doch mit Dr. Fielding gesprochen, richtig?«

»Oh, ja. Wir haben miteinander telefoniert, kurz nachdem es passiert ist.« Sie bricht in Tränen aus. »Gilly hatte vierzig Grad Fieber und erstickte fast vor Husten, als ich losgegangen bin, um neuen Hustensaft zu holen. Länger war ich nicht weg. Ich bin nur zum Drugstore in der Cary Street gefahren, um Hustensaft zu kaufen.«

Wieder wandert Scarpettas Blick zu der Flasche auf der Anrichte. Sie denkt an die Proben, die sie in Fieldings Büro betrachtet hat, bevor sie sich auf den Weg zu Mrs. Paulsson machte. Unter dem Mikroskop waren Reste von Fibrin, Lymphozyten und Makrophagen in Teilen des Lungengewebes zu erkennen. Die Alveolen waren frei. Gillys leichte Lungenentzündung, eine bei Grippe häufig auftretende Komplikation, insbesondere bei alten und jungen Menschen, war im Abklingen und nicht schwer genug, um die Lungenfunktion zu beeinträchtigen.

»Mrs. Paulsson, wir können feststellen, ob Ihre Tochter an der Grippe gestorben ist«, entgegnet Scarpetta. Sie möchte nicht ins Detail gehen, wie verhärtet, verklebt, klumpig und entzündet Gillys Lungen gewesen wären, wäre sie an einer akuten Lungenentzündung gestorben. »Hat Ihre Tochter Antibiotika genommen?«

»Oh, ja. In der ersten Woche.« Sie greift nach ihrer Kaffeetasse. »Ich dachte wirklich, dass es ihr schon besser ginge, und habe geglaubt, es wäre nur noch eine Erkältung.«

Marino schiebt seinen Stuhl zurück. »Macht es Ihnen was aus, wenn Sie sich zu zweit weiterunterhalten? Ich würde mich gern ein bisschen umschauen, falls Sie das nicht stört«, meint er.

»Ich weiß nicht, was es hier zu sehen gäbe. Aber nur zu, Sie wären nicht der Erste. Ihr Zimmer ist hinten.«

»Ich finde es schon.« Als er den Raum verlässt, klingen seine Stiefel dumpf auf dem alten Dielenboden.

»Gilly ging es wirklich besser«, bestätigt Scarpetta. »Das hat die Untersuchung ihrer Lunge ergeben.«

»Tja, sie war immer noch schwach und wackelig auf den Beinen.«

»Sie ist nicht an der Grippe gestorben, Mrs. Paulsson«, wiederholt Scarpetta mit Nachdruck. »Es ist wichtig, dass Sie das begreifen. Wenn sie an der Grippe gestorben wäre, säße ich nicht hier. Ich versuche, Ihnen zu helfen, doch dazu müssen Sie mir ein paar Fragen beantworten.«

»Sie klingen nicht, als wären Sie von hier.«

»Ursprünglich aus Miami.«

»Oh, und da wohnen Sie ja immer noch, wenigstens in der Nähe. Ich wollte schon immer mal nach Miami, vor allem wenn das Wetter so trüb ist wie heute.« Sie steht auf, um Kaffee nachzuschenken, und bewegt sich mühsam und steifbeinig zur Kaffeemaschine neben der Hustensaftflasche. Scarpetta stellt sich vor, wie Mrs. Paulsson ihre Tochter bäuchlings aufs Bett drückt, und sie kann diese Möglichkeit nicht ausschließen, auch wenn sie ihr wenig wahrscheinlich vorkommt. Die Mutter wiegt nicht viel mehr als die Tochter, während der Mensch, der Gilly festgehalten hat, um einiges schwerer und stärker gewesen sein muss als sie, um ihre Gegenwehr zu brechen. Sonst hätte sie nämlich schwerere Verletzungen davongetragen. Allerdings könnte Scarpetta auch nicht schwören, dass Mrs. Paulsson Gilly nicht ermordet hat, so gern sie das täte.

»Ich wünschte, ich hätte mit Gilly nach Miami, nach Los Angeles oder in sonst eine tolle Stadt fahren können«, spricht Mrs. Paulsson weiter. »Aber ich habe Flugangst, und im Auto wird mir übel, und deshalb bin ich nie viel gereist. Jetzt bedauere ich, dass ich mir keine größere Mühe gegeben habe, über meinen Schatten zu springen.«

Als sie die Kanne aus der Kaffeemaschine holt, zittert sie in ihrer kleinen, schlanken Hand. Scarpetta betrachtet Mrs. Paulssons Hände und Handgelenke und sucht die unbedeckte Haut nach halb abgeheilten Kratzern, Abschürfungen oder anderen Verletzungen ab. Doch inzwischen sind zwei Wochen vergangen. Sie notiert sich in ihren Block, dass sie sich erkundigen muss, ob Mrs. Paulsson irgendwelche Verletzungen aufwies, als die Polizei sie vernommen hat.

»Ich wünschte, ich hätte es getan. Gilly hätte es in Miami bestimmt gefallen. Die vielen Palmen und die rosa Flamingos«, sagt Mrs. Paulsson.

Am Tisch füllt sie die Tassen nach, und der Kaffee schwappt in der Glaskanne, als sie sie ein wenig zu heftig zurück in die Kaffeemaschine schiebt. »Diesen Sommer sollte sie mit ihrem Vater verreisen.« Erschöpft nimmt sie auf dem ungepolsterten Stuhl aus Eichenholz Platz. »Oder wenigstens eine Weile bei ihm in Charleston verbringen. Sie war auch noch nie in Charleston.« Sie stützt die Ellenbogen auf den Tisch. »Gilly war noch nie am Strand und kennt das Meer nur von Fotos oder aus dem Fernsehen, auch wenn ich sie bloß selten fernsehen ließ. Kann man mir das zum Vorwurf machen?«

»Ihr Vater lebt in Charleston?«, fragt Scarpetta, obwohl sie sehr gut verstanden hat.

»Im letzten Sommer ist er wieder dorthin gezogen. Er ist Arzt und wohnt in einem eleganten Haus direkt am Meer. Es wird sogar in Reiseführern erwähnt, und die Leute bezahlen viel Eintritt, nur um sich seinen Garten anzuschauen. Natürlich kümmert er sich nicht selbst um den Garten, das ist ihm viel zu mühsam. Und wenn ihm etwas zu mühsam ist, stellt er einfach jemanden ein, der ihm die Arbeit abnimmt. Die Beerdigung zum Beispiel. Seine Anwälte tun alles, um mir Knüppel zwischen die Beine zu werfen. Ich möchte, dass sie in Richmond beigesetzt wird, aber er besteht auf Charleston.«

»Was für ein Arzt ist er denn?«

»Allgemeinmediziner und außerdem Flugarzt. Sie wissen ja, dass es in Charleston einen großen Luftwaffenstützpunkt gibt. Also geht es ihm nicht schlecht. Frank, meine ich.« Sie redet und redet, fast ohne zwischen den Sätzen Luft zu holen, und wiegt sich dabei auf ihrem Stuhl hin und her.

»Mrs. Paulsson, erzählen Sie mir vom Donnerstag, dem 4. Dezember. Fangen Sie mit dem Aufstehen am Morgen an.« Scarpetta weiß, wie das Gespräch enden wird, wenn sie nicht einschreitet: Mrs. Paulsson wird vom Hölzchen aufs Stöckchen kommen, wirklich wichtigen Fragen und Details ausweichen und sich stattdessen weitschweifig über ihren geschiedenen Ehemann beklagen. »Um wie viel Uhr sind Sie an diesem Morgen aufgestanden?«

»Ich stehe immer um sechs auf. Ich brauche keinen Wecker, weil ich eine innere Uhr habe.« Sie berührt ihren Kopf. »Wissen Sie, ich wurde um Punkt sechs Uhr geboren, und deshalb wache ich auch immer um sechs auf …«

»Und dann?« Scarpetta fällt anderen Leuten zwar nur ungern ins Wort, aber wenn sie es nicht tut, wird diese Frau den ganzen Tag lang weiterplappern und auf verschlungenen Pfaden immer weiter vom Thema abkommen. »Dann sind Sie aufgestanden?«

»Aber natürlich. So wie immer. Ich bin sofort in die Küche gegangen und habe Kaffee aufgesetzt. Dann bin ich in mein Schlafzimmer zurückgekehrt und habe eine Weile in der Bibel gelesen. Wenn Gilly Schule hat, schicke ich sie um Viertel nach sieben los, mit geschmierten Pausenbroten und so weiter. Sie fährt bei einer ihrer Freundinnen mit. Ich habe großes Glück, dass sie eine Freundin hat, deren Mutter es nicht stört, sie jeden Morgen mitzunehmen.«

»Donnerstag, der 4. Dezember, vor zwei Wochen«, bringt Scarpetta sie zum Thema zurück. »Sie sind um sechs aufgestanden, haben Kaffee aufgesetzt und sind dann in Ihr Zimmer zurückgekehrt, um die Bibel zu lesen? Und was dann?«, fragt sie, als Mrs. Paulsson bestätigend nickt. »Sie saßen also im Bett und lasen die Bibel. Wie lange?«

»Eine gute halbe Stunde.«

»Haben Sie nach Gilly gesehen?«

»Ich habe zuerst für sie gebetet und habe sie währenddessen einfach schlafen lassen. Dann, so gegen Viertel nach sieben, bin ich in ihr Zimmer. Da lag sie im Bett, die Decke bis zum Kinn hochgezogen, und schlief wie ein Murmeltier.« Sie fängt an zu weinen. »›Gilly‹, sagte ich. ›Meine kleine Gilly. Wach auf, dann bekommst du heiße Weizencreme.‹ Sie schlug die hübschen blauen Augen auf und antwortete: ›Mama, ich habe gestern Nacht so viel gehustet, mir tut die Brust weh.‹ Da habe ich bemerkt, dass der Hustensaft alle war.« Plötzlich hält sie inne und starrt mit weit aufgerissenen, tränennassen Augen ins Leere. »Das Komische war, dass der Hund gebellt und gebellt hat. Ich weiß nicht, warum mir das jetzt erst einfällt.«

»Was für ein Hund? Haben Sie einen Hund?« Scarpetta macht sich zwar Notizen, aber ganz unauffällig. Sie weiß, wie man hinschaut, zuhört und ganz beiläufig ein paar Wörter in einer Handschrift hinkritzelt, die kaum jemand entziffern kann.

»Das ist es ja«, erwidert Mrs. Paulsson. Ihre Stimme kippt um, und ihre Lippen zittern, als sie noch heftiger zu weinen beginnt. »Sweetie ist weggelaufen!« Sie schluchzt lautstark und wiegt sich auf ihrem Stuhl hin und her. »Die kleine Sweetie war draußen im Garten, als ich mit Gilly sprach, und später war sie fort. Die Polizisten oder die Sanitäter haben das Gartentor nicht zugemacht. Als ob es nicht schon schlimm genug wäre. Als ob ich nicht schon so viel ertragen müsste.«

Langsam schließt Scarpetta ihr in Leder gebundenes Notizbuch und legt es mit dem Stift auf den Tisch. »Was für ein Hund ist Sweetie denn?«

»Eigentlich gehörte sie Frank, aber ihm machte sie zu viel Arbeit. Als er gegangen ist, wissen Sie, vor knapp sechs Monaten an meinem Geburtstag – wie kann man einem anderen Menschen so etwas antun? –, hat er gesagt: ›Du behältst Sweetie. Wenn nicht, kommt sie ins Tierheim.‹«

»Was für ein Hund ist Sweetie?«

»Ihn hat der Hund nie interessiert, und wissen Sie, warum? Weil er sich für gar nichts interessiert außer für sich selbst, das ist der Grund. Aber Gilly liebt den Hund, o ja, sie betet ihn richtig an. Wenn sie wüsste …« Tränen laufen ihr die Wangen hinunter, und sie leckt sich mit einer kleinen rosigen Zunge über die Lippen. »Wenn sie es wüsste, es würde ihr das kleine Herz brechen.«

»Mrs. Paulsson, was für ein Hund ist Sweetie? Haben Sie sie als vermisst gemeldet?«

»Gemeldet?« Sie blinzelt, ihr Blick wird für einen Moment klar, und sie lacht fast, als sie hervorstößt: »Wo denn? Bei den Polizisten, die das Tor offen gelassen haben? Tja, ich weiß nicht, ob man das eine Meldung nennen kann, aber ich habe es einem von ihnen erzählt. Ich weiß nicht, wem, einem Polizisten jedenfalls. ›Mein Hund ist weg‹, habe ich gesagt.«

»Wann haben Sie Sweetie zuletzt gesehen? Mrs. Paulsson, ich weiß, wie viel Sie durchgemacht haben, glauben Sie mir. Aber ich würde mich freuen, wenn Sie bitte meine Fragen beantworten könnten.«

»Was geht Sie überhaupt mein Hund an? Ein vermisster Hund ist doch nicht Ihre Sache, außer wenn er tot ist, und selbst dann glaube ich nicht, dass Ärzte wie Sie sich für tote Hunde interessieren.«

»Ich muss sämtliche Begleitumstände in Erwägung ziehen und möchte deshalb alles hören, was Sie wissen.«

In diesem Moment erscheint Marino in der Küchentür. Scarpetta hat seine schweren Schritte gar nicht wahrgenommen. Es überrascht sie immer wieder, wie er es schafft, seine massige Gestalt in den schweren Stiefeln zu bewegen, ohne dass sie ihn hört. »Marino«, sagt sie und sieht ihn an. »Weißt du etwas über den Hund? Ihr Hund ist verschwunden. Sweetie. Sie ist ein … Welche Rasse ist sie denn nun?« Hilfesuchend blickt sie Mrs. Paulsson an.

»Ein Basset, noch ein Welpe«, schluchzt sie.

»Doc, ich brauche dich kurz«, sagt Marino.

16

Lucy mustert die teuren Geräte und die Fenster in diesem Fitnessraum im zweiten Stock. Ihre Nachbarin Kate hat alles, was sie braucht, um in Form zu bleiben, und genießt dabei eine wunderbare Aussicht auf den Intracoastal Waterway, den Stützpunkt der Küstenwache, den Leuchtturm, den Ozean dahinter und auf einen Großteil von Lucys Grundstück.

Das Südfenster des Fitnessraums zeigt auf die Rückseite von Lucys Haus, und sie ist ein wenig erschrocken, als ihr klar wird, dass Kate mehr oder weniger alles beobachten kann, was sich in Küche, Ess- und Wohnzimmer sowie auf der Terrasse, im Pool und am Wellenbrecher tut. Lucy betrachtet den schmalen Weg, der entlang der niedrigen Mauer zwischen den beiden Häusern verläuft, und sie vermutet, dass er – die Bestie – diesen mit Rindenmulch bestreuten Weg entlanggehuscht und durch die Tür zum Pool eingedrungen ist. Die Tür, die Henri nicht abgeschlossen hat. Die einzige Alternative wäre, dass er ein Boot besitzt. Lucy glaubt das zwar nicht, kann diese Möglichkeit jedoch nicht ausschließen. Die Leiter am Wellenbrecher ist hochgeklappt und abgeschlossen, doch das ist für jemanden, der fest dazu entschlossen ist, dort anzulegen und in ihr Haus einzudringen, gewiss kein Hindernis. Eine abgeschlossene Leiter mag den Durchschnittsbürger abschrecken, aber nicht Leute, die ihre Mitmenschen verfolgen, berauben, vergewaltigen oder töten wollen.

Auf dem Tisch neben dem Ellipsentrainer steht ein schnurloses Telefon in seiner Basisstation, deren Anschlusskabel in einer Buchse in der Wand steckt. Neben dieser Buchse befindet sich eine normale Steckdose. Lucy öffnet ihre Gürteltasche und nimmt einen als Adapter getarnten Sender heraus, den sie in die Steckdose einstöpselt. Das kleine, unschuldig wirkende Spionagegerät ist genauso unauffällig eierschalfarben wie die Steckdose selbst. Kate wird es vermutlich gar nicht bemerken, denn selbst wenn sie die Steckdose benutzen sollte, funktioniert diese genauso wie bisher. Lucy bleibt kurz stehen und schleicht dann wieder aus dem Fitnessraum, um zu lauschen. Kate ist offenbar immer noch in der Küche oder sonst irgendwo im Erdgeschoss.

Im Südflügel befindet sich das Schlafzimmer, ein gewaltiger Raum mit einem riesigen Himmelbett und einem großen Plasmafernseher an der gegenüberliegenden Wand. Die Wände, die zum Wasser zeigen, sind aus Glas. Von diesem Aussichtspunkt aus hat Kate Lucys Haus ausgezeichnet im Blick und kann auch in die Fenster des oberen Stockwerks hineinspähen. Das ist gar nicht gut, denkt Lucy, als sie sich umschaut und eine leere Champagnerflasche auf dem Boden neben dem Nachtkästchen entdeckt. Auf dem Nachtkästchen selbst sieht sie eine benutzte Champagnerflöte, ein Telefon und einen Liebesroman. Ihre reiche, neugierige Nachbarin bekommt viel zu viel von den Vorgängen in Lucys Haus mit, vorausgesetzt die Jalousien sind geöffnet, was sie normalerweise nicht sind. Zum Glück nicht.

Sie denkt über den Vormittag nach, an dem Henri fast ermordet worden wäre, und versucht sich zu erinnern, ob die Jalousien offen oder geschlossen waren. Als sie eine weitere Telefonbuchse unter dem Nachtschränkchen entdeckt, überlegt sie, ob die Zeit reicht, um die Abdeckung abzuschrauben und danach wieder zu befestigen. Sie lauscht, ob sich der Aufzug oder Schritte auf der Treppe nähern, hört aber nichts. Also kniet sie sich auf den Boden und zieht einen kleinen Schraubendreher aus dem Gürteltäschchen. Die Schrauben an der Abdeckung sind nicht fest angezogen, und da es nur zwei sind, ist es eine Frage von Sekunden, sie zu entfernen, während sie weiter nach Kate horcht. Sie ersetzt die handelsübliche beige Abdeckung durch eine, die genauso aussieht, aber in Wirklichkeit ein winziger Sender ist, der es ihr gestatten wird, sämtliche auf dieser Leitung geführten Telefonate abzuhören. Ein paar Sekunden später ist das Telefon wieder eingestöpselt. Lucy steht auf und verlässt das Schlafzimmer, genau in dem Moment, als sich die Aufzugstür öffnet und Kate mit zwei Champagnerflöten erscheint, die fast bis zum Rand mit einer hell orangefarbenen Flüssigkeit gefüllt sind.

»Ein tolles Haus«, sagt Lucy.

»Ihres ist bestimmt auch nicht ohne«, erwidert Kate und reicht ihr ein Glas.

Das müsstest du doch am besten wissen, denkt Lucy. Schließlich glotzt du ständig rüber.

»Sie müssen es mir einmal zeigen«, meint Kate.

»Jederzeit. Allerdings bin ich viel unterwegs.« Der durchdringende Geruch von Champagner steigt Lucy unangenehm in die Nase. Sie hat das Trinken aufgegeben. Sie hat es damals auf die harte Tour lernen müssen, und heute rührt sie keinen Alkohol mehr an.

Kates Augen funkeln heller, und sie ist gelöster als noch vor einer knappen halben Stunde. Offensichtlich ist sie inzwischen etwas angeheitert, da sie sich unten bereits einige Gläser genehmigt hat. Lucy vermutet, dass nur in ihrem Glas Champagner ist, während das von Kate wahrscheinlich Wodka enthält. Die Mischung im Glas ihrer Nachbarin wirkt wässriger, und Kate selbst ist ziemlich locker und redselig.

»Ich habe aus den Fenstern Ihres Fitnessraums geschaut«, sagt Lucy. Sie hält ihre Champagnerflöte in der Hand, ohne daraus zu trinken; Kate nimmt einen Schluck aus ihrer. »Sie hätten den Typen, der sich auf meinem Grundstück herumgetrieben hat, gut sehen können.«

»Wobei ›hätte‹ das Schlüsselwort ist, Honey. Das Schlüsselwort.« Sie dehnt die Silben, wie Menschen, die beschwipst sind, es häufig tun. »Ich bin nämlich nicht neugierig. Dafür habe ich viel zu viel zu tun. Ich bekomme mein eigenes Leben ja kaum auf die Reihe.«

»Was dagegen, wenn ich die Toilette benutze?«, fragt Lucy.

»Tun Sie sich keinen Zwang an. Dort entlang.« Sie zeigt auf den Nordflügel und schwankt dabei ein wenig auf ihren weit auseinander stehenden Füßen.

Lucy betritt ein Badezimmer, das über eine Dampfdusche, eine riesige Badewanne, eine Toilette, ein Pissoir, ein Bidet und eine wundervolle Aussicht verfügt. Sie kippt die Hälfte ihres Drinks in die Toilette, zieht ab, wartet ein wenig und kehrt dann zurück zum Treppenabsatz, wo Kate gerade leicht schwankend einen Schluck trinkt.

»Was ist denn Ihr Lieblingschampagner?«, erkundigt sich Lucy und denkt dabei an die leere Flasche neben dem Bett.

»Gibt es denn mehr als eine Sorte, Honey?« Sie lacht.

»Ja, eigentlich schon. Hängt davon ab, wie viel man ausgeben will.«

»Das können Sie laut sagen. Habe ich Ihnen schon erzählt, wie Jeff und ich im Ritz in Paris so richtig einen draufgemacht haben? Nein, natürlich nicht. Schließlich kenne ich Sie ja kaum, richtig? Aber ich habe das Gefühl, dass wir bald gute Freundinnen sein werden.« Speichel sprüht, als sie sich zu Lucy hinüberbeugt, ihren Arm umklammert und weiterspricht. »Wir waren … Nein, Moment mal.« Sie nimmt noch einen Schluck, ohne Lucys Arm loszulassen. »Es war natürlich im Hôtel de Paris in Monte Carlo. Waren Sie schon mal dort?«

»Ich bin mit meinem Enzo hingefahren«, schwindelt Lucy.

»Welcher ist das denn? Der blaue oder der schwarze?«

»Der Enzo ist rot. Ich habe ihn zurzeit nicht hier.« Das ist beinahe die Wahrheit. Der Enzo ist nicht hier, weil sie keinen besitzt.

»Dann waren Sie auch schon in Monte Carlo, im Hôtel de Paris«, sagt Kate und reibt Lucys Arm. »Tja, Jeff und ich waren im Casino.«

Lucy nickt und hebt ihre Champagnerflöte zum Mund, als wolle sie trinken, tut es aber nicht.

»Ich habe mich mit den Zwei-Euro-Spielautomaten amüsiert und Glück gehabt. Mensch, hab ich ein Glück gehabt.« Sie leert ihr Glas und reibt weiter Lucys Arm. »Sie sind aber ganz schön kräftig. Liebling, hab ich zu Jeff gesagt, das müssen wir feiern. Das war damals, als ich ihn noch Liebling genannt habe und nicht Arschloch.« Sie lacht auf und betrachtet ihr leeres Kristallglas. »Also sind wir zurück in unsere Suite, die Winston-Churchill-Suite, das weiß ich noch genau. Und raten Sie mal, was wir bestellt haben?«

Lucy überlegt, ob Sie sich jetzt verdrücken oder lieber abwarten soll, bis Kate sich noch schlimmer aufführt. Die kühlen, knochigen Finger ihrer Nachbarin bohren sich in Lucys Arm, und sie zieht sie immer dichter an ihren mageren, künstlich auf jung getrimmten Körper. »Dom?«, fragt Lucy.

»Oh, Honey, doch kein Dom Perignon. *Mais non.* Das ist doch Limonade. Limonade für Reiche. Das heißt nicht, dass ich ihn nicht mögen würde. Aber wir wollten mal so richtig unvernünftig sein und haben uns einen Cristal Rosé für fünfhundertsechzignochwas Euro kommen lassen. Das waren natürlich Hôtel-de-Paris-Preise. Haben Sie den schon mal probiert?«

»Ich kann mich nicht erinnern.«

»Ach, Honey, daran würden Sie sich erinnern, glauben Sie mir. Wenn Sie einmal den Rosé versucht haben, trinken Sie nichts anderes mehr. Und als ob das nicht schon verschwenderisch genug gewesen wäre, haben wir uns anschließend noch einen absolut göttlichen Rouge du Château Margaux gegönnt«, fährt sie fort. Für jemanden, der so angeheitert ist wie sie, ist die französische Aussprache beachtlich.

»Hätten Sie gern den Rest von meinem?« Lucy streckt die Champagnerflöte aus, während Kate weiter an ihrem Arm reibt und zerrt. »Hier, ich tausche.« Sie tauscht ihr halb volles Glas gegen Kates leeres.

17

Er erinnert sich an den Tag, als sie heruntergekommen ist, um mit seinem Chef zu sprechen. Das hieß, dass das, was sie ihm mitzuteilen hatte, wichtig genug war, um eine Fahrt mit der Höllenmaschine namens Lastenaufzug zu riskieren.

Der Lastenaufzug bestand aus rostigem Eisen. Seine Türen schlossen sich nicht von beiden Seiten wie bei einem normalen Aufzug, sondern von oben und unten, und trafen sich in der Mitte wie zuklappende Kiefer. Natürlich gab es auch eine Treppe. Laut Brandschutzvorschrift müssen alle staatlichen Gebäude über Treppen verfügen. Aber niemand nahm die Stufen zur Anatomie; für Edgar Allan Pogue kam das überhaupt nicht in Frage. Wenn er zwischen der Leichenhalle und seinem unterirdischen Arbeitsplatz hin- und herfahren musste, fühlte er sich immer, als würde er wie Jonas aus der Bibel bei lebendigem Leibe verschlungen, sobald er die eisernen Aufzugstüren mit einem Ruck an dem Eisenhebel in der Kabine schloss. Der Boden bestand aus geriffeltem Stahlblech und war mit Resten menschlicher Asche und Knochenstaub bedeckt. Für gewöhnlich stand auch eine Bahre in dem engen alten Eisenaufzug herum, denn wen interessierte es schon, was Pogue darin vergaß.

Tja, sie interessierte es. Leider.

An dem Vormittag, an den Pogue gerade denkt, während er in seiner Wohnung in Hollywood im Liegestuhl sitzt und seinen Baseballschläger mit einem Taschentuch poliert, trat sie aus dem Lastenaufzug. Sie trug einen langen weißen Labormantel über ihrem grünen OP-Anzug, und er wird nie vergessen, wie lautlos sie über den braun gefliesten Boden der unterirdischen fensterlosen Welt glitt, in der er seine Tage und später auch einige seiner Nächte verbrachte. Sie hatte Schuhe mit Gummisohlen an den Füßen, vermutlich weil man darin nicht so leicht ausrutschte und seinen Rücken schonte, wenn man stundenlang im Autopsiesaal stand und Menschen aufschnitt. Seltsam, dass das Aufschneiden von Menschen bei ihr in Ordnung geht, nur weil sie Ärztin ist, während Pogue überhaupt nichts vorzuweisen hat. Er hat nicht einmal die Highschool abgeschlossen, obwohl in seinem Lebenslauf etwas anderes steht, eine von vielen Lügen, auf die ihn nie jemand angesprochen hat.

»Wir dürfen die Bahre nicht mehr im Aufzug lassen«, sagte sie zu Pogues Chef Dave, einem seltsamen, gebeugten Mann mit dunklen Ringen unter den Augen und schwarz gefärbtem, steif gegeltem Haar. »Offenbar handelt es sich bei dem Wagen um den, den Sie im Krematorium benutzen, und deshalb ist der Aufzug voller Staub. Das sieht unmöglich aus und ist außerdem gesundheitsschädlich.«

»Aber sie ist doch gar nicht im Aufzug.« Dave warf einen bedeutungsschwangeren Blick auf die Bahre, die – zerkratzt, zerbeult und mit rostigen Scharnieren – mitten im Raum stand. Darauf lag eine zusammengeknüllte durchsichtige Plastikhülle.

»Es ist mir nur gerade eingefallen, und deshalb wollte ich es Ihnen gleich sagen. Der Aufzug wird zwar bloß von den wenigsten in diesem Gebäude benutzt, aber wir sollten trotzdem auf Sauberkeit und Hygiene achten«, sagte sie.

In diesem Augenblick wurde Pogue klar, dass sie seine Tätigkeit als unhygienisch betrachtete. Wie sonst sollte er eine solche Bemerkung verstehen? Der Witz an der Sache allerdings war, dass die Medizinstudenten ohne die an die Wissenschaft gespendeten Leichen nichts zum Sezieren hätten. Und was würde dann aus Kay Scarpetta werden? Was würde sie ohne Edgar Allan Pogues Leichen anfangen, auch wenn sie während ihres Medizinstudiums noch keine Bekanntschaft mit ihnen machen konnte? Denn das war vor seiner Zeit und außerdem nicht in Virginia gewesen. Sie hat nämlich in Baltimore Medizin studiert, nicht in Virginia, und ist etwa zehn Jahre älter als Pogue.

Obwohl sie an diesem Tag nicht mit ihm gesprochen hat, kann er ihr keine Arroganz vorwerfen. Sie hat immer laut und deutlich »Hallo, Edgar Allan« und »Guten Morgen, Edgar Allan« und »Wo ist Dave, Edgar Allan?« gesagt, wenn sie der Anatomie aus irgendeinem Grund einen Besuch abstattete. An diesem Tag allerdings hat sie kein Wort mit ihm gewechselt, als sie, die Hände in den Taschen ihres Labormantels, über den braunen Fußboden eilte. Vielleicht lag das ja daran, dass sie ihn nicht gesehen hat. Aber sie hat auch nicht Ausschau nach ihm gehalten. Hätte sie es nämlich getan, dann hätte sie ihn am Ofen angetroffen, wo er Asche und die Knochenstückchen zusammenfegte, die er gerade mit seinem Lieblings-Baseballschläger zertrümmert hatte.

Der springende Punkt ist, dass sie nicht hingeschaut hat. Nein, das hat sie nicht. Er hingegen hatte den Vorteil, von der dämmrigen Betonnische, wo der Ofen stand, direkten Blick auf den Hauptraum zu haben, wo Dave gerade die rosafarbene alte Frau an den Haken aus der mit Formalin gefüllten Wanne hochzog. Die motorgetriebenen Winden und Ketten rasselten gleichmäßig vor sich hin, während die Leiche rosig durch die Luft schwebte, Arme und Knie angezogen, als säße sie immer noch in der Wanne. Das Licht der Neonröhren brach sich in der stählernen Identifikationsmarke, die an ihrem rechten Ohr baumelte.

Pogue konnte sich eines Anflugs von Stolz nicht erwehren, als er die schwebende Leiche beobachtete, bis er Scarpetta plötzlich sagen hörte: »Im neuen Gebäude wird das anders werden, Dave. Wir stapeln sie auf Bahren in einem Kühlraum so wie die anderen Leichen auch. Das hier ist pietätlos und mittelalterlich. Es gehört sich nicht.«

»Ja, Ma'am. Ein Kühlraum wäre gut. Allerdings passen in die Wannen mehr hinein«, entgegnete Dave und betätigte einen Schalter, worauf die Kette plötzlich anhielt. Die rosafarbene Frau schwankte, als säße sie in einem ruckartig gestoppten Sessellift.

»Vorausgesetzt, ich kann den Platz abzweigen. Sie wissen ja, wie es ist. Um jeden Quadratzentimeter muss ich kämpfen. Alles ist eine Platzfrage«, sagte Scarpetta, legte den Finger ans Kinn und blickte sich in ihrem Königreich um.

Edgar Allan Pogue weiß noch, was er damals gedacht hat: Schon gut, dieser braune Fußboden und die Wannen, der Ofen und der Raum zum Einbalsamieren mögen in diesem Moment dein Königreich sein. Aber wenn du nicht da bist, also neunundneunzig Prozent der Zeit, gehört dieses Königreich mir. Die Menschen, die hereingeschoben werden und ausbluten, die in den Wannen sitzen, in Flammen aufgehen und zum Schornstein hinausschweben, sie alle sind meine Untertanen und Freunde.

»Ich hätte eigentlich eine Leiche gebraucht, die nicht einbalsamiert ist«, meinte Scarpetta zu Dave. »Vielleicht sollte ich die Vorführung absagen.«

»Edgar Allan war zu schnell. Er hat sie einbalsamiert und in die Wanne gelegt, bevor ich Gelegenheit hatte, ihm zu sagen, dass Sie heute eine Leiche brauchen«, erwiderte Dave. »Eine frische kann ich zurzeit nicht bieten.«

»Hat sie Angehörige?« Scarpetta betrachtete die rosafarbene schwankende Leiche.

»Edgar Allan?«, rief Dave. »Die hat doch keine Angehörigen, oder?«

Edgar log und bestätigte das, da er wusste, dass Scarpetta niemals eine Tote mit Angehörigen verwenden würde. Das wäre nämlich nicht im Sinne des Verstorbenen, der seinen Körper der Wissenschaft vermacht hat. Pogue war sich allerdings sicher, dass es die rosafarbene alte Frau nicht interessiert hätte. Überhaupt nicht. Sie wollte sich nur wegen einiger erlittener Ungerechtigkeiten an Gott rächen.

»Ich denke, es wird gehen«, beschloss Scarpetta. »Ich würde nur ungern absagen. Es funktioniert schon.«

»Tut mir echt Leid«, sagte David. »Ich weiß, dass eine Autopsievorführung an einer einbalsamierten Leiche nicht das Optimale ist.«

»Zerbrechen Sie sich nicht den Kopf darüber.« Scarpetta tätschelte seinen Arm. »Kaum zu fassen, dass wir heute keinen einzigen Fall haben. Und ausgerechnet an so einem Tag bekommen wir Besuch von der Polizeiakademie. Tja, schicken Sie sie hoch.«

»Liebend gern«, meinte Dave, der manchmal mit Scarpetta flirtete, mit einem Zwinkern. »Zurzeit sieht es auch mit Spenden leider mau aus.«

»Seien Sie nur froh, dass die Öffentlichkeit nicht weiß, wo die Leichen landen. Dann würden Sie nämlich gar keine Spenden mehr kriegen«, erwiderte sie und ging in Richtung Aufzug. »Wir müssen uns bald mal die Pläne für das neue Gebäude anschauen, Dave.«

Also half Pogue seinem Chef, die jüngste Spende von den Haken zu lösen und sie auf dieselbe staubige Bahre zu legen, über die Scarpetta sich gerade beschwert hatte. Pogue rollte die rosafarbene alte Dame über die braunen Fliesen in den rostigen Lastenaufzug. Während sie nach oben fuhren und er sie im Erdgeschoss wieder hinausschob, dachte er sich, dass die alte Frau sicher nie mit dieser Reise gerechnet hätte. Nein, ganz sicher hatte sie diesen Umweg nicht eingeplant, das musste er eigentlich am besten wissen. Schließlich hatte er oft genug mit ihr geredet. Selbst vor ihrem Tod. Die Plastikhülle, die er über sie gebreitet hatte, raschelte, als er sie durch die dicke, nach Raumspray riechende Luft schob. Auf dem Weg zu den offenen Türflügeln, die in den Autopsiesaal führten, klapperten die Räder der Bahre über weiße Fliesen.

»Und das, liebe Mutter, ist es, was mit Mrs. Arnette passiert ist«, sagt Edgar Allan Pogue und richtet sich im Liegestuhl auf. Fotos von Mrs. Arnette mit ihrem bläulich getönten Haar sind auf dem gelbweißen Stoff zwischen seinen nackten, behaarten Schenkeln ausgebreitet. »Oh, mir ist klar, wie ungerecht und schrecklich sich das anhört. Aber so schlimm war es gar nicht. Ich wusste, dass ihr ein Publikum aus jungen Polizisten lieber gewesen wäre, als wenn irgendein undankbarer Medizinstudent an ihr herumgeschnitzt hätte. Eine hübsche Geschichte, findest du nicht, Mutter? Eine wirklich hübsche Geschichte.«

18

Im Schlafzimmer ist gerade genug Platz für ein Einzelbett, einen kleinen Tisch links vom Kopfbrett und eine Kommode neben dem Wandschrank. Die Möblierung besteht aus Eiche, ist weder antik noch neu und sieht einigermaßen wohnlich aus. Rings um das Bett sind Poster von Sehenswürdigkeiten mit Klebestreifen an der vertäfelten Wand befestigt.

Gilly Paulsson ist unter den Stufen des Doms von Siena eingeschlafen, wachte mit dem alten Palast des Domitian auf Roms Palatin vor Augen auf und hat ihr langes blondes Haar wahrscheinlich vor dem Ganzkörperspiegel neben der Piazza Santa Croce in Florenz gekämmt, wo eine Statue von Dante steht. Vermutlich wusste sie gar nicht, wer Dante war. Vielleicht hätte sie Italien nicht einmal auf einer Landkarte finden können.

Marino steht an einem Fenster, das auf den Garten hinausgeht. Er muss nicht erklären, was er bemerkt hat, weil es offensichtlich ist. Das Fenster befindet sich nur einen Meter zwanzig über dem Boden und wird mit zwei Daumenhebeln verschlossen, sodass es sich leicht hochschieben lässt, wenn man die Hebel herunterdrückt.

»Sie rasten nicht ein«, sagt Marino. Er trägt weiße Baumwollhandschuhe und drückt die Hebel herunter, um zu demonstrieren, wie mühelos man das Fenster hochschieben kann.

»Detective Browning sollte davon erfahren«, meint Scarpetta. Sie holt ebenfalls Handschuhe hervor, ein weißes Paar aus Baumwolle, das ein wenig angeschmuddelt ist, weil sie es immer in einem Seitenfach ihrer Handtasche mit sich herumträgt. »In den Berichten, die ich gelesen habe, steht nichts von einem defekten Fensterriegel. Wurde das Fenster aufgebrochen?«

»Nein«, erwidert Marino und schiebt das Fenster wieder hinunter. »Es ist nur alt und abgenutzt. Ich frage mich, ob sie ihr Fenster je aufgemacht hat. Es ist recht unwahrscheinlich, dass jemandem zufällig aufgefallen ist, dass sie nicht in der Schule war, während ihre Mom noch kurz etwas erledigen musste, und er sich gesagt hat: Hey, dann brech ich doch mal schnell ein. Spitze, dass der Fensterriegel kaputt ist.«

»Vermutlich wusste jemand schon länger von dem defekten Fenster«, meint Scarpetta.

»Das würde ich auch sagen.«

»Dann muss dieser Jemand das Haus entweder kennen oder die Möglichkeit gehabt haben, es zu beobachten, um das herauszufinden.«

»Hmm«, brummt Marino. Er geht zur Kommode und zieht die oberste Schublade auf. »Wir müssen uns über die Nachbarn informieren. Von dem Haus nebenan hat man den besten Blick auf ihr Zimmer.« Er weist mit dem Kopf auf das Nachbargebäude mit dem vermoosten Schieferdach hinter dem Zaun. »Ich erkundige mich, ob die Cops die Bewohner schon befragt haben. Vielleicht haben die Bewohner ja mitgekriegt, dass sich ein Fremder um das Haus herumgedrückt hat ... Ich glaube, das hier könnte dich interessieren.«

Marino greift in die Schublade und zieht eine schwarze Herrenbrieftasche aus Leder heraus. Sie ist weich und abgewetzt, als wäre sie lange Zeit in der Gesäßtasche herumgetragen worden. Als er sie aufklappt, ist ein abgelaufener Führerschein des Staates Virginia zu sehen, ausgestellt auf Franklin Adam Paulsson, geboren am 14. August 1966 in Charleston, South Carolina. Ansonsten enthält die Brieftasche weder Kreditkarten noch Bargeld oder andere Gegenstände.

»Ihr Dad«, sagt Scarpetta und betrachtet nachdenklich das Foto auf dem Führerschein. Es zeigt einen lächelnden blonden Mann mit markantem Kiefer und Augen, so blaugrau wie der Winter. Er sieht zwar gut aus, aber sie ist nicht sicher, wie sie ihn einschätzen soll, sofern es überhaupt möglich ist, einen Menschen anhand seines Führerscheinfotos zu beurteilen. Er wirkt irgendwie kalt, denkt sie, aber sie bekommt es nicht genau zu fassen, und das löst in ihr ein unbehagliches Gefühl aus.

»Siehst du? Das ist es, was ich komisch finde«, fährt Marino fort: »Die oberste Schublade ist wie eine Art Schrein für ihren Vater. Diese T-Shirts …« Er hält einen dünnen Stapel ordentlich gefalteter Herrenunterhemden hoch. »… Größe L, von einem Mann, vielleicht von ihrem Dad. Einige haben Flecken oder Löcher. Und Briefe.« Er reicht Scarpetta etwa ein Dutzend Kuverts, von denen einige offenbar Grußkarten enthalten, alle mit einer Adresse in Charleston als Absender. »Und dann ist da noch das da.« Seine dicken weißen, baumwollumhüllten Finger holen eine verwelkte langstielige Rose hervor. »Fällt dir dasselbe auf wie mir?«

»Sie scheint nicht sehr alt zu sein.«

»Genau.« Vorsichtig legt er die Blume zurück in die Schublade. »Zwei bis drei Wochen? Du züchtest doch Rosen«, fügt er hinzu, als ob sie deshalb auch Expertin für verwelkte Exemplare wäre.

»Ich kann es nicht genau sagen. Aber mehrere Monate sind es bestimmt nicht. Was willst du hier eigentlich noch, Marino? Nach Fingerabdrücken suchen? Das müsste doch eigentlich längst erledigt sein. Was zum Teufel hat die Polizei hier bloß getrieben?«

»Vermutungen angestellt«, erwidert er. »Mehr nicht. Ich hole meinen Koffer aus dem Auto und mache ein paar Fotos. Fingerabdrücke sichern kann ich auch. Am Fenster, am Fensterrahmen und an dieser Kommode, vor allem an der obersten Schublade. Viel mehr Möglichkeiten gibt es nicht.«

»Nur zu. Spuren verwischen können wir an diesem Tatort sowieso nicht mehr. Es waren schon zu viele Leute hier.« Ihr fällt auf, dass sie das Zimmer zum ersten Mal als Tatort bezeichnet hat.

»Ich schaue mich auch mal im Garten um«, sagt er. »Allerdings sind zwei Wochen vergangen. Also liegt da bestimmt kein Häufchen von der kleinen Sweetie mehr herum, außer es hätte in dieser Zeit kein einziges Mal geregnet, was nicht der Fall ist. Deshalb lässt sich schwer feststellen, ob es diesen vermissten Hund tatsächlich gibt. Browning hat nichts davon erwähnt.«

Scarpetta kehrt in die Küche zurück, wo Mrs. Paulsson am Tisch sitzt. Offenbar hat sie sich nicht von der Stelle gerührt, denn sie befindet sich noch in derselben Körperhaltung auf demselben Stuhl und starrt ins Leere. Sie kann doch nicht allen Ernstes glauben, dass ihre Tochter wirklich an der Grippe gestorben ist, denkt Scarpetta.

»Hat Ihnen jemand erklärt, warum sich das FBI für Gillys Tod interessiert?«, erkundigt sie sich und lässt sich Mrs. Paulsson gegenüber an dem kleinen Tisch nieder. »Was hat die Polizei dazu gesagt?«

»Ich weiß nicht. Ich schaue mir solche Sendungen nicht an«, murmelt sie.

»Was für Sendungen?«

»Krimiserien. Reportagen über das FBI. Alles, was mit Verbrechen zu tun hat.«

»Aber Sie wissen doch, dass sich das FBI eingeschaltet hat«, fährt Scarpetta, die sich allmählich Sorgen um Mrs. Paulssons Geisteszustand macht, fort. »Haben Sie mit dem FBI gesprochen?«

»Eine Frau war hier. Das habe ich Ihnen ja schon erzählt. Sie meinte, sie hätte nur ein paar Routinefragen und es täte ihr schrecklich Leid, mich in meiner Trauer stören zu müssen. So hat sie es ausgedrückt, ›in meiner Trauer‹. Wir haben genauso dagesessen wie jetzt, und sie hat mich nach Gilly und Frank gefragt und wollte wissen, ob mir jemand Verdächtiges aufgefallen ist. Ob Gilly mit Fremden oder mit ihrem Vater gesprochen hat. Und wie die Nachbarn so sind. Sie hat mich auch alles Mögliche über Frank gefragt.«

»Was, denken Sie, war der Grund dafür? Was waren das für Fragen über Frank?«, bohrt Scarpetta nach und stellt sich den blonden Mann mit dem markanten Kiefer und den graublauen Augen vor.

Mrs. Paulsson starrt auf die weiße Wand links vom Herd, als hätte sie dort etwas Auffälliges bemerkt. »Ich weiß nicht, warum sie sich für ihn interessiert hat. Aber das tun viele Frauen.« Ihre Körperhaltung wird steif und ihre Stimme schrill. »Die rennen ihm die Bude ein.«

»Und wo ist er jetzt? Ich meine, in diesem Augenblick?«

»In Charleston. Es ist, als wären wir schon seit einer Ewigkeit geschieden.« Sie beginnt, an einem Niednagel herumzuzupfen, den Blick wie gebannt auf die Wand gerichtet, als ziehe sie etwas in ihren Bann. Aber da ist nichts, absolut nichts.

»Standen er und Gilly sich nahe?«

»Sie vergöttert ihn.« Mrs. Paulsson holt tief und lautlos Luft. Ihre Augen weiten sich, und ihr Kopf fängt an zu schwanken, als könne ihr magerer Hals ihn plötzlich nicht mehr tragen. »Er kann nichts falsch machen. Im Wohnzimmer unter dem Fenster steht ein Sofa. Es ist nichts weiter als ein kariertes Sofa und hat nichts Besonderes an sich, abgesehen davon, dass es sein Lieblingsplatz war, wo er ferngesehen und Zeitung gelesen hat.« Wieder holt sie tief Luft. »Nachdem er uns verlassen hatte, ging sie immer wieder ins Wohnzimmer und legte sich auf das Sofa. Ich konnte sie kaum dazu bringen, aufzustehen.« Sie seufzt. »Er ist kein guter Vater. Aber ist es nicht immer so? Wir lieben das, was wir nicht bekommen können.«

Die Schritte von Marinos großen, schweren Stiefeln hallen, diesmal lauter, aus Gillys Zimmer hinüber.

»Wir lieben die Menschen, die unsere Liebe nicht erwidern«, wiederholt Mrs. Paulsson.

Scarpetta hat sich seit ihrer Rückkehr in die Küche keine Notizen gemacht. Ihr Handgelenk ruht auf dem Notizbuch, der Kugelschreiber in ihren Fingern bereit, verharrt aber reglos. »Wie heißt die FBI-Agentin?«, fragt sie.

»Ach, du meine Güte. Karen … Lassen Sie mich überlegen.«

Sie schließt die Augen und legt die zitternden Finger an die Stirn. »Mein Gedächtnis ist nicht mehr das, was es einmal war. Moment mal. Weber. Karen Weber.«

»Vom Büro in Richmond?«

Marino kommt in die Küche. In der einen Hand hält er einen schwarzen Plastikkasten für Anglerausrüstung, in der anderen seine Baseballkappe. Endlich hat er sie abgenommen, vermutlich aus Respekt vor Mrs. Paulsson, der Mutter eines jungen ermordeten Mädchens.

»Ich glaube schon«, antwortet Mrs. Paulsson. »Irgendwo muss ich noch ihre Karte haben. Wo habe ich sie nur hingelegt?«

»Wissen Sie, woher Gilly eine rote Rose haben könnte?«, fragt Marino, der noch in der Tür steht. »In ihrem Zimmer ist so eine.«

»Was?«

»Am besten zeigen wir sie Ihnen«, sagt Scarpetta und erhebt sich vom Tisch. Sie zögert und hofft, dass Mrs. Paulsson verkraften wird, was nun auf sie zukommt. »Ich würde Ihnen gerne ein paar Dinge erklären.«

»Oh, natürlich.« Ein wenig wackelig auf den Beinen, steht sie auf. »Eine rote Rose?«

»Wann hat Gilly ihren Vater zuletzt gesehen?«, erkundigt sich Scarpetta, als sie zu ihrem Zimmer gehen.

»Zu Thanksgiving.«

»Hat sie ihn besucht? War er hier?«, fragt Scarpetta in ihrem sanftmütigsten Tonfall nach, und sie hat den Eindruck, dass der Flur enger und dunkler ist als noch vor wenigen Minuten.

»Ich weiß nichts von einer Rose«, sagt Mrs. Paulsson.

»Ich musste in ihren Schubladen nachsehen«, meint Marino. »Sie verstehen hoffentlich, dass wir so etwas nicht gerne tun.«

»Machen Sie das immer, wenn Kinder an der Grippe sterben?«

»Ganz bestimmt hat die Polizei ihre Schubladen bereits durchsucht«, fährt Marino fort. »Oder waren Sie nicht im Zimmer, als sie sich umgeschaut und fotografiert haben?«

Er macht Platz, damit Mrs. Paulsson das Zimmer ihrer toten Tochter betreten kann. Sie geht bis zur Kommode, die links von der Tür an der Wand steht. Marino wühlt in seiner Tasche und zieht die Baumwollhandschuhe hervor. Nachdem er seine riesigen Hände hineingezwängt hat, öffnet er die oberste Schublade und nimmt die schlaffe Rose heraus. Es ist eine mit geschlossener Blüte, die nie aufgegangen ist. Scarpetta kennt solche Rosen; normalerweise stehen sie, in durchsichtiges Plastik gehüllt, für einen Dollar fünfzig pro Stück an Supermarktkassen.

»Ich weiß nicht, was das ist.« Mrs. Paulsson starrt auf die Rose. Ihr Gesicht rötet sich, bis es fast so scharlachfarben ist wie die verwelkte Blume. »Ich habe keine Ahnung, woher sie die hat.«

Marino lässt sich nichts anmerken.

»Haben Sie, als Sie vom Drugstore zurückkehrten, die Rose in ihrem Zimmer gesehen?«, erkundigt sich Scarpetta. »Möglicherweise hat jemand sie Gilly ja zu einem Krankenbesuch mitgebracht? Hatte sie vielleicht einen Freund?«

»Ich verstehe nicht, was Sie meinen«, erwidert Mrs. Paulsson.

»Gut«, sagt Marino und legt die Rose gut sichtbar auf die Kommode. »Als Sie vom Drugstore wiederkamen, sind Sie zuerst in dieses Zimmer gegangen. Erinnern Sie sich? Fangen wir damit an, dass Sie Ihren Wagen geparkt haben. Wo haben Sie ihn abgestellt?«

»Vor dem Haus. Am Bürgersteig.«

»Parken Sie immer dort?«

Ein Nicken. Ihr Blick wandert zum Bett. Es ist ordentlich gemacht und mit einer Überdecke versehen, die die gleiche graublaue Farbe hat wie die Augen ihres Ex-Mannes.

»Mrs. Paulsson, möchten Sie sich vielleicht setzen?« Scarpetta wirft Marino einen raschen Blick zu.

»Ich hole Ihnen einen Stuhl«, erbietet er sich.

Er geht hinaus und lässt Mrs. Paulsson und Scarpetta mit der welken roten Rose und dem makellos glatten Bett allein zurück.

»Ich habe italienische Vorfahren«, sagt Scarpetta und betrachtet die Poster an der Wand. »Meine Großeltern stammen aus Verona. Waren Sie schon mal in Italien?«

»Frank war dort.« Mehr hat Mrs. Paulsson zu den Postern nicht anzumerken.

Scarpetta sieht sie an. »Ich weiß, wie schwer es für Sie sein muss«, meint sie mitfühlend. »Aber je mehr Sie uns erzählen, desto besser können wir Ihnen helfen.«

»Gilly ist an der Grippe gestorben.«

»Nein, Mrs. Paulsson. Sie ist nicht an der Grippe gestorben. Ich habe die Leiche untersucht. Ich habe mir die Proben angesehen. Ihre Tochter hatte zwar eine Lungenentzündung, aber die war schon beinahe abgeklungen. Sie hatte Blutergüsse auf den Handrücken und am Rücken.«

Mrs. Paulsson wirkt bestürzt.

»Haben Sie eine Ahnung, wie sie sich diese Blutergüsse zugezogen haben könnte?«

»Nein. Wie hätte das geschehen sollen?« Sie starrt auf das Bett, und Tränen treten ihr in die Augen.

»Hat sie sich vielleicht gestoßen? Ist sie gestürzt oder aus dem Bett gefallen?«

»Das kann ich mir nicht vorstellen.«

»Gehen wir Schritt für Schritt vor«, meint Scarpetta. »Haben Sie die Haustür abgeschlossen, als Sie zum Drugstore fuhren?«

»Das mache ich immer.«

»War sie abgeschlossen, als Sie zurückkamen?«

Marino lässt sich Zeit, damit Scarpetta die Sache auf ihre Weise angehen kann. Es ist wie ein einstudierter Tanz, dessen Schrittfolge keine nähere Absprache verlangt.

»Ich glaube schon, denn ich habe mit dem Schlüssel aufgemacht. Dann habe ich ihren Namen gerufen, damit sie weiß, dass ich wieder zu Hause bin. Als sie nicht antwortete, dachte ich ... ich dachte, dass sie schläft«, schluchzt sie. »Ich dachte, sie liegt mit Sweetie im Bett. Also habe ich gerufen: ›Hoffentlich hast du Sweetie nicht bei dir im Bett, Gilly.‹«

19

Mrs. Paulsson legte die Schlüssel an den üblichen Platz auf dem Tisch unter der Garderobe. Sonnenstrahlen strömten durch das Oberlicht über der Tür und erleuchteten den dunkel getäfelten Flur. Als sie ihren Mantel auszog und aufhängte, schwebten weiße Staubflöckchen in den hellen Lichtstrahlen.

»Ich habe immer wieder Gilly-Honey gerufen«, erzählt sie Scarpetta. »Ich bin zu Hause. Ist Sweetie bei dir? Wo ist Sweetie? Du weißt doch, dass Sweetie sich daran gewöhnen wird, wenn du sie mit ins Bett nimmst. Bestimmt hast du es wieder getan. Und so ein kleiner Basset kann wegen seiner kurzen Beinchen doch nicht allein aus dem Bett springen.«

Sie ging in die Küche und legte einige Plastiktüten auf dem Tisch ab. Da sie schon einmal unterwegs war, war sie noch in den Supermarkt gegangen, damit sich die Fahrt ins Einkaufszentrum in der West Cary Street auch lohnte. Sie nahm zwei Dosen Hühnerbrühe aus einer der Tüten und stellte sie neben den Herd. Dann öffnete sie den Gefrierschrank, holte ein Päckchen Hähnchenkeulen heraus und legte es zum Auftauen in die Spüle. Es war still im Haus. Sie hörte das monotone Ticken der Wanduhr in der Küche, das sie normalerweise nie wahrnahm, weil sie viel zu beschäftigt war.

Aus einer Schublade kramte sie einen Löffel und nahm dann ein Glas aus dem Schrank. Nachdem sie das Glas mit Wasser gefüllt hatte, trug sie es, zusammen mit dem Löffel und einer neuen Flasche Hustensaft, den Flur entlang zu Gillys Zimmer.

»Als ich zu ihrem Zimmer kam«, erzählt sie Scarpetta, »rief ich: Gilly? Was, um Himmels willen, machst du da? Denn ich sah ... Es ergab für mich keinen Sinn. Gilly? Wo ist dein Pyjama? Ist dir so heiß? O Gott, wo ist das Thermometer? Ist dein Fieber etwa wieder gestiegen?«

Gilly lag auf dem Bett, bäuchlings, der schlanke Rücken, der Po und die Beine nackt. Das seidige goldene Haar auf den Kissen

Wieder an ihrem Arbeitstisch, nimmt sie Platz, setzt die Kopfhörer und eine Brille auf und schiebt die lila gefleckte Zeichnung unter die Linse des Imagers. Sie schaltet das Gerät und anschließend auch die UV-Lampe ein und sieht durch das Okular eine hellgrüne Fläche. Der unangenehme Geruch nach erhitzten Chemikalien und Papier steigt ihr in die Nase. Die Bleistiftzeichnung des Auges ist als dünne weiße Linie zu erkennen, und sie bemerkt die blassen Wellen eines Fingerabdrucks neben der Iris. Sie stellt die Schärfe ein, um das Bild so gut wie möglich sichtbar zu machen, bis in den Wellen einige typische Eigenschaften hervortreten, die für IAFIS, das Integrierte Automatisierte Fingerabdruck-Identifizierungssystem des FBI, genügen müssten. Bei der Überprüfung der latenten Abdrücke, die sie nach dem Mordversuch an Henri im Schlafzimmer sicherstellen konnte, ist lediglich herausgekommen, dass sich kein vollständiger Satz Abdrücke von allen zehn Fingern der Bestie in der Kartei befindet. Jetzt wird sie einen Vergleich latenter Fingerspuren anhand der mehr als zwei Millionen Abdrücke durchführen, die in der IAFIS-Datenbank gespeichert sind. Außerdem wird sie ihr Büro damit beauftragen, die latenten Spuren aus dem Schlafzimmer manuell mit denen von der Zeichnung zu vergleichen. Sie schließt eine Digitalkamera ans Okular des Imagers an und beginnt zu fotografieren.

Knapp fünf Minuten später – sie fotografiert gerade einen anderen Fingerabdruck, diesmal einen verwischten, an dem Teile von Wellendetails sichtbar sind – dringen die ersten menschlichen Stimmen leise durch die Kopfhörer. Sie erhöht die Lautstärke ein wenig, stellt die Empfindlichkeit ein und vergewissert sich, dass der Kassettenrecorder auch aufzeichnet, was sie zeitgleich mithört.

»Was machst du gerade?«, hallt Kates betrunkene Stimme laut und deutlich durch die Kopfhörer. »Ich kann heute nicht Tennis spielen«, lallt die Nachbarin. Ihr Gespräch wird gut verständlich von dem Sender übertragen, den Lucy in der Steckdose am Fenster angebracht hat.

Obwohl Kate sich im Fitnessraum befindet, sind keine Hintergrundgeräusche des Ellipsentrainers oder des Laufbands zu hören. Doch Lucy geht auch nicht davon aus, dass ihre Nachbarin im betrunkenen Zustand trainiert. Allerdings ist Kate wohl nicht zu betrunken, um zu spionieren. Wie vermutlich schon immer beobachtet sie Lucys Haus durch das Fenster, was an ihrer Stimme zu erkennen ist, weil sie offenbar nichts anderes zu tun hat, als ihren Mitmenschen nachzuschnüffeln und sich dabei zu betrinken.

»Nein, ich glaube, ich kriege eine Erkältung. Das hört man mir bestimmt an. Du hättest mich vorhin erleben sollen. Meine Nase ist total verstopft. Heute früh beim Aufstehen habe ich fürchterlich geklungen.«

Lucy starrt auf das rote Licht am Kassettenrecorder. Dann wandert ihr Blick zu dem Blatt Papier unter der Linse des Krimesite-Imagers. Die lilafarbenen Fingerspuren darauf sind groß genug für einen Mann, aber sie ist zu klug, um voreilige Schlüsse zu ziehen. Wichtig ist nur, dass überhaupt Abdrücke vorhanden sind, vorausgesetzt, sie stammen von der Bestie, die diese widerwärtige Zeichnung an die Tür geklebt hat, und angenommen, es handelt sich dabei wirklich um den Menschen, der versucht hat, Henri umzubringen. Lucy betrachtet seine lilafarbenen Hinterlassenschaften, seine Spuren, die Aminosäuren von seiner verschwitzten, fettigen Haut.

»Tja, ich habe jetzt einen Filmstar nebenan, was sagst da dazu?«, schrillt Kates Stimme in Lucys Ohren. »Ach, nein, Schätzchen, mich wundert das überhaupt nicht. Eigentlich habe ich mir das gleich gedacht. Das ständige Kommen und Gehen. Die schicken Autos und die schönen Menschen. Und dann das Haus, das ein Vermögen gekostet haben muss. Irgendwas zwischen acht und zehn Millionen bestimmt. Und dabei sieht es ziemlich gewöhnlich aus. Genau so, wie man es von Neureichen erwartet.«

Es ist der Bestie egal, ob sie Fingerabdrücke hinterlässt. Es kümmert sie einfach nicht. Lucy wird ganz flau zumute, weil es besser wäre, wenn er Interesse daran zeigen würde, denn das wäre ein Hinweis darauf, dass er aller Wahrscheinlichkeit nach vorbestraft ist. Offenbar sind seine Fingerabdrücke weder bei IAFIS noch sonst irgendwo registriert, und deshalb braucht sich das Schwein auch nicht den Kopf darüber zu zerbrechen. Er verlässt sich darauf, dass es nie zu einer Identifizierung kommen wird. Aber da hast du die Rechnung ohne mich gemacht, Freundchen, denkt Lucy. Und als sie die lilafarbenen Schmierer auf dem durch die Hitze gewellten Papier betrachtet, kann sie förmlich spüren, dass der widerwärtige Mensch ganz in der Nähe sein muss. Sie hat das Gefühl, dass er und Kate sie beide beobachten. Zorn kocht in Lucy hoch, irgendwo tief in ihr, wo er normalerweise schläft, bis etwas ihn aufweckt.

»Tina ... Ist das zu fassen? Ihr Nachname ist einfach weg. Falls sie ihn mir überhaupt je verraten hat. Aber das hat sie bestimmt. Sie hat mir ja alles erzählt, über ihren Freund und über das Mädchen, das überfallen wurde und nach Hollywood zurückgekehrt ist ...«

Lucy erhöht die Lautstärke. Die lilafarbenen Flecken auf dem Papier verschwimmen, als sie sie mit Blicken fixiert, während ihre Nachbarin über Henri spricht. Woher weiß sie, dass Henri überfallen wurde? Es kam nicht in den Nachrichten. Lucy hat Kate nur erzählt, dass sie von einem Mann verfolgt wird. Einen Überfall hat sie mit keiner Silbe erwähnt.

»Sie ist sehr hübsch, wirklich ganz reizend. Nettes Gesicht, gute Figur, sehr schlank. So sind sie ja alle in Hollywood. Aber seit in ihrem Haus eingebrochen wurde und die vielen Streifenwagen und der Krankenwagen aufgekreuzt sind, war sie kaum mehr hier.«

Der Krankenwagen, aber natürlich! Kate hat ihn gesehen und beobachtet, wie eine Trage aus dem Haus gebracht wurde. Daraus schließt sie selbstverständlich, dass Henri angegriffen wurde. Ich denke nicht mehr klar, sagt sich Lucy. Ich erkenne die Zusammenhänge nicht. Ihre Wut, Verbitterung und Panik wachsen. Was ist nur los mit mir?, fragt sie sich, während sie weiter lauscht und den Kassettenrecorder in dem Aktenkoffer betrachtet, der auf der Tischplatte neben dem Krimesite-Imager steht. Was zum Teufel stimmt nicht mit mir, schilt sie sich und erinnert sich an ihr leichtsinniges Verhalten, als der Latino ihren Ferrari verfolgt hat.

»Darüber habe ich mich auch gewundert. Kein Wort in den Nachrichten. Ich habe natürlich darauf geachtet, das kannst du mir glauben«, spricht Kate weiter. Ihre Artikulation klingt unsicher und verwaschen, weil sie inzwischen wieder ein paar Schlucke getrunken hat. »Ja, das möchte man meinen«, sagt sie mit Nachdruck, wodurch ihr Lallen noch mehr auffällt. »Es handelt sich um Filmstars, und nichts kommt in den Nachrichten! Aber genau darauf will ich ja hinaus: Sie sind heimlich hier, und deshalb wissen die Medien nichts davon. Tja, das klingt plausibel. Das muss die Erklärung sein, das sollte sogar dir einleuchten …«

»O mein Gott, sprich doch endlich über etwas Wichtiges«, stöhnt Lucy in den leeren Raum hinein.

Ich muss mich zusammenreißen, hält sie sich vor Augen. Lucy, reiß dich zusammen. Denk nach, denk nach, denk nach!

Sie nimmt die Kopfhörer ab und legt sie auf den Tisch. Dann blickt sie sich im Zimmer um, während der Kassettenrecorder weiterhin die Gesprächsbeiträge ihrer Nachbarin aufzeichnet. »Scheiße!«, ruft sie aus, als ihr klar wird, dass sie weder Kates Telefonnummer noch ihren Familiennamen kennt und weder Zeit noch Lust hat, beides herauszufinden. Wenn sie sie hätte, hieße das außerdem noch lange nicht, dass Kate auch ans Telefon gehen würde, wenn Lucy sie anriefe.

Sie setzt sich an einen anderen Schreibtisch vor einen Computer und entwirft zwei VIP-Karten für die Premiere ihres Films *Sprung ins Dunkel* am 6. Juni in Los Angeles. Anschließend findet eine Privatparty für das Ensemble und enge Freunde statt. Die Karten druckt sie auf glänzendem Fotopapier aus, schneidet sie zurecht und steckt sie in einen Umschlag, begleitet von einem Zettel, auf dem steht: »Liebe Kate, habe unser kleines Gespräch genossen! Es würde mich sehr freuen, wenn wir uns bei der Party in L. A. sehen könnten.« Dahinter notiert sie ihre Mobilfunknummer.

Lucy eilt nach draußen und hinüber zu Kates Haus, doch ihre

Nachbarin geht weder an die Tür noch an die Gegensprechanlage. Vermutlich ist sie inzwischen voll bis oben hin und steht kurz vor der Bewusstlosigkeit. Lucy schiebt den Umschlag in Kates Briefkasten.

21

Inzwischen befindet sich Mrs. Paulsson im Badezimmer, das vom Flur abgeht, allerdings ohne zu wissen, wie sie dorthin gekommen ist.

Das Bad ist alt und seit den frühen fünfziger Jahren nicht mehr renoviert worden. Der Boden ist im Schachbrettmuster blau-weiß gefliest, Waschbecken, Toilette und Wanne bestehen aus schlichtem weißem Porzellan, der Duschvorhang hat ein rosa- und lilafarbenes Blumenmuster. Gillys Zahnbürste steckt im Halter auf dem Waschbecken, die eingedrückte Tube Zahnpasta ist halb aufgebraucht.

Beim Anblick von Zahnbürste und Zahnpasta schluchzt Mrs. Paulsson noch heftiger. Auch das kalte Wasser, das sie sich ins Gesicht spritzt, nützt nichts. Es ist ihr unangenehm, dass sie es nicht schafft, sich zusammenzureißen, als sie das Bad wieder verlässt und in Gillys Zimmer zurückkehrt, wo Dr. Scarpetta aus Miami auf sie wartet. Marino war so nett, nicht weit vom Fußende des Bettes entfernt einen Stuhl für sie ins Zimmer zu stellen. Er schwitzt, obwohl es kühl im Raum ist. Sie bemerkt, dass das Fenster offen steht, aber sein Gesicht ist dennoch gerötet und mit Schweißperlen bedeckt.

»Nehmen Sie Platz«, sagt er zu ihr und lächelt. Dadurch wirkt er zwar nicht freundlicher, aber sie findet, dass er gut aussieht. Sie mag ihn. Warum, weiß sie nicht. Immer wenn sie ihn mustert oder in seine Nähe kommt, hat sie ein bestimmtes Gefühl. »Setzen Sie sich, Mrs. Paulsson, und versuchen Sie, sich zu entspannen.«

»Haben Sie das Fenster aufgemacht?«, fragt sie, nachdem sie Platz genommen und die Hände im Schoß verschränkt hat.

»Ich habe überlegt, ob es vielleicht offen war, als Sie vom Drugstore zurückkamen«, erwidert er. »War das Fenster offen oder zu, als Sie das Zimmer betraten?«

»Es wird häufig sehr warm hier. In diesem alten Haus ist es schwierig, die Temperatur zu regulieren.« Sie blickt Marino und Scarpetta an und kommt sich merkwürdig vor, wie sie so neben dem Bett sitzt und zu ihnen aufschaut. Es macht sie nervös und ängstlich, und sie fühlt sich unterlegen. »Gilly hat ständig das Fenster aufgerissen. Vielleicht war es offen, als ich nach Hause kam, ich versuche, mich zu erinnern.« Die Vorhänge bewegen sich. Die weißen Gazegardinen schweben geisterhaft in der beißend kalten Luft. »Ja«, meint sie schließlich. »Ich glaube, das Fenster könnte offen gewesen sein.«

»Wussten Sie, dass der Riegel kaputt ist?«, erkundigt sich Marino. Er steht völlig reglos da und betrachtet sie. Sie kann sich nicht an seinen Namen erinnern. Wie hieß er nochmal? Martini oder so?

»Nein«, antwortet sie, und eine eiskalte Hand legt sich um ihr Herz.

Scarpetta geht zum offenen Fenster und macht es mit ihrer weiß behandschuhten Hand zu. Dann schaut sie in den Garten hinaus.

»Um diese Jahreszeit ist er nicht sehr hübsch«, sagt Mrs. Paulsson mit klopfendem Herzen zu ihr. »Sie sollten ihn mal im Frühling sehen.«

»Das kann ich mir vorstellen«, erwidert Scarpetta.

Sie hat etwas an sich, das Mrs. Paulsson faszinierend und gleichzeitig ein wenig beängstigend findet. Inzwischen macht ihr alles Angst. »Ich liebe Gartenarbeit. Und Sie?«

»Oh, ja.«

»Glauben Sie, dass jemand durch das Fenster eingestiegen ist?«, fragt Mrs. Paulsson und bemerkt plötzlich das schwarze Pulver auf dem Fensterbrett und am Rahmen. Auf der Innen- und Außenseite der Scheibe entdeckt sie noch mehr schwarzes Pulver und einige Spuren, die von Klebeband zu stammen scheinen.

»Ich habe einige Fingerabdrücke sichergestellt«, erklärt Marino. »Keine Ahnung, warum die Cops sich diese Mühe gespart haben, denn ich habe ein paar gefunden. Wir werden sehen, ob sie uns weiterbringen. Ich muss Ihnen die Fingerabdrücke abnehmen, um sie ausschließen zu können. Vermutlich hat die Polizei das noch nicht erledigt.«

Sie schüttelt verneinend den Kopf und starrt auf das Fenster und auf das schwarze Pulver, das überall verstreut ist.

»Wer wohnt denn hinter Ihrem Grundstück, Mrs. Paulsson?«, fragt Marino. »In dem alten Haus hinter dem Zaun?«

»Eine ältere Frau. Ich bin ihr schon seit einer Weile nicht mehr begegnet. Genau genommen seit einigen Jahren. Ich bin nicht einmal sicher, ob sie überhaupt noch dort lebt. Das letzte Mal habe ich vor etwa sechs Monaten jemanden im Haus gesehen. Ja, es muss vor sechs Monaten gewesen sein, weil ich gerade Tomaten gepflückt habe. Ich habe hinten am Zaun einen kleinen Gemüsegarten, und letzten Sommer gab es so viele Tomaten, dass ich gar nicht wusste, was ich damit anfangen soll. Jemand ist auf der anderen Seite des Zauns herumgelaufen. Was er dort gemacht hat, kann ich nicht sagen. Ich hatte den Eindruck, dass dieser Mensch nicht sehr freundlich ist. Nein, ich glaube eigentlich nicht, dass dort noch dieselbe alte Frau wohnt wie vor neun oder zehn Jahren. Sie war sehr alt und ist mittlerweile sicher schon gestorben.«

»Wissen Sie, ob die Polizei mit ihr gesprochen hat, vorausgesetzt, dass sie noch lebt?«, erkundigt sich Marino.

»Ich dachte, Sie sind die Polizei.«

»Wir gehören zu einer anderen Abteilung als die, die bis jetzt bei Ihnen waren, Ma'am. Einer ganz anderen.«

»Ich verstehe«, entgegnet sie, obwohl das nicht stimmt. »Tja, ich glaube, der Detective … Detective Brown …«

»Browning«, korrigiert Marino, und sie bemerkt, dass er die Baseballkappe hinten in seinen Hosenbund geschoben hat. Sein Schädel ist rasiert, und sie stellt sich vor, wie es wäre, mit der Hand über seine glatte Kopfhaut zu streichen.

»Er hat mich nach den Nachbarn gefragt«, fährt sie fort. »Ich habe ihm erklärt, dass dort hinten eine alte Frau lebt oder gelebt hat und dass ich nicht sicher bin, ob das Haus noch bewohnt ist. Ja, ich glaube, so habe ich es ausgedrückt. Ich habe fast nie jemanden dort gehört, und durch die Ritzen im Zaun sieht man, dass der Rasen seit Ewigkeiten nicht mehr gemäht worden ist.«

»Sie kamen also vom Drugstore nach Hause«, kehrt Scarpetta zum ursprünglichen Thema zurück, um vielleicht doch noch ein bisher übersehenes, aber entscheidendes Detail ans Tageslicht zu befördern. »Und was geschah dann? Bitte versuchen Sie, es Schritt für Schritt zu erzählen, Mrs. Paulsson.«

»Ich habe meine Einkäufe in die Küche getragen und dann nach Gilly gesehen. Ich dachte, sie schläft.«

Nach einer Pause stellt Scarpetta eine andere Frage. Sie möchte wissen, woraus Mrs. Paulsson geschlossen habe, dass ihre Tochter schlief. In welcher Körperhaltung habe sie dagelegen? Die Fragen sind verwirrend, und jede schmerzt wie ein Krampf oder ein Zucken tief in Mrs. Paulssons Innerstem. Warum spielt das eine Rolle? Welcher Arzt stellt denn solche Fragen? Dr. Scarpetta ist eine attraktive Frau und strahlt Energie aus. Obwohl sie nicht massiv gebaut ist, macht sie in ihrem dunkelblauen Hosenanzug und der dunkelblauen Bluse, die ihr hübsches Gesicht schärfer wirken lässt und das kurze blonde Haar betont, einen Respekt einflößenden Eindruck. Ihre Hände sind kräftig, aber anmutig, und sie trägt keine Ringe an den Fingern. Mrs. Paulsson starrt auf Scarpettas Hände, stellt sich vor, wie sie sich an Gilly zu schaffen machen, und bricht wieder in Tränen aus.

»Ich habe sie umgedreht und versucht, sie zu wecken.« Sie hört sich unablässig dieselben Sätze wiederholen. Warum liegt dein Pyjama auf dem Boden, Gilly? Was ist passiert? O Gott!

»Beschreiben Sie, was Sie gesehen haben, als Sie den Raum betraten«, formuliert Scarpetta ihre Frage anders. »Ich weiß, dass das nicht leicht ist. Marino? Könntest du ihr bitte Papiertaschentücher und ein Glas Wasser holen?«

Wo ist Sweetie? O Gott, wo ist Sweetie? Doch nicht etwa wieder bei dir im Bett?

»Sie sah aus, als würde sie schlafen«, hört Mrs. Paulsson sich sagen.

»Auf dem Rücken? Oder auf dem Bauch? Wie lag sie im Bett? Bitte versuchen Sie sich zu erinnern. Ich weiß, dass es sehr, sehr schwer ist.«

»Sie schlief immer auf der Seite.«

»Lag sie auf der Seite, als Sie ins Zimmer kamen?«, hakt Scarpetta nach.

Ach herrje, Sweetie hat ins Bett gemacht. Sweetie? Wo bist du? Versteckst du dich unter dem Bett? Sweetie? Du warst schon wieder im Bett, stimmt's? Das darfst du doch nicht! Irgendwann gebe ich dich noch mal ins Tierheim. Vor mir kannst du nichts verstecken!

»Nein«, schluchzt Mrs. Paulsson.

Gilly, bitte wach auf, bitte wach auf. Das kann nicht sein! Das kann nicht sein!

Scarpetta hockt neben ihrem Stuhl, blickt ihr in die Augen, hält ihre Hand und sagt etwas.

»Nein!« Mrs. Paulsson wird von Schluchzern geschüttelt. »Sie hatte nichts an. O mein Gott! Gilly hätte doch nie nackt dagelegen. Sie hat ja sogar zum Umziehen ihre Tür zugemacht.«

»Ist ja gut«, tröstet Scarpetta sie. Ihr Blick und ihre Berührung sind sanft. Keine Spur von Furcht ist in ihren Augen. »Holen Sie tief Luft. Versuchen Sie es. Tief einatmen. Ja. Sehr gut. Langsam und tief Luft holen.«

»O Gott, ist das ein Herzinfarkt?«, stößt Mrs. Paulsson in heller Angst hervor. »Sie haben mir mein kleines Mädchen weggenommen. Mein kleines Mädchen ist fort. Oh, wo ist mein kleines Mädchen?«

Marino erscheint mit einer Hand voll Papiertaschentüchern und einem Glas Wasser in der Tür. »Wer sind ›sie‹?«, fragt er.

»O nein, sie ist nicht an der Grippe gestorben, stimmt's? O

nein. O nein. Mein kleines Mädchen ist nicht an der Grippe gestorben. Sie haben sie mir weggenommen.«

»Wer sind ›sie‹?«, wiederholt er. »Glauben Sie, dass mehr als eine Person daran beteiligt war?« Er kommt ins Zimmer, und Scarpetta nimmt ihm das Glas ab.

Sie hilft Mrs. Paulsson, das Wasser in kleinen Schlucken zu trinken. »Sehr gut. Trinken Sie langsam. Tief durchatmen. Beruhigen Sie sich. Haben Sie jemand, der vorübergehend bei Ihnen wohnen kann? Ich möchte nicht, dass Sie zurzeit allein sind.«

»Wer ›sie‹ sind?« Mrs. Paulssons Stimme wird lauter, als sie Marinos Frage wiederholt. »Wer sie sind?« Als sie vom Stuhl aufstehen will, gehorchen ihr die Beine nicht; sie scheinen nicht mehr zu ihr zu gehören. »Ich will Ihnen sagen, wer sie sind.« Ihre Trauer verwandelt sich in eine Wut, die so übermächtig ist, dass sie ihr selbst Angst macht. »Die Leute, die er hierher eingeladen hat. *Die* meine ich. Fragen Sie doch Frank, wer sie sind. Er weiß es.«

22

Im kriminaltechnischen Labor hält der Forensiker Junius Eise einen Wolframfaden in die Flamme eines Bunsenbrenners.

Er ist stolz auf seine selbst gebastelten Werkzeuge, wie sie die Meister am Mikroskop schon seit Jahrhunderten anfertigen. Unter anderem ist es diese Fähigkeit, die ihn in seinen Augen als Puristen und Renaissancemenschen sowie als Liebhaber der Wissenschaft, Geschichte, Ästhetik und schöner Frauen qualifiziert.

Er hält das kurze Stück starren, feinen Drahtes mit einer Zange fest, sieht zu, wie das gräuliche Metall sich rasch leuchtend rot färbt, und stellt sich vor, dass es von Zorn oder Leidenschaft ergriffen wurde. Nachdem er den Draht aus der Flamme genommen hat, wälzt er die Spitze in Sodiumnitrit, wodurch das Wolfram oxidiert und geschärft wird. Ein kurzes Eintauchen in eine Petrischale mit Wasser, und das spitz zulaufende Drahtstück kühlt mit einem Zischen ab.

Er befestigt den Draht in einem Nadelhalter aus Edelstahl und weiß dabei genau, dass er dieses Werkzeug nur angefertigt hat, um Zeit zu gewinnen, sich eine Weile zurückzuziehen, sich auf etwas anderes zu konzentrieren und sich wenigstens vorübergehend einzureden, dass er alles im Griff hat. Er späht durch die Binokularlinsen seines Mikroskops. Das Chaos und Durcheinander sind unverändert geblieben, nur mit dem Unterschied, dass sie nun um das Fünfzigfache vergrößert sind.

»Ich verstehe das nicht«, sagt er zu sich selbst.

Mit seinem neuen Wolframwerkzeug schiebt er die Lack- und Glaspartikel hin und her; diese wurden an der Leiche eines Mannes sichergestellt, der vor wenigen Stunden von seinem eigenen Traktor zermalmt worden ist. Man müsste schon einen Dachschaden haben, um nicht mitzukriegen, dass der Chefpathologe mit einer Klage von Seiten der Familie des Mannes rechnet. Ansonsten wären derartige Spuren bei einem Unfall, noch dazu einem aus grober Fahrlässigkeit, nämlich nicht von Bedeutung. Das Problem ist nur, dass man, wenn man sucht, manchmal auch etwas findet, und jetzt ist Eise auf etwas gestoßen, das für ihn einfach keinen Sinn ergibt. In Augenblicken wie diesem denkt er stets daran, dass er schon dreiundsechzig ist – vor zwei Jahren hätte in Rente gehen können – und wiederholt eine Beförderung zum Leiter der kriminaltechnischen Abteilung ausgeschlagen hat, da er sich nur am Mikroskop zu Hause fühlt. Er braucht weder Haushaltsplanung noch Personalfragen für sein Lebensglück, und außerdem ist sein Verhältnis zum Chefpathologen so miserabel wie nie zuvor.

Im konzentrierten Lichtkegel des Mikroskops schiebt er mit

seinem neuen Wolframwerkzeug Lack- und Glaspartikel auf einem trockenen Objektträger hin und her. Sie sind mit einer anderen Substanz vermischt, einem graubraunen und merkwürdigen Staub, den er noch nie gesehen hat – mit einer wichtigen Ausnahme. Vor zwei Wochen ist er schon einmal auf diesen Staub gestoßen, und zwar in einem ganz anderen Fall, denn er geht davon aus, dass der plötzliche und geheimnisvolle Tod eines vierzehnjährigen Mädchens nichts mit dem Unfall dieses Traktorfahrers zu tun haben kann.

Eise blinzelt, und sein Oberkörper erstarrt. Die Lackpartikel sind etwa so groß wie Schuppen und rot, weiß und blau. Sie stammen nicht von einem Fahrzeug oder gar von einem Traktor, so viel steht fest. Allerdings würde er beim Unfalltod des Traktorfahrers namens Theodore Whitby auch nicht von Autolack ausgehen. Die Lackpartikel und der seltsame graubraune Staub wurden in einer Risswunde im Gesicht des Toten gefunden. Ähnliche, wenn nicht sogar identische Lacksplitter sowie graubraunen Staub hat man in der Mundhöhle der Vierzehnjährigen sichergestellt, hauptsächlich auf ihrer Zunge. Der eigenartige Staub ist es, der Eise am meisten zu schaffen macht, denn so etwas ist ihm noch nie untergekommen. Die Partikel haben eine unregelmäßige Form und sind verkrustet wie getrockneter Schlamm. Aber es ist kein Schlamm. Diese Staubpartikel weisen Risse, Blasen und glatte Stellen auf und haben dünne, transparente Ränder wie die Oberfläche eines ausgedörrten Planeten. Manche zeigen sogar Löcher.

»Was zum Teufel ist das?«, fragt er sich. »Ich habe keine Ahnung, was das sein soll. Und wie kann dieses komische Zeug in zwei Fällen auftreten, zwischen denen unmöglich ein Zusammenhang besteht? Was ist hier nur los?«

Er nimmt eine Pinzette mit nadelspitzen Enden und entfernt vorsichtig einige Baumwollfasern von den Partikeln auf dem Objektträger. Als Licht durch die Linsen des Mikroskops fällt, wirkt die Ansammlung vergrößerter Fasern wie verdrehte weiße Fadenstückchen.

»Ich kann gar nicht sagen, wie sehr ich Wattestäbchen hasse!«, ruft er durch das mehr oder weniger leere Labor. »Wisst ihr, wie furchtbar Wattestäbchen nerven können?«, fragt er in den großen eckigen Raum voller schwarzer Arbeitsflächen, Absaughauben, Arbeitsplätze, Mikroskope und anderer Gegenstände aus Glas und Metall und Chemikalien hinein, die in seinem Beruf von Nöten sind.

Die meisten Mitarbeiter befinden sich nicht an ihrem Platz, sondern in anderen Labors auf dieser Etage, wo sie sich mit Atomabsorption, Gaschromatographie, Massenspektroskopie, der Untersuchung von Kristallstrukturen durch gebrochene Röntgenstrahlung, dem Fourier-Transform-Infrarot-Spektrophometer, dem Elektronenmikroskop oder SEM/Energiestreuungs-Röntgenspektrometer und anderen Gerätschaften beschäftigen. In einer Welt, die von einem endlosen Rückstau unerledigter Arbeiten sowie knappen Budgets bestimmt wird, nehmen Wissenschaftler, was sie kriegen können, stürzen sich auf technische Apparaturen wie auf Pferde und reiten sie, bis sie den Geist aufgeben.

»Es ist allgemein bekannt, wie sehr Sie Wattestäbchen hassen«, meint Kit Thompson, Eises momentane Laborkollegin.

»Aus all den Baumwollfasern, die ich im Laufe meines kurzen Lebens gesammelt habe, könnte ich inzwischen eine riesige Decke weben«, erwidert er.

»Warum tun Sie das nicht? Das würde ich schon lange gern mal sehen.«

Eise greift nach der nächsten Faser. Sie sind nicht leicht zu erwischen. Immer wenn er die Pinzette oder die Wolframnadel bewegt, lässt ein leichter Lufthauch die Faser verrutschen. Er stellt die Schärfe ein und verringert die Vergrößerung auf das Vierzigfache, damit er besser sieht. Mit angehaltenem Atem starrt er in den hellen Lichtkreis und versucht herauszufinden, was ihm der zu sagen hat. Welches physikalische Gesetz zwingt eine von einem Luftzug aufgescheuchte Faser, sich von einem wegzubewegen, als wäre sie lebendig und auf der Flucht? Warum wird die Faser nicht stattdessen herangeweht, sodass man sie besser einfangen kann?

Als er die Linse des Objektivs noch ein paar Millimeter zurückdreht, ragen die Enden der Pinzette riesengroß in sein Gesichtsfeld. Der Lichtkreis lässt ihn an eine hell erleuchtete Zirkusmanege denken. Kurz sieht er dressierte Elefanten und Clowns in einem Licht, das so hell ist, dass es ihm in den Augen schmerzt. Er erinnert sich, dass er in hölzernen Bankreihen gesessen und zugesehen hat, wie rosafarbene Zuckerwattewolken vorbeischwebten. Vorsichtig nimmt er die nächste Baumwollfaser, hebt sie vom Objektträger und lässt sie in eine kleine durchsichtige Plastiktüte fallen. Diese ist bereits mit weiteren fasrigen Abfällen gefüllt, bei denen es sich eindeutig um Verunreinigungen der Marke Q-Tips handelt, die als Beweismittel nicht viel hergeben.

Dr. Marcus ist der schlimmste Chaot von allen. Welches Problem hat dieser Mensch nur, zum Teufel? Eise hat ihm schon unzählige Aktennotizen geschickt, in denen er ihn angefleht hat, seine Mitarbeiter Spuren mit Klebebändern abnehmen zu lassen und – bitte, bitte – keine Wattestäbchen zu verwenden, da diese aus Milliarden von Fasern bestehen, die leichter sind als die Küsse von Engeln und sich mit den Beweisen vermischen.

Wie die Haare einer weißen Angorakatze auf einer schwarzen Samthose, hat er vor ein paar Monaten an Dr. Marcus geschrieben. So als wollte man den Pfeffer aus einer Portion Kartoffelpüree pflücken oder den Kaffeeweißer wieder aus dem Kaffee entfernen. Und noch ein paar der bemühten Sprachbilder und Übertreibungen mehr.

»Letzte Woche habe ich ihm zwei Rollen Klebeband mit geringer Haftkraft geschickt«, sagt Eise. »Und wieder ein Paket Post-Its, auf denen ich ihn daran erinnert habe, dass diese Klebebänder sich ausgezeichnet dazu eignen, Haare und Fasern von Gegenständen abzunehmen, da sie die Beweisstücke weder zerbrechen noch verdrehen und sie vor allem nicht mit Baumwollfasern zudecken. Ganz zu schweigen davon, dass sie bei der Untersuchung mit gebrochenen Röntgenstrahlen nicht stören und die übrigen Ergebnisse nicht verzerren. Schließlich sitzen wir nicht aus Jux und Dollerei tagelang hier herum, um die Fasern wieder aus den Proben herauszuklauben.«

Stirnrunzelnd schraubt Kit eine Flasche Permount-Fixierflüssigkeit auf. »Den Pfeffer aus dem Kartoffelpüree pflücken? Sie haben Dr. Marcus Post-Its geschickt?«

Wenn die Pferde mit Eise durchgehen, sagt er genau das, was er denkt. Er bemerkt nicht immer – und vermutlich ist es ihm auch egal –, dass ihm das, was ihm gerade eingefallen ist, für alle gut hörbar über die Lippen kommt. »Ich will nur darauf hinaus«, sagt er, »dass Dr. Marcus, oder wer auch immer die Mundhöhle des kleinen Mädchens untersucht hat, diese gründlich mit Wattestäbchen ausgewischt hat. Aber bei der Zunge war das wirklich überflüssig. Die Zunge hat er doch rausgeschnitten, richtig? Sie lag direkt vor ihm auf dem Schneidebrett, und er konnte deutlich sehen, dass sich Spuren darauf befinden. Also hätte er Klebeband benützen können. Aber nein, es mussten natürlich wieder Q-Tips sein, und jetzt kann ich meinen Tag damit zubringen, Baumwollfasern auszusortieren.«

Wenn ein Mensch – insbesondere ein Kind – auf eine Zunge auf einem Schneidebrett reduziert wurde, wird er namenlos. So ist es nun einmal. Man sagt eben nicht, man habe die Hand in Gilly Paulssons Hals gesteckt, mit einem Skalpell das Gewebe zurückgeschlagen, die Organe aus ihrer Kehle entfernt und ihr die Zunge aus dem Mund gerissen. Man würde ja auch niemals sagen, man habe eine Nadel in das linke Auge des kleinen Timmy gestochen, um Glaskörperflüssigkeit für toxikologische Tests zu entnehmen. Oder man habe Mrs. Jones die Schädeldecke aufgesägt, ihr Gehirn entnommen und ein aufgeplatztes Aneurisma entdeckt. Oder es seien zwei Ärzte nötig gewesen, um Mr. Fords Kiefermuskeln zu durchtrennen, da die Leichenstarre bereits eingetreten und der Tote sehr muskulös gewesen sei, sodass man seinen Mund einfach nicht aufkriegte.

Dieser Augenblick der Erkenntnis zieht rasch über Eises Gedanken hinweg wie der Schatten des Totenvogels. So nennt er es zumindest. Wenn er dann aufblickt, ist nichts zu sehen, da ist nur dieses Gefühl. Weiter will er sich auf derartige Gedanken nicht einlassen, denn wenn das Leben eines Menschen erst einmal zerstückelt worden ist und in Form von Proben unter seinem

Mikroskop landet, ist es nicht ratsam, zu gründlich Ausschau nach dem Totenvogel zu halten. Sein Schatten allein ist schon mehr, als ein Mensch ertragen kann.

»Ich dachte, Dr. Marcus wäre zu beschäftigt und ein viel zu wichtiger Mann, um selbst Autopsien durchzuführen«, meint Kit. »Ich kann die Male, die ich ihn hier zu Gesicht bekommen habe, an einer Hand abzählen.«

»Das spielt keine Rolle. Er ist der Vorgesetzte und bestimmt die Regeln. Außerdem ist er derjenige, der die Bestellformulare für Q-Tips oder die Billigversion dieser Dinger abzeichnet. Also ist er in meinen Augen der Alleinschuldige.«

»Tja, ich glaube nicht, dass er das Mädchen obduziert hat. Auch nicht den Traktorfahrer, der bei dem alten Gebäude umgekommen ist«, erwidert Kit. »Mit so was würde der sich nie die Hände schmutzig machen. Er spielt lieber den Boss und kommandiert alle herum.«

»Haben Sie noch genug Eise-Nadeln?«, fragt Eise, während seine schlanke Hand rasch und sicher mit der Wolframnadel hantiert.

Das Anfertigen seiner Wolframnadeln geschieht bei ihm in zwanghaften Schüben, worauf die Gerätschaften dann wie durch Zauberhand auf den Schreibtischen seiner Kollegen landen.

»Eine neue Eise-Nadel ist nie zu verachten«, antwortet Kit wenig begeistert, als ob sie eigentlich gar keine möchte. Doch in seiner Phantasie ziert sie sich nur, weil sie ihm keine Umstände machen möchte. »Wissen Sie was? Ich werde dieses Haar nicht dauerhaft konservieren.« Sie schraubt die Permount-Flasche wieder zu.

»Wie viele haben Sie von dem kranken Mädchen?«

»Drei«, erwidert Kit. »Bei meinem Glück wird das DNS-Labor nämlich beschließen, dass es die Haare doch braucht, obwohl letzte Woche kein großes Interesse daran bestand. Also lasse ich dieses Haar und die anderen erst mal in Ruhe. Zurzeit führen sich alle auf wie die Verrückten. Jessie war in einem Schabe-raum, als ich ankam. Sie waren dort mit der Bettwäsche zugange. Offenbar sucht das DNS-Labor nach etwas, das man beim ersten

Mal nicht gefunden hat, und Jessie hätte mir fast den Kopf abgerissen, als ich gewagt habe zu fragen, was da los ist. Jedenfalls ist etwas Merkwürdiges im Busch. Wie wir beide wissen, haben sie die Bettwäsche vor einer Woche schon einmal im Schaberaum untersucht. Woher, glauben Sie, habe ich denn diese Haare? Komisch. Ob es an der Vorweihnachtszeit liegt? Ich hatte noch gar keine Gelegenheit, mir Gedanken über Geschenke zu machen.«

Sie schiebt eine Pinzette mit nadelfeiner Spitze in einen kleinen Asservatenbeutel aus Plastik und holt ein weiteres Haar heraus. Aus Eises Perspektive ist es fünfzehn bis achtzehn Zentimeter lang, schwarz und lockig. Er sieht zu, wie Kit es auf einem Objektträger arrangiert, einen Tropfen Xylol und ein Abdeckplättchen darauf gibt und so ein schwereloses, kaum zu sehendes Beweisstück, sichergestellt in der Bettwäsche eines toten Mädchens, das Farbpartikel und einen seltsamen graubraunen Staub im Mund hatte, in eine Probe für das Mikroskop verwandelt.

»Tja, Dr. Marcus ist eben nicht Dr. Scarpetta«, sagt Kit.

»Sie haben nur fünf Jahre gebraucht, um dahinterzukommen? Zuerst dachten Sie bestimmt, Dr. Scarpetta hat sich komplett ummodeln lassen und sich in das kleine verhuschte Männlein verwandelt, das inzwischen hier den Chef spielt. Inzwischen hatten Sie ein Aha-Erlebnis und haben bemerkt, dass es sich um zwei völlig unterschiedliche Personen handelt. Und das ohne DNS-Test. Alle Achtung, Mädchen. Bei so viel Grips sollten Sie eigentlich Ihre eigene Show im Fernsehen haben.«

»Spinner«, sagt Kit und muss so heftig lachen, dass sie vom Mikroskop zurückweicht, weil sie befürchtet, durch zu heftiges Atmen die Beweisstücke wegzupusten.

»Ich habe zu viele Jahre lang Xylol eingeatmet, Schätzchen. Und jetzt habe ich Persönlichkeitskrebs.«

»O Gott«, keucht sie lachend und schnappt nach Luft. »Ich wollte damit nur sagen, dass Sie keine Baumwollfasern aus Ihren Proben klauben müssten, wenn Dr. Scarpetta diesen Fall oder die anderen bearbeitet hätte. Wissen Sie eigentlich, dass sie hier ist?

Sie wurde wegen des toten Mädchens gerufen, der kleinen Paulsson. So wird wenigstens gemunkelt.«

»Das soll wohl ein Witz sein.« Eise traut seinen Ohren nicht.

»Wenn Sie abends nicht immer als Erster nach Hause gehen würden und nicht so ein Eigenbrötler wären, würden Sie vielleicht auch mal ein paar Gerüchte mitkriegen«, erwidert sie.

Es stimmt zwar, dass Eise nicht zu den Menschen gehört, die sich nach fünf Uhr nachmittags noch im Labor herumdrücken, doch dafür ist er morgens auch der Erste, der dort erscheint, und kommt selten später als Viertel nach sechs. »Ich hätte gedacht, dass Dr. Großkotz die Letzte wäre, die man wegen irgendwas hinzuzieht.«

»Dr. Großkotz? Wo haben Sie denn das her?«

»Erdnussgalerie.«

»Offenbar kennen Sie sie nicht, sonst würden Sie sie nicht so nennen.« Kit legt die Probe unter das Mikroskop. »Ich würde sie sofort um Rat fragen, und zwar ohne erst zwei Wochen zu warten. Dieses Haar ist schwarz gefärbt, genau wie die beiden anderen. Mist. Damit kann ich sowieso nichts anfangen. Es sind keine Pigmente zu erkennen, und an der Oberfläche haftet offenbar irgendeine Kurspülung gegen krauses Haar. Ich wette, sie werden sich für einen Mitochondrien-Test entscheiden. Die von der DNS werden meine drei kostbaren Haare ins allmächtige Labor in Bode schicken. Warten Sie's ab. Wirklich seltsam. Vielleicht hat Dr. Scarpetta ja herausgefunden, dass das arme kleine Mädchen ermordet worden ist. Das könnte dahinterstecken.«

»Dann fixieren Sie die Haare besser nicht«, meint Eise. Früher war die DNS-Untersuchung nichts weiter als ein Zweig der forensischen Wissenschaft. Inzwischen jedoch ist sie die Silberkugel, der Blockbuster, der Superstar und heimst alles Geld und allen Ruhm ein.

»Keine Sorge«, erwidert Kit und blickt in ihr Mikroskop. »Keine Demarkationslinie, das ist aber interessant. Und außerdem ungewöhnlich bei gefärbtem Haar. Das heißt nämlich, dass das Haar nach dem Färben noch keinen Bruchteil eines Millimeters nachgewachsen war.« Sie schiebt den Objektträger unter der Linse herum.

Eise beobachtet sie neugierig. »Keine Wurzel? Ausgefallen, ausgerissen, abgebrochen, eingeklemmt, mit dem Lockenstab beschädigt, versengt, abgeschnitten, gespaltene Spitzen? Oder abgezwickt, glatt oder spitz zulaufend? Los, Mädchen, raus mit der Sprache«, sagt er.

»Eindeutig sauber. Keine Wurzel. Spitz zulaufend abgeschnitten. Alle drei Haare sind schwarz gefärbt und haben keine Wurzel, und das ist komisch. Bei allen dreien, nicht nur bei einem, wurden beide Enden abgeschnitten. Nicht an der Wurzel ausgerissen oder abgebrochen. Diese Haare sind nicht einfach ausgefallen. Sie wurden abgeschnitten. Und jetzt verraten Sie mir mal, warum ein Haar an beiden Seiten abgeschnitten ist.«

»Vielleicht kam der Betreffende gerade vom Friseur. Die abgeschnittenen Haare könnten sich auch auf seiner Kleidung, zwischen den restlichen Haaren auf dem Kopf, auf dem Teppich oder sonst irgendwo befunden haben.«

Kit runzelt die Stirn. »Wenn Dr. Scarpetta im Haus ist, würde ich sie gerne sehen. Nur um mal hallo zu sagen. Ich fand es sehr schade, dass sie gegangen ist. Dr. Marcus, dieser Blödmann … ›Ich fühle mich gar nicht wohl. Heute beim Aufwachen hatte ich Kopfschmerzen, und jetzt tun mir die Gelenke weh.‹«

»Möglicherweise will sie ja nach Richmond zurückkommen«, mutmaßt Eise. »Ob sie deshalb hier ist? Zumindest hat sie die Proben, die sie uns geschickt hat, nie falsch beschriftet, und wir wussten genau, wo sie hingehörten. Sie hatte nichts dagegen, die Fälle zu erörtern, und ist zu uns gekommen, anstatt uns wie Fertigungsroboter bei General Motors zu behandeln und so zu tun, als könnten wir ihr alle nicht das Wasser reichen. Außerdem hat sie nicht sämtliche Spuren mit Wattefusseln zugedeckt, wenn sie sie auch mit Klebeband, Post-Its oder wie wir es sonst empfohlen haben, abnehmen konnte. Vermutlich haben Sie Recht. Offenbar irrt die Erdnussgalerie.«

»Was zum Teufel ist eine Erdnussgalerie?«

»Keine Ahnung.«

»Es ist absolut keine Rindenstruktur zu sehen«, meint Kit, während sie das vergrößerte schwarz gefärbte Haar betrachtet, das im Lichtkreis so groß wie ein dunkler Baum im Winter wirkt. »Als hätte es jemand in schwarze Tinte getaucht. Keine Demarkationslinie zu erkennen. Also wurde es entweder erst vor kurzem gefärbt oder unterhalb der nachgewachsenen ungefärbten Wurzel abgeschnitten.«

Während sie den Objektträger herumschiebt und Schärfe und Vergrößerungsstufe einstellt, macht sie sich Notizen und versucht, dem gefärbten Haar Informationen zu entlocken. Doch es schweigt beharrlich. Die unverwechselbaren Eigenschaften der Pigmente in der obersten Schicht wurden durch die Farbe verdeckt wie bei einem mit Tinte übermalten Fingerabdruck, bei dem keine Wellen mehr sichtbar sind. Gefärbtes, gebleichtes, dauergewelltes oder graues Haar, mit dem die Hälfte der Bevölkerung herumläuft, ist unter dem Mikroskop wenig aufschlussreich. Allerdings erwarten Geschworene heutzutage, dass ihnen ein Haar die Frage nach dem Wer, Was, Wann, Wo, Warum und Wie beantwortet.

Was die Unterhaltungsindustrie aus seinem Beruf gemacht hat, ärgert Eise. Von Leuten, die er kennen lernt, hört er immer wieder, wie sehr sie ihn um seinen aufregenden Beruf beneiden, obwohl er alles andere als spannend ist. Eise sucht weder Tatorte auf, noch trägt er eine Waffe. Das hat er noch nie getan. Er bekommt auch keine geheimnisvollen Anrufe, worauf er in einen High-Tech-Schutzanzug springt und in einem Spurensicherungs-Geländefahrzeug losbraust, um nach Fasern, Fingerabdrücken, DNS oder Marsmännchen zu suchen. So etwas ist die Aufgabe von Polizisten und Spurensicherungsexperten, forensischen Pathologen und Ermittlern. In der guten alten Zeit, als das Leben noch einfach war und forensische Wissenschaftler von der Öffentlichkeit in Ruhe gelassen wurden, fuhren Detectives von der Mordkommission wie Pete Marino in ihren schrottreifen Klapperkisten zum Tatort, sammelten eigenhändig die Beweise ein und wussten, was sie mitnehmen mussten und was sie getrost liegen lassen konnten.

Es ist überflüssig, einen ganzen gottverdammten Parkplatz zu staubsaugen. Man braucht auch nicht das gesamte Schlafzimmer einer armen Frau in Zweihundert-Liter-Müllsäcken abzutransportieren und den ganzen Mist hierher zu schaffen. Das ist, als würde ein Goldsucher das Flussbett mit nach Hause nehmen, anstatt es zuerst sorgfältig zu durchsieben. Allerdings gibt es auch andere, tiefer liegende Probleme, weshalb Eise immer wieder mit dem Gedanken spielt, in Rente zu gehen. Er hat keine Zeit für die Forschung oder auch nur ein bisschen Spaß und wird ständig mit Papierkram drangsaliert, der ebenso fehlerfrei erledigt werden will wie seine Analysen. Er leidet an Augenschmerzen und Schlaflosigkeit. Nur selten erntet er Dank oder Lob, wenn ein Fall aufgeklärt worden ist und der Schuldige bekommt, was er verdient. In was für einer Welt leben wir nur? Und es ist eindeutig schlimmer geworden.

»Wenn Sie Dr. Scarpetta treffen«, meint Eise, »erkundigen Sie sich nach Marino. Wir beide haben uns oft nett unterhalten, wenn er herkam, und im Polizeiclub ein paar Bierchen getrunken.«

»Er ist auch dabei«, antwortet Kit. »Er begleitet sie ... Ich fühle mich wirklich ein bisschen komisch. So ein Kitzeln im Hals, und ich habe Schmerzen. Hoffentlich kriege ich keine bescheuerte Grippe.«

»Er ist hier? Du heiliger Strohsack! Dann werde ich den alten Jungen gleich mal anrufen. Das ist ja große Klasse. Also arbeitet er auch an dem toten Mädchen.«

So wird Gilly Paulsson inzwischen genannt, wenn man überhaupt irgendeine Bezeichnung für sie verwendet. Es ist leichter, nicht den wirklichen Namen zu benutzen, vorausgesetzt, dass man sich an ihn erinnert. Opfer werden zu dem, wo man sie gefunden hat oder was ihnen angetan wurde. Die Kofferfrau. Die Kloakenfrau. Das Müllhaldenbaby. Der Rattenmann. Der Isolierbandmann. Was die Geburtsnamen dieser Menschen betrifft, hat Eise zumeist keine Ahnung. Und das ist ihm auch lieber so.

»Falls Scarpetta eine Theorie hat, warum im Mund des toten Mädchens roter, weißer und blauer Lack und dieser merkwürdige Staub gefunden wurde, würde ich die gerne hören«, sagt er. »Offenbar handelt es sich um rot, weiß und blau lackiertes Metall.

Aber es ist auch unlackiertes Metall dabei, kleine schimmernde Splitter. Und noch etwas, von dem ich nicht sagen kann, was es ist.« Wie unter Zwang schiebt er das Material auf dem Objektträger herum. »Als Nächstes führe ich eine Untersuchung mit dem Spektrometer durch, um festzustellen, mit was für einem Metall wir es zu tun haben. Gab es im Haus des toten Mädchens irgendwas Rot-Weiß-Blaues? Ich glaube, ich mache mich mal auf die Suche nach dem alten Marino und geb ihm ein paar kühle Bierchen aus. Junge, ich könnte selbst auch einen Schluck gebrauchen.«

»Reden Sie nicht von Bier«, meint Kit. »Mir ist wirklich nicht gut. Ich weiß, dass wir uns an den Abstrichen und den Klebestreifen nicht anstecken können, aber manchmal, wenn sie den Mist vom Leichenschauhaus hochschicken, kommen mir trotzdem Zweifel.«

»Quatsch. All die klitzekleinen Bakterien sind mausetot, wenn sie bei uns landen«, erwidert Eise und sieht sie an. »Wenn Sie genau hinschauen, werden Sie merken, dass sie winzige Zettelchen am großen Zeh haben ... Sie sehen tatsächlich blass aus, Mädchen.« Er nimmt ihren plötzlichen Anfall von Unwohlsein nur ungern ernst, denn ohne Kit ist es einsam hier oben. Aber sie fühlt sich offenbar krank, und es wäre nicht richtig von ihm, das zu ignorieren. »Warum machen Sie keine Pause, Mädchen? Haben Sie sich eigentlich gegen Grippe impfen lassen? Als ich mich endlich dazu aufgerafft hatte, war ihnen der Impfstoff ausgegangen.«

»Bei mir war's genauso. Ich habe nirgendwo mehr einen Termin gekriegt«, antwortet sie und steht auf. »Ich glaube, ich koche mir mal einen heißen Tee.«

23

Lucy ist schlecht im Delegieren. Sosehr sie sich auch auf Rudy verlässt, vertraut sie ihm in letzter Zeit nur noch ungern ihre Arbeit an, und zwar wegen Henri und seiner Abneigung gegen sie. Deshalb sieht sie das ausgedruckte Ergebnis ihrer IAFIS-Recherche selbst durch, während sie in ihrem Büro sitzt und, die Kopfhörer auf dem Kopf, die Mitschnitte der banalen Telefonate ihrer Nachbarin Kate abhört. Es ist früh am Donnerstagmorgen.

Gestern am späten Abend hat Kate sie zurückgerufen und eine Nachricht auf dem Mobiltelefon hinterlassen. »Umarmung und Küsschen wegen der Karten«, und: »Wer ist die Poolpflegerin? Jemand Berühmtes?« Lucy hat eine Poolpflegerin, die nicht berühmt, sondern eine Brünette über Fünfzig ist, die viel zu zierlich wirkt, um einen Kescher zu schwingen; Lucys Pechsträhne reißt auch bei ihrer IAFIS-Recherche nicht ab, denn diese hat keinen plausiblen Kandidaten zutage gefördert, was heißt, dass die automatische Suche vergeblich war. Latente Fingerabdrücke mit latenten Fingerabdrücken zu vergleichen, ist ein Glücksspiel, insbesondere dann, wenn einige davon nur teilweise vorhanden sind.

Jeder der zehn Fingerabdrücke eines Menschen ist unverwechselbar. So stimmt zum Beispiel der Abdruck vom linken Daumen einer Person nicht mit dem ihres rechten überein. Deshalb kann IAFIS bei einer unbekannten latenten Spur nur einen Treffer landen, wenn der Täter einen Abdruck seines rechten Daumens an dem einen Tatort und eine Spur desselben Fingers an einem anderen hinterlassen hat und beide Abdrücke in die Datenbank eingegeben wurden. Hinzu kommt, dass die beiden Abdrücke entweder vollständig sein oder denselben Wellenausschnitt zeigen müssen.

Bei einem manuellen oder visuellen Vergleich hingegen sieht die Sache schon ganz anders aus, und Lucy beginnt wieder Hoffnung zu schöpfen. Manche der latenten Teilabdrücke, die sie von der Zeichnung abgenommen hat, stimmen mit einigen Spuren überein, die sie nach dem Überfall auf Henri im Schlafzimmer sicherstellen konnte. Das erstaunt Lucy zwar nicht weiter, aber sie freut sich dennoch, dass sie nun die Bestätigung hat. Dieselbe Person ist in ihr Haus eingedrungen, hat die Zeichnung von dem Auge hinterlassen und den schwarzen Ferrari zerkratzt, obwohl am Auto keine Fingerabdrücke gefunden wurden. Doch wie viele Mistkerle gibt es schon, die herumlaufen und Augen zeichnen? Also muss er es gewesen sein, obwohl die Übereinstimmungen Lucy nichts über seine Identität verraten. Sie weiß nur, dass ein und derselbe Mensch ihr all diese Schwierigkeiten bereitet und dass seine Fingerabdrücke weder bei IAFIS noch offenbar sonst irgendwo gespeichert sind. Anscheinend verfolgt er Henri immer noch und ahnt nicht, dass sie inzwischen weit weg ist. Oder er nimmt an, dass sie zurückkommt oder zumindest von seiner letzten Aktion erfährt.

Die Bestie glaubt sicher, dass Henri zumindest von der an die Tür gehefteten Zeichnung gehört hat. Wenn Henri sich deshalb wieder aufregt und es mit der Angst zu tun kriegt, kehrt sie vielleicht gar nicht mehr zurück. Für die Bestie ist es nur wichtig, Macht über sie auszuüben. Darauf kommt es Leuten, die andere Menschen verfolgen, nämlich an. Sie wollen ihre Opfer kontrollieren und nehmen sie gewissermaßen in Geiselhaft, ohne dass sie sie dazu auch nur anzurühren bräuchten. Manchmal müssen sie ihnen sogar nicht einmal begegnen. Soweit Lucy weiß, kennt die Bestie Henri nicht persönlich. Doch was weiß sie schon?

Sie blättert den Ausdruck einer anderen Computerrecherche durch, die sie letzte Nacht durchgeführt hat, und überlegt, ob sie ihre Tante anrufen soll. Lucy hat schon eine Weile nicht mehr mit Scarpetta telefoniert, und inzwischen fällt ihr keine glaubhafte Ausrede mehr dafür ein. Sie und ihre Tante verbringen die meiste Zeit in Südflorida und wohnen nicht einmal eine Autostunde voneinander entfernt. Im letzten Sommer ist Scarpetta von Del Ray nach Las Olas gezogen, doch Lucy hat sie nur einmal in ihrem neuen Zuhause besucht, und zwar vor einigen Monaten. Je mehr Zeit vergeht, desto schwerer fällt ihr der Anruf. Unausgesprochene Fragen werden zwischen ihnen in der Luft hängen, und sicher wird es verkrampft werden. Doch Lucy kommt zu dem Schluss, dass es nicht richtig wäre, ihre Tante unter den gegebenen Umständen nicht anzurufen. Also greift sie zum Telefon.

»Sie wollten geweckt werden«, sagt sie, als ihre Tante abhebt.

»Wenn du nicht mehr zu bieten hast … So nimmt dir das niemand ab«, erwidert Scarpetta.

»Was meinst du damit?«

»Du klingst nicht wie die Empfangsdame, und außerdem habe ich keinen Weckruf bestellt. Wie geht es dir? Und wo bist du?«

»Immer noch in Florida«, antwortet Lucy.

»Immer noch? Heißt das, du willst wieder weg?«

»Ich weiß nicht. Kann sein.«

»Wohin?«

»Ich bin nicht sicher«, entgegnet Lucy.

»Gut. Woran arbeitest du?«

»Ein Mann, der Frauen verfolgt.«

»Solche Fälle sind immer schwierig.«

»Das kannst du laut sagen. Und diesmal ist es anders als sonst. Aber ich darf nicht darüber reden.«

»Das darfst du nie.«

»Du redest doch auch nicht über deine Fälle«, sagt Lucy.

»Normalerweise nicht.«

»Und was gibt es sonst Neues?«

»Nichts. Wann treffen wir uns mal wieder? Ich habe dich seit September nicht gesehen.«

»Ich weiß … Was machst du eigentlich in der großen, bösen Stadt Richmond?«, fragt Lucy. »Worüber wird zurzeit dort gestritten? Irgendwelche neuen Denkmäler? Oder vielleicht die jüngste Deichverschönerung?«

»Ich versuche die Hintergründe des Todes eines Mädchens aufzudecken. Gestern hätte ich eigentlich mit Dr. Fielding essen gehen sollen. Erinnerst du dich an ihn?«

»Na klar. Wie geht es ihm? Ich wusste gar nicht, dass er noch dort ist.«

»Nicht sehr gut«, antwortet Scarpetta.

»Weißt du noch, wie er mich in sein Fitness-Studio mitgenommen hat und wir dort zusammen Gewichte gestemmt haben?«

»Er geht nicht mehr ins Fitness-Studio.«

»Was? Ich bin schockiert. Jack geht nicht mehr ins Fitness-Studio. Das ist ja wie … Mir fällt kein passender Vergleich ein. Siehst du, was passiert, wenn du nicht mehr da bist? Die Welt gerät aus den Fugen.«

»Heute Morgen kannst du mir nicht schmeicheln. Ich habe eine schreckliche Laune«, entgegnet Scarpetta.

Lucy bekommt ein schlechtes Gewissen. Es ist ihre Schuld, dass Scarpetta nicht in Aspen ist.

»Hast du mit Benton gesprochen?«, erkundigt sie sich beiläufig.

»Er ist beruflich beschäftigt.«

»Das bedeutet nicht, dass du ihn nicht anrufen kannst.« Das Schuldgefühl in Lucys Magen wird stärker.

»Momentan bedeutet es das.«

»Hat er dir gesagt, du sollst nicht anrufen?« Lucy stellt sich Henri in Bentons Stadthaus vor. Sie würde lauschen. Ganz sicher würde sie das. Lucy wird vor lauter Schuldgefühlen und Angst ganz flau.

»Ich bin gestern zu Jack gefahren, aber er hat nicht aufgemacht«, wechselt Scarpetta das Thema. »Ich hatte das komische Gefühl, dass er zu Hause ist. Aber er ist nicht an die Tür gegangen.«

»Was hast du getan?«

»Ich bin wieder gegangen. Vielleicht hatte er unsere Verabredung ja vergessen. Er hat ziemlich viel um die Ohren und macht sich eindeutig Sorgen.«

»Das war bestimmt nicht der Grund. Wahrscheinlich wollte er dich nicht sehen. Es könnte ja sein, dass der Zug für ihn abgefahren ist und es nichts mehr zu retten gibt. Ich habe mir erlaubt, ein bisschen in Dr. Joel Marcus' Vergangenheit herumzuwühlen«, sagt Lucy. »Ich weiß, dass du mich nicht darum gebeten hast. Aber das hättest du vermutlich sowieso nie getan, stimmt's?«

Scarpetta schweigt.

»Tante Kay, er ist sicher bestens über dich informiert. Also solltest du auch über ihn im Bilde sein«, fährt sie gekränkt fort. Sie ist machtlos dagegen, dass sie sich ärgert und verletzt fühlt.

»Meinetwegen«, sagt Scarpetta. »Ich finde es zwar nicht unbedingt richtig, aber verrat es mir ruhig. Schließlich kann ich nicht leugnen, dass die Zusammenarbeit mit ihm nicht unbedingt einfach ist.«

»Am interessantesten ist«, beginnt Lucy und fühlt sich schon ein wenig besser, »wie wenig Informationen es über ihn gibt. Der Typ hat kein Leben. Er wurde in Charlottesville geboren, Vater Lehrer an einer staatlichen Schule, Mutter 1965 bei einem Autounfall gestorben. Studium an der University of Virginia. Also stammt er aus Virginia und hat hier seine Ausbildung durchlaufen. Und trotzdem hat er nie an einem gerichtsmedizinischen Institut in Virginia gearbeitet, bevor er vor vier Monaten zum Chef berufen wurde.«

»Dass er bis zum letzten Sommer nie an einem gerichtsmedizinischen Institut in Virginia gearbeitet hat, hätte ich dir auch sagen können«, entgegnet Scarpetta. »Also war es überflüssig, dass du teure Recherchen durchgeführt, dich in den Pentagon-Computer gehackt oder sonst etwas angestellt hast, um mir das mitzuteilen. Außerdem weiß ich nicht, ob es klug ist, wenn ich mir das anhöre.«

»Seine Ernennung zum Chefpathologen ist absolut merkwürdig und ergibt überhaupt keinen Sinn«, spricht Lucy weiter. »Er war eine Zeit lang Privatpathologe in einem kleinen Krankenhaus in Maryland und hat erst mit Anfang vierzig eine forensische Facharztausbildung gemacht und die Zulassungsprüfung abgelegt. Beim ersten Anlauf ist er durchgefallen.«

»Wo hat er die Facharztausbildung absolviert?«

»Oklahoma City«, antwortet Lucy.

»Ich bin wirklich nicht sicher, ob ich mir das anhören sollte.«

»Eine Weile war er als forensischer Pathologe in New Mexico tätig. Keine Ahnung, was er zwischen 1993 und 1998 getrieben hat, außer dass er sich von einer Krankenschwester scheiden ließ. Keine Kinder. 1999 zog er nach St. Louis, arbeitete dort im Büro des Leichenbeschauers und siedelte anschließend nach Richmond über. Er fährt einen zwölf Jahre alten Volvo und hat noch nie ein Eigenheim besessen. Vielleicht interessiert es dich ja, dass das Haus, das er momentan gemietet hat, in Henrico County, nicht weit vom Willow-Lane-Einkaufszentrum, steht.«

»Ich will das wirklich nicht wissen«, sagt Scarpetta. »Es reicht.«

»Er wurde nie verhaftet. Ich dachte, das ist möglicherweise von Interesse für dich. Nur ein paar Strafzettel, nichts Dramatisches.«

»Das gehört sich nicht«, protestiert Scarpetta. »Ich möchte es nicht hören.«

»Kein Problem«, erwidert Lucy in dem Tonfall, den sie immer annimmt, wenn ihre Tante sie gerade entmutigt und gekränkt hat. »Das war sowieso schon das Wichtigste. Ich könnte ja noch mehr rauskriegen, aber vorläufig war das alles.«

»Lucy, mir ist klar, dass du mir helfen möchtest. Du bist wirklich ein Wunder, und ich hoffe, dass du dich niemals an meine Fersen heftest. Außerdem ist Dr. Marcus ganz und gar kein sympathischer Mensch, und der Himmel weiß, was er vorhat. Doch solange nichts auf seine mangelnden ethischen Grundsätze hinweist oder ihn zu einer Gefahr macht, möchte ich nichts über seine Vergangenheit wissen. Verstehst du das? Also brauchst du nicht weiterzusuchen.«

»Aber er ist gefährlich«, gibt Lucy, immer noch im selben Tonfall, zurück. »Wenn man einen Verlierer wie ihn auf so einen Posten setzt, muss das zu Problemen führen. Gütiger Himmel! Wer hat ihn denn bloß eingestellt? Und warum? Ich wage gar nicht, mir auszumalen, wie sehr er dich wohl hasst.«

»Ich möchte nicht darüber reden.«

»Die Gouverneurin ist doch eine Frau«, fährt Lucy fort. »Warum um alles in der Welt ernennt eine Frau so eine Flasche?«

»Ich möchte nicht darüber reden.«

»Natürlich wird die Entscheidung meistens nicht von den Politikern getroffen. Sie unterschreiben nur die Papiere, und sie hatte vermutlich Wichtigeres im Kopf.«

»Hast du mich angerufen, nur um mich aufzuregen? Warum tust du das? Bitte lass es. Ich habe so schon genug Ärger.«

Lucy schweigt.

»Lucy? Bist du noch dran?«, fragt Scarpetta.
»Ja.«
»Ich kann Telefone nicht ausstehen«, sagt Scarpetta. »Ich habe dich seit September nicht gesehen, und ich glaube langsam, du gehst mir aus dem Weg.«

24

Er sitzt, die aufgeschlagene Zeitung auf dem Schoß, in seinem Wohnzimmer, als er die Müllabfuhr hört.

Der Motor weist das typische Dieseltuckern auf, und wenn der Müllwagen am Ende der Auffahrt hält, kommt zu dem brummenden Vibrieren noch das Surren der hydraulischen Hebevorrichtung hinzu. Mülltonnen stoßen krachend an die Metallverkleidung des riesigen Müllwagens. Dann knallen die Müllmänner die leeren Tonnen schlampig wieder in die Einfahrt, und der Lastwagen rumpelt weiter die Straße entlang.

Dr. Marcus sitzt in dem riesigen Ledersessel in seinem Wohnzimmer. Ihm ist schwindelig, er ringt nach Atem, und sein Herz klopft vor Angst, während er abwartet. In Westham Green, gleich westlich von Henrico County, einem von Angehörigen der oberen Mittelschicht bewohnten Viertel, wo auch er sein Haus hat, wird der Müll montags und donnerstags gegen halb neun abgeholt. An diesen beiden Tagen kommt Dr. Marcus stets zu spät zur Mitarbeiterbesprechung, und es ist gar nicht so lange her, dass er, wenn der große Lastwagen mit den großen, finsteren Männern erschien, gar nicht zur Arbeit gegangen ist.

Inzwischen nennen sie sich Entsorgungsspezialisten, nicht mehr Müllmänner, aber der Name spielt keine Rolle. Auch nicht, welche Bezeichnung für die großen dunklen Männer mit der großen dunklen Kleidung und den großen Lederhandschuhen heutzutage politisch korrekt ist. Dr. Marcus hat eine Todesangst vor Müllmännern und ihren Lastwagen, eine Phobie, die seit seinem Umzug hierher vor vier Monaten stärker geworden ist. An den Tagen, an denen der Müll abgeholt wird, verlässt er erst das Haus, wenn der Lastwagen und die Männer da waren und wieder verschwunden sind. Seit er zu einem Psychiater in Charlottesville geht, hat es sich ein wenig gebessert.

Dr. Marcus sitzt auf dem Ledersessel und wartet darauf, dass sein Herz langsamer schlägt, Schwindel und Übelkeit nachlassen und seine Nerven keine Überreizungssignale mehr aussenden. Dann steht er, immer noch in Pyjama und Hauspantoffeln, auf. Es ist zwecklos, dass er sich anzieht, bevor die Müllabfuhr da war, denn während er sich das abscheuliche dunkle Grollen und das laute metallische Geklapper des großen Lastwagens mit den großen dunklen Männern vorstellt, schwitzt er so stark, dass er patschnass ist und vor Kälte zittert, wenn sie endlich wieder weg sind. Dr. Marcus geht über die Eichenbohlen seines Wohnzimmers und wirft durch das Fenster einen Blick auf die grünen Plastikmülleimer, die schief an der Ecke seiner Auffahrt stehen. Dann lauscht er auf den grässlichen Lärm, um sich zu vergewissern, dass der Lastwagen nirgendwo in der Nähe ist oder vielleicht sogar zurückkommt, obwohl er die Route der Müllfahrer in diesem Viertel kennt.

Inzwischen stoppt und startet der Lastwagen schon einige Straßen weiter, damit die Männer hinauf- und herunterspringen können, um die Tonnen auszuleeren. So arbeiten sie sich weiter voran, bis sie in die Patterson Avenue einbiegen. Wie es danach weitergeht, weiß Dr. Marcus nicht, und es interessiert ihn auch herzlich wenig, solange sie nur weg sind. Er starrt durch das Fenster auf seine schief stehenden Mülltonnen und kommt zu dem Schluss, dass draußen noch immer Gefahr droht.

Da er sich noch nicht bereit fühlt, das Haus zu verlassen, begibt er sich stattdessen ins Schlafzimmer, um sich zu vergewissern, dass die Alarmanlage eingeschaltet ist. Dann zieht er den nassen Pyjama aus und stellt sich unter die Dusche. Nach kurzer Zeit, als er sich sauber und aufgewärmt fühlt, zieht er sich fürs Büro an, dankbar, dass der Anfall vorbei ist. Er gibt sich Mühe, nicht daran zu denken, was passieren könnte, falls er einmal ohne Vorwarnung in der Öffentlichkeit so einen Anfall kriegt. Nein, so weit wird es schon nicht kommen. Solange er zu Hause oder in der Nähe seines Büros ist, kann er die Tür schließen und unbehelligt abwarten, bis der Sturm vorüber ist.

In der Küche nimmt er eine orangefarbene Tablette. An diesem Vormittag hat er bereits eine Klonopin und ein Antidepressivum geschluckt, doch er nimmt noch einmal 0,5 Milligramm Klonopin. In den letzten Monaten hat er die Dosis auf drei Milligramm erhöht, und er ist gar nicht glücklich darüber, von Benzodiazepinen abhängig zu sein. Sein Psychiater in Charlottesville meint, er solle sich nicht den Kopf darüber zerbrechen. Solange Dr. Marcus keinen Alkohol trinkt oder andere Drogen nimmt – und das tut er nicht –, kann ihm das Klonopin nicht schaden. Besser, er schluckt Klonopin, als dass er von seinen Panikattacken so außer Gefecht gesetzt wird, dass er sich nur noch im Haus verkriecht, seinen Job verliert oder sich blamiert, was er sich einfach nicht leisten kann. Anders als Scarpetta ist er nicht wohlhabend, und die Demütigungen, die sie einfach so wegzustecken scheint, könnte er niemals ertragen. Bevor er ihr Nachfolger als Chefpathologe von Virginia geworden ist, brauchte er weder Klonopin noch Antidepressiva, doch inzwischen leidet er laut seinem Psychiater an einer co-morbiden Störung, was bedeutet, dass er jetzt nicht nur eine Störung hat, sondern gleich zwei. In St. Louis ist er auch manchmal der Arbeit ferngeblieben und nur selten gereist, aber es war zu schaffen. Das Leben vor Scarpetta war erträglich.

Im Wohnzimmer betrachtet er wieder die großen grünen Mülltonnen durch das Fenster und lauscht nach dem großen Lastwagen und den Männern darauf. Aber er hört nichts. Nachdem er seinen alten grauen Wollmantel und ein altes Paar schwarzer Handschuhe aus Schweinsleder angezogen hat, hält er an der Tür inne, um festzustellen, wie er sich fühlt. Da alles in Ordnung scheint, schaltet er die Alarmanlage ab und öffnet die Tür. Dann eilt er raschen Schrittes seine Auffahrt entlang und hält in beide Richtungen nach dem Lastwagen Ausschau. Aber er kann nichts feststellen und fühlt sich gut, als er die Tonnen neben die Garage rollt, wo sie hingehören.

Er kehrt ins Haus zurück und zieht Mantel und Handschuhe aus. Inzwischen ist er schon viel ruhiger und beinahe glücklich. Während er sich gründlich die Hände wäscht, muss er an Scarpetta denken, und er fühlt sich entspannt und in bester Stimmung, weil er seinen Willen durchsetzen wird. All die Monate hat er nur »Scarpetta hier«, »Scarpetta da« gehört und konnte dem, weil er sie nicht kannte, nichts entgegensetzen. Als der Gesundheitsminister sagte: »Es wird schwierig, wenn nicht gar unmöglich für Sie werden, in ihre Fußstapfen zu treten, und einige Leute werden Sie wahrscheinlich nur deshalb nicht respektieren, weil Sie nicht sie sind«, hat Dr. Marcus nichts darauf erwidert. Was hätte er auch sagen sollen? Er kannte sie ja nicht.

Als die Gouverneurin so gnädig war, Dr. Marcus nach seiner Ernennung in ihr Büro auf einen Kaffee einzuladen, musste er absagen. Sie hatte den Termin auf Montagmorgen festgesetzt, und das ist genau die Zeit, in der in Westham Green der Müll abgeholt wird. Natürlich konnte er ihr den Grund für seine Absage nicht nennen, es ging eben nicht, war absolut unmöglich. Er weiß noch, wie er in seinem Wohnzimmer saß, auf den großen Lastwagen mit den großen Männern lauschte und sich fragte, wie sein zukünftiges Leben in Virginia wohl aussehen würde, nachdem er eine Einladung zum Kaffee bei der Gouverneurin abgesagt hatte. Außerdem ist sie eine Frau und achtet ihn vermutlich ohnehin nicht, weil er weder weiblich noch Scarpetta ist.

Dr. Marcus ist nicht sicher, ob die neue Gouverneurin zu Scarpettas Bewunderern gehört, aber er nimmt es an. Er hatte keine Ahnung, was ihm bevorstand, als er den Posten des Chefpathologen annahm und von St. Louis hierher zog. Er hat eine Behörde voller weiblicher Pathologen und Ermittler zurückgelassen, die alle über Scarpetta im Bilde waren. Sie sagten ihm, er habe großes Glück, ihre Stelle zu ergattern, da Virginia ihr die beste Pathologie in den gesamten Vereinigten Staaten zu verdanken habe. Ein Jammer, dass sie mit dem damaligen Gouverneur nicht zurechtgekommen sei, sodass der sie schließlich gefeuert habe. Die Frauen in seinem Büro haben ihn dazu ermuntert, Scarpettas Stelle zu übernehmen.

Sie wollten ihn loswerden. Das ist ihm schon damals klar gewesen. Und sie konnten beim besten Willen nicht verstehen, warum man sich in Virginia ausgerechnet für einen angepassten, unpolitischen Menschen ohne eigenes Profil wie ihn interessierte. Er wusste genau, was seine Mitarbeiterinnen damals über ihn sagten. Sie tuschelten und befürchteten, dass es mit seiner Ernennung nicht klappen könnte, sodass sie ihn weiter auf dem Hals haben würden. Davon ist er überzeugt.

Also ist er nach Virginia gezogen, und es dauerte keinen Monat, bis er Schwierigkeiten mit der Gouverneurin bekam, und das alles nur wegen der Müllabfuhr in Westham Green. Er gibt Scarpetta die Schuld daran. Sie ist dafür verantwortlich, dass ein Fluch auf ihm lastet. Ständig muss er sich Geschichten über sie und das Gejammer anhören, weil er nicht sie ist. Kaum hatte er seinen Posten angetreten, hat er schon angefangen, sie und alles, was sie geleistet hat, zu hassen. Er ist ein Meister darin geworden, seine Verachtung zu zeigen, indem er alles verschlampen lässt, was für ihn im Zusammenhang mit Scarpetta steht, sei es nun ein Bild, eine Pflanze, ein Buch, das Verhältnis zu seinen Mitarbeitern oder ein toter Patient, dem es zu Scarpettas Zeiten als Chefin sicher besser ergangen wäre. Zu beweisen, dass sie ein Mythos, eine Hochstaplerin und eine Versagerin ist, ist bei ihm zur fixen Idee geworden. Allerdings konnte er eine Wildfremde nicht demontieren, ja, nicht einmal etwas Negatives über sie sagen, weil er sie nicht kannte.

Dann starb Gilly Paulsson, und ihr Vater schaltete den Gesundheitsminister ein, der sich wiederum sofort an die Gouverneurin wandte. Diese ihrerseits verständigte den Leiter des FBI, da sie Vorsitzende eines landesweiten Anti-Terror-Komitees ist und Frank Paulsson Verbindungen zum Ministerium für Heimatschutz hat. Schließlich musste man sichergehen, dass die kleine Gilly nicht von irgendwelchen Feinden der amerikanischen Regierung umgebracht wurde.

Das FBI kam rasch zu dem Schluss, dass man die Angelegenheit näher unter die Lupe nehmen müsse, und mischte sich sofort in die Angelegenheiten der örtlichen Polizei ein, bis die rechte Hand nicht mehr wusste, was die linke tat. So landeten einige Beweisstücke in hiesigen Labors und andere in Labors des FBI, während manche Indizien gar nicht erst sichergestellt wurden. Dr. Paulsson wollte nicht, dass Gillys Leiche freigegeben wurde, bevor alle Fakten bekannt waren. Und zu allem Überfluss wurde das Durcheinander noch von Dr. Paulssons zerrütteter Beziehung zu seiner geschiedenen Frau vergrößert. Irgendwann war die Untersuchung des Todes einer unbedeutenden Vierzehnjährigen dann derart verkompliziert und politisch überfrachtet, dass Dr. Marcus nichts anderes übrig blieb, als den Gesundheitsminister selbst um Rat zu fragen.

»Wir müssen einen anerkannten Berater hinzuziehen«, erwiderte der Gesundheitsminister. »Bevor wir noch mehr Probleme bekommen.«

»Wir haben doch so schon genug Ärger«, gab Dr. Marcus zurück. »Sobald die Polizei von Richmond erfuhr, dass das FBI mit von der Partie ist, hat sie ihre Mitarbeit eingestellt und ist in Deckung gegangen. Und um die Sache noch zu verschlimmern, wissen wir nicht, woran das Mädchen eigentlich gestorben ist. Ich halte die Todesumstände für verdächtig, aber wir kennen die genaue Ursache nicht.«

»Also brauchen wir einen Berater. Sofort. Jemand, der nicht von hier ist und der zur Not die Kastanien für uns aus dem Feuer holt. Wenn die Gouverneurin wegen dieses Falles Schwierigkeiten auf Bundesebene kriegt, werden Köpfe rollen, und meiner ist dann bestimmt nicht der einzige, Joel.«

»Was ist mit Dr. Scarpetta?«, schlug Dr. Marcus vor, und er war damals selbst überrascht, wie schnell und spontan ihm ihr Name über die Lippen kam.

»Ausgezeichnete Idee. Und ziemlich schlau«, entgegnete der Gesundheitsminister. »Kennen Sie sie persönlich?«

»Ich werde sie wohl bald kennen lernen«, sagte Dr. Marcus, und es erstaunte ihn selbst, was für ein brillanter Stratege er war.

Bis zu diesem Augenblick hätte er diese Fähigkeit nie an sich vermutet, doch da er Scarpetta nie kritisiert hatte – da er sie ja nicht kannte –, fand es niemand merkwürdig, dass er sie als Beraterin vorschlug. So rief er sie sofort, nämlich vorgestern, an. Er sagte sich voller Ingrimm, dass er Scarpetta bald gegenüberstehen würde, o ja. Und dann würde er sie abkanzeln, demütigen und so richtig mit ihr Schlitten fahren.

Er plant, ihr für alles, was im Fall Gilly Paulsson und in seiner Behörde schief gelaufen ist, sowie auch für mögliche zukünftige Ereignisse die Schuld in die Schuhe zu schieben. Dann wird die Gouverneurin gewiss vergessen, dass Dr. Marcus ihre Einladung zum Kaffee abgelehnt hat. Sollte sie ihn wieder fragen und den Termin auf einen Montag- oder Donnerstagmorgen festsetzen, wird Dr. Marcus ihr erklären, dass um diese Zeit die Mitarbeiterbesprechung in seinem Büro stattfindet, bei der er unbedingt den Vorsitz führen muss. Deshalb wäre er der Gouverneurin sehr dankbar, wenn sie die Einladung verschieben würde. Keine Ahnung, warum ihm das nicht schon beim ersten Mal eingefallen ist, doch nun weiß er, was er sagen wird.

Dr. Marcus greift zum Wohnzimmertelefon und schaut aus dem Fenster, erleichtert, dass er in den nächsten drei Tagen nicht mehr an die Müllabfuhr wird denken müssen. Er fühlt sich ausgezeichnet, als er ein kleines schwarzes Adressbuch durchblättert, das er schon so lange besitzt, dass die Hälfte der Namen und Telefonnummern darin durchgestrichen ist. Er wählt eine Nummer, blickt aus dem Fenster, sieht einen alten blauen Chevrolet Impala vorbeifahren und erinnert sich daran, dass seine Mutter während seiner Kindheit in Charlottesville jeden Winter mit ihrem weißen Impala am Fuße desselben Hügels im Schnee stecken geblieben ist.

»Scarpetta«, meldet sie sich am Mobiltelefon.

»Dr. Marcus hier«, erwidert er in seinem geschliffenen, befehlsgewohnten, verbindlichen Tonfall, einer von vielen Nuancen, die er beherrscht und unter denen er frei wählen kann.

»Ja«, sagt sie. »Guten Morgen. Ich hoffe, Dr. Fielding hat Sie bereits über unsere zweite Untersuchung von Gilly Paulsson informiert.«

»Ich fürchte, ja. Er hat mich von Ihrer Meinung in Kenntnis gesetzt«, entgegnet er, betont dabei die Wörter *Ihrer Meinung* und bedauert es, ihre Reaktion nicht sehen zu können. So würde sich ein gerissener Verteidiger ausdrücken, während ein Staatsanwalt vermutlich *Ihre Schlussfolgerungen* sagen würde, um auszudrücken, dass er die Erfahrung des Experten schätzt. *Ihre Meinung* hingegen ist nichts weiter als eine verdeckte Beleidigung.

»Ich frage mich, ob Sie schon von den Spuren gehört haben«, fährt er fort und denkt dabei an die gestrige E-Mail von Junius Eise, der sich wie immer im Ton vergriffen hat.

»Nein«, entgegnet sie.

»Es ist wirklich recht außergewöhnlich«, sagt er bedeutungsschwanger. »Deshalb findet ja auch die Sitzung statt.« Obwohl Dr. Marcus diese Sitzung bereits gestern anberaumt hat, informiert er sie erst jetzt. »Ich würde mich freuen, wenn Sie heute Vormittag um halb zehn zu mir ins Büro kämen.« Er beobachtet, wie der alte blaue Impala zwei Häuser weiter in eine Auffahrt einbiegt, und fragt sich, warum der Wagen dort hält und wem er wohl gehört.

Scarpetta zögert, als ob dieser kurzfristige Termin ihr nicht ins Konzept passen würde. »Natürlich. In einer halben Stunde bin ich da«, antwortet sie dann.

»Darf ich fragen, was Sie gestern Nachmittag gemacht haben? Ich habe Sie gar nicht im Büro gesehen«, sagt er und schaut zu, wie eine alte schwarze Frau aus dem blauen Impala steigt.

»Papierkram und jede Menge Telefonate. Warum? Hätten Sie etwas gebraucht?«

Dr. Marcus fühlt sich ein wenig schwindelig, während sein Blick weiter auf der alten schwarzen Frau und dem blauen Impala ruht. Die große Scarpetta fragt ihn, ob er etwas gebraucht hat, als wäre sie seine Untergebene. Aber zurzeit arbeitet sie ja auch für ihn, so schwer vorstellbar das sein mag.

»Im Moment brauche ich nichts von Ihnen«, sagt er. »Wir sehen uns bei der Sitzung.« Er hängt auf, und es bereitet ihm eine große Befriedigung, ein Telefonat mit Scarpetta einfach so abzubrechen.

Die Absätze seiner altmodischen schwarzen Schnürschuhe klappern auf den Eichendielen, als er in die Küche geht und eine zweite Kanne koffeinfreien Kaffee aufsetzt. Die erste Kanne hat er zum Großteil ins Spülbecken geschüttet, weil er vor lauter Angst vor dem Müllwagen und den Männern den Kaffee völlig vergessen hatte, bis er anfing, angebrannt zu riechen. Nachdem er die Kaffeemaschine eingeschaltet hat, kehrt er ins Wohnzimmer zurück, um den Impala weiter zu beobachten.

Durch das Fenster, an dem sein großer Lieblingssessel aus Leder steht und durch das er immer hinausschaut, sieht er der alten schwarzen Frau zu, die Einkaufstüten aus dem Kofferraum des Impala hebt. Offenbar die Haushälterin, denkt er. Und es ärgert ihn, dass eine schwarze Haushälterin den gleichen Wagen fährt wie seine Mutter während seiner Kindheit. Früher war das einmal ein schickes Auto. Nicht jeder hatte einen weißen Impala mit einem blauen Streifen an der Seite, und er war stolz darauf, mit Ausnahme der Male, die der Wagen am Fuße des Hügels im Schnee stecken blieb. Seine Mutter war keine gute Fahrerin. Eigentlich hätte sie dieses Auto gar nicht fahren dürfen. Der Impala ist nach einer afrikanischen Antilope benannt, die große Sprünge machen kann und ziemlich scheu ist. Seine Mutter war schon schreckhaft genug, wenn sie zu Fuß ging. Sie gehörte nicht hinters Steuer eines Fahrzeugs, das nach einer kräftigen, scheuen Antilopenart benannt ist.

Die Bewegungen der alten Haushälterin sind bedächtig, als sie die Plastiktüten aus dem Kofferraum des Impala hebt und langsam und steifbeinig vom Auto zu einer Seitentür des Hauses geht. Dann kehrt sie wieder zum Impala zurück, um weitere Tüten zu holen, und stößt die Wagentür mit der Hüfte zu. Früher war das einmal ein schickes Auto, denkt Dr. Marcus und starrt aus dem Fenster. Der Impala der Haushälterin hat sicher schon seine vierzig Jahre auf dem Buckel und scheint gut in Schuss zu sein. Er weiß nicht, wann er zuletzt einen Impala Baujahr 63 oder 64 gesehen hat. Dass er heute einen zu Gesicht kriegt, deutet er als wichtiges Zeichen, von dem er allerdings nicht weiß, was es bedeutet. Also geht er wieder in die Küche, um sich einen Kaffee zu holen. Wenn er sich noch zwanzig Minuten Zeit lässt, sind seine Ärzte bei seiner Ankunft mit Autopsien beschäftigt, und er wird mit niemandem reden müssen. Während er wartet, wird sein Puls wieder schneller, und seine Nerven sprühen Funken.

Zuerst schiebt er sein Herzrasen und das Zittern und Zucken auf die winzige Spur Koffein im entkoffeinierten Kaffee, aber er hat doch erst ein paar Schlucke getrunken und ahnt, dass etwas anderes dahintersteckt. Je länger er den Impala auf der anderen Straßenseite beobachtet, desto nervöser und aufgeregter wird er, und er wünscht, die Haushälterin wäre nicht ausgerechnet heute hier erschienen, während er wegen der Müllabfuhr zu Hause ist. Er kehrt ins Wohnzimmer zurück, lässt sich in seinem großen Ledersessel nieder, lehnt sich zurück und versucht, sich zu entspannen. Sein Herz klopft so heftig, dass er sieht, wie die Vorderseite seines weißen Hemdes sich bewegt; er holt tief Luft und schließt die Augen.

Seit vier Monaten wohnt er jetzt schon hier, ohne dass ihm der Impala jemals aufgefallen wäre. Er stellt sich das schmale blaue Lenkrad ohne Airbag vor. Dann das blaue Armaturenbrett auf der Beifahrerseite, das nicht gepolstert ist und ebenfalls nicht über einen Airbag verfügt. Die alten blauen Sicherheitsgurte führen nicht um die Schultern herum, sondern nur um das Becken. Als er sich das Innere des Impala ausmalt, ist es nicht mehr der Wagen auf der anderen Straßenseite, sondern der weiße mit dem blauen Streifen an der Seite, den seine Mutter gefahren hat. Der Kaffee ist vergessen und erkaltet auf dem Tisch neben dem Ledersessel, während er mit geschlossenen Augen dasitzt. Einige Male steht Dr. Marcus auf und schaut aus dem Fenster, und als er den blauen Impala nicht mehr sieht, schaltet er die Alarmanlage ein, schließt das Haus ab und geht in die Garage. Kurz schießt ihm der ängstliche Gedanke durch den Kopf, dass der Impala vielleicht gar nicht existiert und nie da war. Doch er war da, natürlich war er das.

Einige Minuten später fährt er langsam seine Straße entlang, bleibt vor dem Haus einige Türen weiter stehen und starrt auf die leere Auffahrt, wo er gerade den blauen Impala und die alte schwarze Haushälterin mit ihren Einkaufstüten gesehen hat. Er sitzt in seinem Volvo, der bei nahezu allen Sicherheitstests als Sieger abgeschnitten hat, betrachtet die leere Auffahrt, biegt schließlich ein und steigt aus. In seinem langen grauen Mantel, dem grauen Hut und den schwarzen Handschuhen aus Schweinsleder, die er schon vor seiner Zeit in St. Louis bei kaltem Wetter getragen hat, sieht er zwar altmodisch, aber gepflegt aus. Er weiß, dass er einen seriösen Eindruck macht, als er die Klingel betätigt. Er wartet kurz, läutet noch einmal, und die Tür geht auf.

»Ja, bitte?«, fragt die Frau, die die Tür geöffnet hat. Sie ist etwa Mitte fünfzig und trägt einen Jogginganzug und Tennisschuhe. Sie erscheint ihm vertraut, ist höflich, aber nicht unbedingt freundlich.

»Ich bin Joel Marcus«, sagt er mit seiner verbindlichen Stimme. »Ich wohne gegenüber und habe zufällig vorhin einen sehr alten blauen Impala in Ihrer Auffahrt gesehen.« Er bereitet sich innerlich schon auf die Ausflucht vor, er habe sich vermutlich im Haus geirrt, nur für den Fall, dass sie antwortet, sie wisse nichts über einen sehr alten blauen Impala.

»Ach, Mrs. Walker. Sie hat dieses Auto schon seit einer Ewigkeit und würde ihn niemals gegen einen nagelneuen Cadillac eintauschen«, erwidert die Nachbarin, die ihm irgendwie bekannt vorkommt, zu seiner Erleichterung lächelnd.

»Ich verstehe«, sagt er. »Ich war nur neugierig. Ich sammle nämlich alte Autos.« Er sammelt zwar keine Autos, weder alte noch sonst welche, aber er hat sich den Impala nicht eingebildet. Gott sei Dank. Natürlich nicht.

»Tja, auf den werden Sie in Ihrer Sammlung wohl verzichten müssen«, gibt sie fröhlich zurück. »Mrs. Walker liebt dieses Auto … Ich glaube, wir sind uns noch nicht vorgestellt worden, obwohl ich natürlich weiß, wer Sie sind. Sie sind der neue Chefpathologe und haben den Posten dieser berühmten Pathologin übernommen. Wie war noch mal ihr Name? Ich war ziemlich erschrocken und enttäuscht, dass sie Virginia den Rücken gekehrt hat. Was ist eigentlich aus ihr geworden? Ach, Sie stehen ja immer noch in der Kälte herum. Wo habe ich nur meine Manieren? Möchten Sie nicht hereinkommen? Sie war auch eine sehr attraktive Frau. Oh, wie hieß sie nur?«

»Ich muss leider los«, erwidert Dr. Marcus in einer anderen Stimme, die steif und barsch klingt. »Ich fürchte, ich komme zu spät zu einem Termin mit der Gouverneurin«, lügt er, ohne mit der Wimper zu zucken.

25

Die Sonne scheint schwach vom blassgrauen Himmel, und das Licht ist fahl und kalt. Scarpetta überquert den Parkplatz, der lange dunkle Mantel flattert um ihre Beine. Rasch und zielstrebig geht sie auf die Eingangstür ihres ehemaligen Dienstgebäudes zu und stellt verärgert fest, dass die Parklücke Nummer eins, die für den Chefpathologen reserviert ist, leer steht. Dr. Marcus ist noch nicht da. Wie immer kommt er zu spät.

»Guten Morgen, Bruce«, begrüßt sie den Wachmann am Empfang.

Lächelnd winkt er sie durch. »Ich trage Sie ein«, sagt er und drückt auf den Knopf, der die Tür zur Gerichtsmedizin öffnet.

»Ist Marino schon da?«, fragt sie, ohne stehen zu bleiben.

»Hab ihn nicht gesehen«, erwidert Bruce.

Als Fielding gestern Abend nicht aufgemacht hat, hat sie, auf seiner Veranda stehend, versucht, ihn anzurufen. Aber seine alte Privatnummer ist nicht mehr gültig. Dann hat sie es bei Marino versucht, den sie wegen der lauten Stimmen und des Gelächters im Hintergrund kaum verstehen konnte. Vermutlich war er in einer Bar, aber sie wollte ihn nicht darauf ansprechen und sagte nur, dass Fielding offenbar nicht zu Hause sei und dass sie zurück ins Hotel gehen werde, wenn er sich nicht bald blicken ließe. Marino entgegnete darauf nur: »Okay, Doc, dann bis später. Ruf mich an, wenn du mich brauchst.«

Scarpetta hat versucht, die vordere und die hintere Tür von Fieldings Haus zu öffnen, aber sie waren beide abgeschlossen. Während sie klingelte und klopfte, wuchs ihre Besorgnis. Im Carport ihres ehemaligen ersten Assistenten, ihrer rechten Hand und ihres Freundes stand ein mit einer Plane abgedeckter Wagen, und sie war sicher, dass es sich dabei um seinen geliebten alten roten Mustang handelte. Trotzdem lupfte sie eine Ecke der Plane, um nachzusehen, und sie hatte Recht. Da ihr der Wagen morgens in der Parklücke Nummer sechs hinter dem Gebäude aufgefallen war, musste er noch damit gefahren sein. Allerdings bedeutete die Tatsache, dass sein Mustang vor dem Haus unter der Plane stand, nicht zwangsläufig, dass er selbst auch zu Hause war und sich weigerte, an die Tür zu kommen. Vielleicht hat er ja ein Zweitauto, einen Geländewagen. Gut vorstellbar, dass er ein Ersatzfahrzeug hat, das zuverlässiger ist. Vielleicht war er gerade damit unterwegs und hatte sich ein bisschen verspätet. Möglicherweise hatte er die Verabredung zum Abendessen auch vergessen.

Während sie darauf gewartet hat, dass er die Tür aufmacht, ist sie all diese Alternativen im Geiste durchgegangen. Und schließlich hat sie es mit der Angst zu tun bekommen, dass Fielding etwas zugestoßen sein könnte. Vielleicht hatte er sich ja verletzt. Vielleicht hatte er einen allergischen Anfall mit starkem Ausschlag oder sogar einem anaphylaktischen Schock. Vielleicht hatte er Selbstmord begangen. Vielleicht hatte er den Zeitpunkt seines Selbstmordes so gelegt, dass sie diejenige war, die ihn finden musste, weil er glaubte, dass sie es schon verkraften würde. Die Leute nehmen immer an, dass sie alles verkraftet. Also könnte es ihr tragisches Schicksal sein, ihn mit einer Kugel im Kopf oder mit dem Magen voller Tabletten im Bett anzutreffen und die Situation meistern zu müssen. Anscheinend weiß nur ihre Nichte, dass Scarpetta Grenzen hat, weshalb ihr Lucy fast nie etwas erzählt. Seit September hat sie ihre Nichte nicht gesehen. Etwas ist da im Busch, und offenbar denkt Lucy, dass Scarpetta damit überfordert wäre.

»Tja, ich kann Marino nirgendwo finden«, sagt Scarpetta zu Bruce. »Wenn Sie also von ihm hören, richten Sie ihm bitte aus, dass ich ihn suche und dass eine Sitzung stattfindet.«

»Junius Eise könnte wissen, wo er steckt«, erwidert Bruce. »Sie kennen doch den Typen aus der Kriminaltechnik. Eise wollte sich gestern Abend mit ihm treffen und vielleicht in den Polizeiclub gehen.«

Scarpetta erinnert sich an Dr. Marcus' Worte bei seinem Anruf vor einer knappen Stunde. Es hatte etwas mit neu entdeckten Spuren zu tun, die offenbar der Grund für diese Sitzung sind, und jetzt kann sie Marino nicht ausfindig machen. Gestern Abend war er im Polizeiclub und hat vermutlich mit Mr. Kriminaltechnik persönlich ein paar Biere getrunken. Sie hat keine Ahnung, was da gespielt wird, und Marino geht nicht ans Telefon. Sie drückt die Milchglastür auf und betritt ihren früheren Wartebereich.

Zu ihrem Schrecken sitzt Mrs. Paulsson auf dem Sofa. Sie starrt ins Leere, ihre Hände umklammern die Handtasche auf ihrem Schoß. »Mrs. Paulsson?«, sagt Scarpetta besorgt und geht auf sie zu. »Kümmert man sich schon um Sie?«

»Man hat mich zur Öffnungszeit hierher bestellt«, antwortet sie. »Und dann wurde ich gebeten zu warten, weil der Chefpathologe noch nicht da sei.«

Niemand hat Scarpetta mitgeteilt, dass Mrs. Paulsson bei der Besprechung mit Dr. Marcus anwesend sein würde. »Kommen Sie«, fordert sie sie auf. »Ich begleite Sie hinein. Sind Sie mit Dr. Marcus verabredet?«

»Ich glaube schon.«

»Ich bin es auch«, erwidert Scarpetta. »Also gehen wir wahrscheinlich zu derselben Besprechung. Kommen Sie, folgen Sie mir einfach.«

Langsam steht Mrs. Paulsson vom Sofa auf. Sie wirkt, als wäre sie müde oder hätte Schmerzen. Scarpetta wünscht sich echte Pflanzen in dem Wartebereich, nur ein paar, um eine wärmere und lebendigere Atmosphäre zu schaffen, damit die Menschen sich weniger verlassen fühlen. Auf der ganzen Welt gibt es keinen einsameren Ort als ein Leichenschauhaus. Kein Mensch sollte gezwungen sein, dort einen Besuch abzustatten, und den Betreffenden auch noch warten zu lassen ist wirklich der Gipfel. Sie drückt auf einen Knopf neben einem Fenster. Auf der anderen Seite der Scheibe befindet sich eine Theke, danach kommt ein Stück graublauer Teppich und dahinter eine Tür, die in die Verwaltung führt.

»Kann ich Ihnen helfen?«, gellt eine Frauenstimme durch die Gegensprechanlage.

»Dr. Scarpetta«, meldet sie sich an.

»Kommen Sie herein«, entgegnet die Stimme, und die Glastür rechts vom Fenster öffnet sich mit einem Klicken.

Scarpetta hält Mrs. Paulsson die Tür auf. »Hoffentlich warten Sie noch nicht lange«, meint sie zu ihr. »Tut mir Leid, dass sich niemand um Sie gekümmert hat. Wenn ich gewusst hätte, dass Sie kommen, hätte ich Ihnen einen gemütlicheren Sitzplatz und einen Kaffee besorgt.«

»Man hat mir geraten, früh zu kommen, wenn ich noch eine Parklücke finden wollte«, antwortet sie und blickt sich um, als sie in ein Vorzimmer kommen, wo Sekretärinnen Akten ablegen und an Computern arbeiten.

Scarpetta merkt auf Anhieb, dass Mrs. Paulsson noch nie in der Gerichtsmedizin war. Das erstaunt sie nicht. Dr. Marcus gehört nicht zu den Leuten, die viel Zeit im trauten Gespräch mit Angehörigen verbringen, während Dr. Fielding viel zu ausgebrannt ist, um sich auch noch diese emotionale Belastung aufzubürden. Sie hat den Verdacht, dass Mrs. Paulsson aus strategischen Gründen herbestellt worden ist und dass sie selbst, Scarpetta, bald allen Grund bekommen wird, sich zu ärgern. Eine Sekretärin, die in ihrer Bürokabine sitzen bleibt, bittet sie, gleich nach hinten in den Konferenzraum durchzugehen. Dr. Marcus sei ein wenig verspätet. Scarpetta fällt auf, dass die Sekretärinnen niemals ihre Bürokabinen verlassen, sodass man beim Betreten des Vorzimmers den Eindruck hat, es seien gar keine Menschen hier, sondern nur Trennwände.

»Kommen Sie«, sagt Scarpetta und berührt Mrs. Paulsson am Rücken. »Möchten Sie einen Kaffee? Wir holen uns welchen, und dann setzen wir uns schon mal hin.«

»Gilly ist noch hier«, stößt sie hervor, geht steifbeinig weiter und sieht sich ängstlich um. »Sie erlauben nicht, dass ich sie mitnehme.« Mrs. Paulsson bricht in Tränen aus und knetet nervös den Trageriemen ihrer Handtasche. »Es ist nicht richtig, dass sie noch hier ist.«

»Welche Begründung hat man Ihnen dafür gegeben?«, fragt Scarpetta, während sie auf den Konferenzraum zugehen.

»Alles ist nur Franks Schuld. Sie hat so an ihm gehangen, und er hat ihr versprochen, sie könnte zu ihm ziehen. Das wollte sie unbedingt.« Sie weint noch heftiger, während Scarpetta an der Kaffeemaschine stehen bleibt und Kaffee in Styroporbecher einschenkt. »Gilly hat dem Richter gesagt, sie möchte nach diesem Schuljahr nach Charleston ziehen. Jetzt will er sie dorthin holen.«

Scarpetta tritt mit den Bechern in den Konferenzraum und setzt sich diesmal an den Mittelteil des langen polierten Tisches. Sie und Mrs. Paulsson sind allein in dem großen, leeren Raum. Benommen starrt Mrs. Paulsson auf das anatomische Modell, das in einer Ecke am Gestell hängt. Als sie den Kaffeebecher an die Lippen hebt, zittert ihre Hand.

»Wissen Sie, Franks Familie ist in Charleston begraben«, sagt sie. »Schon seit vielen Generationen. Meine Familie liegt hier, auf dem Friedhof von Hollywood, und ich habe dort auch eine Grabstelle. Warum muss das denn so kompliziert sein? Er will Gilly nur nach Charleston holen, um mir das Leben schwer zu machen, um sich an mir zu rächen und mich in ein schlechtes Licht zu rücken. Er hat schon oft gedroht, mich um den Verstand zu bringen, damit ich in der Irrenanstalt lande. Tja, diesmal könnte er es schaffen.«

»Reden Sie beide noch miteinander?«, erkundigt sich Scarpetta.

»Bei ihm kann man das nicht reden nennen. Er teilt mir etwas mit und gibt mir Anweisungen. Alle sollen denken, dass er ein wundervoller Vater ist. Aber er liebt sie nicht so wie ich. Es ist seine Schuld, dass sie nicht mehr lebt.«

»Das haben Sie schon einmal gesagt. Warum ist es seine Schuld?«

»Ich weiß genau, dass er dahintersteckt. Er will mich nur fertig machen. Zuerst hat er versucht, mir Gilly wegzunehmen, indem sie zu ihm ziehen sollte. Und jetzt nimmt er sie mir für immer. Er will, dass ich durchdrehe, damit niemand merkt, was für ein miserabler Ehemann und Vater er in Wirklichkeit ist. Kein Mensch erkennt die Wahrheit, und die Leute sehen nur das, was sie sehen wollen, nämlich, dass ich übergeschnappt bin. Und dann werden alle Mitleid mit ihm haben. Aber es gibt eine Wahrheit.«

Sie wenden sich um, als die Tür des Konferenzraums aufgeht und eine gut gekleidete Frau hereinkommt. Sie ist schätzungsweise Ende dreißig oder Anfang vierzig und hat die frische Ausstrahlung eines Menschen, der die Zeit hat, genug zu schlafen, sich gesund zu ernähren, Sport zu treiben und sich regelmäßig die Strähnchen im blonden Haar auffrischen zu lassen. Die Frau stellt einen ledernen Aktenkoffer auf den Tisch und nickt Mrs. Paulsson lächelnd zu, als wären sie alte Bekannte. Die Schlösser des Aktenkoffers öffnen sich mit einem lauten Klacken, und nachdem die Frau eine Aktenmappe und einen Notizblock herausgeholt hat, nimmt sie Platz.

»Ich bin FBI Special Agent Weber, Karen Weber.« Sie sieht Scarpetta an. »Sie müssen Dr. Scarpetta sein. Man sagte mir, dass Sie hier sein würden. Wie fühlen Sie sich, Mrs. Paulsson? Ich habe nicht mit Ihnen gerechnet.«

Mrs. Paulsson kramt ein Papiertaschentuch aus ihrer Handtasche und wischt sich die Augen ab. »Guten Morgen«, erwidert sie.

Scarpetta muss sich zusammenreißen, um nicht mit der Frage herauszuplatzen, warum Special Agent Weber und das FBI mit dem Fall befasst sind. Da Gillys Mutter mit am Tisch sitzt, übt sich Scarpetta in Zurückhaltung. Aber sie versucht es indirekt.

»Sind Sie vom Büro in Richmond?«, fragt sie Special Agent Weber.

»Aus Quantico«, entgegnet diese. »Aus der Abteilung für Verhaltensforschung. Kennen Sie unsere neuen forensischen Labors in Quantico?«

»Nein, ich fürchte nicht.«

»Sie sind wirklich einen Besuch wert.«

»Da bin ich ganz sicher.«

»Was führt Sie heute hierher, Mrs. Paulsson?«, erkundigt sich Special Agent Weber.

»Ich weiß es nicht«, antwortet sie. »Ich bin wegen dem Bericht hier. Sie wollen mir Gillys Schmuck aushändigen. Sie hat Ohrringe und ein Armband getragen, ein kleines Lederarmband, das sie nie abnahm. Außerdem hieß es, der Chef möchte ein paar Worte mit mir wechseln.«

»Sie nehmen an der Besprechung teil?« Verwirrung zeichnet sich auf dem attraktiven, gepflegten Gesicht der FBI-Agentin ab.

»Das weiß ich nicht.«

»Sie sind wegen Gillys Berichten und ihrer persönlichen Gegenstände hier?«, wiederholt Scarpetta und ahnt, dass da ein Fehler passiert sein muss.

»Ja, man hat mir gesagt, ich könnte sie um neun Uhr abholen. Bis jetzt habe ich es einfach nicht über mich gebracht. Ich habe einen Scheck dabei, weil ich eine Gebühr bezahlen muss«, fährt Mrs. Paulsson mit unverändert ängstlichem Blick fort. »Vielleicht dürfte ich gar nicht hier sein. Eine Besprechung hat niemand erwähnt.«

»Tja, wo Sie jetzt schon einmal da sind«, meint Special Agent Weber, »würde ich Ihnen gerne eine Frage stellen, Mrs. Paulsson. Erinnern Sie sich noch an unser Gespräch? Sie sagten, Ihr Mann, Ihr Ex-Mann, sei Pilot. Ist das richtig?«

»Nein. Er ist kein Pilot. Ich habe gesagt, dass er das nicht ist.«

»Oh. Gut. Ich konnte nämlich keine Unterlagen finden, in denen steht, dass er irgendwann einmal den Pilotenschein gemacht hat«, antwortet Special Agent Weber. »Also war ich ein bisschen verwirrt.« Sie lächelt.

»Viele Leute glauben, er wäre Pilot«, fährt Mrs. Paulsson fort. »Verständlicherweise.«

»Er umgibt sich gerne mit Piloten, vor allem mit welchen vom Militär und ganz besonders mit weiblichen. Ich wusste schon immer, was er da treibt.«

»Könnten Sie das etwas genauer erklären?«, fordert Special Agent Weber sie auf.

»Oh, er führt flugärztliche Untersuchungen durch. Sie können sich das sicher vorstellen«, erwidert sie. »Dabei kommt er sich ganz toll vor. Eine Frau im Fliegeroverall spaziert in seine Praxis, und der Rest ist ja dann wohl klar.«

»Haben Sie gehört, dass er weibliche Piloten sexuell belästigt hätte?«, fragt Special Agent Weber mit ernster Miene.

»Er streitet es immer ab, und jeder glaubt ihm«, antwortet sie. »Wissen Sie, dass er eine Schwester bei der Air Force hat? Ich habe mich schon oft gefragt, ob da ein Zusammenhang besteht. Sie ist einige Jahre älter als er.«

In diesem Augenblick betritt Dr. Marcus den Konferenzraum. Er trägt wieder ein weißes Baumwollhemd, durch das ein ärmelloses Unterhemd durchschimmert, und seine Krawatte ist dunkelblau und schmal. Er blickt an Scarpetta vorbei und sieht Mrs. Paulsson an.

»Ich glaube, wir kennen uns noch nicht«, sagt er in befehlsgewohntem, aber freundlichem Ton.

»Mrs. Paulsson«, sagt Dr. Scarpetta. »Das ist Dr. Marcus, der Chefpathologe.«

»Hat eine von Ihnen Mrs. Paulsson hergebeten?« Er blickt erst Scarpetta, dann Special Agent Weber an. »Ich fürchte, ich verstehe nicht ganz …«

Mrs. Paulsson steht vom Tisch auf. Ihre Bewegungen sind langsam und unsicher, als würden ihre Gliedmaßen widersprüchliche Botschaften bekommen. »Ich habe keine Ahnung, wie das passiert ist. Ich bin nur wegen der Papiere, wegen der kleinen herzförmigen Goldohrringe und des Lederarmbands hier.«

»Ich glaube, es war mein Fehler«, meint Scarpetta und erhebt sich ebenfalls. »Ich habe sie im Warteraum getroffen und voreilige Schlüsse daraus gezogen. Tut mir Leid.«

»Schon gut«, sagt Dr. Marcus zu Mrs. Paulsson. »Ich habe gehört, dass Sie heute Morgen vielleicht herkommen. Ich möchte Ihnen mein Beileid aussprechen.« Er lächelt herablassend. »Der Fall Ihrer Tochter wird hier mit höchster Dringlichkeit behandelt.«

»Oh«, entgegnet Mrs. Paulsson.

»Ich begleite Sie hinaus.« Scarpetta hält ihr die Tür auf. »Es tut mir wirklich Leid«, wiederholt sie, als sie über den graublauen Teppich und an der Kaffeemaschine vorbei zum Hauptflur gehen. »Hoffentlich habe ich Sie nicht in eine peinliche Situation gebracht oder aufgeregt.«

»Sagen Sie mir, wo Gilly ist.« Sie bleibt mitten auf dem Flur stehen. »Ich muss es wissen. Bitte sagen Sie mir, wo genau sie ist.«

Scarpetta zögert. Obwohl sie solche Fragen öfter hört, fällt es ihr nicht leicht, darauf zu antworten. »Gilly ist auf der anderen Seite dieser Türen.« Sie dreht sich um und zeigt auf einige Türen, die vom Flur abgehen. Dahinter befinden sich weitere Türen. Dann kommt das Leichenschauhaus mit seinen Kühl- und Gefrierkammern.

»Bestimmt liegt sie in einem Sarg. Ich habe gehört, dass es in Einrichtungen wie dieser Särge aus Fichtenholz gibt.« Mrs. Paulssons Augen füllen sich mit Tränen.

»Nein, sie liegt nicht in einem Sarg. Wir haben keine Särge hier. Die Leiche Ihrer Tochter befindet sich in einer Kühlkammer.«

»Bestimmt muss mein armes Kind schrecklich frieren«, schluchzt sie.

»Gilly spürt die Kälte nicht, Mrs. Paulsson«, tröstet Scarpetta sie. »Sie leidet nicht, und sie hat keine Schmerzen, das versichere ich Ihnen.«

»Haben Sie sie gesehen?«

»Ja«, antwortet Scarpetta. »Ich habe sie untersucht.«

»Bitte sagen Sie mir, dass sie nicht gelitten hat. Bitte.«

Aber das kann Scarpetta ihr nicht bestätigen, da es eine Lüge wäre. »Es müssen noch einige Tests durchgeführt werden«, entgegnet sie. »Die Labors werden noch eine Weile beschäftigt sein. Alle geben sich die größte Mühe, herauszufinden, was genau Gilly zugestoßen ist.«

Mrs. Paulsson schluchzt leise, als Scarpetta sie zurück in die Verwaltung begleitet und eine der Sekretärinnen bittet, ihre Bürokabine zu verlassen, um Mrs. Paulsson die Kopien der angeforderten Berichte und Gillys persönliche Habe auszuhändigen, die lediglich aus einem Paar herzförmiger Ohrringe aus Gold und einem Lederarmband besteht. Ihr Pyjama, das Bettzeug und alles, was die Polizei sonst sichergestellt hat, gelten als Beweisstücke und müssen hier bleiben. Gerade will Scarpetta in den Konferenzraum zurückkehren, als Marino erscheint. Mit gesenktem Kopf und gerötetem Gesicht eilt er den Flur entlang.

»Bis jetzt war es kein guter Morgen«, stellt sie fest, nachdem er näher gekommen ist. »Für dich offenbar auch nicht. Ich habe versucht, dich zu erreichen. Wie ich annehme, hast du meine Nachricht erhalten.«

»Was macht sie denn hier?«, platzt er, offenbar bestürzt, heraus und meint damit Mrs. Paulsson.

»Sie will Gillys persönliche Sachen und Kopien der Berichte abholen.«

»Geht das, obwohl noch nicht entschieden ist, wer ihre Leiche bekommt?«

»Sie ist die nächste Angehörige. Ich bin nicht sicher, welche Berichte man ihr aushändigen wird. Inzwischen verstehe ich hier überhaupt nichts mehr«, sagt Scarpetta. »Das FBI ist zu der Besprechung erschienen. Keine Ahnung, wer sonst noch kommt. Die neuste Information lautet, dass Frank Paulsson angeblich Pilotinnen sexuell belästigt.«

»Hm?« Marino hat es eilig und benimmt sich reichlich merkwürdig. Außerdem riecht er nach Schnaps und sieht ziemlich jämmerlich aus.

»Bei dir alles in Ordnung?«, erkundigt sie sich. »Ach, was rede ich? Natürlich nicht.«

»Ist nicht weiter schlimm«, erwidert er.

26

Marino kippt Zucker in seinen Kaffee. Anscheinend fühlt er sich wirklich miserabel, denn sonst würde er keinen weißen Industriezucker zu sich nehmen. Der ist in seiner Diät nämlich streng verboten und so ungefähr das Schlimmste, was er zurzeit in sich hineinschaufeln kann.

»Bist du sicher, dass du dir das antun willst?«, fragt Scarpetta. »Du wirst es bereuen.«

»Was zum Teufel hatte sie hier verloren?« Er rührt noch einen Löffel Zucker in seine Tasse. »Da komme ich nichtsahnend in die Gerichtsmedizin und treffe als Erstes die Mutter des Mädchens auf dem Flur. Erzähl mir jetzt nicht, sie hätte sich Gilly angesehen, die ist nämlich nicht sehr vorzeigbar. Was hat sie also hier gemacht?«

Marino trägt dieselbe schwarze Cargohose, die Windjacke und die LAPD-Baseballkappe wie gestern. Er hat sich nicht rasiert, und seine Augen wirken müde und haben einen wilden Blick. Vielleicht hat er nach dem Umtrunk im Polizeiclub einer seiner Damenbekanntschaften einen Besuch abgestattet. Einer der Frauen, die er früher beim Bowling kennen gelernt, mit denen er sich betrunken hat und bei denen er schließlich im Bett gelandet ist.

»Wenn du schlechte Laune hast, ist es möglicherweise besser, wenn du mich nicht zu der Sitzung begleitest«, sagt Scarpetta. »Du bist nicht eingeladen. Also habe ich keine Lust, die Angelegenheit noch zu verschlimmern, indem ich dich mitschleppe, solange du in so einer Stimmung bist. Außerdem weißt du ja, wie du zurzeit reagierst, wenn du Zucker isst.«

»Hm?«, erwidert er und betrachtet die geschlossene Tür des Konferenzraums. »Na, dann werde ich diesen Arschlöchern mal zeigen, was eine richtig schlechte Laune ist.«

»Was ist passiert?«

»Es wird einiges gemunkelt«, erwidert er mit leiser, zorniger Stimme. »Über dich.«

»Was denn?« Sie kann Gerüchte nicht ausstehen und schenkt ihnen normalerweise keine Beachtung.

»Es heißt, dass du nach Richmond zurückkommen willst und dass du deshalb hier bist.« Vorwurfsvoll sieht er sie an und trinkt seinen giftig-süßen Kaffee. »Was zum Teufel verschweigst du mir?«

»So etwas hatte ich niemals vor«, sagt sie. »Und es erstaunt mich, dass du auf so ein hohles Geschwätz hörst.«

»Ich komme jedenfalls nicht mit nach Richmond zurück«, meint er, als wäre über ihn geredet worden, nicht über sie. »Nie im Leben. Das kannst du dir abschminken.«

»Ich würde nicht einmal im Traum daran denken, zurückzukehren. Also beschäftigen wir uns jetzt nicht mehr damit.« Sie öffnet die dunkle Holztür des Konferenzraums.

Marino kann ihr folgen, wenn er möchte, oder draußen an der Kaffeemaschine stehen bleiben und sich den ganzen Tag lang mit Zucker voll stopfen. Sie wird nicht versuchen, ihn zu überreden. Obwohl sie herausfinden muss, was ihn bedrückt, ist jetzt nicht der richtige Zeitpunkt dafür. Nun hat sie eine Besprechung mit Dr. Marcus, dem FBI und Jack Fielding, der sie gestern Abend versetzt hat und dessen Haut inzwischen noch stärker entzündet aussieht als bei ihrer letzten Begegnung. Niemand spricht sie an, während sie sich einen Stuhl sucht. Und auch Marino, der ihr nachgekommen ist und sich neben sie setzt, schlägt Schweigen entgegen. Aha, offenbar ein Tribunal, denkt sie.

»Fangen wir an«, sagt Dr. Marcus. »Wahrscheinlich haben Sie sich mit Special Agent Weber von der Profiling-Abteilung des FBI bereits bekannt gemacht«, wendet er sich an Scarpetta. Allerdings irrt er sich in der Bezeichnung der Abteilung, die in Wirklichkeit Abteilung für Verhaltensforschung heißt. »Wir haben es mit einem ernsten Problem zu tun – als ob wir nicht ohnehin schon genug um die Ohren hätten.« Seine Miene ist finster, und seine Augen hinter den Brillengläsern funkeln kalt. »Dr. Scarpetta«, sagt er laut. »Sie haben Gilly Paulsson ein zweites Mal obduziert. Und Sie haben doch auch Mr. Whitby, den Traktorfahrer, untersucht, richtig?«

Fielding starrt wortlos auf einen Aktenordner. Sein Gesicht ist wund und gerötet.

»Eine Untersuchung würde ich das nicht nennen«, entgegnet sie und wirft Fielding einen Blick zu. »Außerdem habe ich keine Ahnung, worum es hier geht.«

»Haben Sie ihn berührt?«, fragt Special Agent Karen Weber.

»Verzeihung, aber beschäftigt sich das FBI auch mit dem Tod des Traktorfahrers?«, erkundigt sich Scarpetta.

»Möglicherweise. Wir hoffen nicht, aber es könnte durchaus dazu kommen«, erwidert Special Agent Weber, der es Spaß zu machen scheint, Scarpetta, die frühere Chefpathologin, in die Zange zu nehmen.

»Haben Sie ihn berührt?« Nun kommt die Frage von Dr. Marcus.

»Ja«, antwortet Scarpetta. »Das habe ich.«

»Und Sie natürlich auch«, sagt Dr. Marcus zu Fielding. »Schließlich haben Sie die äußerliche Untersuchung durchgeführt und mit der Autopsie angefangen. Irgendwann sind Sie dann zu der kleinen Paulsson in den Verwesungsraum gegangen, um sie noch einmal zu obduzieren.«

»Ja«, murmelt Fielding, blickt von seinem Ordner auf und schaut ins Leere. »Das ist doch alles Mist.«

»Wie bitte?«, fragt Dr. Marcus.

»Sie haben mich sehr gut verstanden. Das ist alles Mist«, wiederholt Fielding. »Ich habe Ihnen das schon gestern gesagt, als die Sache auf den Tisch kam. Und daran hat sich bis heute nichts geändert. Das ist Mist. Ich lasse mich nicht ans Kreuz nageln, weder vom FBI noch von sonst wem.«

»Ich fürchte, das ist kein Mist, Dr. Fielding. Wir haben ein großes Problem mit den Beweisen. Die Spuren, die an der Leiche von Gilly Paulsson sichergestellt wurden, sind mit denen, die wir bei dem Traktorfahrer Mr. Whitby gefunden haben, identisch. Ich verstehe nicht, wie das möglich sein kann, außer es hat eine Übertragung von Verunreinigungen stattgefunden. Außerdem begreife ich nicht, warum Sie im Fall Whitby überhaupt nach Spuren gesucht haben. Es war ein Unfall und kein Tötungsdelikt. Korrigieren Sie mich, falls ich mich irre.«

»Darauf würde ich keinen Eid schwören«, entgegnet Fielding. Sein Gesicht und seine Hände sind so wund, dass es wehtut, sie anzusehen. »Er wurde zermalmt, aber die genauen Umstände müssen noch geklärt werden. Ich war nicht Zeuge seines Todes. Ich habe einen Abstrich von seiner Gesichtswunde genommen, um festzustellen, ob sich Schmieröl darin befindet. Auch für den Fall, dass irgendwann jemand behauptet, der Mann wäre angegriffen und ins Gesicht geschlagen und nicht nur überfahren worden.«

»Worum geht es? Was für Spuren?«, fragt Marino erstaunlich ruhig für jemanden, der seinem Körper gerade einen gefährlichen Zuckerschock versetzt hat.

»Offen gestanden glaube ich, dass Sie das nichts angeht«, gibt Dr. Marcus zurück. »Doch da Ihre Kollegin darauf besteht, Sie auf Schritt und Tritt mitzuschleppen, muss ich mich wohl mit Ihrer Anwesenheit abfinden. Allerdings möchte ich darauf bestehen, dass das, was hier besprochen wird, diesen Raum nicht verlassen darf.«

»Bestehen Sie ruhig darauf«, entgegnet Marino und lächelt Special Agent Weber zu. »Und wem verdanken wir das Vergnügen Ihres Beiseins?«, fragt er sie. »Ich kannte früher den Chef hier im Land der Marines. Komisch, aber die Leute vergessen immer wieder, dass Quantico eher den Marines untersteht als dem FBI. Schon mal von Benton Wesley gehört?«

»Natürlich.«

»Haben Sie den Kram gelesen, den er über die Erstellung von Täterprofilen geschrieben hat?«

»Ich bin gut vertraut mit seinen Arbeiten«, entgegnet sie, die Finger mit den makellos manikürten und dunkelrot lackierten Nägeln auf dem Notizblock verschränkt.

»Gut, dann wissen Sie vermutlich auch, dass er Täterprofile ungefähr so zuverlässig findet wie Glückskekse beim Chinesen«, fährt Marino fort.

»Ich bin nicht hergekommen, um mich beleidigen zu lassen«, sagt Special Agent Weber zu Dr. Marcus.

»Ach, das tut mir aber Leid«, wendet sich Marino an Dr. Marcus. »Ich wollte der Dame wirklich nicht zu nahe treten. Eine Expertin vom FBI, die uns über Spuren aufklärt, können wir hier sicher gut gebrauchen.«

»Es reicht«, sagt Dr. Marcus ärgerlich. »Wenn Sie sich nicht professionell benehmen können, muss ich Sie bitten zu gehen.«

»Aber nein, lassen Sie sich von mir nicht stören«, antwortet Marino. »Ich werde ganz brav dasitzen und zuhören. Machen Sie ruhig weiter.«

Jack Fielding schüttelt den Kopf und starrt auf seinen Aktenordner.

»Ich werde fortfahren«, verkündet Scarpetta, und inzwischen ist es ihr egal, ob sie unfreundlich oder gar undiplomatisch wirkt. »Dr. Marcus, bis jetzt haben Sie keine Spuren im Fall Gilly Paulsson erwähnt. Sie haben mich gebeten, nach Richmond zu kommen, um Sie bei der Untersuchung des Falles zu unterstützen. Und dann verschweigen Sie mir, dass es Spuren gibt?« Sie sieht erst ihn und dann Fielding an.

»Ich kann nichts dafür«, meint Fielding zu ihr. »Ich habe die Abstriche gemacht und die Laborergebnisse noch nicht zurückbekommen. Man hat mich nicht einmal angerufen. Nicht, dass man mich sonst sofort informieren würde. Zumindest nicht direkt. Ich habe erst gestern Abend davon erfahren, als er«, er weist auf Dr. Marcus, »es erwähnt hat, während ich gerade ins Auto stieg.«

»Ich habe es auch nicht früher gewusst«, zischt Dr. Marcus. »Es stand auf einem dieser dämlichen Zettel, die uns dieser Besserwisser Eis oder Eise dauernd schickt, um unsere Vorgehensweise zu kritisieren. Bis jetzt hat das Labor nichts Aufschlussreiches herausgefunden. Ein paar Haare und Krümel, möglicherweise Farbpartikel, die von allem Möglichen stammen können, zum Beispiel einem Auto oder einem Gegenstand im Haus der Paulssons. Vielleicht sogar von einem Fahrrad oder einem Spielzeug.«

»Ob es sich um Autolack handelt, müsste eigentlich zu ermitteln sein«, entgegnet Scarpetta. »Außerdem ist es kein Problem, festzustellen, ob ein Gegenstand im Haus in Frage kommt.«

»Ich möchte vielmehr darauf hinaus, dass es keine DNS-Spuren gibt. Der Abstrich war negativ. Natürlich wäre DNS bei einem Vaginal- oder Oralabstrich interessant, wenn wir von einem Tötungsdelikt ausgehen. Also habe ich mich mit der Frage beschäftigt, ob sich auf diesen angeblichen Farbpartikeln DNS befindet. Und dann habe ich gestern Abend diese E-Mail aus der Kriminaltechnik bekommen, in der zu meinem Erstaunen stand, dass die Abstriche, die Sie von dem Traktorfahrer genommen haben, dieselben Verunreinigungen enthalten.« Dr. Marcus starrt Fielding an.

»Und wie sollen diese so genannten Verunreinigungen zustande gekommen sein?«, hakt Scarpetta nach.

Dr. Marcus hebt die Hände und zuckt in einer langsamen und übertriebenen Geste die Achseln. »Das müssen schon Sie mir verraten.«

»Ich sehe keine Möglichkeit, wie es dazu hätte kommen sollen«, gibt sie zurück. »Wir haben die Handschuhe gewechselt, auch wenn das keine Rolle spielen würde, da wir keine erneuten Abstriche von Gilly Paulssons Leiche genommen haben. Das wäre ziemlich zwecklos gewesen, nachdem sie gewaschen, obduziert, untersucht, noch einmal gewaschen und zum zweiten Mal obduziert worden ist und zudem zwei Wochen lang in einem Leichensack lag.«

»Selbstverständlich haben Sie kein zweites Mal Abstriche genommen«, sagt Dr. Marcus von oben herab. »Aber ich nehme an, dass Sie mit Mr. Whitbys Autopsie noch nicht fertig waren und sich nach der Untersuchung der kleinen Paulsson wieder mit ihm befasst haben.«

»Ich habe Abstriche von Mr. Whitby genommen und mich dann mit der kleinen Paulsson beschäftigt«, erklärt Fielding. »Ich habe keine Abstriche von ihr genommen. Das steht fest. Außerdem können an ihr keine Spuren mehr vorhanden gewesen sein, die sich auf jemand anderen hätten übertragen lassen können.«

»Es ist nicht meine Aufgabe, das zu erklären«, verkündet Dr. Marcus. »Keine Ahnung, was zum Teufel da passiert ist, aber etwas muss vorgefallen sein. Wir haben die Pflicht, alle Möglichkeiten in Erwägung zu ziehen. Die Anwälte werden das mit Sicherheit tun, wenn einer der beiden Fälle jemals vor Gericht kommt.«

»Gillys Tod wird gewiss ein gerichtliches Nachspiel haben«, entgegnet Special Agent Weber im Brustton der Überzeugung, als kenne sie die tote Vierzehnjährige persönlich. »Vielleicht hat es ja eine Verwechslung gegeben. Jemand hat eine Probe falsch beschriftet oder verunreinigt. Sind die beiden Analysen von demselben forensischen Wissenschaftler durchgeführt worden?«

»Eise – ja, ich glaube, so heißt er – ist für beide verantwortlich«, erwidert Dr. Marcus. »Er ist für die Spuren zuständig, aber nicht für die Haare.«

»Sie haben schon zweimal Haare erwähnt. Was für welche?«, fragt Scarpetta. »Soll das heißen, dass auch Haare sichergestellt wurden?«

»Einige am Fundort von Gilly Paulsson«, antwortet Dr. Marcus. »Ich glaube, in der Bettwäsche.«

»Dann wollen wir mal hoffen, dass die Haare nicht vom Traktorfahrer stammen«, merkt Marino an. »Obwohl es die Sache eigentlich erleichtern würde. Er bringt das Mädchen um, kann nicht mit der Schuld leben und überfährt sich mit seinem eigenen Traktor. Fall aufgeklärt.«

Niemand findet das komisch.

»Ich habe darum gebeten, dass ihre Bettwäsche auf ziliare Schleimhautepithelzellen hin untersucht wird«, sagt Scarpetta zu Fielding.

»Der Kopfkissenbezug«, erwidert er. »Die Antwort ist positiv.«

Eigentlich sollte sie erleichtert sein, da das der biologische Beweis dafür ist, dass Gilly erstickt wurde. Doch die Wahrheit tut weh. »Eine schreckliche Art zu sterben«, meint sie. »Einfach entsetzlich.«

»Verzeihung«, schaltet sich Special Agent Weber ein. »Habe ich etwas nicht mitbekommen?«

»Das Mädchen wurde ermordet«, entgegnet Marino. »Ich wüsste nicht, was zum Teufel Sie sonst nicht mitbekommen haben könnten.«

»So etwas muss ich mir wirklich nicht bieten lassen«, wendet sie sich an Dr. Marcus.

»Doch, das muss sie«, sagt Marino zu ihm. »Außer Sie wollen mich höchstpersönlich aus diesem Zimmer werfen. Ansonsten bleibe ich einfach schön brav sitzen und rede, wie mir der Schnabel gewachsen ist.«

»Wenn wir schon einmal dabei sind, ein offenes Gespräch zu führen«, sagt Scarpetta zu Weber, »würde ich gerne von Ihnen aus erster Hand hören, warum sich das FBI mit dem Fall Gilly Paulsson beschäftigt.«

»Ganz einfach: Weil die Polizei von Richmond uns um Hilfe gebeten hat«, gibt Special Agent Weber zurück.

»Weshalb?«

»Das müssen Sie sie schon selbst fragen.«

»Ich frage aber Sie«, entgegnet Scarpetta und wird langsam wütend. »Wenn nicht endlich jemand die Karten auf den Tisch legt, ist die Angelegenheit für mich erledigt.«

»So einfach ist das nicht.« Dr. Marcus wirft ihr einen langen Blick aus halb geöffneten Augen zu, die sie an eine Eidechse erinnern. »Sie haben sich eingemischt. Sie haben den Traktorfahrer untersucht, und nun haben wir es vermutlich mit einer Verunreinigung der Beweise zu tun. Ich fürchte, Sie können nicht einfach hier hinausspazieren. Die Entscheidung liegt nicht mehr bei Ihnen.«

»So ein Schwachsinn«, murmelt Fielding und starrt auf seine wunden, schuppigen Hände, die auf seinem Schoß liegen.

»Ich kann dir sagen, warum sich das FBI eingeschaltet hat«, verkündet Marino. »Zumindest weiß ich, was die Polizei von Richmond dazu meint, falls es dich interessiert. Allerdings könnte es sein, dass Sie sich davon gekränkt fühlen«, wendet er sich an Special Agent Weber. »Habe ich übrigens schon erwähnt, wie gut mir Ihr Kostüm gefällt? Und Ihre roten Schuhe? Einfach spitze. Aber was machen Sie, wenn Sie in den Dingern einen Verbrecher zu Fuß verfolgen müssen?«

»Jetzt reicht es«, zischt sie.

»Nein – mir reicht es jetzt!« Jack Fielding schlägt plötzlich mit der Faust auf den Tisch und springt auf. Er tritt ein paar Schritte zurück und sieht sich mit vor Wut blitzenden Augen um. »Ich habe diese Scheiße satt. Ich gehe. Haben Sie kapiert, Sie kleines, verblödetes Arschloch?«, schreit er Dr. Marcus an. »Ich gehe. Und auf Sie scheiße ich genauso.« Er zeigt mit dem Finger auf Special Agent Weber. »Sie können mir mit Ihrem beschissenen FBI mal den Buckel runterrutschen. Sie kommen hierher, führen sich auf wie Halbgötter und haben von nichts eine Ahnung. Sie würden einen Mord nicht mal erkennen, wenn er in Ihrem eigenen gottverdammten Bett stattfindet. Ich gehe.« Er marschiert zur Tür und dreht sich kurz davor noch einmal um. »Pete, ich weiß, dass Sie im Bilde sind«, wendet er sich an Marino. »Sagen Sie Dr. Scarpetta die Wahrheit. Jemand muss es ja tun.«

Dann geht er zur Tür hinaus und knallt sie hinter sich zu.

Einen Moment herrscht beklommenes Schweigen. »Tja, das war ein ziemlicher Auftritt«, meint Dr. Marcus dann zu Special Agent Weber. »Ich muss Sie um Verzeihung bitten.«

»Hat er Probleme mit den Nerven?«, erkundigt sie sich.

»Hast du mir etwas mitzuteilen?« Scarpetta sieht Marino an und ist mehr als verärgert darüber, dass er möglicherweise über wichtige Informationen verfügt und sich bis jetzt nicht die Mühe gemacht hat, sie ihr gegenüber zu erwähnen. Sie fragt sich, ob er es einfach vergessen hat, weil er die ganze Nacht unterwegs war.

»Soweit ich gehört habe«, antwortet er, »interessiert sich das

FBI für die kleine Gilly, weil ihr Vater gewissermaßen für das Amt für Heimatschutz spitzelt. Er arbeitet in Charleston und gibt angeblich Informationen über Piloten weiter, die möglicherweise mit den Terroristen sympathisieren. Da dort unten die größte Flotte von C-17-Transportflugzeugen des ganzen Landes stationiert ist und bei jedem Knall etwa einhundertfünfundachtzig Millionen Dollar beim Teufel wären, macht man sich ziemliche Sorgen deswegen. Es wäre doch ein Jammer, wenn so ein Terrorist plötzlich mit dem Flugzeug mitten auf diese Flotte krachen würde.«

»Ich würde Ihnen raten, jetzt den Mund zu halten«, sagt Special Agent Weber. Ihre Finger sind immer noch auf dem Notizblock verschränkt, doch die Knöchel sind weiß. »Dieses Thema ist nicht Ihre Sache.«

»Aber ich stecke doch schon mitten drin«, gibt er zurück, nimmt die Baseballkappe ab und fährt mit der Hand über die Stoppeln, die auf seinem ansonsten kahlen Schädel wachsen. »Tut mir Leid, ich bin spät ins Bett gekommen und hatte keine Zeit mehr, mich zu rasieren.« Als er sein stoppeliges Kinn reibt, erzeugt das ein Geräusch, als würde er über Sandpapier streichen. »Ich, Eise von der Kriminaltechnik und Detective Browning hatten einen gemütlichen Abend im Polizeiclub. Anschließend habe ich noch ein paar Gespräche geführt, auf die ich aus Gründen der Vertraulichkeit hier nicht näher eingehen möchte.«

»Am besten sind Sie jetzt still«, warnt Special Agent Weber, als wäre Reden ein neuer Straftatbestand, für den sie ihn verhaften könnte. Möglicherweise wertet sie sein Verhalten als Landesverrat.

»Mir wäre es lieber, wenn du weitersprichst«, fordert Scarpetta ihn auf.

»Das FBI und das Amt für Heimatschutz haben nicht gerade ein freundschaftliches Verhältnis«, fährt Marino fort. »Schließlich haben die Heimatschützer einen großen Batzen des Budgets vom Justizministerium abgekriegt, und wir alle wissen ja, wie sehr das FBI am Geld hängt ... Was habe ich da letztens gehört?« Er wirft Special Agent Weber einen kühlen Blick zu. »Etwa siebzig Lobbyisten drücken sich ständig am Capitol Hill herum und betteln um Geld, während Nullen wie Sie sich überall einmischen, sämtliche Fälle an sich reißen und am liebsten die ganze Welt übernehmen würden ...«

»Warum hören wir uns das noch länger an?«, meint Special Agent Weber zu Dr. Marcus.

»Die Sache sieht folgendermaßen aus«, sagt Marino zu Scarpetta. »Das FBI schnüffelt Frank Paulsson schon seit einer Weile hinterher. Und es sind Gerüchte über ihn im Umlauf. Offenbar missbraucht er seine Stellung als Flugarzt, was insbesondere deshalb Besorgnis erregend ist, weil er als Spion für den Heimatschutz arbeitet. Und der wäre sicher nicht begeistert, wenn Paulsson eine Pilotin – insbesondere eine Militärpilotin – nach Erhalt einer Gegenleistung für flugtauglich erklärt. Dem FBI hingegen wäre nichts lieber, als dem Amt für Heimatschutz was am Zeug zu flicken und es als Idiotenhaufen hinzustellen. Und als die Gouverneurin es mit der Angst zu tun gekriegt und das FBI hinzugezogen hat, hatten Sie Ihren Fuß in der Tür.« Er sieht Special Agent Weber an. »Allerdings bezweifle ich, dass die Gouverneurin weiß, welche Laus sie sich da in den Pelz gesetzt hat. Wie ihr sicher nicht klar war, interpretiert das FBI Unterstützung nämlich so, dass man andere Bundesbehörden in den Dreck zieht. Mit anderen Worten: Hier geht es nur um Macht und Geld. Aber geht es das nicht immer?«

»Nein, nicht immer«, erwidert Scarpetta mit harter Stimme. Sie hat genug. »Hier geht es um eine Vierzehnjährige, die einen schmerzhaften und schrecklichen Tod gestorben ist. Es geht um den Mord an Gilly Paulsson.« Sie steht auf, klappt ihren Aktenkoffer zu, umfasst die ledernen Haltegriffe und blickt erst Dr. Marcus und dann Special Agent Weber an. »Und das ist auch das Thema, mit dem wir uns befassen sollten.«

27

Als sie in der Broad Street ankommen, ist Scarpetta kurz davor, die Wahrheit aus ihm herauszuprügeln. Ganz gleich, ob er will oder nicht, er muss es ihr jetzt erzählen.

»Was hast du gestern Abend gemacht?«, fragt sie. »Und damit meine ich nicht den Umtrunk im Polizeiclub.«

»Keine Ahnung, worauf du hinauswillst.« Marino hockt als missmutiger Koloss auf dem Beifahrersitz und hat die Kappe tief in das mürrische Gesicht gezogen.

»O doch, das weißt du ganz genau. Du warst bei ihr.«

»Jetzt komme ich überhaupt nicht mehr mit.« Er starrt aus dem Seitenfenster.

»O doch.« Scarpetta rast in hoher Geschwindigkeit über den Broadway. Sie hat darauf bestanden, selbst zu fahren, und hätte weder Marino noch sonst jemanden ans Steuer gelassen. »Ich kenne dich. Verdammt, Marino – du hast es schon einmal getan. Wenn es wieder so war, dann sag es mir. Ich habe gesehen, wie sie dich angeschaut hat, als wir bei ihr waren. Du hast es auch bemerkt, und du hast es genossen. Ich bin schließlich nicht blöd.«

Anstatt eine Antwort zu geben, starrt er aus dem Fenster, und die Baseballkappe verdeckt sein Gesicht.

»Mach den Mund auf, Marino. Warst du bei Mrs. Paulsson? Hast du dich irgendwo mit ihr getroffen? Sag die Wahrheit. Irgendwann kriege ich es sowieso raus, das weißt du doch.« Scarpetta bremst abrupt an einer Ampel, die plötzlich von Gelb auf Rot umspringt, und sieht ihn an. »Gut. Dein Schweigen spricht Bände. Deshalb hast du dich so seltsam benommen, als du ihr heute Morgen im Büro begegnet bist. Du warst gestern Nacht bei ihr, und vielleicht ist es ja nicht so gelaufen, wie du gehofft hast. Und deshalb warst du bei ihrem Anblick heute Morgen so überrascht.«

»So war es nicht.«

»Wie dann?«

»Suz brauchte jemanden zum Reden, und ich wollte Informationen. Also haben wir uns gegenseitig geholfen«, sagt er zum Fenster gewandt.

»Suz?«

»Und es hat etwas gebracht, oder?«, fährt er fort. »Ich habe Einblicke in das Amt für Heimatschutz gewonnen, darüber, was für ein Schwachkopf und Widerling ihr Ex ist und warum das FBI hinter ihm her sein könnte.«

»Könnte?« Sie biegt links in die Franklin Street ein und hält auf ihr erstes Büro in Richmond zu, das alte Gebäude, das gerade abgerissen wird. »In der Besprechung – wenn man das so bezeichnen will – schienst du dir deiner Sache sehr sicher zu sein. Hast du das alles nur erraten? Worauf genau willst du hinaus?«

»Sie hat mich gestern Abend auf dem Mobiltelefon angerufen«, erwidert Marino und wechselt beim Anblick des Gebäudes das Thema. »Seit unserer Ankunft sind sie mit dem Abriss ziemlich weit vorangekommen. Zurzeit geht eine ganze Menge kaputt.« Er betrachtet die Ruine, die sich vor ihnen erhebt.

Das Gebäude aus Gussbeton wirkt kleiner und kläglicher als beim ersten Mal. Vielleicht bilden sie sich das auch nur ein, weil die Zerstörung sie nicht mehr überrascht. Als sie sich der Fourteenth Street nähern, geht Scarpetta vom Gas und sieht sich vergeblich nach einer Parklücke um.

»Wir müssen die Cary Street rauffahren«, beschließt sie. »Dort gibt es einen oder zwei Häuserblocks weiter einen bewachten Parkplatz. Zumindest war das einmal so.«

»Vergiss es. Ich habe, was wir brauchen.« Er öffnet seinen schwarzen mit Stoff bezogenen Aktenkoffer und holt einen roten Ausweis mit der Aufschrift »Chefpathologe« heraus, den er aufs Armaturenbrett legt.

»Wo hast du den denn her?« Sie traut ihren Augen nicht. »Wie zum Teufel hast du das geschafft?«

»Wenn man sich die Zeit nimmt, mit den Mädchen im Büro zu plaudern, kann man eine Menge erreichen.«

»Du bist ein böser Junge«, meint sie kopfschüttelnd. »Mir fehlt dieser Ausweis wirklich«, fügt sie hinzu, denn früher war das Parken für sie nicht so aufwändig und umständlich wie heute. Sie konnte bei jedem x-beliebigen Tatort vorfahren und ihr Auto abstellen, wo es ihr gefiel. Wenn sie während der Hauptverkehrszeit zum Gericht musste, parkte sie irgendwo im Halteverbot, und das alles dank eines kleinen roten Schildes, auf dem in großen weißen Buchstaben »Chefpathologe« stand. »Warum hat Mrs. Paulsson dich gestern Abend angerufen?« Sie schafft es nicht, sie Suz zu nennen.

»Sie wollte reden«, erwidert er und öffnet die Beifahrertür. »Komm, bringen wir es hinter uns. Du hättest Stiefel anziehen sollen.«

28

Seit gestern Abend muss Marino ständig an Suz denken. Ihm gefällt es, wie sie ihr Haar trägt, nämlich gerade lang genug, dass es ihre Schultern streift. Außerdem blond. Blond war schon immer seine Lieblingshaarfarbe.

Schon bei der ersten Begegnung in ihrem Haus hat er den Schwung ihrer Wangen und ihre vollen Lippen bewundert. Er fand es schön, wie sie ihn ansah, denn er hat sich dadurch groß, stark und wichtig gefühlt. Ihr Blick schien ihm zu sagen, dass sie ihm die Lösung aller Probleme zutraute, sogar der unlösbaren, die jeden anderen überfordern würden.

Bestimmt war es dieser Blick, der ihn am meisten berührt hat.

Und die Art und Weise, wie sie bei der Durchsuchung von Gillys Zimmer dicht an ihn herangerückt ist. Als er ihre Nähe spürte, hat er geahnt, dass es Ärger geben wird. Außerdem war er sich bewusst, dass er sich auf etwas würde gefasst machen müssen, falls Scarpetta es bemerkte.

Marino und Scarpetta waten durch dicken roten Schlamm, und es wundert ihn wie immer, dass sie auch im ungeeignetsten Schuhwerk jeder Bodenbeschaffenheit trotzt und einfach weitergeht, ohne ein Wort darüber zu verlieren. Feuchter roter Schlamm schmatzt unter Marinos schwarzen Stiefeln, und seine Füße geraten ins Rutschen, als er sich vorsichtig vorantastet. Scarpetta hingegen bemerkt offenbar gar nicht, dass sie keine Stiefel trägt, sondern nur Schnürschuhe mit flachen Absätzen, die bequem sind und gut zu ihrem Hosenanzug passen. Oder besser: gepasst haben. Inzwischen sehen sie nämlich aus wie rote Schlammklumpen. Morast bespritzt ihre Hosensäume und ihren langen Mantel, als sie und Marino auf die Ruine des Gebäudes zusteuern.

Die Abrissmannschaft hält in der Arbeit inne, während Marino und Scarpetta wie zwei Idioten durch Schlamm waten und über Geröll klettern und Kurs auf das Zentrum der Zerstörung nehmen. Ein stämmiger Mann mit Bauarbeiterhelm starrt ihnen entgegen. Er hält ein Klemmbrett in der Hand und spricht gerade mit einem anderen Mann, der ebenfalls einen Bauarbeiterhelm auf dem Kopf hat. Dann kommt er auf sie zu und wedelt mit den Händen. Marino winkt ihn zu sich, da sie sich mit ihm unterhalten wollen.

»Ich bin Detective Marino«, stellt er sich vor. »Und das ist Dr. Scarpetta, die Gerichtsmedizinerin.«

»Oh«, erwidert der Mann mit dem Klemmbrett. »Sie sind sicher wegen Ted Whitby hier.« Er schüttelt den Kopf. »Ich konnte es kaum fassen. Sie wissen sicher über seine Familie Bescheid.«

»Erzählen Sie«, fordert Marino ihn auf.

»Seine Frau erwartet ihr erstes Kind. Für Ted ist es die zweite Ehe. Sehen Sie den Mann da drüben?« Er dreht sich zu der Ruine um und zeigt auf einen Mann in Grau, der gerade dem Führerhaus eines Krans entsteigt. »Das ist Sam Stiles. Er und Ted hatten ihre Probleme, um es einmal so auszudrücken. Sie – das heißt Teds Frau – behauptet jetzt, Sam hätte die Abrissbirne zu dicht an Teds Traktor vorbeizischen lassen. Und deshalb wäre er runtergefallen und überrollt worden.«

»Woraus kann man schließen, dass er runtergefallen ist?«, fragt Scarpetta.

Marino weiß, dass sie an die Szene denkt, die sie beobachtet hat. Sie glaubt immer noch, sie habe Ted Whitby gesehen, und zwar kurz bevor er überfahren wurde, als er noch auf seinen eigenen zwei Füßen stand und sich am Motor zu schaffen machte. Möglicherweise hat sie Recht. Und da er sie gut kennt, nimmt er an, dass es wirklich so gewesen sein muss.

»Ich will mich da nicht festlegen, Ma'am«, entgegnet der Mann mit dem Klemmbrett. Er ist etwa in Marinos Alter, hat aber dichtes Haar und Falten. Seine Haut ist gebräunt und wettergegerbt wie bei einem Cowboy, und er hat leuchtend blaue Augen. »Ich sage nur, dass die Frau, oder besser die Witwe, überall diese Geschichte verbreitet. Natürlich will sie Geld. Ist das nicht immer so? Das heißt nicht, dass sie mir nicht Leid täte. Aber es ist nicht richtig, sich einen Sündenbock zu suchen, wenn jemand ums Leben kommt.«

»Waren Sie hier, als es geschah?«, erkundigt sich Scarpetta.

»Genau hier, nur ein paar Hundert Meter von der Stelle entfernt, wo es passiert ist.« Er deutet auf die vordere rechte Ecke des Gebäudes.

»Haben Sie es gesehen?«

»Nein, Ma'am. Es gibt keine Zeugen. Er war hinten auf dem Parkplatz und hat am Motor herumgebastelt, da das Ding ständig abgesoffen ist. Ich vermute, dass er die Sicherung überbrückt hat – und den Rest der Geschichte kennen wir ja. Ich und die anderen haben nur mitgekriegt, dass der Traktor losgerollt ist, ohne dass jemand darauf saß. Dann ist er gegen den gelben Pfosten am Rolltor geprallt und daran hängen geblieben. Aber Ted lag auf dem Boden, war schwer verletzt und hat heftig geblutet. Es sah ziemlich übel aus.«

»War er noch bei Bewusstsein?«, erkundigt sich Scarpetta und macht sich wie immer Notizen in ein schwarzes Buch. Über der Schulter trägt sie ihre schwarze Tatorttasche aus Nylon an einem langen Riemen.

»Ich habe nicht gehört, dass er was gesagt hätte.« Der Mann verzieht bedauernd das Gesicht und wendet sich ab. Dann schluckt er lautstark und räuspert sich. »Seine Augen waren offen, und er schnappte nach Luft. Das ist ein Bild, das ich wohl nie mehr vergessen werde. Er hat nach Atem gerungen und lief blau an. Und im nächsten Moment war er tot. Natürlich kam sofort die Polizei. Und ein Krankenwagen. Aber man konnte nichts mehr für ihn tun.«

Marino steht im Schlamm, hört zu und beschließt, auch ein oder zwei Fragen zu stellen, weil er sich unwohl fühlt, wenn er zu lange schweigend wie ein Ölgötze an einer Stelle verharrt. In Scarpettas Gegenwart kommt er sich immer dumm vor, obwohl sie nichts tut, um ihm dieses Gefühl zu vermitteln. Doch das macht es nur noch schlimmer.

»Dieser Sam Stiles«, meint Marino und weist mit dem Kopf auf den reglosen Kran mit der Abrissbirne, die an ihrem Ausleger sacht hin- und herbaumelt. »Wo war er, als Ted überfahren wurde? Irgendwo in seiner Nähe?«

»Nein. Das ist doch albern. Dass Ted von einer Abrissbirne vom Traktor geholt worden sein soll, ist absoluter Schwachsinn und wäre eigentlich komisch, wenn die Sache an sich nicht so traurig wäre. Haben Sie überhaupt eine Vorstellung davon, was eine Abrissbirne bei einem Menschen anrichten würde?«

»Sähe bestimmt nicht sehr hübsch aus«, erwidert Marino.

»Sie würde ihm das Hirn direkt aus der Rübe donnern. Das Überfahren mit dem Traktor könnte man sich anschließend sparen.«

Scarpetta macht sich weiter Notizen. Hin und wieder blickt sie sich nachdenklich um, bevor sie etwas aufschreibt. Einmal hat Marino ihre Aufzeichnungen offen auf dem Schreibtisch liegen sehen, als sie nicht im Büro war. Weil er neugierig war, was in ihrem Kopf vorgeht, hat er die Gelegenheit genutzt, einen Blick zu riskieren. Aber er konnte nur ein einziges Wort entziffern, und das war zufällig sein Name: Marino. Sie hat nicht nur eine fürchterliche Handschrift, sondern macht ihre Notizen in einer seltsamen Art von Kurzschrift, die außer ihrer Sekretärin Rose niemand entschlüsseln kann.

Nun fragt sie den Mann mit dem Klemmbrett nach seinem Namen, worauf dieser erwidert, er heiße Bud Light. Das kann Marino sich gut merken, obwohl er Budweiser Light ebenso wenig mag wie Miller Light, Michelob Light oder sonst irgendwelche alkoholreduzierten Biere. Scarpetta erklärt, sie wolle sich den Fundort ansehen, um Bodenproben zu nehmen. Bud scheint das kein bisschen zu wundern. Vielleicht glaubt er, dass gut aussehende Gerichtsmedizinerinnen und dicke Polizisten mit Baseballkappen immer Bodenproben nehmen, wenn ein Bauarbeiter von einem Traktor überfahren wurde. Also waten sie wieder durch den zähen, feuchten Schlamm auf das Gebäude zu. Dabei muss Marino die ganze Zeit an Suz denken.

Gestern Abend hatte er gerade noch eine Runde Whisky im Polizeiclub bestellt und führte ein nettes, offenes Gespräch mit Junius Eise. Browning war schon nach Hause gegangen, und Marino war mitten in einem Satz, als sein Mobiltelefon läutete. Inzwischen war er schon ziemlich angetrunken und hätte eigentlich nicht mehr ans Telefon gehen sollen. Es wäre wohl das Beste gewesen, es abzuschalten, aber das hat er nicht getan. Schließlich hatte Scarpetta ihn zuvor angerufen, weil Fielding die Tür nicht aufgemacht hat. Marino hatte ihr angeboten, sie könne sich wieder bei ihm melden, falls sie ihn brauche. Und deshalb nahm er das Gespräch auch an, als es läutete. Nach einigen Runden Whisky neigt er ohnehin eher dazu, die Tür zu öffnen oder am Telefon mit Fremden zu reden, als sonst.

»Marino«, übertönte er das Stimmengewirr im Polizeiclub.

»Hier spricht Suzanna Paulsson. Tut mir Leid, dass ich Sie störe.« Sie brach in Tränen aus.

Was sie anschließend gesagt hat, war nicht so wichtig, und er kann sich auch nicht mehr an alles erinnern, als er durch den zähen roten Schlamm watet, während Scarpetta einen sterilen

Gaumenspatel aus Holz sowie einige Gefrierbeutel aus ihrer Schultertasche kramt. Das wichtigste Ereignis der gestrigen Nacht kann Marino sich nicht mehr vergegenwärtigen, und das wird wohl für immer so bleiben, weil Suz Whiskey zu Hause hatte. Sour-Mash-Bourbon, und zwar mehrere Flaschen. Sie trug Jeans und einen flauschigen rosafarbenen Pullover, als sie ihn ins Wohnzimmer führte, die Vorhänge zuzog, sich neben ihn aufs Sofa setzte und ihm von ihrem miesen Ex-Mann, dem Heimatschutz, den Pilotinnen und den anderen Paaren erzählte, die Frank nach Hause eingeladen hatte. Ständig erwähnte sie diese anderen Paare, als ob sie wichtig wären. Und deshalb erkundigte sich Marino, ob sie diese Leute gemeint habe, als sie während seines und Scarpettas Besuchs immer wieder von »sie« sprach. Allerdings ging sie nicht darauf ein, sondern wiederholte ihre Antwort: Fragen Sie Frank.

Ich frage aber Sie, erwiderte Marino.

Fragen Sie Frank, sagte sie bloß. Er hat alle möglichen Leute ins Haus geholt. Fragen Sie ihn.

Was wollten diese Leute hier?

Das werden Sie schon noch erfahren, entgegnete sie.

Marino steht da und sieht zu, wie Scarpetta Latexhandschuhe überstreift und ein weißes Papierpäckchen aufreißt. Dort, wo der Traktorfahrer seinen tödlichen Unfall hatte, ist nichts als schlammiger Asphalt vor einer Hintertür zu sehen, die sich neben dem großen Rolltor befindet. Er beobachtet, wie Scarpetta in die Hocke geht und den Boden betrachtet. Dabei fällt ihm der gestrige Vormittag ein, als sie im Mietwagen hier vorbeigefahren sind und über die Vergangenheit gesprochen haben. Wenn er die Zeit zu diesem Moment zurückdrehen könnte, würde er es tun. Aber es geht nicht. Sein Magen fühlt sich übersäuert an, und ihm ist leicht übel. Sein Schädel pocht im Gleichtakt mit seinem wild klopfenden Herzen. Als er die kalte Luft einatmet, legt sich der Geschmack nach Erde und dem Betonstaub des Gebäudes, das rings um sie zusammenbricht, auf seine Zunge.

»Wonach suchen Sie eigentlich, wenn ich fragen darf?«, sagt Bud, der ebenfalls zusieht.

Scarpetta schabt mit dem Gaumenspatel sorgfältig über eine kleine Stelle in Erde und Sand, wo sich ein Fleck befindet. Vielleicht ist es Blut. »Mich interessiert nur, was da ist«, erklärt sie.

»Wissen Sie, ich schaue mir manchmal solche Fernsehsendungen an. Oder ich kriege wenigstens etwas davon mit, wenn meine Frau sie einschaltet.«

»Glauben Sie bloß nicht alles, was im Fernsehen kommt.« Scarpetta befördert weitere Erde in den Gefrierbeutel und lässt dann den Gaumenspatel ebenfalls hineinfallen. Nachdem sie den Beutel versiegelt hat, beschriftet sie ihn. Dann verstaut sie ihn vorsichtig in ihrer Nylontasche, die aufrecht auf dem Boden steht.

»Also nehmen Sie diesen Dreck nicht mit, um ihn in irgendeine Zaubermaschine zu stecken?«, witzelt Bud.

»Mit Zauberei hat unsere Arbeit nichts zu tun«, antwortet sie, öffnet wieder ein weißes Päckchen und kauert sich auf den Parkplatz neben der Tür, die sie in ihrer Zeit als Chefpathologin jeden Morgen aufgeschlossen hat, um das Gebäude zu betreten.

An diesem Morgen hat Marino einige Male Lichtblitze in der pulsierenden Finsternis seiner Seele gespürt. Sie sind elektrisch aufgeladen wie ein Bild, das auf einem defekten Fernseher immer wieder aufflackert, und verschwinden sofort wieder, sodass man nur einen verschwommenen Eindruck davon erhält, was die Bilder darstellen könnten. Lippen und Zunge. Fragmente von Händen und geschlossenen Augen. Und sein Mund, der an ihr hinuntergleitet. Er weiß nur noch, dass er um sieben Minuten nach fünf heute Morgen nackt in ihrem Bett aufgewacht ist.

Scarpetta arbeitet wie eine Archäologin, soweit Marino die Arbeitsweise von Archäologen beurteilen kann. Sie kratzt vorsichtig die Oberfläche einer schlammigen Stelle ab, unter der sie dunkle Blutflecken vermutet. Der Mantel schlingt sich um ihre Beine und schleift auf dem schmutzigen Asphalt. Doch das kümmert sie nicht. Wenn nur alle Frauen sich so wenig für unwichtige Kleinigkeiten interessieren würden wie sie. Marino glaubt, dass Scarpetta eine unerfreuliche Nacht verzeihen würde. Sie würde Kaffee kochen und lange genug bleiben, um darüber zu reden. Niemals würde sie sich heulend ins Bad einschließen und ihn anbrüllen, er solle verdammt nochmal sofort verschwinden.

Raschen Schrittes verlässt Marino den Parkplatz und watet durch den Schlamm zurück zum Auto. Er rutscht aus und behält mit einem Grunzen, das sich in ein Röcheln verwandelt, mit knapper Not das Gleichgewicht. Vornüber gebeugt, erbricht er sich und würgt und würgt, während sich eine braune Flüssigkeit auf seine Stiefel ergießt. Er zittert und keucht und glaubt schon, sterben zu müssen, als er ihre Hand am Ellenbogen spürt. Diese starke, sichere Hand würde er immer und überall erkennen.

»Komm«, sagt sie leise und nimmt seinen Arm. »Ich bringe dich zum Auto. Halt dich an meiner Schulter fest, und achte um Himmels willen darauf, wo du hintrittst. Sonst fallen wir noch beide hin.«

Er wischt sich den Mund am Jackenärmel ab. Tränen treten ihm in die Augen, als er sich zwingt, einen Fuß vor den anderen zu setzen. Auf sie gestützt, hält er sich mühsam aufrecht und watet mit schmatzenden Schritten durch das schlammige blutrote Schlachtfeld rings um die Ruine des Gebäudes, in dem sie sich damals kennen gelernt haben.

»Was ist, wenn ich sie vergewaltigt habe?«, fragt er und fühlt sich so elend, dass er am liebsten sterben würde. »Was wäre dann?«

29

Obwohl es im Hotelzimmer sehr warm ist, hat es Scarpetta aufgegeben, den Thermostat einstellen zu wollen. Stattdessen sitzt sie in einem Sessel am Fenster und betrachtet Marino, der auf dem Bett liegt. Er hat sich in seiner schwarzen Hose und dem schwarzen Hemd ausgestreckt. Die Baseballkappe ruht einsam auf der Kommode, während die schwarzen Stiefel verlassen auf dem Boden stehen.

»Du musst was in den Magen kriegen«, sagt sie.

Neben ihr auf dem Teppich liegt ihre mit Schlamm bespritzte Tatorttasche aus Nylon, und über einem Stuhl hängt ihr ebenfalls mit Schlamm bespritzter Mantel. Überall im Zimmer hat sie rote schlammige Fußspuren hinterlassen, und als ihr Blick auf eine davon fällt, muss sie an einen Tatort denken; außerdem an Suzanna Paulssons Schlafzimmer und daran, was sich dort möglicherweise vor knapp zwölf Stunden abgespielt hat.

»Ich bekomme jetzt nichts runter«, erwidert Marino vom Bett aus. »Was ist, wenn sie zur Polizei geht?«

Scarpetta hat nicht die Absicht, ihm falsche Hoffnungen zu machen. Eigentlich kann sie gar nichts tun, weil sie nichts weiß. »Möchtest du dich nicht hinsetzen, Marino? Es wäre besser, wenn du sitzt. Ich bestelle jetzt etwas.«

Als sie aufsteht und zum Telefon neben dem Bett geht, hinterlässt sie eine weitere Spur Bröckchen und Flocken trocknenden Schlamms hinter sich. Sie kramt die Lesebrille aus der Jacke ihres Hosenanzugs, schiebt sie auf die Nasenspitze und mustert die Liste der Telefonnummern. Als sie die Durchwahl des Zimmerservice nicht entdecken kann, ruft sie die Rezeption an und lässt sich verbinden.

»Drei große Flaschen Wasser«, bestellt sie. »Zwei Kannen Earl Grey, einen getoasteten Bagel und eine Schale Haferbrei … Nein danke, das wäre alles.«

Marino hievt sich in die Sitzposition und zwängt sich ein Kissen hinter den Rücken. Sie spürt, dass er sie beobachtet, als sie sich wieder auf ihrem Sessel niederlässt. Sie ist müde, weil sie sich überfordert fühlt, und in ihrem Kopf stiebt eine Herde wilder Pferde in alle möglichen Richtungen auseinander. Dabei denkt sie an Lacksplitter und andere Spuren, an die Erdproben in ihrer Nylontasche, an Gilly und den Traktorfahrer und daran, was Lucy wohl im Moment tut und was Benton möglicherweise gerade treibt. Dann versucht sie sich Marino als Vergewaltiger vorzustellen. Was Frauen angeht, hat er sich auch schon früher leichtsinnig, wenn nicht gar dumm verhalten. Er hat das Berufliche mit dem Privaten vermischt, was sich darin äußerte, dass er sich in der Vergangenheit mehr als einmal sexuell mit Zeuginnen und Opfern eingelassen hat. Er hat zwar seinen Preis dafür bezahlt, aber der lag immer im Bereich dessen, was er sich leisten konnte. Noch nie ist er der Vergewaltigung bezichtigt worden oder hatte Grund, sich Sorgen zu machen, dass er vielleicht eine begangen haben könnte.

»Wir müssen uns Mühe geben, die Angelegenheit zu klären«, sagt sie. »Offen gestanden kann ich mir nicht vorstellen, dass du Suzanna Paulsson vergewaltigt hast. Allerdings besteht das offensichtliche Problem darin, ob sie es glaubt oder sich zumindest einredet. In letzterem Fall müssen wir uns Gedanken über ihr Motiv machen. Aber am besten gehen wir zuerst durch, woran du dich noch erinnerst. Und, Marino«, sie sieht ihn an, »falls du sie doch vergewaltigt hast, finden wir eine Lösung.«

Marino starrt sie nur an. Sein Gesicht ist gerötet, die Augen sind glasig vor Angst und Schmerz. An seiner rechten Schläfe tritt eine Vene hervor, die er hin und wieder berührt.

»Mir ist klar, dass du wahrscheinlich kein großes Bedürfnis hast, mir dein Verhalten von gestern Nacht in allen Einzelheiten zu schildern, doch du wirst nicht darum herumkommen ... Ich bin nicht so leicht zu schockieren«, fügt sie hinzu. Angesichts dessen, was sie beide schon zusammen erlebt haben, müsste diese Bemerkung eigentlich komisch sein. Aber im Moment ist ihnen nicht zum Lachen zumute.

»Ich weiß nicht, ob ich das schaffe.« Er wendet den Blick ab.

»Meine Phantasien sind viel schlimmer als alles, was du vielleicht wirklich verbrochen haben könntest«, erwidert sie in leisem und sachlichem Ton.

»Das stimmt wohl. Schließlich bist du kein Küken mehr.«

»So könnte man es ausdrücken«, gibt sie zurück. »Und falls es dich beruhigt: Ich habe im Leben auch die eine oder andere Erfahrung gemacht.« Sie schmunzelt leicht. »Selbst wenn du dir das nur schwer vorstellen kannst.«

30

Es ist für ihn keineswegs schwer, sich das vorzustellen, obwohl er sich in all den Jahren lieber nicht ausgemalt hat, was sie mit anderen Männern tut. Insbesondere mit Benton.

Marino starrt an ihr vorbei aus dem Fenster. Sein schlichtes Einzelzimmer befindet sich im zweiten Stock, sodass er die Straße nicht sehen kann, nur den grauen Himmel über ihr. Er fühlt sich innerlich ganz klein und hat das kindliche Bedürfnis, sich unter der Bettdecke zu verstecken, einzuschlafen und darauf zu hoffen, dass sich die Angelegenheit beim Aufwachen als böser Traum entpuppt. Er möchte aufwachen und feststellen, dass er mit Scarpetta hier in Richmond ist, um einen Fall aufzuklären, und dass sonst überhaupt nichts passiert ist. Komisch, wie oft er in einem Hotelzimmer die Augen aufgeschlagen und sich gewünscht hat, sie möge da sein und ihn ansehen. Und nun ist es so weit. Er überlegt, wo er beginnen soll. Dann ergreift wieder das kindliche Bedürfnis Besitz von ihm, und seine Stimme erstirbt.

Sie bleibt irgendwo zwischen Herz und Mund stecken wie ein Glühwürmchen, das in der Dunkelheit erlischt.

Seit Jahren schon, eigentlich seit ihrer ersten Begegnung, macht er sich – wenn er ehrlich mit sich ist – ausführlich Gedanken über sie. Seine erotischen Phantasien ranken sich um den ausgeklügeltsten, kreativsten und unbeschreiblichsten Sex, den er je hatte, und er will auf keinen Fall, dass sie je davon erfährt. Niemals würde er ihr dieses Geheimnis anvertrauen, und er hat nie die Hoffnung aufgegeben, dass er vielleicht doch noch eines Tages bei ihr landen könnte. Aber wenn er jetzt anfängt, über seine Erinnerungen zu sprechen, erhält sie möglicherweise einen Einblick, wie es mit ihm sein könnte. Und das würde ihm sämtliche Chancen verderben. Außerdem würde es den Tod seiner Phantasien bedeuten, die sich dann ein für allemal verflüchtigen würden. Also überlegt er, ob er lügen soll.

»Fangen wir bei deiner Ankunft im Polizeiclub an«, sagt Scarpetta und fixiert ihn mit ihrem Blick. »Wann bist du dort eingetrudelt?«

Gut. Der Polizeiclub ist kein Tabuthema. »Gegen sieben«, erwidert Marino. »Ich habe mich dort mit Eise getroffen. Dann kam noch Browning, und wir haben was gegessen.«

»Einzelheiten«, bohrt sie nach, ohne sich in ihrem Sessel zu rühren. Ihre Augen blicken ihn weiter unverwandt an. »Was genau hast du bestellt, und was hattest du den restlichen Tag über gegessen?«

»Ich dachte, wir wollten beim Polizeiclub anfangen und nicht damit, was ich davor gegessen hatte.«

»Hast du gestern gefrühstückt?«, hakt sie beharrlich und geduldig nach. Dieser Tonfall ist bei ihr sonst für Menschen reserviert, die zurückbleiben, nachdem jemand durch Zufall, höhere Gewalt oder Mord ums Leben gekommen ist.

»Ich habe in meinem Zimmer einen Kaffee getrunken«, antwortet er.

»Einen Imbiss? Mittagessen?«

»Nein.«

»Darüber halte ich dir ein andermal einen Vortrag«, meint sie.

»Also den ganzen Tag nichts gegessen. Nur Kaffee. Und dann bist du um sieben in den Polizeiclub gegangen. Hast du auf nüchternen Magen getrunken?«

»Ich habe mir ein paar Biere genehmigt. Danach habe ich ein Steak mit Salat gegessen.«

»Keine Kartoffeln oder Brot? Keine Kohlenhydrate? Hast du dich an deine Diät gehalten?«

»Mh-hm. So etwa die einzige gute Angewohnheit, von der ich gestern Nacht nicht abgewichen bin.«

Obwohl sie nichts darauf erwidert, ahnt er, dass sie seine nahezu kohlenhydratfreie Diät für keine gute Angewohnheit hält. Aber sie wird ihn jetzt mit einem Vortrag über seine Essgewohnheiten verschonen. Schließlich sitzt er gerade auf dem Bett und fühlt sich elend und verkatert und scheußlich und hat eine Todesangst, weil er vielleicht eine schwere Straftat begangen hat oder einer solchen bezichtigt werden könnte, sofern das nicht bereits geschehen ist. Er betrachtet den grauen Himmel jenseits der Fensterscheibe und stellt sich vor, wie ein ziviler Crown Victoria der Polizei von Richmond auf der Suche nach ihm durch die Straßen kurvt. Verdammt, vielleicht ist ja Detective Browning persönlich unterwegs, um ihm den Haftbefehl zuzustellen.

»Was passierte dann?«, fragt Scarpetta.

Marino malt sich aus, wie er auf der Rückbank des Crown Victoria sitzt, und überlegt, ob Browning ihm wohl Handschellen anlegen würde. Er könnte Marino aus Respekt unter Kollegen ungefesselt ins Auto setzen. Genauso gut aber könnte er diesen Respekt in den Wind schlagen und die Handschellen hervorziehen. Bestimmt würde er die Handschellen nehmen, denkt Marino.

»Du hast nach sieben Uhr ein paar Biere getrunken und ein Steak mit Salat gegessen«, fordert Scarpetta ihn in ihrer sanften, aber unerbittlichen Art zum Weitersprechen auf. »Wie viele Biere waren das denn genau?«

»Vier, glaube ich.«

»Du sollst nicht glauben. Wie viele?«

»Sechs«, entgegnet er.

»Gläser, Flaschen oder Dosen? Große? Normale? In anderen Worten: Wie groß waren diese Biere?«

»Sechs Flaschen Budweiser. Normale. Das ist übrigens nicht sehr viel für mich. Das vertrage ich locker. Für mich sind sechs Biere wie ein halbes für dich.«

»Sehr unwahrscheinlich«, erwidert sie. »Über deine Rechenkünste unterhalten wir uns später.«

»Ich brauche deine Vorträge nicht«, nuschelt er und starrt sie dann verstockt schweigend an.

»Sechs Biere und ein Steak mit Salat im Polizeiclub mit Junius Eise und Detective Browning. Und wann hast du das Gerücht aufgeschnappt, dass ich möglicherweise nach Richmond zurückkehre? Könnte das während deines Abendessens mit Eise und Browning gewesen sein?«

»Du kannst ja tatsächlich zwei und zwei zusammenzählen«, sagt er mürrisch.

Eise und Browning saßen ihm gegenüber am Tisch. Unter einer roten Glasglocke flackerte eine Kerze, und sie tranken alle drei Bier. Eise fragte Marino nach seiner Meinung über Scarpetta. Ist sie wirklich so eine tolle Medizinerin und Chefin?

Sie ist zwar die Größte, aber sie lässt es nicht raushängen, waren Marinos Worte. So viel weiß er noch. Und er erinnert sich daran, was er empfunden hat, als Eise und Browning anfingen, über sie zu sprechen und zu mutmaßen, sie würde wieder zur Chefpathologin ernannt werden und nach Richmond zurückkehren. Marino gegenüber hat sie das mit keiner Silbe erwähnt, und er fühlte sich gedemütigt und wütend. Das war der Augenblick, in dem er beschloss, von Bier auf Bourbon umzusteigen.

Ich fand sie schon immer scharf, wagte dieser vertrottelte Eise zu sagen. Daraufhin bestellte Marino den ersten Bourbon. Die hat ganz schön Holz vor der Hütte, fügte Eise ein paar Minuten später hinzu und hielt sich grinsend die gewölbten Hände vor die Brust. Hätte nichts dagegen, der mal unter den Labormantel zu fassen. Tja, Sie arbeiten ja schon seit einer Ewigkeit mit ihr zusammen, richtig? Wenn man sie jeden Tag um sich hat, fällt einem ihr Aussehen wahrscheinlich gar nicht mehr auf.

Da Marino nicht wusste, was er darauf erwidern sollte, leerte er den ersten Bourbon und bestellte dann den nächsten. Allein bei der Vorstellung, wie Eise ihren Körper angafft, hätte er ihm am liebsten eine runtergehauen. Aber natürlich hat er das nicht getan. Er hat einfach nur dagesessen und getrunken und versucht, nicht daran zu denken, wie sie aussieht, wenn sie den Labormantel auszieht und ihn über einen Stuhl oder an den Haken an der Tür hängt. Er gab sich größte Mühe, das Bild auszublenden, wie sie an einem Tatort aus der Kostümjacke schlüpft, die Manschetten ihrer Bluse aufknöpft und die nötigen Kleidungsstücke an- oder auszieht, wenn eine Leiche auf sie wartet. Sie hatte schon immer ein unbefangenes Verhältnis zu ihrem Körper, das frei von jeglichem Exhibitionismus ist, und bemerkt ihre Reize gar nicht. Es interessiert sie einfach nicht, ob jemand sie beobachtet, während sie Knöpfe öffnet, Kleidungsstücke ablegt, sich vorbeugt und sich bewegt. Schließlich arbeitet sie, und den Toten ist es gleichgültig, was sie zu sehen bekommen. Sie sind ja tot. Nur Marino lebt. Vielleicht ist ihr das noch gar nicht aufgefallen.

»Ich wiederhole: Ich habe nicht die Absicht, nach Richmond zurückzukehren«, verkündet Scarpetta. Sie sitzt mit überkreuzten Beinen im Sessel. Der Saum ihrer dunklen Hose ist mit Schlamm gesprenkelt. Ihre Schuhe sind so verschmiert, dass man sich kaum vorstellen kann, wie glänzend schwarz sie noch heute Morgen gewesen sind. »Außerdem glaubst du doch nicht im Ernst, dass ich derartige Pläne schmieden könnte, ohne es dir zu erzählen.«

»Man kann nie wissen«, entgegnet er.

»Natürlich weißt du es.«

»Ich ziehe nicht wieder hierher. Vor allem jetzt nicht mehr.«

Als es an der Tür klopft, macht Marinos Herz einen Satz, und er denkt sofort an Polizei, Gefängnis und Gerichtsverhandlung. Erleichtert schließt er die Augen, als eine Stimme jenseits der Tür »Zimmerservice« ruft.

»Ich mache auf«, sagt Scarpetta.

Marino blickt ihr nach, als sie das kleine Zimmer durchquert und die Tür öffnet. Wenn sie allein wäre und er sich nicht im Zimmer befände, würde sie vermutlich fragen, wer da ist, und durch den Spion schauen. Aber sie macht sich keine Sorgen, denn schließlich ist Marino ja bei ihr, der einen halbautomatischen Colt .280 im Knöchelhalfter trägt. Auch wenn das natürlich nicht heißt, dass es nötig werden könnte, zu schießen. Allerdings hätte er nichts dagegen, jemanden so richtig zu vermöbeln. Er hätte einen Heidenspaß daran, seine riesigen Fäuste gegen den Kiefer oder in den Solarplexus eines anderen Menschen zu rammen wie damals, als er noch geboxt hat.

»Wie geht es Ihnen heute?«, fragt der picklige junge Mann in Uniform, während er den Wagen hineinrollt.

»Ausgezeichnet«, erwidert sie und kramt einen ordentlich gefalteten Zehn-Dollar-Schein aus der Hosentasche. »Sie können den Wagen da stehen lassen. Danke.« Sie reicht ihm den gefalteten Geldschein.

»Danke, Ma'am. Einen schönen Tag noch.« Er macht die Tür leise hinter sich zu.

Marino, immer noch auf dem Bett, rührt sich nicht. Nur seine Augen bewegen sich, als er sie beobachtet. Er sieht zu, wie sie die Plastikfolie von dem Bagel und dem Haferbrei entfernt, ein Würfelchen Butter auswickelt, sie unter den Haferbrei mischt und Salz darauf streut. Dann öffnet sie ein weiteres Butterwürfelchen und bestreicht den Bagel. Anschließend schenkt sie zwei Tassen Tee ein. Sie gibt keinen Zucker hinein. Genau genommen ist auch gar kein Zucker da, nirgendwo auf dem Wagen ist welcher zu entdecken.

»Hier«, sagt sie und stellt den Haferbrei und eine Tasse starken Tee auf das Nachtkästchen. »Iss.« Sie kehrt zum Wagen zurück, um den Bagel zu holen. »Je mehr du isst, desto besser. Wenn du wieder einigermaßen auf dem Damm bist, wirst du vielleicht auf wundersame Weise von deinem Gedächtnisschwund geheilt.«

Beim Anblick des Haferbreis zieht sich sein Magen zusammen, aber er nimmt dennoch die Schale und taucht langsam den Löffel hinein. Als sich der Löffel in den Brei bohrt, muss er daran denken, wie Scarpetta mit dem Gaumenspatel im Schlamm auf dem

Asphalt herumgekratzt hat. Dann fällt ihm etwas anderes ein, das ihn an Haferbrei erinnert, und er wird wieder von Widerwillen und Reue ergriffen. Wenn er nur zu betrunken gewesen wäre, um es zu tun. Aber er hat es getan. Beim Anblick des Haferbreis ist er sicher, dass er es letzte Nacht getan und die Sache zu Ende gebracht hat.

»Ich kann das nicht essen«, sagt er.

»Iss«, entgegnet sie. Wie eine Richterin thront sie kerzengerade auf ihrem Sessel und fixiert ihn mit Blicken.

Er kostet den Haferbrei und stellt überrascht fest, dass er ziemlich gut schmeckt und angenehm die Kehle hinuntergleitet. Ehe er es sich versieht, hat er die ganze Schale ausgelöffelt und macht sich über den Bagel her. Währenddessen spürt er, wie sie ihn beobachtet. Sie spricht kein Wort, und er weiß genau, warum sie ihn schweigend anstarrt. Er hat ihr noch nicht die Wahrheit gesagt und hält die Einzelheiten zurück, die ganz sicher seine Phantasien zerstören werden. Sobald sie es weiß, ist seine Chance dahin, und auf einmal steckt ihm der Bagel so trocken in der Kehle, dass er ihn nicht schlucken kann.

»Geht es dir ein bisschen besser? Trink einen Schluck Tee«, schlägt sie vor. Nun sieht sie wirklich wie eine Richterin aus, die dunkel gekleidet und aufrecht auf dem Sessel am Fenster sitzt. »Iss den Bagel auf, und trink wenigstens eine Tasse Tee. Du musst etwas in den Magen kriegen, und außerdem bist du ausgetrocknet. Ich habe Advil-Kopfschmerztabletten da.«

»Ja, eine Advil wäre prima«, antwortet er kauend.

Sie greift in ihre Nylontasche, und die Tabletten klappern, als sie das Advil-Fläschchen herausholt. Auf einmal schrecklich hungrig, kaut er und spült mit Tee nach. In die Kissen gelehnt, sieht er zu, wie sie zu ihm geht. Mühelos entfernt sie den kindersicheren Verschluss, da solche Hindernisse in ihren Händen einfach nicht existieren, schüttelt zwei Tabletten heraus und legt sie ihm in die Handfläche. Ihre Finger sind beweglich und stark und wirken klein in seiner riesigen Hand, als sie leicht seine Haut streifen. Die Berührung fühlt sich wundervoller an als das meiste, was er bis jetzt erlebt hat.

»Danke«, sagt er, während sie wieder zu ihrem Sessel geht.

Wenn es sein muss, würde sie einen Monat lang in diesem Sessel sitzen bleiben. Und vielleicht sollte er es darauf ankommen lassen. Sie darf erst gehen, wenn ich es ihr erlaube. Ich wünschte, sie würde aufhören, mich so anzustarren.

»Wie geht es deinem Gedächtnis?«, fragt sie.

»Weißt du, es gibt Dinge, die sind für immer verloren. So was passiert eben manchmal«, antwortet er, leert die Teetasse und passt auf, dass ihm die Tabletten nicht im Halse stecken bleiben.

»Manche Erinnerungen kehren nie zurück«, stimmt sie zu. »Andere waren nie völlig verschwunden. Und über einiges kann man einfach nicht reden. Du hast also mit Eise und Browning Bourbon getrunken? Und was war dann? Um wie viel Uhr ungefähr hast du mit dem Bourbon angefangen?«

»So zwischen halb neun und neun. Dann hat mein Mobiltelefon geläutet, und Suz war dran. Sie war völlig aufgelöst, hat gesagt, sie müsse mit mir reden, und hat mich gebeten, zu ihr zu kommen.« Er hält inne und wartet auf Scarpettas Reaktion. Sie braucht es nicht auszusprechen. Es reicht, dass sie es denkt.

»Bitte erzähl weiter«, meint sie.

»Ich weiß, was jetzt in dir vorgeht. Du findest, ich hätte in meinem angetrunkenen Zustand nicht hinfahren dürfen.«

»Ich habe keine Ahnung, was ich finde«, erwidert sie.

»Mir ging es gut.«

»Was verstehst du unter angetrunken?«, hakt sie nach.

»Das Bier und ein paar Bourbon.«

»Ein paar?«

»Nicht mehr als drei oder vier.«

»Sechs Bier sind einhundertsiebzig Gramm Alkohol. Drei Bourbon machen noch einmal zwischen einhundertdreizehn und einhunderteinundvierzig Gramm, abhängig davon, wie gut man den Barmann kennt«, rechnet sie weiter. »Und das alles innerhalb eines Zeitraums von drei Stunden. Das sind bei konservativer Schätzung ungefähr zweihundertachtzig Gramm. Sagen wir mal, du baust achtundzwanzig Komma fünfunddreißig Gramm pro Stunde ab, was der Norm entspräche. Das heißt, dass du noch etwa einhundertachtundneunzig Gramm intus hattest, als du den Polizeiclub verlassen hast.«

»Scheiße«, sagt er. »Auf diese Aufrechnung hätte ich verzichten können. Aber mir ging es prima, ich schwöre.«

»Du verträgst eine ganze Menge. Aber im Sinne des Gesetzes warst du betrunken, und zwar jenseits aller Promillegrenzen«, entgegnet die Medizinerin und Rechtsanwältin. »Deutlich über eins Komma null. Ich nehme an, dass du wohlbehalten bei ihr angekommen bist. Wie spät war es inzwischen?«

»Vielleicht halb elf. Schließlich habe ich nicht jede gottverdammte Minute auf die Uhr geschaut.« Er starrt sie an und fühlt sich wie ein schwarzer Klotz, wie er so in den Kissen auf dem Bett lehnt. Was dann geschah, brodelt finster in ihm, und er will den Schritt in die Dunkelheit nicht wagen.

»Ich höre«, sagt Scarpetta. »Wie geht es dir? Möchtest du mehr Tee? Oder noch etwas zu essen?«

Er schüttelt den Kopf und macht sich Sorgen, die Tabletten könnten irgendwo stecken geblieben sein und ihm Löcher in die Kehle brennen. Inzwischen spürt er an so vielen Stellen ein Brennen, dass zwei Punkte mehr oder weniger kaum auszumachen wären. Doch er hat keine Lust darauf.

»Sind die Kopfschmerzen besser?«

»Warst du schon mal beim Psychologen?«, fragt er plötzlich. »Denn genau so fühle ich mich jetzt. Als ob ich mit einem Psychologen in diesem Zimmer säße. Aber da ich noch nie bei einem war, habe ich keine Ahnung, ob der Vergleich stimmt. Ich dachte, du wüsstest es vielleicht.« Er kann nicht sagen, warum er damit herausgeplatzt ist. Hilflos und zornig sieht er sie an, bereit, alles zu tun, um der brodelnden Dunkelheit zu entrinnen.

»Reden wir nicht über mich«, erwidert sie. »Ich bin keine Psychologin, und du müsstest das eigentlich am besten wissen. Hier geht es nicht darum, *warum* du etwas getan oder nicht getan hast, sondern nur um das *Was*. Das *Was* ist unser Problem, und das ist ein Thema, das Psychiater normalerweise nicht interessiert.«

»Ich weiß. Also geht es um das *Was*. Aber ich habe keine Ahnung, Doc. Bei Gott, das ist die Wahrheit«, lügt er.

»Gehen wir noch ein Stück zurück. Du bist also zu ihr gefahren. Wie? Du hattest den Mietwagen nicht dabei.«

»Taxi.«

»Hast du die Quittung noch?«

»Wahrscheinlich in der Jackentasche.«

»Es wäre gut, wenn du sie noch hättest«, meint sie.

»Sie müsste in irgendeiner Tasche stecken.«

»Du kannst sie später suchen. Was geschah dann?«

»Ich bin ausgestiegen und zur Tür spaziert und habe geklingelt. Sie machte auf und hat mich reingelassen.« Jetzt steht die brodelnde Dunkelheit dicht vor ihm wie ein Sturm, der jeden Moment über ihn hereinbrechen wird. Als er tief Luft holt, pocht ihm der Schädel.

»Marino, es ist in Ordnung«, sagt sie. »Du kannst es mir erzählen. Wir müssen herausfinden, was passiert ist. Ganz genau. Um mehr geht es hier nicht.«

»Sie ... äh ... hatte Stiefel an wie ein Soldat ... schwarze Lederstiefel mit Stahlkappen. Militärstiefel. Und ein großes T-Shirt in Tarnfarben.« Die Dunkelheit verschluckt ihn, und es ist, als würde sie ihn mit Haut und Haaren verschlingen, bis überhaupt nichts mehr von ihm übrig bleibt. »Nichts drunter. Ich war ein bisschen verdattert und hatte keine Ahnung, warum sie sich so angezogen hatte. Aber ich habe mir nichts dabei gedacht, wenigstens nicht das, was du jetzt glaubst. Dann hat sie die Tür hinter mir zugemacht und mich angefasst.«

»Wo hat sie dich angefasst?«

»Sie sagte, sie hätte mich gewollt, seit dem Moment, als ich zum ersten Mal zur Tür hereingekommen bin«, antwortet er. Er schmückt es ein wenig aus, allerdings nicht sehr, denn die Botschaft war eindeutig, ganz gleich, wie sie es genau ausgedrückt hat. Sie wollte ihn. Sie hat ihn von Anfang an gewollt, als er mit Scarpetta bei ihr erschienen ist, um ihr Fragen über Gilly zu stellen.

»Du sagtest, sie hätte dich angefasst. Wo? An welchen Körperstellen?«

»Meine Hosentaschen. Sie hat die Hände in meine Hosentaschen gesteckt.«

»Vorne oder hinten?«

»Vorne.« Er senkt den Blick und betrachtet blinzelnd die tiefen vorderen Taschen seiner schwarzen Cargohose.

»War es dieselbe Hose, die du jetzt anhast?«, erkundigt sich Scarpetta und starrt ihn weiter an.

»Ja. Dieselbe Hose. Schließlich hatte ich noch keine Gelegenheit, mich umzuziehen. Ich bin heute Morgen gar nicht mehr in meinem Zimmer gewesen, sondern mit dem Taxi direkt in die Gerichtsmedizin gefahren.«

»Dazu kommen wir noch«, sagt sie. »Und was passierte, nachdem sie die Hände in deine Taschen gesteckt hatte?«

»Warum interessiert dich das alles?«

»Das weißt du genau«, entgegnet sie in demselben ruhigen, gemessenen Tonfall, ohne den Blick von ihm abzuwenden.

In seinen Gedanken wirbelt ein Nebel, wie der Dunst, der sich auf dem Weg zu ihrem Haus in den Taxischeinwerfern fing. Er ist hingefahren, obwohl ihm klar war, dass dieser Weg ins Unbekannte führte. Und dann steckte sie die Hände in seine Taschen und zog ihn lachend ins Wohnzimmer. Dabei trug sie nichts weiter als ein T-Shirt in Tarnfarben und Kampfstiefel. Als sie ihren weichen, straffen Körper an ihn presste, wusste er, dass sie ihn ebenfalls spürte.

»Sie hat eine Flasche Bourbon aus der Küche geholt«, sagt er und lauscht seiner eigenen Stimme nach. Aber er nimmt nichts in dem Hotelzimmer wahr, während er Scarpetta die Begebenheit schildert. Er ist wie in Trance. »Sie hat uns etwas eingeschenkt, aber ich sagte, ich sollte eigentlich besser nichts mehr trinken. Vielleicht habe ich es ja auch nur gedacht und nicht laut ausgesprochen. Ich weiß nicht mehr. Sie hat mich angemacht. Wie soll ich dir das erklären? Sie hat mich einfach angemacht. Als ich sie fragte, was das mit dem Tarnfarben-T-Shirt soll, meinte sie, er hätte drauf gestanden. Frank. Auf Uniformen. Er hätte gewollt, dass sie sich für ihn verkleidet, und dann hätten sie gespielt.«

»War Gilly in der Nähe, wenn er Suz aufgefordert hat, Uniform zu tragen und zu spielen?«

»Was?«

»Vielleicht kommen wir später noch auf Gilly. Was haben Frank und Suz denn gespielt?«

»Spiele eben.«

»Wollte sie gestern mit dir auch Spiele spielen?«, erkundigt sich Scarpetta.

Das Zimmer ist dunkel, und er kann die Dunkelheit spüren. Was er getan hat, sieht er nicht, weil es unerträglich ist. Und während er versucht, die Wahrheit zu sagen, kann er nur daran denken, dass die Phantasie nun für immer sterben wird. Sie wird wissen, was in ihm vorgeht, und dann wird es niemals geschehen. Von diesem Moment an wird es zwecklos sein, dass er sich auch nur die entferntesten Hoffnungen macht, denn sie hat jetzt eine Vorstellung davon, wie es mit ihm sein könnte.

»Es ist wichtig, Marino«, meint sie leise. »Erzähl mir von dem Spiel.«

Er schluckt und glaubt zu spüren, wie die Tabletten tief in seiner Kehle brennen. Obwohl er gern noch ein wenig Tee hätte, schafft er es nicht, sich zu rühren, und er kann den Gedanken nicht ertragen, sie um Tee oder sonst etwas zu bitten. Sie sitzt kerzengerade, aber nicht steif, im Sessel. Ihre kräftigen, tüchtigen Hände ruhen auf den Armlehnen. In ihrem mit Schlamm bespritzten Anzug wirkt sie aufrecht, aber entspannt, und sie hört ihm mit aufmerksamem Blick zu.

»Sie wollte, dass ich sie jage«, beginnt er. »Ich habe getrunken. Und ich habe sie gefragt, was sie mit jagen meint. Sie antwortete, ich sollte ins Schlafzimmer gehen, mich hinter der Tür verstecken und auf die Uhr schauen. Ich sollte fünf Minuten, genau fünf Minuten, warten und dann anfangen, sie zu suchen, wie … so als ob ich sie umbringen wollte. Ich habe widersprochen, dass ich das nicht in Ordnung fände … Tja, so richtig laut gesagt habe ich es eigentlich nicht.« Er holt noch einmal tief Luft. »Wahrscheinlich deshalb nicht, weil sie mich so angemacht hat.«

»Wie spät war es inzwischen?«

»Ich war seit etwa einer Stunde dort.«

»Sie hat dir die Hände in die Hosentaschen gesteckt, sobald du gegen halb elf zur Tür hereinspaziert bist, und dann vergeht eine Stunde? In dieser Stunde ist nichts weiter passiert?«

»Wir haben getrunken. Im Wohnzimmer auf dem Sofa.« Er weicht ihrem Blick aus. Nie wieder wird er ihr in die Augen schauen können.

»War das Licht an? Waren die Vorhänge zu oder offen?«

»Sie hatte Feuer im Kamin angezündet. Das Licht war aus. Ich weiß nicht mehr, ob die Vorhänge offen waren.« Er überlegt. »Sie waren zu.«

»Was habt ihr auf dem Sofa getan?«

»Geredet. Und vermutlich auch rumgeknutscht.«

»Vermutungen bringen uns nicht weiter. Außerdem habe ich keine Ahnung, was du mit ›Rumknutschen‹ meinst«, gibt Scarpetta zurück. »Küssen, Streicheln? Habt ihr euch ausgezogen? Hattet ihr Geschlechtsverkehr? Oralsex?«

Er spürt, wie er errötet. »Nein. Das heißt, der erste Teil stimmt. Wir haben uns hauptsächlich geküsst. Du weißt doch, was Knutschen ist. Was die Leute eben so tun. Knutschen. Wir saßen auf dem Sofa und haben über das Spiel geredet.« Sein Gesicht glüht. Da ihm klar ist, dass sie das sehen kann, bleibt sein Kopf gesenkt.

Das Licht war aus, und der Schein des Feuers glitt über ihre bleiche Haut. Als sie ihn packte, tat es weh und erregte ihn. Dann tat es nur noch weh. Er bat sie, zartfühlender zu sein, aber sie lachte nur und erwiderte, sie würde gern hart rangenommen, und zwar richtig. Ob er sie beißen könnte? Er sagte nein, er wollte sie nicht beißen, jedenfalls nicht fest. Es wird dir gefallen, versprach sie. Es wird dir gefallen zuzubeißen. Du weißt nicht, was du verpasst, wenn du noch nie eine Frau hart rangenommen hast. Und während sie redete, spiegelte sich der Schein des Feuers auf ihrer Haut. Er versuchte, die Zunge in ihrem Mund zu behalten und sie zu befriedigen. Gleichzeitig verschränkte er die Beine und nahm eine Haltung ein, in der sie ihm nicht wehtun konnte. Sei doch nicht so ein Jammerlappen, wiederholte sie, als sie ihn aufs Sofa stoßen und seinen Reißverschluss aufzerren wollte. Aber es gelang ihm, sie abzuwehren. Dabei dachte er an ihre Zähne, die im

Schein des Feuers weiß funkelten, und daran, wie es sich anfühlen würde, wenn sie diese weißen Zähne in ihn schlug.

»Das Spiel fing also auf dem Sofa an?«, fragt Scarpetta, die weit weg in ihrem Sessel sitzt.

»Dort haben wir darüber gesprochen. Dann bin ich aufgestanden, und sie hat mich ins Schlafzimmer geführt und mir gesagt, ich sollte fünf Minuten hinter der Tür warten, wie ich dir schon erzählt habe.«

»Hast du weitergetrunken?«

»Ich glaube, sie hat mir noch ein Glas eingeschenkt.«

»Du sollst nicht glauben. Große Gläser? Kleine Gläser? Wie viele waren es inzwischen?«

»Diese Frau hält sich nicht mit Kleinigkeiten auf. Große Gläser. Als sie mich hinter die Tür geschickt hat, waren es schon mindestens drei. Ab jetzt wird es ziemlich verschwommen«, antwortet er. »Nachdem das Spiel losgegangen war, kann ich mich nicht mehr richtig erinnern. Vielleicht ist das sogar gut so.«

»Das ist ganz und gar nicht gut. Versuch es. Wir müssen herausfinden, was passiert ist. Das *Was*. Nicht das *Warum*. Das *Warum* interessiert mich nicht, Marino. Vertrau mir. Du kannst mir nichts Neues erzählen. Ich bin nicht so leicht zu schockieren.«

»Nein, Doc, da bin ich mir sicher. Aber vielleicht ist das bei mir anders. Eigentlich dachte ich das nicht, aber es könnte so sein. Ich weiß noch, wie ich auf die Uhr geschaut habe und echt Schwierigkeiten hatte, die Zeit abzulesen. Meine Augen sind sowieso nicht mehr das, was sie einmal waren, und ich habe alles verschwommen gesehen. Außerdem war ich aufgekratzt, total aufgekratzt, und zwar auf eine unangenehme Weise. Um ehrlich zu sein, habe ich keine Ahnung, warum ich mitgemacht habe.«

Der Schweiß brach ihm aus, als er hinter der Tür stand und versuchte, die Zeit abzulesen. Dann begann er, lautlos bis sechzig zu zählen, kam aber aus dem Takt und fing wieder von vorne an, bis er sicher war, dass die fünf Minuten abgelaufen waren. Seine Erregung war, soweit er sich erinnerte, nicht mit dem zu vergleichen, was er je für eine Frau oder überhaupt bei einer Begegnung mit dem anderen Geschlecht empfunden hatte. Als er hinter der Tür hervorkam, bemerkte er, dass das ganze Haus in Dunkelheit lag. Er konnte die Hand nicht vor Augen sehen, außer er hielt sie sich dicht vors Gesicht. Während er sich die Wände entlangtastete, wurde ihm klar, dass sie ihn hören konnte. Und in diesem Moment erkannte er trotz seines betrunkenen Zustandes, dass sein Herz klopfte und dass sein Atem schwer ging, weil er erregt war und Angst hatte. Doch er möchte nicht, dass Scarpetta von seiner Angst erfährt. Dann streckte er die Hand nach seinem Knöchel aus, verlor das Gleichgewicht und fand sich auf dem Fußboden im Flur wieder, wo er nach seiner Pistole suchte. Aber die Pistole steckte nicht im Halfter. Er weiß nicht, wie lange er dort gesessen hat. Es ist sogar möglich, dass er kurz eingeschlafen ist.

Als er wieder auf dem Dielenboden zu sich kam, hatte er seine Pistole immer noch nicht, und das Herz schlug ihm bis zum Halse. Er rührte sich nicht und wagte kaum, Atem zu holen. Der Schweiß lief ihm ins Gesicht, während er lauschte und zu hören versuchte, wo der Mistkerl steckte. Die Dunkelheit war undurchdringlich, schwer und erstickend und legte sich wie ein schwarzes Tuch um ihn, als er sich so lautlos wie möglich aufrappelte, um seine Position nicht zu verraten. Irgendwo war der Dreckskerl, und Marino hatte keine Waffe. Die Arme ausgestreckt wie Ruder, berührte er kaum die Wände, als er weiterschlich und die Ohren spitzte, sprungbereit und wohl wissend, dass er erschossen werden würde, wenn er das Drecksschwein nicht zuvor überraschte.

Langsam wie eine Katze schlich er weiter, alle Sinne auf den Feind gerichtet. Dabei kam ihm immer wieder die Frage in den Sinn, wie er überhaupt in dieses Haus geraten war. Was war das eigentlich für ein Haus und wo zum Teufel steckte die Verstärkung? Wo, verdammt noch mal, blieben denn bloß die anderen? O mein Gott, vielleicht hatte es sie ja erwischt. Vielleicht war er der letzte Überlebende und würde nun ebenfalls dran glauben müssen, weil er unbewaffnet war und auch sein Funkgerät verloren hatte. Außerdem wusste er nicht, wo er war. Und dann spürte er einen Schlag und wurde von der pulsierenden Dunkelheit aufgesogen, einer Dunkelheit, die ihm bei jeder Bewegung den Atem raubte. Im nächsten Moment kam ein Schmerz, ein brennender Schmerz, als sich die Dunkelheit regte und, begleitet von schrecklichen schmatzenden Geräuschen, nach ihm griff.

»Ich weiß nicht, was passiert ist«, hört er sich sagen, und es erstaunt ihn, dass seine Stimme so normal klingt, weil er sich innerlich fühlt, als hätte er den Verstand verloren. »Ich habe keine Ahnung. Ich bin in ihrem Bett aufgewacht.«

»Angezogen?«

»Nein.«

»Wo waren deine Kleider und deine Sachen?«

»Auf einem Sessel.«

»Auf einem Sessel? Ordentlich hingelegt?«

»Ja, ziemlich. Meine Kleider lagen dort, und obendrauf war meine Pistole. Ich habe mich im Bett aufgesetzt, aber es war niemand da«, antwortet er.

»War ihre Seite des Bettes zerwühlt? Sah sie aus, als hätte jemand darin geschlafen?«

»Die Decke war runtergezogen und total verdreht. Doch es war niemand da. Ich habe mich umgeschaut und hatte keinen Schimmer, wo ich war. Dann fiel mir wieder ein, dass ich letzte Nacht mit dem Taxi zu ihr gefahren und dass sie an die Tür gekommen war, so angezogen, wie ich es dir schon erzählt habe. Als ich mich umsah, habe ich auf dem Nachtkästchen auf meiner Bettseite ein Glas Bourbon und ein Handtuch bemerkt. Das Handtuch war voller Blut, und ich habe einen ganz schönen Schrecken gekriegt. Ich wollte aufstehen, aber es ging nicht. Ich saß einfach da und kam nicht hoch.«

Er stellt fest, dass seine Teetasse voll ist, und es erschreckt ihn, dass er gar nicht mitbekommen hat, wie Scarpetta aus ihrem Sessel aufgestanden ist, um sie nachzufüllen. Vielleicht hat er es ja auch selbst getan, aber das bezweifelt er. Er hat das Gefühl, dass er seine Körperhaltung auf dem Bett nicht verändert hat, und als er auf die Uhr blickt, wird ihm klar, dass über drei Stunden vergangen sind, seit er und Scarpetta ihr Gespräch in diesem Hotelzimmer begonnen haben.

»Hältst du es für möglich, dass sie dich unter Drogen gesetzt hat?«, fragt Scarpetta. »Leider denke ich nicht, dass ein Drogentest jetzt noch etwas nützen würde. Es ist zu lange her. Hängt aber auch von dem Medikament ab.«

»Eine Superidee. Wenn ich einen Drogentest mache, kann ich genauso gut gleich selbst die Cops verständigen, vorausgesetzt, *sie* hat es nicht bereits getan.«

»Erzähl mir von dem blutigen Handtuch«, sagt Scarpetta.

»Ich weiß nicht, von wem das Blut war. Vielleicht war es meins. Mein Mund tat weh.« Er berührt ihn. »Ich hatte schreckliche Schmerzen. Wahrscheinlich steht sie drauf, anderen wehzutun. Aber ich kann nur sagen ... Tja, keine Ahnung, was ich mit ihr gemacht habe, denn ich habe sie nicht mehr gesehen. Sie war im Bad, und als ich nach ihr rief, um festzustellen, wo sie steckte, fing sie an, mich anzuschreien, und kreischte, ich sollte sofort verschwinden. Sie brüllte, ich ... sie hat entsetzliche Sachen gesagt.«

»Vermutlich hast du nicht daran gedacht, das blutige Handtuch mitzunehmen.«

»Ich weiß nicht einmal mehr, wie ich es geschafft habe, ein Taxi zu rufen, um von dort wegzukommen. Alles weg. Aber es muss so gewesen sein. Nein, das Handtuch habe ich nicht mitgenommen, verdammt.«

»Du bist direkt in die Gerichtsmedizin gefahren.« Sie runzelt leicht die Stirn, so als ob ihr dieser Teil nicht ganz schlüssig erscheint.

»Ich habe mir unterwegs einen Kaffee besorgt. In einer Seven-Eleven-Filiale. Dann habe ich den Taxifahrer gebeten, mich ein Stück entfernt vom Büro abzusetzen, weil ich ein paar Schritte zu Fuß gehen wollte. Ich habe gehofft, davon einen klareren Kopf zu kriegen. Es hat ein wenig geholfen, denn danach fühlte ich mich wieder halbwegs wie ein Mensch. Und als ich ins Büro kam, stand sie plötzlich vor mir.«

»Hast du davor deine Mailbox abgehört?«

»Oh. Kann sein.«

»Sonst hättest du von der Besprechung gar nichts wissen können.«

»Nein, ich war bereits informiert«, erwidert Marino. »Eise hat mir im Polizeiclub erzählt, er hätte Marcus eine Meldung gemacht. Per E-Mail, hat er gesagt.« Er überlegt. »Ach ja, jetzt fällt es mir ein. Marcus hat ihn sofort nach Erhalt der E-Mail angerufen und ihm mitgeteilt, er werde für den nächsten Vormittag eine Sitzung anberaumen. Eise solle auf jeden Fall im Haus sein, damit man ihn, wenn nötig, hinzuziehen könne, falls es Fragen gäbe.«

»Also wusstest du schon gestern Abend von der Sitzung«, meint Scarpetta.

»Ja, da habe ich zum ersten Mal davon gehört. Eise meinte, dass du auch dabei sein würdest. Und deshalb habe ich beschlossen, ebenfalls zu kommen.«

»Und du wusstest auch, dass die Sitzung um halb zehn war?«

»Muss wohl so gewesen sein. Tut mir Leid, ich erinnere mich so schlecht, Doc.« Er sieht sie an und fragt sich, worauf sie hinauswill. »Warum? Was ist denn so wichtig an dieser Sitzung?«

»Er hat es mir erst heute Morgen um halb neun mitgeteilt«, erwidert sie.

»Offenbar will er mit dir Schlitten fahren«, meint Marino, der Dr. Marcus auf den Tod nicht ausstehen kann. »Warum steigen wir nicht in den nächsten Flieger nach Florida? Scheiß auf den Typen.«

»Hat Mrs. Paulsson mit dir gesprochen, als ihr euch heute Morgen im Büro getroffen habt?«

»Sie hat mich nur angeschaut und ist davonstolziert. So als hätte sie mich ihr Lebtag nicht gesehen. Ich blicke da nicht mehr durch, Doc. Ich weiß nur, dass etwas Schlimmes passiert ist. Außerdem habe ich eine Todesangst, dass ich was angestellt haben könnte und nun die Folgen tragen muss. Nach all dem Mist, den ich im Leben gebaut habe, wird diese Sache mir das Genick brechen. Schluss, aus, vorbei.«

Langsam steht Scarpetta aus ihrem Sessel auf. Obwohl sie müde wirkt, ist sie hellwach. Er liest die Sorge in ihrem Blick, und er bemerkt auch, dass sie nachdenkt und offenbar Schlüsse zieht, die ihm um sein Leben nicht einfallen wollen. Gedankenverloren sieht sie aus dem Fenster und geht dann zum Servierwagen, um sich den letzten Rest Tee einzuschenken.

»Sie hat dir wehgetan, richtig?«, sagt sie, bleibt neben dem Bett stehen und schaut zu ihm herunter. »Zeig mir, was sie mit dir gemacht hat.«

»Das kommt überhaupt nicht in Frage! Ich kann nicht«, protestiert er in einem weinerlichen Tonfall, der klingt, als wäre er wieder zehn Jahre alt. »Das geht auf gar keinen Fall!«

»Soll ich dir helfen oder nicht? Oder glaubst du, du hättest Körperteile, die ich noch nicht kenne?«

Er schlägt die Hände vors Gesicht. »Ich kann nicht.«

»Du könntest auch die Polizei anrufen. Dann bringen sie dich aufs Revier und fotografieren deine Verletzungen. Anschließend brauchst du nur noch Anzeige zu erstatten. Vielleicht wäre das sogar das Beste, vorausgesetzt, dass sie die Polizei bereits verständigt hat. Allerdings denke ich das nicht.«

Er senkt die Hände und blickt sie an. »Warum?«

»Warum ich das denke? Ganz einfach. Alle Welt weiß, dass wir in diesem Hotel wohnen. Oder ist Detective Browning etwa nicht informiert? Hat er nicht deine Telefonnummern? Warum also ist dann die Polizei noch nicht hier, um dich festzunehmen? Man möchte doch meinen, dass es ein gefundenes Fressen für sie wäre, wenn Gilly Paulssons Mutter die Notrufnummer wählt und dich der Vergewaltigung bezichtigt. Und warum hat sie nicht Zeter und Mordio geschrien, als sie dich im Büro gesehen hat? Du hattest sie gerade vergewaltigt, und sie macht weder eine Szene, noch ruft sie gleich nach der Polizei?«

»Kommt nicht in Frage, dass ich die Cops verständige«, erwidert er.

»Dann musst du dich mit mir begnügen.« Sie kehrt zu ihrem Sessel zurück, holt ihre Tatorttasche, öffnet sie und nimmt eine Digitalkamera heraus.

»Du heiliger Strohsack«, stöhnt er und starrt auf die Kamera, als wäre sie eine auf ihn gerichtete Waffe.

»Klingt fast, als wärst du das Opfer«, meint sie. »Offenbar will sie dich glauben machen, dass du ihr etwas angetan hast. Warum?«

»Wenn ich das wüsste. Keine Ahnung.«

»Du bist nur verkatert, nicht verblödet, Marino.«

Er sieht sie an und betrachtet dann die Kamera in ihrer herunterhängenden Hand. In ihrem dunklen, mit Schlamm bespritzten Hosenanzug steht Scarpetta mitten im Zimmer.

»Wir sind hier, um wegen des Mordes an ihrer Tochter zu ermitteln, Marino. Und anscheinend ist Mama auf irgendwelche Vorteile, Geld, Aufmerksamkeit oder sonst etwas aus. Ich werde schon noch dahinterkommen, was sie will. O ja. Ich werde es rauskriegen. Also zieh dich schon endlich aus, und zeig mir, was diese Frau dir während ihres perversen Spielchens gestern Nacht angetan hat.«

»Was wirst du jetzt bloß von mir denken?«, antwortet er und zieht vorsichtig sein schwarzes Polohemd über den Kopf. Es tut weh, wenn der Stoff die Bisswunden und Saugspuren auf seiner Brust streift.

»Du meine Güte. Sitz still. Verdammt, warum hast du mir das nicht schon früher gezeigt? Wenn wir die Wunden nicht versorgen, wirst du eine Infektion kriegen. Und du hast Angst, dass *sie* die Polizei rufen könnte? Bist du denn völlig übergeschnappt?« Beim Reden fotografiert sie, lässt die Linse seinen Körper entlanggleiten und macht Nahaufnahmen von jeder Verletzung.

»Aber ich habe doch nicht gesehen, was ich ihr getan habe«, erwidert er, ein wenig ruhiger, als ihm klar wird, dass eine Untersuchung durch Doc Scarpetta weniger schlimm ist, als er es sich vorgestellt hat.

»Wenn du sie nur halb so oft gebissen hättest wie sie dich, müsstest du jetzt Zahnschmerzen haben.«

Als er sorgfältig seine Zähne überprüft, spürt er nichts. Sie fühlen sich an wie immer und tun Gott sei Dank auch nicht weh.

»Was ist mit deinem Rücken?«, fragt sie und lehnt sich über ihn.

»Da habe ich keine Schmerzen.«

»Beug dich vor und lass sehen.«

Er gehorcht und spürt, wie sie vorsichtig die Kissen von seinem Rücken wegschiebt. Ihre warmen Finger berühren sanft die Haut zwischen den Schulterblättern und drücken ihn weiter nach vorne, damit sie seinen Rücken in Augenschein nehmen kann. Er überlegt, ob sie je seinen nackten Rücken angefasst hat. Hat sie nicht. Das wüsste er nämlich noch.

»Was ist mit deinen Genitalien?«, fragt sie dann, als ob das etwas Alltägliches wäre. Als er nicht antwortet, hakt sie nach: »Marino, hat sie dich an den Genitalien verletzt? Hast du da etwas, das ich fotografieren und außerdem behandeln sollte? Oder wollen wir lieber so tun, als wüsste ich aus irgendeinem Grund nicht, dass du wie die Hälfte der restlichen Menschheit männliche Genitalien besitzt? Tja, sie hat dich offenbar auch dort verletzt, denn sonst hättest du schon längst widersprochen. Richtig?«

»Richtig«, nuschelt er und hält sich die Hände zwischen die Beine. »Ja, ich habe Schmerzen. Zufrieden? Aber du hast doch jetzt genug Material, um deine Theorie zu beweisen und zu belegen, dass sie mich verletzt hat, ganz egal was ich mir, wenn überhaupt, habe zuschulden kommen lassen.«

Scarpetta setzt sich, keinen halben Meter von ihm entfernt, auf die Bettkante und sieht ihn an. »Was hältst du davon, es mir zu beschreiben. Dann können wir ja immer noch entscheiden, ob du die Hose ausziehen musst.«

»Sie hat mich gebissen. Überall. Und ich habe Blutergüsse.«

»Ich bin Ärztin«, sagt Scarpetta.

»Das weiß ich. Aber du bist nicht *meine* Ärztin.«

»Wenn du sterben würdest, wäre ich es. Wer, glaubst du, würde dich untersuchen und jede verdammte Kleinigkeit herausfinden wollen, wenn sie dich umgebracht hätte? Aber du bist nicht tot, wofür ich ausgesprochen dankbar bin. Allerdings wurdest du angegriffen und hast dieselben Verletzungen, die du auch haben könntest, wenn du tot wärst. Würdest du mich also bitte nachsehen und feststellen lassen, ob du ärztlich behandelt werden musst und ob Fotos nötig sind?«

»Was für eine Behandlung?«

»Vermutlich nichts, was sich nicht mit ein bisschen Betadine hinkriegen ließe. Ich besorge welches in der Apotheke.«

Er versucht, sich vorzustellen, was passieren wird, wenn sie ihn nackt sieht. Sie hat ihn noch nie nackt gesehen und weiß nicht, was er zu bieten hat oder ob er überdurchschnittlich oder unterdurchschnittlich gebaut ist, auch wenn normal unter normalen Umständen eigentlich ausreichend wäre. Er fragt sich, mit welcher Reaktion er wohl rechnen muss, weil er keine Ahnung hat, was ihr gefällt oder woran sie gewöhnt ist. Also ist es wahrscheinlich unklug, die Hose ausziehen. Dann jedoch denkt er an die Fahrt auf der Rückbank des Zivilfahrzeugs, die erkennungsdienstliche Behandlung und den Prozess und öffnet Hosenknopf und Reißverschluss.

»Wenn du jetzt lachst, werde ich dich für den Rest deines Lebens hassen«, sagt er. Sein Gesicht glüht rot, er schwitzt, und der Schweiß brennt ihm auf der Haut.

»Du armer Junge«, antwortet sie. »Dieses durchgeknallte Miststück.«

31

Ein kalter und heftiger Regen fällt, als Scarpetta am Straßenrand hält und vor Suzanna Paulssons Haus parkt. Mit laufendem Motor bleibt sie eine Weile im Wagen sitzen. Die Scheibenwischer gleiten hin und her, während sie den unebenen, mit Backsteinen gepflasterten Weg betrachtet, der zu der schiefen Veranda führt. Sie stellt sich vor, wie Marino letzte Nacht dort entlanggegangen ist. Weitere Details braucht sie sich nicht auszumalen.

Er hat ihr mehr verraten, als er glaubt. Und was sie gesehen hat, war schlimmer, als sie sich hat anmerken lassen. Auch wenn er meint, ihr nicht jede Einzelheit anvertraut zu haben, weiß sie genug. Sie schaltet die Scheibenwischer ab und sieht zu, wie die Regentropfen gegen das Glas prallen und daran herunterlaufen. Inzwischen regnet es so kräftig, dass sie nur noch ein beständiges Prasseln hört und das Wasser auf der Windschutzscheibe aussieht wie Wellen aus Eis. Suzanna Paulsson ist zu Hause. Ihr Minivan steht am Straßenrand, und im Haus brennt Licht. Bei diesem Wetter ist sie sicher nicht zu Fuß unterwegs.

In Scarpettas Mietwagen gibt es keinen Regenschirm, und sie hat keinen Hut dabei. Als sie aussteigt, wird das Prasseln schlagartig lauter, und der Regen peitscht ihr ins Gesicht, während sie die alten, glitschigen Backsteine entlanghastet, die zum Haus eines toten Mädchens mit einer sexuell gestörten Mutter führen. Vielleicht ist das Urteil »sexuell gestört« ja übertrieben. Scarpetta geht in sich, aber sie ist viel wütender, als Marino ahnt. Möglicherweise ist ihm gar nicht klar, wie wütend sie ist, aber sie kocht innerlich, und Mrs. Paulsson wird gleich eine Kostprobe davon zu spüren kriegen. Scarpetta klopft nachdrücklich mit der Messingananas an die Eingangstür und überlegt, was sie tun soll, wenn die Frau sich weigert aufzumachen oder wenn sie – wie Fielding – so tut, als wäre sie nicht zu Hause. Wieder klopft sie mit der Ananas an, diesmal langsamer und fester.

Wegen des Unwetters nähert sich die Dunkelheit rasch wie eine Wand aus schwarzer Tinte. Scarpetta kann ihren eigenen Atem sehen, als sie im Platzregen auf der Veranda steht und immer wieder anklopft. Ich bleibe einfach hier, denkt sie. Du kannst dich nicht drücken. Glaube bloß nicht, dass ich mich umdrehe und einfach weggehe. Sie nimmt ihr Mobiltelefon und einen Zettel aus der Manteltasche und wirft einen Blick auf die Nummer, die sie sich bei ihrem gestrigen Besuch hier notiert hat. Damals, als sie noch ruhig und freundlich mit dieser Frau gesprochen und Mitleid mit ihr gehabt hat. Sie wählt und hört, wie drinnen im

Haus das Telefon läutet. Dann lässt sie wieder die Ananas gegen die Tür krachen. Es ist ihr egal, ob der Türklopfer dabei kaputtgeht.

Nach einer weiteren Minute wählt sie noch einmal. Drinnen läutet und läutet das Telefon, und sie hängt ein, bevor der Anrufbeantworter anspringt. Du bist da, denkt sie. Also tu nicht so, als wärst du es nicht. Scarpetta tritt von der Tür zurück und betrachtet die erleuchteten Fenster an der Vorderfront des kleinen Backsteinhauses. Die zarten weißen Vorhänge sind zugezogen und werden von innen von einem weichen, warmen Licht erhellt. Sie sieht eine menschliche Silhouette am Fenster vorbeihuschen, die innehält und dann kehrtmacht und verschwindet.

Wieder klopft sie an die Tür und wählt dann noch einmal die Nummer. Als erneut der Anrufbeantworter anspringt, bleibt Scarpetta am Apparat und sagt: »Mrs. Paulsson, hier spricht Dr. Kay Scarpetta. Bitte machen Sie die Tür auf. Es ist sehr wichtig. Ich stehe vor Ihrem Haus. Ich weiß, dass Sie da sind.« Sie beendet das Telefonat und klopft wieder. Der Schatten erscheint, diesmal am Fenster links von der Tür. Dann geht die Tür auf.

»Ach, du meine Güte!«, ruft Mrs. Paulsson in gespieltem Erstaunen – allerdings nicht sehr überzeugend – aus. »Ich wusste nicht, wer es ist. Was für ein Unwetter! Kommen Sie rein, Sie sind ja ganz nass. Ich mache nie auf, wenn ich nicht weiß, wer draußen steht.«

Scarpetta tritt tropfend ins Wohnzimmer und zieht den langen, dunklen klatschnassen Mantel aus. Kaltes Wasser rinnt aus ihrem Haar. Als sie die feuchten Strähnen aus dem Gesicht schiebt, bemerkt sie, dass es so nass ist, als käme sie gerade aus der Dusche.

»Mein Gott, Sie werden sich noch eine Lungenentzündung holen«, sagt Mrs. Paulsson. »Aber was rede ich. Schließlich sind Sie die Ärztin. Kommen Sie in die Küche, ich gebe Ihnen etwas Warmes zu trinken.«

Scarpetta sieht sich im winzigen Wohnzimmer um. Sie betrachtet die kalte Asche und die verkohlten Holzscheite im Kamin, das karierte Sofa unter dem Fenster und die Türen auf beiden Seiten des Wohnzimmers, die in andere Teile des Hauses führen. Als Mrs. Paulsson bemerkt, was Scarpetta da tut, tritt ein harter Ausdruck in ihr Gesicht, das fast hübsch, aber auch billig und derb wirkt.

»Warum sind Sie hier?«, fragt Mrs. Paulsson mit veränderter Stimme. »Was wollen Sie? Ich dachte, es wäre wegen Gilly, aber jetzt merke ich, dass es offenbar nicht so ist.«

»Ich bin nicht sicher, ob überhaupt je ein Mensch wegen Gilly hier war«, entgegnet Scarpetta. Sie steht mitten im Wohnzimmer, hinterlässt Pfützen auf dem Parkett und schaut sich unverhohlen um.

»Sie haben nicht das Recht, so was zu sagen«, zischt Mrs. Paulsson. »Ich glaube, Sie sollten jetzt besser gehen. Leute wie Sie will ich nicht in meinem Haus haben.«

»Ich bleibe. Rufen Sie doch die Polizei, wenn Sie möchten. Aber ich werde erst verschwinden, nachdem wir uns über die letzte Nacht unterhalten haben.«

»Ich sollte wirklich die Polizei verständigen. Nach dem, was dieses Ungeheuer mir angetan hat. So viel habe ich durchgemacht, und dann kommt jemand, nutzt das aus und hält sich an einem trauernden Menschen wie mir schadlos. Ich hätte es wissen müssen. Er sieht ganz danach aus.«

»Nur zu«, erwidert Scarpetta. »Rufen Sie ruhig die Polizei. Ich habe auch eine Geschichte zu erzählen, und zwar eine ziemlich spannende. Wenn es Sie nicht stört, schaue ich mich jetzt ein bisschen um. Ich weiß, wo Gillys Zimmer und die Küche sind. Und wenn ich durch diese Tür gehe und mich links anstatt rechts halte, komme ich vermutlich in Ihr Schlafzimmer.« Mit diesen Worten marschiert sie los.

»Sie können nicht einfach in meinem Haus herumspazieren«, protestiert Mrs. Paulsson. »Hauen Sie ab, und zwar ein bisschen plötzlich! Sie haben keinen Grund, hier herumzuschnüffeln.«

Das Schlafzimmer ist nur unwesentlich größer als das Zimmer von Gilly. Es ist mit einem Doppelbett mit antiken Nachtkästchen aus Walnussholz zu beiden Seiten und zwei an die Wand gedrängten Kommoden möbliert. Eine Tür führt in ein kleines Badezimmer, eine andere in einen Wandschrank. Und dort, deutlich sichtbar auf dem Boden, steht ein Paar schwarzer Kampfstiefel aus Leder. Scarpetta wühlt in ihrer Jackentasche und holt ein Paar Baumwollhandschuhe heraus, die sie überstreift, während sie in der Tür des Wandschranks steht und die Stiefel betrachtet. Sie lässt den Blick über die hängenden Kleidungsstücke gleiten, macht auf dem Absatz kehrt und geht ins Bad. Über den Badewannenrand ist ein Tarn-T-Shirt gebreitet.

»Er hat Ihnen wohl ein Märchen aufgetischt«, sagt Mrs. Paulsson vom Fußende des Bettes aus. »Und Sie glauben ihm. Wir werden ja sehen, was die Polizei von der Sache hält. Ich denke nicht, dass sie Ihnen beiden Ihre Geschichte abkauft.«

»Wie oft haben Sie Soldat gespielt, wenn Ihre Tochter dabei war?«, fragt Scarpetta und blickt ihr in die Augen. »Offenbar hatte Frank Spaß daran. Haben Sie das Spiel von ihm gelernt? Oder haben Sie diese hässliche kleine Perversion selbst erfunden? Wie oft haben Sie es in Gillys Gegenwart getan, und wer war sonst noch dabei, während Gilly im Haus war? Gruppensex? Haben Sie das mit ›sie‹ gemeint? Andere Leute, die das Spiel mit Ihnen und Frank gespielt haben?«

»Wie können Sie es wagen, mir so etwas zu unterstellen!«, empört sie sich, und ihr Gesicht verzerrt sich vor Abscheu und Wut. »Davon weiß ich nichts.«

»Ach, zurzeit sind eine ganze Menge Unterstellungen im Umlauf, und es wird wahrscheinlich noch einige mehr geben«, erwidert Scarpetta, nähert sich dem Bett und schlägt mit behandschuhter Hand die Decke zurück. »Macht nicht den Eindruck, als hätten Sie die Bettwäsche gewechselt. Sehr gut. Sehen Sie die Blutflecke hier auf diesem Lacken? Welche Summe sind Sie bereit zu wetten, dass es sich um Marinos Blut handelt, nicht um Ihres?« Sie sieht Mrs. Paulsson forschend an. »Denn im Gegensatz zu Ihnen hat Marino Verletzungen. Und das ist wirklich merkwürdig. Außerdem muss hier irgendwo ein blutiges Handtuch herumliegen.« Sie sieht sich um. »Kann sein, dass Sie es gewaschen haben, aber das spielt keine Rolle. Auch aus gewaschenen Stoffen können wir die nötigen Spuren sicherstellen.«

»Ich bin diejenige, die misshandelt wurde. Sie sind ja noch schlimmer als er«, protestiert Mrs. Paulsson, doch ihr Gesichtsausdruck hat sich verändert. »Von einer Frau hätte ich wirklich ein bisschen mehr Verständnis erwartet.«

»Verständnis für eine Person, die einem Menschen erst Verletzungen zufügt und ihn dann eines tätlichen Angriffs beschuldigt? Ich kann mir nicht vorstellen, dass es auf diesem Planeten auch nur eine anständige Frau gibt, die dafür Verständnis hätte, Mrs. Paulsson.« Scarpetta will die Bettdecke herunterziehen.

»Was soll das? Das dürfen Sie nicht!«

»Ich tue es aber trotzdem.« Sie entfernt die Laken und rollt sie zusammen mit den Kissen in die Überdecke ein.

»Dazu haben Sie kein Recht. Sie sind nicht von der Polizei.«

»Ich bin noch viel schlimmer als jeder Polizist. Sie werden schon sehen.« Scarpetta legt das Bettwäschebündel auf die nackte Matratze. »Was jetzt?« Sie sieht sich um. »Auch wenn es Ihnen bei der heutigen Begegnung im Büro des Chefpathologen nicht aufgefallen ist, trug Marino dieselbe Hose wie gestern Nacht. Und dieselbe Unterwäsche. Den ganzen Tag, um genau zu sein. Vermutlich ist Ihnen bekannt, dass ein Mann, der Sex hat, zumindest kleine Spuren in der Unterhose und vielleicht sogar in seiner Hose hinterlässt. Aber das war nicht so. Es gab weder in seiner Unterhose noch in seiner Hose die geringsten Spuren, bis auf das Blut von den Verletzungen, die Sie ihm zugefügt haben. Außerdem wissen Sie offenbar nicht, dass man durch Ihre Vorhänge von außen sehen kann, ob Sie Besuch haben und ob es sich um eine tätliche Auseinandersetzung oder um ein Schäferstündchen handelt, vorausgesetzt, Sie können noch aufrecht stehen. Schwer zu sagen, was die Nachbarn von gegenüber beobachten konnten, wenn bei Ihnen noch Licht oder das Kaminfeuer brannte.«

»Vielleicht hat es zwischen uns beiden ja schön angefangen und ist dann aus dem Ruder gelaufen«, entgegnet Mrs. Paulsson, die offenbar eine Entscheidung getroffen hat. »Es war alles ganz unschuldig, nur ein Mann und eine Frau, die Spaß zusammen hatten. Kann sein, dass ich es ein bisschen übertrieben habe, weil ich enttäuscht von ihm war. Erst hat er mich scharf gemacht, und dann lief nichts. Er konnte nicht. Ein großer Mann wie er, und dann kriegt er keinen hoch.«

»Durchaus möglich, wenn Sie ihm ständig Bourbon nachgeschenkt haben«, merkt Scarpetta an, und sie ist ziemlich sicher, dass Marino dieser Frau nichts getan hat. Sie sieht nicht, wie das hätte möglich sein können. Das Problem ist nur, dass er immer noch befürchtet, er könnte Schuld auf sich geladen haben, weshalb ein Gespräch mit ihm ziemlich sinnlos wäre.

Scarpetta beugt sich in den Wandschrank und greift nach den Stiefeln. Als sie sie aufs Bett legt, sehen sie auf der nackten Matratze sehr groß und bedrohlich aus.

»Das sind Franks Stiefel«, sagt Mrs. Paulsson.

»Wenn Sie sie anhatten, werden wir Ihre DNS darin finden.«

»Die sind mir doch viel zu groß.«

»Sie haben mich gehört. Die DNS wird uns viel verraten.« Scarpetta geht ins Bad und holt das Tarn-T-Shirt. »Vermutlich gehört das ebenfalls Frank.«

Mrs. Paulsson schweigt.

»Wenn Sie möchten, können wir jetzt in die Küche gehen«, schlägt Scarpetta vor. »Etwas Warmes zu trinken wäre schön. Vielleicht Kaffee. Was für einen Bourbon haben Sie gestern Nacht getrunken? Eigentlich müssten Sie sich jetzt auch ziemlich elend fühlen, außer Sie haben sein Glas öfter nachgefüllt als Ihres. Marino geht es heute ausgesprochen miserabel. Er musste ärztlich behandelt werden.« Raschen Schrittes steuert Scarpetta auf den hinteren Teil des Hauses und die Küche zu.

»Was soll das heißen?«

»Das soll heißen, dass er zum Arzt musste.«

»Er war beim Arzt?«

»Er wurde untersucht und fotografiert. Zentimeter um Zentimeter. Es geht ihm gar nicht gut«, antwortet Scarpetta. Als sie in die Küche kommt, bemerkt sie die Kaffeemaschine neben dem Spülbecken. Gleich daneben hat gestern noch die Hustensaftflasche gestanden, die jetzt verschwunden ist. Sie zieht die Baumwollhandschuhe aus und steckt sie wieder in die Jackentasche.

»Das geschieht ihm recht, nach dem, was er mir angetan hat.«

»Verschonen Sie mich mit Ihrer Geschichte«, meint Scarpetta und füllt die gläserne Kaffeekanne mit Leitungswasser. »Sie ist nämlich von Anfang an erlogen, und Sie können sich die Mühe sparen. Falls Sie Verletzungen haben, möchte ich die gerne sehen.«

»Wenn ich sie überhaupt jemandem zeige, dann nur der Polizei.«

»Wo haben Sie den Kaffee?«

»Keine Ahnung, was Sie sich da zusammenphantasieren, aber mit der Wahrheit hat es jedenfalls nichts zu tun«, entgegnet Mrs. Paulsson. Sie öffnet den Gefrierschrank und legt eine Tüte mit Kaffee neben die Kanne. Aus dem Küchenschrank holt sie einen Karton mit Filtern und überlässt es Scarpetta, sich selbst zu bedienen.

»In letzter Zeit scheint die Wahrheit Mangelware zu sein«, erwidert Scarpetta. Nachdem sie eine Filtertüte in die Kaffeemaschine gelegt hat, gibt sie mit einem kleinen Löffel, der sich in der Tüte befunden hat, Kaffee hinein. »Ich frage mich, woran es wohl liegen mag, dass es uns nicht gelingt, die wirklichen Hintergründe von Gillys Tod aufzudecken. Und nun ist es anscheinend auch nicht möglich, herauszufinden, was gestern Nacht tatsächlich passiert ist. Ich würde gerne hören, was Sie zum Thema Wahrheit zu sagen haben, Mrs. Paulsson. Deshalb habe ich mich heute Abend zu diesem Spontanbesuch entschlossen.«

»Ich möchte nicht über Pete sprechen«, gibt sie erbittert zurück. »Glauben Sie nicht, ich hätte es sonst inzwischen längst getan? Die Wahrheit ist, dass ich dachte, er hätte Spaß.«

»Spaß?« Scarpetta lehnt sich an eine Theke und verschränkt die Arme auf Taillenhöhe. »Wenn Sie so aussehen würden wie er heute, würden Sie vermutlich nicht von Spaß reden.«

»Sie können ja überhaupt nicht beurteilen, wie ich aussehe.«

»An Ihren Bewegungen erkenne ich, dass er Sie nicht verletzt hat. Vermutlich war er nach all dem Bourbon, den er intus hatte, nicht mehr zu allzu viel in der Lage. Das haben Sie mir gerade selbst bestätigt.«

»Haben Sie was mit ihm? Sind Sie deshalb hier?« Sie wirft Scarpetta einen verschlagenen Blick zu, und Neugier glimmt in ihren Augen auf.

»Ich habe zwar etwas mit ihm, aber das ist eine Sache, die Sie vermutlich niemals verstehen würden. Habe ich eigentlich schon erwähnt, dass ich auch Anwältin bin? Interessiert es Sie, was mit Leuten passiert, die jemanden fälschlicherweise eines tätlichen Übergriffs oder einer Vergewaltigung bezichtigen? Waren Sie schon mal im Gefängnis?«

»Sie sind bloß eifersüchtig. Jetzt durchschaue ich Sie.« Mrs. Paulsson grinst selbstzufrieden.

»Jeder hat ein Recht auf seine Meinung. Aber vergessen Sie das Gefängnis nicht, Mrs. Paulsson. Denken Sie daran, was geschieht, wenn Sie Vergewaltigung schreien und alle Beweise Sie als Lügnerin bloßstellen.«

»Keine Sorge, das werde ich nicht tun«, sagt sie, und ihre Züge werden hart. »Mich vergewaltigt man nicht. Die sollen es nur versuchen. Was für ein Riesenbaby. Mehr kann ich über ihn nicht sagen. Ein Baby. Ich dachte, es könnte lustig mit ihm werden. Tja, das war wohl ein Irrtum. Sie können ihn behalten, Mrs. Doktor oder Anwältin oder was Sie auch sonst sein mögen.«

Als der Kaffee fertig ist, fragt Scarpetta, wo die Tassen stehen. Mrs. Paulsson nimmt zwei Tassen und zwei Löffel aus einem Schrank. Sie trinken Kaffee, und dann beginnt Mrs. Paulsson zu weinen. Sie beißt sich auf die Unterlippe. Tränen treten ihr aus den Augen und laufen über ihr Gesicht. Sie schüttelt den Kopf.

»Ich gehe nicht ins Gefängnis«, sagt sie.

»Mir wäre es auch lieber, wenn Sie nicht ins Gefängnis müssten«, erwidert Scarpetta und trinkt einen Schluck Kaffee. »Warum haben Sie das getan?«

»Was Menschen miteinander machen, ist persönlich.« Sie weicht ihrem Blick aus.

»Wenn Sie jemandem blutende Wunden und Blutergüsse zufügen, ist das nicht persönlich, sondern eine Straftat. Stehen Sie auf Sex mit Gewalt?«

»Anscheinend sind Sie ganz schön prüde«, entgegnet Mrs. Paulsson, schlendert zum Tisch und setzt sich. »Es gibt offenbar eine Menge Sachen, von denen Sie noch nie gehört haben.«

»Das könnte stimmen. Also erzählen Sie mir von Ihrem Spiel.«

»Fragen Sie ihn doch selbst.«

»Ich weiß, was Marino zu Ihrem Spiel zu sagen hat, zumindest dem von letzter Nacht.« Scarpetta trinkt einen Schluck Kaffee. »Sie machen das schon seit einer Weile, richtig? Hat es mit Ihrem Ex-Mann angefangen? Mit Frank?«

»Ich bin nicht verpflichtet, mit Ihnen zu reden«, erwidert sie, immer noch am Tisch sitzend. »Und ich sehe auch keinen Grund dazu.«

»Sie meinten, Frank könnte etwas über die Rose wissen, die wir in Gillys Kommode gefunden haben. Was sollte das heißen?«

Sie schweigt verstockt, sitzt mit wütender, hasserfüllter Miene am Tisch und umfasst die Kaffeetasse mit beiden Händen.

»Mrs. Paulsson, denken Sie, dass Frank Gilly etwas angetan hat?«

»Ich hab keine Ahnung, von wem die Rose ist«, sagt sie und starrt auf dieselbe Stelle an der Wand wie bei Scarpettas gestrigem Besuch. »Ich weiß nur, dass sie nicht von mir ist. Vorher war sie nicht da, wenigstens nicht in ihrem Zimmer, jedenfalls habe ich sie nicht dort gesehen. Und ich hatte erst am Tag zuvor Wäsche und andere Dinge in ihre Schubladen geräumt. Gilly war recht unordentlich, und ich musste ständig hinter ihr herräumen. Aber ich habe nie eine Rose gesehen. Sie hätte nie selbst etwas weggeräumt, und wenn es um ihr Leben gegangen wäre.« Mrs. Paulsson bricht ab und starrt wieder schweigend an die Wand.

Scarpetta wartet ab, ob sie etwas hinzufügen wird. Doch etwa eine Minute lang herrscht bedrückende Stille.

»Am schlimmsten war es in der Küche«, fährt Mrs. Paulsson schließlich fort. »Sie nahm Lebensmittel aus dem Kühlschrank und vergaß sie einfach auf der Anrichte. Sogar Eiscreme. Ich kann Ihnen gar nicht sagen, wie viel Essen ich wegwerfen musste.« Trauer malt sich in ihrem Gesicht. »Und Milch. Ständig habe ich Milch weggeschüttet, weil sie sie den halben Tag lang draußen stehen ließ.« Ihre Stimme hebt und senkt sich und beginnt zu zittern. »Wissen Sie, wie es ist, wenn man ununterbrochen hinter jemandem herräumt?«

»Ja«, erwidert Scarpetta. »Das ist einer der Gründe, warum ich geschieden bin.«

»Tja, Frank ist nicht viel besser«, meint sie und blickt ins Leere. »Bei den beiden war ich nur am Aufräumen.«

»Was, glauben Sie, könnte Frank Gilly angetan haben, falls es überhaupt so war?«, fragt Scarpetta, wobei sie sich Mühe gibt, die Frage so zu formulieren, dass die Antwort nicht einfach »ja« oder »nein« lauten kann.

Mrs. Paulsson schaut weiter starr an die Wand. »Auf seine Weise hat er sicher etwas getan.«

»Ich meine körperlich. Gilly ist tot.«

Ihre Augen füllen sich mit Tränen, die sie grob mit der Hand abwischt, während sie weiter an die Wand schaut. »Er war nicht da, als es passierte. Nicht im Haus, soviel ich weiß.«

»Als was passierte?«

»Während ich im Drugstore war. Was auch immer in dieser Zeit geschah.« Wieder wischt sie sich über die Augen. »Das Fenster war offen, als ich nach Hause kam. Als ich ging, war es zu gewesen. Keine Ahnung, ob sie es aufgemacht hat. Damit will ich nicht behaupten, dass es Frank war. Nur, dass er etwas damit zu tun hat. Alles, was in seine Nähe geriet, starb oder ging kaputt. Komisch, so etwas von einem Arzt sagen zu müssen. Wissen Sie, was ich meine?«

»Ich gehe jetzt, Mrs. Paulsson. Mir ist klar, dass dieses Gespräch nicht einfach für Sie war. Sie haben meine Mobilfunknummer. Wenn Ihnen noch etwas Wichtiges einfällt, würde ich mich über Ihren Anruf freuen.«

Sie nickt und bricht in Tränen aus.

»Vielleicht war zuvor noch jemand in diesem Haus, von dem wir wissen sollten. Jemand außer Frank. Vielleicht ein Mensch, den Frank eingeladen hat und den er kannte. Jemand, der das Spiel gespielt hat.«

Mrs. Paulsson steht nicht auf, als Scarpetta zur Tür geht.

»Überlegen Sie, ob Ihnen noch jemand einfällt«, wiederholt Scarpetta. »Gilly ist nicht an der Grippe gestorben. Wir müssen herausfinden, was genau ihr zugestoßen ist. Und wir werden es erfahren. Früher oder später. Ich glaube, früher wäre Ihnen lieber, oder?«

Mrs. Paulsson starrt nur an die Wand.

»Sie können mich jederzeit anrufen«, spricht Scarpetta weiter. »Ich gehe jetzt. Falls Sie etwas brauchen, melden Sie sich bei mir. Außerdem wäre es schön, wenn Sie ein paar große Müllsäcke dahätten.«

»Unter dem Spülbecken. Wenn sie für das sind, was ich glaube, können Sie sich die Mühe sparen«, murmelt sie.

Scarpetta öffnet das Unterschränkchen und zieht vier große Müllsäcke aus Plastik aus einem Karton. »Ich nehme sie trotzdem mit«, entgegnet sie. »Hoffentlich ist es wirklich überflüssig.«

Im Schlafzimmer sammelt sie die zusammengerollte Bettwäsche, die Stiefel und das T-Shirt ein und verstaut sie in den Müllsäcken. Dann zieht sie im Wohnzimmer den Mantel an und tritt wieder hinaus in den Regen. Sie trägt vier Säcke, zwei voller schwerer Bettwäsche und zwei, die nur jeweils ein T-Shirt und ein Paar Stiefel enthalten. Kaltes Wasser spritzt hoch und durchweicht ihre Schuhe, als sie in die Pfützen auf dem Backsteinweg tritt, und halb gefrorener Regen prasselt auf sie herab.

32

In der Other Way Lounge ist es sehr dunkel. Die Frauen, die dort arbeiten, haben aufgehört, Edgar Allan Pogue erst mit neugierigen, dann mit herablassenden und schließlich mit gleichgültigen Blicken anzusehen, und ignorieren ihn inzwischen. Er spielt mit dem Stiel einer Cocktailkirsche herum und bindet ihn gemächlich zu einem Knoten.

In der Other Way Lounge trinkt er immer Bleeding Sunsets, eine Spezialität des Hauses, die aus einer Mischung aus Wodka und »anderem Zeug« besteht, wie er es nennt. »Anderes Zeug« ist orangerot und schwebt wie Nebelfetzen zum Boden des Glases. Ein Bleeding Sunset sieht aus wie ein Sonnenuntergang, bis sich die verschiedenen Flüssigkeiten, Siruparten und das »andere Zeug« miteinander mischen und der Drink einfach nur noch orangefarben ist. Wenn das Eis schmilzt, sehen die undefinierbaren Reste in seinem Glas aus wie das Orangensaftgetränk aus seiner Kinderzeit. Es wurde in Plastikorangen verkauft, und man trank es mit einem grünen Strohhalm, der den Stiel darstellen sollte. Das Orangensaftgetränk war wässrig und schmeckte langweilig, obwohl die Plastikorange eine erfrischende Köstlichkeit verhieß. Bei jedem Besuch in Südflorida hat er seine Mutter angebettelt, ihm eine dieser Plastikorangen zu kaufen, und jedes Mal war er wieder enttäuscht.

Mit Menschen ist es wie mit diesen Plastikorangen und ihrem Inhalt. Zwischen äußerem Schein und Geschmack besteht ein himmelweiter Unterschied. Er hebt sein Glas und lässt den orangefarbenen Nebel am Boden kreisen. Dabei überlegt er, ob er noch einen Bleeding Sunset bestellen soll, rechnet nach, wie viel Geld er noch hat, und denkt auch an seinen Alkoholpegel. Er ist kein Trinker. Das war er noch nie. Er war noch nie im Leben betrunken. Die Vorstellung, betrunken zu sein, macht ihm Angst, und er kann keinen Bleeding Sunset oder ein anderes alkoholisches Getränk zu sich nehmen, ohne jedes Schlückchen mitzuzählen und sich das Hirn über die Folgen zu zermartern. Außerdem achtet er auf seine Figur, und Alkohol ist ein Dickmacher. Seine Mutter war dick und wurde immer dicker, was eine Schande war, denn früher war sie einmal hübsch gewesen. Das liegt in der Familie, pflegte sie zu sagen. Wenn du dich weiter so voll stopfst, wirst du schon noch sehen, was ich meine. Am Bauch fängt es meistens an.

»Ich hätte gern noch einen«, sagt Edgar Allan Pogue in den Raum hinein.

Die Other Way Lounge besteht aus einem sehr kleinen Raum, in dem Holztische mit schwarzen Decken stehen. Auf den Tischen befinden sich zwar Kerzen, doch all die Male, die er schon hier war, haben sie noch nie gebrannt. In der Ecke gibt es einen Billardtisch, doch er hat noch nie jemanden daran spielen sehen, und er hat die Vermutung, dass sich die Kundschaft nicht für Billard interessiert und dass der zerkratzte Tisch mit der roten Filzbespannung ein Überbleibsel aus einer früheren Epoche ist. Wahrscheinlich war die Other Way Lounge einmal eine ganz andere Art von Lokal. Nichts bleibt, wie es ist.

»Ich glaube, ich hätte gern noch einen«, wiederholt er.

Die Frauen, die hier arbeiten, sind Hostessen, keine Kellnerinnen, und möchten auch so behandelt werden. Die Herren, die in der Other Way Lounge vorbeischauen, rufen die Damen nicht mit einem Fingerschnippen herbei, weil sie Hostessen sind und Respekt verlangen. Pogue hat den Eindruck, dass sie ihm beinahe einen Gefallen tun, indem sie ihn überhaupt hereinlassen und ihm erlauben, sein Geld für ihre klebrigen blutroten Bleeding Sunsets auszugeben. Sein Blick schweift durch die Dunkelheit und bleibt an der Rothaarigen hängen. Sie trägt einen dünnen, kurzen schwarzen Pulli, unter den eigentlich eine Bluse gehören würde. Der Pulli bedeckt kaum, was er bedecken sollte, und Edgar Allan hat noch nie gesehen, dass sie sich aus einem praktischen Grund vorgebeugt hätte, wie zum Beispiel um eine Tischdecke abzuwischen oder ein Getränk abzustellen. Wenn sie sich vorbeugt, dann nur, damit ausgewählte Männer etwas zu sehen kriegen, solche, die gutes Trinkgeld geben und die richtigen Sprüche draufhaben. Der Pulli hat vorne einen Einsatz, ein schwarzes quadratisches Stück Stoff, kleiner als ein Blatt Schreibmaschinenpapier, der von zwei schwarzen Trägern gehalten wird. Der Einsatz ist lose. Wenn sie sich vorbeugt, um etwas zu sagen oder leere Gläser zu entfernen, bewegt sich etwas unter dem Einsatz und könnte sogar herausrutschen. Aber es ist dunkel, sehr dunkel, und außerdem hat sie sich noch nie über seinen Tisch gebeugt und wird es vermutlich auch nicht tun. Hinzu kommt, dass er von seinem Platz aus nicht gut sehen kann.

Er steht von seinem Tisch neben der Tür auf, weil er keine Lust hat, durch den ganzen Raum zu brüllen, dass er gerne noch einen Bleeding Sunset hätte. Er ist auch nicht sicher, ob er überhaupt noch einen will. Ständig muss er an die leuchtende Plastikorange mit dem grünen Strohhalm denken, und je deutlicher er sie vor sich sieht und sich an seine Enttäuschung erinnert, desto ungerechter fühlt er sich behandelt. Er steht neben dem Tisch und holt einen Zwanziger aus der Tasche. Geld hat in der Other Way Lounge dieselbe Wirkung wie ein Steak auf einen Hund, denkt er. Die Rothaarige stakst auf ihren Stilettoabsätzen auf ihn zu. Unter dem Einsatz ihres Pullis wippt es, und unter dem engen Minirock pumpen die Beine. Aus der Nähe ist sie alt. Siebenundfünfzig, achtundfünfzig oder sogar sechzig.

»Gehst du schon, Süßer?« Sie nimmt den Zwanziger vom Tisch, ohne Edgar Allan anzusehen.

Auf der rechten Wange hat sie ein Muttermal, vermutlich mit dem Augenbrauenstift aufgemalt. Er hätte es viel besser gemacht. »Ich hätte gern noch einen«, sagt er.

»Möchten wir das nicht alle, Schätzchen?« Ihr Lachen erinnert ihn an eine Katze, die Schmerzen hat. »Einen Moment, ich bringe ihn dir.«

»Es ist zu spät«, erwidert er.

»Bessie, mein Kind, wo bleibt mein Whisky?«, fragt ein ruhiger Mann am Nebentisch.

Pogue hat ihn vorhin in einem großen neuen Cadillac vorfahren sehen. Er ist sehr alt, mindestens achtzig, einundachtzig oder zweiundachtzig, und trägt einen hellblauen Seersucker-Anzug und eine hellblaue Krawatte. Bessie hüpft wippend auf ihn zu, und Pogue ist plötzlich nicht mehr vorhanden, obwohl er sich noch im Raum befindet. Also geht er. Da er ohnehin nicht existiert, kann er sich genauso gut verdrücken. Durch die schwere dunkle Tür tritt er auf den mit Kies bestreuten Parkplatz hinaus in die Dunkelheit, wo entlang des Gehwegs schwarze Olivenbäume und Palmen stehen. Er verharrt im dichten Schatten der Bäume und blickt zur Shell-Tankstelle auf der anderen Seite der Twenty-Sixth Avenue North hinüber, wo die riesige Muschel leuchtend gelb in die Nacht strahlt. Er spürt die warme Brise und findet es angenehm, einfach ein paar Minuten lang dazustehen und hinzuschauen.

Die erleuchtete Muschel erinnert ihn wieder an die Plastikorangen. Er weiß nicht, warum. Es könnte daran liegen, dass seine Mutter ihm das Getränk immer an Tankstellen gekauft hat. Es wäre nachvollziehbar, wenn sie ihm hin und wieder ein Orangensaftgetränk für zehn Cent das Stück besorgt hätte, jeden Sommer, als sie von Virginia nach Vero Beach in Florida gefahren sind, um ihre Mutter zu besuchen, die förmlich im Geld erstickte. Er und seine Mutter übernachteten immer in einem Motel namens Driftwood Inn. Er erinnert sich nur noch, dass es wirklich aussah, als wäre es aus Treibholz gebaut, und dass er nachts auf derselben Luftmatratze schlief, auf der er sich tagsüber im Meer treiben ließ.

Da die Luftmatratze nicht sehr groß war, hingen seine Arme und Beine über den Rand, als ob er in den Wellen paddelte. Er schlief im Wohnzimmer, während seine Mutter sich hinter die verschlossene Tür des Schlafzimmers zurückzog. Die einzige Klimaanlage ratterte im Fenster ihres verriegelten und verrammelten Schlafzimmers. Er weiß noch, wie warm ihm war und wie er schwitzte. Seine sonnenverbrannte Haut klebte am Gummi der Luftmatratze, sodass es sich anfühlte, als würde ein Pflaster abgerissen, wenn er sich bewegte. Die ganze Nacht, eine ganze Woche lang. Das war der Urlaub, der einzige, den sie jedes Jahr machten, und zwar im Sommer, immer im August.

Pogue beobachtet, wie sich Scheinwerfer nähern und Heckleuchten entfernen. Helle weiße und rote Augen, die in der Nacht vorbeisausen. Dann blickt er nach links und wartet darauf, dass die Ampel umspringt. Als es so weit ist, wird der Verkehr langsamer. Pogue trottet über die freie Fahrbahn, die nach Osten führt, und schlängelt sich zwischen den Autos auf der Fahrbahn nach Westen durch. An der Shell-Tankstelle schaut er zu der hellgelben Muschel hinauf, die hoch über ihm in der Dunkelheit schwebt. Er beobachtet einen alten Mann in ausgebeulten Shorts, der an einer Zapfsäule Benzin tankt, und einen anderen alten

Mann in einem zerknitterten Anzug an einer anderen Zapfsäule. Pogue hält sich im Schatten und pirscht zur Glastür. Ein Glöckchen erklingt, als er hineingeht und schnurstracks auf die Getränkeautomaten im hinteren Teil des Raumes zusteuert. Die Frau hinter der Theke kassiert gerade eine Tüte Chips, ein Sixpack Bier und eine Tankfüllung Benzin und würdigt ihn keines Blickes.

Neben dem Kaffeeautomaten befindet sich der Colaautomat. Er nimmt fünf der größten Plastikbecher mit Deckel und geht damit zur Kasse. Die Becher sind mit bunten Comicfiguren bedruckt, die Deckel sind weiß mit einer kleinen Tülle zum Trinken. Er legt Becher und Deckel auf die Theke.

»Haben Sie das Orangensaftgetränk in den Plastikorangen mit grünen Strohhalmen?«, fragt er die Frau hinter der Theke.

»Was?« Stirnrunzelnd greift sie nach einem Becher. »Die sind ja leer. Möchten Sie denn nichts zu trinken kaufen?«

»Nein«, erwidert er. »Ich brauche nur die Becher und die Deckel.«

»Wir verkaufen keine Becher.«

»Mehr brauche ich aber nicht«, entgegnet er.

Sie späht über ihre Brille, um sein Gesicht zu betrachten, und er überlegt, was sie wohl sieht, wenn sie ihn so anschaut. »Wir verkaufen aber keine leeren Becher.«

»Ich hätte auch lieber das Orangensaftgetränk, wenn Sie das dahaben«, gibt er zurück.

»Was für ein Orangensaftgetränk?« Sie wird ungeduldig und gereizt. »Sehen Sie den großen Kühlschrank da hinten? Wir haben nur, was da drin steht.«

»Das Getränk ist in Plastikflaschen abgefüllt, die wie Orangen aussehen. Und es ist ein grüner Strohhalm dabei.«

Ihre finstere Miene wird von Erstaunen abgelöst, und ihre grell geschminkten Lippen teilen sich zu einem breiten Lächeln, das ihn an einen Halloweenkürbis erinnert. »Ach, du heiliger Strohsack, jetzt weiß ich, was Sie meinen. Dieses komische Orangensaftgetränk. Schätzchen, das gibt es schon seit Jahren nicht mehr. Du meine Güte, ich hatte es ganz vergessen.«

»Dann nehme ich nur die Becher und die Deckel«, beharrt er.

»Mein Gott, ich geb's auf. Gut, dass meine Schicht gleich zu Ende ist, das kann ich Ihnen sagen.«

»Eine lange Nacht«, meint er.

»Und sie wird immer länger.« Sie lacht auf. »Diese dämlichen Orangen mit den Strohhalmen.« Sie blickt zur Tür, wo gerade der alte Mann mit den ausgebeulten Shorts hereinkommt, um sein Benzin zu bezahlen.

Pogue achtet nicht auf ihn. Stattdessen starrt er sie an. Sie hat gefärbtes Haar, so platinblond wie Angelschnur, und gepuderte Haut, die aussieht wie weicher, knittriger Stoff. Sicher fühlt sich ihre Haut an wie die Flügel eines Schmetterlings. Wenn er sie berühren würde, würde sich der Puder abreiben wie von Schmetterlingsflügeln. Auf ihrem Namensschild steht EDITH.

»Ich sag Ihnen was.« Edith spricht ihn an. »Ich gebe Ihnen die leeren Becher für fünfzig Cent das Stück, und die Deckel kriegen Sie gratis dazu. Und jetzt muss ich mich um meine anderen Kunden kümmern.« Ihre Finger tippen etwas in die Kasse ein, und die Schublade öffnet sich.

Pogue reicht Edith einen Fünf-Dollar-Schein, und seine Finger berühren ihre, als er das Wechselgeld entgegennimmt. Ihre Finger sind kühl, beweglich und weich, und er weiß, dass die Haut daran locker ist wie bei allen Frauen ihres Alters. Draußen in der schwülen Nacht wartet er auf eine Lücke im Verkehr und überquert dann die Straße wie vor ein paar Minuten. Unter denselben schwarzen Olivenbäumen und Palmen bleibt er stehen und beobachtet die Tür der Other Way Lounge. Als niemand hinein- oder hinausgeht, eilt er zu seinem Auto und steigt ein.

33

Du solltest es ihm sagen«, meint Marino. »Auch wenn es nicht so kommt, wie du gedacht hast, sollte er wissen, was los ist.«

»So gehen Menschen in die Irre«, erwidert Scarpetta.

»Oder sie gewinnen einen Vorsprung.«

»Diesmal nicht«, entgegnet sie.

»Du bist der Boss, Doc.«

Marino liegt auf dem Bett im Marriott in der Broad Street. Scarpetta sitzt in demselben Sessel wie vorhin, hat ihn aber näher herangerückt. In dem weiten weißen Baumwollpyjama, den sie ihm in einem Kaufhaus südlich vom Fluss gekauft hat, sieht er riesig, aber weniger bedrohlich aus. Seine Wunden unter dem dünnen, weichen Stoff sind mit dunkelorangenem Betadine bestrichen. Er behauptet, es täte schon viel weniger weh. Sie hat den schlammigen dunkelblauen Hosenanzug mit einer braunen Cordhose, einem dunkelblauen Rollkragenpullover und Mokassins vertauscht. Sie sind in seinem Zimmer, weil sie ihn nicht in ihrem Zimmer haben will und zu dem Schluss gekommen ist, dass sie auch in seinem sicher sind. Nachdem sie die beim Zimmerservice bestellten Sandwiches verspeist haben, unterhalten sie sich.

»Ich verstehe trotzdem nicht, warum du ihn nicht einfach um Rat fragen kannst«, hakt Marino wissbegierig nach. Seine Neugier, was ihre Beziehung zu Benton angeht, dringt wie Staub in sämtliche Ritzen ein. Sie ist sich ständig dessen bewusst, und es geht ihr auf die Nerven. Trotzdem ist es zwecklos, sie abwehren zu wollen.

»Morgen früh bringe ich gleich die Erdproben ins Labor«, sagt sie. »Dann werden wir bald wissen, ob ein Fehler passiert ist. Wenn ja, braucht Benton nichts davon zu erfahren. Dann hätte es nämlich nichts mit dem Fall zu tun und wäre einfach nur ein Fehler, wenn auch ein unverzeihlicher.«

»Aber du glaubst das nicht.« Er blickt aus dem Kissenhaufen

auf, den sie ihm unter den Rücken geschoben hat. Seine Gesichtsfarbe wirkt inzwischen gesünder. Seine Augen sind aufmerksamer.

»Ich weiß nicht, was ich glaube«, erwidert sie. »Es ergibt keinen Sinn, ganz gleich, wie man es auch betrachtet. Wie würdest du die bei dem Traktorfahrer sichergestellten Spuren erklären, wenn nicht mit einem Fehler? Wie ist es möglich, dass dieselben Spuren auch im Fall Gilly Paulsson auftauchen? Hast du vielleicht eine Theorie?«

Marino denkt angestrengt nach. Er starrt auf das schwarze Fenster, in dem die Lichter der Innenstadt aufblitzen. »Keine Ahnung«, antwortet er. »Ich schwöre bei Gott. Mir fällt nicht mehr ein als das, was ich schon bei der Besprechung gesagt habe. Und da wollte ich mich nur aufspielen.«

»Wer? Du?«, spöttelt sie.

»Jetzt mal im Ernst. Wie kann dieser Whitby dieselben Spuren am Körper haben wie sie? Sie ist doch zwei Wochen vor ihm gestorben. Wo kommen die Spuren also her? Zwei Wochen nach ihrem Tod? Das sieht gar nicht gut aus«, sagt er.

Sie zuckt innerlich zusammen und verspürt eine Übelkeit, die sie inzwischen als Angst identifizieren kann. Momentan ist eine Verunreinigung oder eine falsche Etikettierung die einzig logische Erklärung. Das passiert beides viel öfter, als man meinen möchte. Dazu braucht man nur einen Asservatenbeutel oder ein Teströhrchen in den falschen Umschlag zu stecken oder ins falsche Regal zu legen beziehungsweise eine Probe mit einem falschen Aufkleber zu versehen. Fünf Sekunden Unachtsamkeit oder Verwirrung genügen, und das Beweisstück stammt entweder aus einer Quelle, die keinen Sinn ergibt, oder, noch schlimmer, es gibt Antworten auf eine Frage, die den Verdächtigen auf freien Fuß setzt oder ihn vor Gericht, ins Gefängnis oder gar in die Gaskammer bringt. Scarpetta erinnert sich an den Soldaten aus Fort Lee, der versucht hat, der dicken Frau das falsche Gebiss in den Mund zu zwängen. Man braucht nur einen Moment unaufmerksam zu sein.

»Ich begreife trotzdem nicht, warum du Benton nicht um Rat

fragst«, sagt Marino und greift nach einem Glas Wasser, das neben dem Bett steht. »Was spricht eigentlich dagegen, dass ich mir ein paar Bierchen genehmige?«

»Und was spricht dafür?« Sie hat Aktenordner auf dem Schoß und blättert ziellos in den Kopien der Berichte herum, um festzustellen, ob etwas, das sie bereits über Gilly und den Traktorfahrer weiß, ihr vielleicht plötzlich die Augen öffnet. »Alkohol stört den Heilungsprozess. Außerdem war er in letzter Zeit nicht unbedingt dein Freund.«

»In der vergangenen Nacht nicht.«

»Bestell dir, was du willst. Ich mache dir keine Vorschriften.«

Er zögert, und sie ahnt, dass er sich Anweisungen von ihr wünscht. Aber sie wird sie ihm nicht geben. Aus Erfahrung weiß sie, dass es Zeitverschwendung ist, und sie hat keine Lust, als Copilotin zu fungieren, wenn er wie ein außer Kontrolle geratener Jagdbomber durchs Leben trudelt. Marino betrachtet das Telefon und die Hände auf seinem Schoß und greift dann nach dem Wasserglas.

»Wie geht es dir?«, fragt sie und blättert um. »Möchtest du noch ein Advil?«

»Mir geht es gut. Nichts, was ein paar Biere nicht in Ordnung bringen würden.«

»Das ist deine Sache.« Sie blättert noch einmal um und überfliegt die lange Liste von Mr. Whitbys zerquetschten und beschädigten Organen.

»Bist du sicher, dass sie nicht die Polizei ruft?«, fragt Marino.

Sie spürt seinen Blick auf sich. Seine Augen strahlen dieselbe leichte Hitze ab wie eine Glühbirne, und sie kann ihm seine Angst nicht zum Vorwurf machen. Allein die Anschuldigungen wären sein Untergang, daran gibt es nichts zu rütteln. Seine Karriere im Dienst von Recht und Gesetz wäre zu Ende, und es ist durchaus möglich, dass eine Jury in Richmond ihn für schuldig erklärt, weil er ein großer, kräftiger Mann ist und weil Mrs. Paulsson das Talent hat, Hilflosigkeit vorzutäuschen und Mitleid zu erregen. Schon der Gedanke an sie macht Scarpetta wütend.

»Das wird sie nicht«, erwidert sie. »Ich habe ihr auf den Kopf zu gesagt, dass sie lügt. Heute Nacht wird sie von den wunderbaren Beweisen träumen, die ich aus ihrem Haus entfernt habe. Und auch von dem Spiel. Sicher will sie nicht, dass die Polizei oder sonst jemand von dem kleinen Spiel oder den Spielen erfährt, die sie in ihrem Häuschen treibt ... Ich muss dich was fragen.« Sie blickt von den Papieren auf ihrem Schoß auf. »Glaubst du, dass Mrs. Paulsson sich so verhalten hätte wie gestern Nacht, wenn Gilly noch leben würde? Natürlich sind das nur Mutmaßungen, aber was sagt dir dein Bauch?«

»Ich denke, sie tut, was ihr gefällt«, entgegnet er tonlos und voller Abscheu. Seine Empörung wird ein wenig von Scham gedämpft.

»Erinnerst du dich, ob sie betrunken war?«

»Sie war total high«, erwidert er. »Sie schwebte irgendwo.«

»Nur vom Alkohol, oder hat sie vielleicht sonst was genommen?«

»Ich habe nicht gesehen, dass sie Tabletten eingeworfen, was geraucht oder sich was gespritzt hätte. Aber mir ist wahrscheinlich eine ganze Menge entgangen.«

»Jemand muss mit Frank Paulsson reden«, meint Scarpetta mit einem Blick in einen anderen Bericht. »Abhängig davon, was wir morgen rauskriegen, könnten wir ja Lucy um Hilfe bitten.«

Ein listiger Ausdruck huscht über Marinos Gesicht, und er lächelt zum ersten Mal seit Stunden. »Gute Idee. Sie ist ja Pilotin. Hetzen wir sie dem Perversen auf den Hals.«

»Genau.« Scarpetta blättert um und holt tief Luft. »Nichts«, sagt sie. »Absolut nichts, was mir mehr über Gilly verraten würde. Sie wurde erstickt und hatte Lack- und Metallsplitter im Mund. Mr. Whitbys Verletzungen hingegen weisen deutlich darauf hin, dass er von dem Traktor überrollt worden ist. Aber wir sollten uns den Spaß erlauben, nachzuprüfen, ob er möglicherweise Verbindungen zu den Paulssons hatte.«

»Sie weiß es sicher«, meint Marino.

»Du rufst sie nicht an.« In dieser Situation kann sie nicht anders, als ihm Vorschriften zu machen. Er darf Suzanna Paulsson nicht anrufen. »Provoziere es nicht.« Sie sieht ihn an.

»Ich habe doch nicht gesagt, dass ich es tun werde. Vielleicht kannte sie ja den Traktorfahrer. Verdammt, möglicherweise hat er auch mitgespielt, und sie hatten einen Perversenclub.«

»Tja, Nachbarn sind sie jedenfalls nicht.« Scarpetta studiert die Papiere in Whitbys Akte. »Er hat in der Nähe des Flughafens gewohnt, nicht dass das unbedingt eine Rolle spielen muss. Während ich morgen im Labor bin, könntest du dich ja ein bisschen umhören.«

Marino antwortet nicht. Er hat keine Lust, mit der Polizei von Richmond zu sprechen.

»Du musst dich dem stellen«, meint sie und klappt die Akte zu.

»Wem stellen?« Er betrachtet das Telefon am Bett und denkt wahrscheinlich wieder an Bier.

»Das weißt du genau.«

»Ich kann es nicht leiden, wenn du so daherredest«, erwidert er gereizt. »So als ob ich deine Andeutungen verstehen müsste. Auch wenn es bestimmt Typen gibt, die für eine Frau, die sich kurz fasst, dankbar wären.«

Ein wenig amüsiert, verschränkt sie die Hände auf dem Aktenordner. So unwirsch reagiert er immer, wenn sie Recht hat. Sie wartet ab, was er als Nächstes sagen wird.

»Meinetwegen«, sagt er, als er das Schweigen nicht mehr ertragen kann. »Wem soll ich mich stellen? Erklär mir einfach, was zum Teufel Sache ist, denn ich drehe allmählich durch.«

»Du musst dich dem stellen, was du fürchtest. Und du fürchtest dich vor der Polizei, weil du immer noch Angst hast, dass Mrs. Paulsson dich angezeigt haben könnte. Hat sie aber nicht. Und sie wird es auch nicht tun. Also bring es hinter dich, dann legt sich auch die Angst.«

»Es geht nicht um Angst, sondern um Dummheit«, gibt er zurück.

»Gut. Dann rufst du jetzt Detective Browning oder sonst jemanden an. Denn anderenfalls wärst du dumm. Ich gehe jetzt zurück in mein Zimmer«, fügt sie hinzu, steht vom Sessel auf und schiebt ihn an seinem Platz am Fenster. »Wir treffen uns um acht in der Hotelhalle.«

34

Sie trinkt ein Glas Wein im Bett. Es ist kein sehr guter Wein, ein Cabernet mit einem scharfen Nachgeschmack. Doch sie leert das Glas bis zum letzten Tropfen, während sie allein in ihrem Hotelzimmer sitzt. In Aspen ist es zwei Stunden früher. Vielleicht ist Benton ja beim Essen, in einer Besprechung oder mit seinem Fall beschäftigt, seinem geheimen Fall, den er nicht mit ihr erörtern möchte.

Scarpetta klopft die Kissen hinter ihrem Rücken zurecht und stellt das leere Weinglas auf den Nachttisch neben das Telefon. Erst betrachtet sie den Apparat, dann den Fernseher, und sie fragt sich, ob sie ihn einschalten soll. Nachdem sie beschlossen hat, es nicht zu tun, greift sie zum Hörer und wählt Bentons Mobilnummer, weil er sie gebeten hat, ihn nicht zu Hause anzurufen. Das hat er ernst gemeint und sich unmissverständlich ausgedrückt. Ruf nicht zu Hause an, hat er gesagt. Ich gehe nicht an den Festnetzanschluss.

Das ergibt keinen Sinn, hat sie erwidert, und inzwischen scheinen seitdem Monate vergangen zu sein. Warum gehst du zu Hause nicht ans Telefon?

Ich möchte mich nicht ablenken lassen, hat er geantwortet. Also werde ich nicht rangehen. Wenn du mich erreichen möchtest, Kay, ruf mich mobil an. Bitte nimm es nicht persönlich. So ist es eben. Du kennst das ja.

Bentons Mobiltelefon läutet zweimal, dann nimmt er das Gespräch an.

»Was machst du gerade?«, fragt sie und starrt auf den dunklen Fernseher, der dem Bett gegenübersteht.

»Hallo«, sagt er, leise und ganz weit weg. »Ich bin im Arbeitszimmer.«

Scarpetta stellt sich das Zimmer im zweiten Stock des Hauses in Aspen vor, das er zum Arbeitszimmer umfunktioniert hat. Sie malt sich aus, wie er an seinem Schreibtisch sitzt, vor sich ein geöffnetes Dokument auf dem Computerbildschirm. Er hat einen Fall, und sie fühlt sich besser, seit sie weiß, dass er zu Hause ist und arbeitet.

»Der Tag war ziemlich anstrengend«, meint sie. »Und bei dir?«

»Erzähl mir, was los ist.«

Sie fängt an, ihm von Dr. Marcus zu berichten, hat aber keine Lust, auf Einzelheiten einzugehen. Dann möchte sie über Marino reden, aber die Wörter bleiben ihr im Halse stecken. Ihr Gehirn ist träge, und aus irgendeinem Grund zögert sie, sich Benton anzuvertrauen und ihm zu viel zu verraten.

»Warum sagst du mir nicht lieber, was heute bei dir los war?«, erwidert sie stattdessen. »Bist du Ski oder Snowboard gefahren?«

»Nein.«

»Schneit es?«

»Momentan ja«, antwortet er. »Und dort, wo du bist?«

»Wo ich bin?« Allmählich wird sie wütend. Es ist ihr gleichgültig, was er ihr vor einigen Tagen erklärt hat und was sie weiß. Sie fühlt sich trotzdem gekränkt und ärgert sich. »Drückst du dich so allgemein aus, weil du vergessen hast, wo ich bin? Ich bin in Richmond.«

»Natürlich. So habe ich es nicht gemeint.«

»Ist jemand bei dir? Bist du mitten in einer Besprechung oder so?«, erkundigt sie sich.

»Genau«, sagt er.

Er kann nicht frei reden, und sie bedauert, dass sie angerufen hat. Schließlich weiß sie, wie er ist, wenn er sich belauscht fühlt, und sie wünscht, sie hätte sich nicht bei ihm gemeldet. Dann stellt sie sich ihn in seinem Arbeitszimmer vor und fragt sich, was er gerade tut. Vielleicht hat er ja Angst, abgehört zu werden. Sie hätte nicht anrufen sollen. Möglicherweise ist er einfach nur geistesabwesend, aber ihr wäre es lieber, wenn er vorsichtig wäre, nicht zu beschäftigt, um sich mit ihr zu befassen. Sie hätte nicht anrufen sollen.

»Gut«, meint sie. »Entschuldige die Störung. Wir haben zwar seit zwei Tagen nicht miteinander gesprochen, aber ich habe Verständnis dafür, dass du jetzt keine Zeit hast, und außerdem bin ich müde.«

»Du hast angerufen, weil du müde bist?«

Er will sie auf den Arm nehmen und macht sich ein bisschen über sie lustig. Doch gleichzeitig wirkt er auch leicht gekränkt. Er möchte nicht glauben, dass sie ihn angerufen hat, weil sie müde ist, denkt sie und muss schmunzeln. »Du weißt ja, wie ich bin, wenn ich müde werde«, witzelt sie. »Dann habe ich mich nicht mehr im Griff.« Sie hört ein Geräusch im Hintergrund, vielleicht eine Stimme, eine Frauenstimme. »Ist da jemand?«, fragt sie wieder, und diesmal meint sie es ernst.

Eine lange Pause. Dann wieder die gedämpfte Stimme. Vielleicht hat er ja das Radio oder den Fernseher an. Im nächsten Moment herrscht Stille.

»Benton?«, sagt sie. »Bist du noch dran? Verdammt!«, murmelt sie. »Verdammt!« Sie legt auf.

35

Im Publix-Supermarkt an der Hollywood Plaza ist viel los. Edgar Allan Pogue schlendert mit seinen Einkaufstüten aus Plastik über den Parkplatz und sieht sich dabei nach allen Seiten nach Leuten um, denen er möglicherweise aufgefallen sein könnte. Aber da ist niemand. Und wenn da doch jemand wäre, würde es auch keine Rolle spielen, denn wie immer wird sich kein Mensch an ihn erinnern oder einen Gedanken an ihn verschwenden. Außerdem tut er doch nur das Richtige. Er erweist der Welt einen Gefallen, sagt er sich, als er am Rand der Lichtkegel der hohen Laternen auf dem Parkplatz weitergeht. Er hält sich im Schatten und schreitet rasch, aber nicht hastig aus.

Sein weißes Auto unterscheidet sich nicht von den etwa zwanzigtausend anderen weißen Autos in Südflorida und parkt in einer weit entfernten Ecke des Parkplatzes zwischen zwei weiteren weißen Autos. Eines davon, der Lincoln, der vorhin noch links von ihm stand, ist inzwischen weg. Doch das Schicksal hat bestimmt, dass wieder ein weißes Auto, diesmal ein Chrysler, seinen Platz eingenommen hat. In unverfälscht magischen Zeiten wie diesen weiß Pogue, dass er beobachtet und geleitet wird. Das Auge sieht zu. Er wird von dem Auge, der höheren Macht, dem Gott der Götter geführt, der oben auf dem Olymp sitzt. Er ist der bedeutendste aller Götter und gewaltiger und unermesslicher als jeder Filmstar oder sonst jemand, der sich für das Größte hält und glaubt, dass er selbst allmächtig ist. Wie sie. Wie der große Fisch.

Er öffnet sein Auto mit der Fernbedienung, klappt den Kofferraum auf und nimmt eine weitere Tüte heraus. Sie ist von All Season Pools, einem Laden für Schwimmbadzubehör. Dann sitzt er in der warmen Dunkelheit vorne im Wagen und überlegt, ob die Sichtverhältnisse für die Aufgabe genügen, die nun vor ihm liegt. Das Licht der Laternen auf dem Parkplatz erreicht kaum den Winkel, wo sein Wagen steht, und er wartet, bis seine Augen sich an die Dunkelheit gewöhnt haben. Dann schaltet er die Zündung ein, damit er Musik hören kann, und drückt auf einen Knopf seitlich an seinem Sitz, um diesen so weit wie möglich nach hinten zu schieben. Er braucht viel Platz zum Arbeiten. Sein Herz schlägt schneller, als er die Plastiktüte aufmacht und ein Paar dicke Gummihandschuhe, einen Karton groben Zucker, eine Flasche Billiglimo, Alufolie und Isolierband, einige große Markierstifte und ein Päckchen Pfefferminzkaugummi herausholt. Seit er um sechs Uhr abends seine Wohnung verlassen hat, hat er einen Geschmack nach abgestandenem Zigarrenrauch im Mund. Er kann jetzt nicht rauchen. Eine frische Zigarre würde zwar den muffigen, alten Tabakgeschmack vertreiben, aber das geht nicht.

Er wickelt einen Streifen Kaugummi aus, rollt ihn fest zusammen und steckt ihn in den Mund. Dasselbe wiederholt er mit zwei weiteren Streifen und zwingt sich zu warten, bevor er die Zähne in die drei Kaugummistreifen schlägt. Ein Schmerz schießt durch seine Speicheldrüsen wie Nadeln, die sich in seine Kiefer bohren. Dann fängt er an, mit heftigen und ausladenden Bewegungen zu kauen.

Kauend sitzt er in der Dunkelheit. Da ihm die Rapmusik bald auf die Nerven fällt, sucht er einen anderen Sender, der Classic Rock bringt. Anschließend öffnet er das Handschuhfach und entnimmt ihm einen Plastikbeutel. Schwarze Strähnen menschlichen Haars drücken sich gegen die durchsichtige Folie, als hätte er einen Skalp darin. Vorsichtig holt er die weiche Lockenperücke heraus, streichelt sie und betrachtet dabei seine alchemistischen Zutaten auf dem Beifahrersitz. Dann lässt er den Wagen an.

Die pastellfarbenen Gebäude der Innenstadt von Hollywood gleiten an ihm vorbei wie ein Traum, und die winzigen weißen Lämpchen in den Kronen der Palmen sind Galaxien, als er durch den Weltraum saust und die Energie der Gegenstände neben sich auf dem Sitz spürt. Am Hollywood Boulevard biegt er nach Osten ab und fährt ganz knapp unterhalb der Höchstgeschwindigkeit auf den Highway A1A zu. Am Ende der Straße erhebt sich, massiv, hellrosa und terrakottafarben, das Hollywood Beach Resort, auf der anderen Seite ist das Meer.

36

Der Morgen dämmert mandarinenfarben und rosig am rauchblauen Horizont über dem Meer, und die Sonne erinnert an ein zerbrochenes Ei, als Rudy Musil mit seinem olivgrünen Hummer in Lucys Auffahrt einbiegt und mit der Fernbedienung das elektrische Tor öffnet. Instinktiv blickt er sich um, schaut in sämtliche Richtungen und lauscht. Er weiß nicht, warum, aber er hat sich heute Morgen so beunruhigt gefühlt, dass er aus dem Bett gesprungen ist und beschlossen hat, bei Lucy nach dem Rechten zu sehen.

Langsam gleiten die schwarzen Stäbe des Metallgitters auseinander. Immer wieder erschaudern sie in ihrer Schiene, weil diese eine Krümmung hat und das Tor, obwohl es dieselbe Krümmung besitzt, offenbar eine gerade Schiene vorziehen würde. Einer der vielen Planungsfehler, denkt Rudy oft, wenn er Lucy in ihrer lachsfarbenen Villa besucht. Doch der größte Fehler von allen war, dieses verdammte Haus überhaupt zu kaufen, sagt er sich, und darin zu residieren wie eine stinkreiche Drogendealerin. Mit den Ferrari ist es eine andere Sache. Er hat Verständnis dafür, dass jemand die besten Autos und den besten Hubschrauber der Welt besitzen will. Er hat ja auch Spaß an seinem Hummer. Allerdings ist es ein himmelweiter Unterschied, ob man sich eine Rakete und einen Panzer oder einen riesigen und geschmacklosen Haufen Ballast anschafft.

Es fällt ihm auf, als er die Einfahrt entlangrollt. Doch er schaut kein zweites Mal hin und denkt sich erst etwas dabei, nachdem er durch das offene Tor gefahren und aus dem Hummer gestiegen ist. Als er umkehrt, um die Zeitung mitzunehmen, stellt er fest, dass der rote Signalwimpel am Briefkasten hochgeklappt ist. Lucy bekommt ihre Post nicht nach Hause, und außerdem ist sie gar nicht da, um den Signalwimpel hochzuklappen. Selbst wenn sie es wäre, würde sie das niemals tun. Alle Lieferungen und die abzuschickende Post werden im Ausbildungslager und im Büro, eine halbe Autostunde südlich von hier in Hollywood, abgewickelt.

Komisch, denkt er, als er zum Briefkasten zurückkehrt und daneben stehen bleibt. In der einen Hand hält er die Zeitung, mit der anderen streicht er sein sonnengebleichtes Haar glatt, weil es sich so früh am Morgen sträubt. Er hat weder geduscht noch sich rasiert, und er hätte es bitter nötig. Die ganze Nacht hat er sich schwitzend im Bett herumgewälzt und es einfach nicht geschafft, eine bequeme Liegeposition zu finden. Nachdenklich blickt er sich um. Kein Mensch ist auf der Straße. Niemand joggt oder führt seinen Hund aus. Eines ist ihm an diesem Viertel bereits aufgefallen: Die Leute leben zurückgezogen und haben offenbar keine Freude an ihren Luxusvillen oder den bescheideneren Behausungen. Nur selten sitzt jemand auf der Terrasse oder schwimmt im Pool, und die Leute, die Boote besitzen, fahren kaum damit. Eine seltsame Gegend, denkt er. Eine unfreundliche, merkwürdige, unsympathische Gegend. Es macht ihn wütend.

Ausgerechnet hierher musste sie ziehen, überlegt er weiter. Warum? Warum zum Teufel hierher? Wer sucht sich denn freiwillig Arschlöcher als Nachbarn? Du hast gegen alle deine Regeln verstoßen, Lucy. Wirklich gegen alle. Er reißt die Klappe des Briefkastens auf, späht hinein und macht sofort einen Satz zur Seite. Unwillkürlich weicht er drei Meter zurück, und seine Aufregung wächst, bevor ihm richtig klar wird, was er da gesehen hat.

»Scheiße!«, murmelt er. »Verdammte Scheiße!«

37

Der Verkehr in der Innenstadt ist so dicht wie immer. Scarpetta fährt, weil Marino noch in seiner Beweglichkeit eingeschränkt ist. Am meisten Schmerzen scheinen ihm die Verletzungen an den Stellen zu bereiten, die man besser nicht erwähnt. Er geht leicht o-beinig und hatte vorhin Schwierigkeiten beim Einsteigen in den Geländewagen. Scarpetta weiß, was sie gesehen hat, doch die zornige rötlich violette Färbung des empfindlichen Gewebes war nur ein stiller Schrei, verglichen mit dem brüllenden Schmerz, der jetzt dort toben muss. Marino wird in nächster Zeit ein wenig eingeschränkt sein.

»Wie geht es dir?«, fragt sie ihn wieder. »Ich verlasse mich darauf, dass du mir die Wahrheit sagst.« Damit meint sie, dass sie ihn nicht noch einmal dazu auffordern wird, sich auszuziehen. Sie wird ihn untersuchen, wenn er sie darum bittet, aber sie hofft, dass es nicht nötig werden wird. Außerdem wird er sie sowieso nicht fragen.

»Ich glaube, schon besser«, erwidert er und starrt hinaus auf das alte Polizeirevier in der 9th Street. Das Gebäude machte schon vor Jahren einen heruntergekommenen Eindruck; die Farbe blättert ab, und oben an der Kante fehlen Ziegel. Nun, so still und verlassen, sieht es noch schlimmer aus. »Ich fasse es nicht, wie viele Jahre ich in dieser Bude vergeudet habe«, fügt er hinzu.

»Ach, komm schon.« Als sie den Blinker einschaltet, tickt er wie eine laute Uhr. »So etwas sagt man nicht. Lass uns den Tag nicht mit solchen Bemerkungen beginnen. Ich hoffe, dass du den Mund aufmachst, wenn die Schwellung schlimmer wird. Es ist sehr wichtig, dass du ehrlich zu mir bist.«

»Es ist besser geworden.«

»Gut.«

»Ich habe mich heute Morgen selbst mit Jod eingeschmiert.«

»Gut«, wiederholt sie. »Trag es weiter immer nach dem Duschen auf.«

»Es brennt nicht mehr so. Wirklich. Was ist, wenn sie irgendeine Krankheit hat? AIDS zum Beispiel. Das ist mir vorhin eingefallen. Was mache ich dann? Woher weiß ich, dass es nicht so ist?«

»Leider kannst du das nicht wissen«, entgegnet Scarpetta, während sie langsam die Clay Street entlangfährt. Links von ihnen erhebt sich aus einem Meer leerer Parkplätze das riesige braune Coliseum. »Wenn es dich beruhigt, habe ich, als ich mich bei ihr umgeschaut habe, nirgendwo Medikamente herumliegen sehen, die auf AIDS oder eine andere sexuell übertragbare Krankheit oder Infektion hinweisen. Das heißt natürlich nicht, dass sie nicht trotzdem HIV-positiv sein kann. Vielleicht weiß sie ja selbst nichts davon. Aber dasselbe gilt für jede Person, mit der du je intim warst. Falls du dich also mit Sorgen zermürben willst, nur zu.«

»Ich will mir ja keine Sorgen machen«, antwortet er. »Aber wenn man gebissen wird, helfen keine Gummis. Dagegen kann man sich nicht schützen. Safe Sex funktioniert irgendwie nicht, wenn einen jemand beißt.«

»Die Untertreibung des Jahres«, erwidert sie und biegt in die 4th Street ein. Ihr Mobiltelefon läutet, und sie erschrickt, als sie Rudys Nummer erkennt. Er ruft sie nur selten an, und wenn er es tut, will er ihr entweder zum Geburtstag gratulieren oder hat eine schlechte Nachricht für sie.

»Hallo, Rudy«, meldet sie sich, während sie langsam den Parkplatz hinter dem Gebäude umrundet. »Was gibt's?«

»Ich kann Lucy nicht erreichen.« Seine Stimme klingt angespannt. »Entweder ist sie nicht im Sendebereich oder sie hat das Mobiltelefon abgeschaltet. Heute Morgen ist sie mit dem Hubschrauber nach Charleston geflogen«, sagt er.

Scarpetta wirft Marino einen Blick zu. Offenbar hat er Lucy angerufen, nachdem Scarpetta gestern gegangen war.

»Und das ist ein verdammtes Glück«, fährt Rudy fort.

»Rudy, was ist los?«, fragt Scarpetta, der es von Sekunde zu Sekunde mulmiger wird.

»Jemand hat ihr eine Bombe in den Briefkasten gelegt«, antwortet er rasch. »Ich kann jetzt nicht ins Detail gehen. Außerdem soll sie es dir selbst erzählen.«

Im Schneckentempo steuert Scarpetta auf die Besucherparkplätze zu. »Wann war das, und was genau ist passiert?«, erkundigt sie sich.

»Ich habe das Ding gerade gefunden. Vor einer knappen Stunde. Ich wollte nach dem Rechten sehen und habe bemerkt, dass der Signalwimpel am Briefkasten hochgeklappt war. Das kam mir komisch vor. Also habe ich den Briefkasten aufgemacht, und drinnen war ein großer Plastikbecher. Er war mit Markierstift orangefarben angemalt, der Deckel war grün. Rings um den Deckel und über der kleinen Tülle, aus der man trinkt, war Isolierband angebracht, sodass ich nicht sehen konnte, was drin war. Also habe ich mir eine von den langen Stangen aus der Garage geholt. Ich weiß nicht, wie man die Dinger nennt. Sie hat oben einen Greifer, damit man hoch hängende Glühbirnen wechseln kann. Ich habe das verdammte Ding damit rausgefischt, hinters Haus getragen und unschädlich gemacht.«

Sie lässt sich Zeit beim Parken und hört zu. »Wie denn? Ich frage dich ja nur ungern.«

»Ich habe darauf geschossen. Keine Angst. Mit Schlangenschrot. Es war eine Chemiebombe, eine Flaschenbombe, du kennst die Dinger ja. Mit kleinen Alukügelchen darin.«

»Metall, um die Reaktion zu beschleunigen.« Scarpetta kennt die verschiedenen Bombentypen. »Das ist häufig bei Bomben, die aus salzsäurehaltigen Putzmitteln wie zum Beispiel Toilettenreiniger aus dem Supermarkt oder aus dem Baumarkt bestehen. Leider kann sich jeder die Bauanleitungen aus dem Internet herunterladen.«

»Sie hat wirklich nach Säure gerochen, so wie Chlor. Aber da ich neben dem Pool darauf geschossen habe, kam der Geruch vielleicht von dort.«

»Möglicherweise Chlorgranulat für Swimmingpools in Verbindung mit einer zuckerhaltigen Limonade. Das ist auch sehr beliebt. Nach einer chemischen Analyse wissen wir mehr.«

»Keine Sorge, das wird erledigt.«

»Ist von dem Becher noch etwas übrig?«

»Wir werden ihn auf Fingerabdrücke untersuchen und alles, was wir finden, mit IAFIS abgleichen.«

»Theoretisch kann man aus Fingerabdrücken auch DNS-Spuren sicherstellen, wenn sie noch frisch sind. Es ist einen Versuch wert.«

»Wir überprüfen den Becher und das Isolierband. Keine Sorge.«

Je öfter er wiederholt, dass sie sich keine Sorgen machen soll, desto mehr macht sie sich welche.

»Ich habe nicht die Polizei verständigt«, fügt er dann hinzu.

»Es steht mir nicht zu, dir Ratschläge zu erteilen.« Sie hat es aufgegeben, ihm oder den Menschen in seinem Umfeld sagen zu wollen, was sie tun sollen. Lucy und ihre Mitarbeiter leben nach anderen Regeln, die kreativ und riskant sind und in vielen Fällen die Grenzen der Legalität überschreiten. Deshalb will Scarpetta keine Einzelheiten mehr hören, die ihr nachts nur den Schlaf rauben würden.

»Vielleicht steckt etwas anderes dahinter«, meint Rudy. »Doch das soll Lucy dir selbst erzählen. Falls du sie sprichst, bevor ich sie erreiche, richte ihr aus, dass sie mich so schnell wie möglich anrufen soll.«

»Rudy, du tust ohnehin, was du willst. Aber ich hoffe trotzdem, dass nicht noch weitere dieser Bomben dort herumliegen und dass der Täter sich nicht mehr als ein Opfer ausgeguckt hat«, sagt sie. »Ich hatte mit Menschen zu tun, die gestorben sind, weil derartige Chemikalien vor ihrer Nase explodierten, ihnen ins Gesicht geschüttet wurden oder in die Luftröhre und Lunge geraten sind. Diese Säuren sind so stark, dass die Reaktion nicht einmal vollständig abgeschlossen sein muss, damit es zur Explosion kommt.«

»Ich weiß, ich weiß.«

»Bitte vergewissere dich, dass es keine weiteren Opfer oder potenziellen Opfer gibt. Das beschäftigt mich immer am meisten, wenn du die Dinge selbst in die Hand nimmst.« Damit will sie ausdrücken, dass er wenigstens so verantwortungsvoll sein soll, für die Sicherheit seiner Mitmenschen zu sorgen, wenn er schon die Polizei nicht verständigen will.

»Ich weiß, was ich tun muss. Keine Sorge«, erwidert er.

»Mein Gott«, ruft Scarpetta, nachdem das Telefonat vorbei ist. Sie blickt Marino an. »Was um Himmels willen ist da unten bloß los? Offenbar hast du gestern Abend Lucy angerufen. Hast sie dir erzählt, was dort gespielt wird? Ich habe sie seit September nicht gesehen und tappe völlig im Dunkeln.«

»Eine Säurebombe?« Er richtet sich im Sitz auf, sprungbereit wie immer, wenn jemand Lucy an den Kragen will.

»Eine Bombe, die auf chemischer Basis funktioniert. Mit solchen Flaschenbomben hatten wir in Fairfax zu tun. Erinnerst du dich an die Bombenserie vor ein paar Jahren im Norden von Virginia? Ein paar Jugendliche, die zu viel Zeit hatten und es lustig fanden, Briefkästen in die Luft zu sprengen. Eine Frau ist dabei gestorben.«

»Verdammt«, sagt er.

»Leicht herzustellen und hochgefährlich. Mit einem pH-Wert von eins oder weniger, also so sauer, dass es nicht mehr messbar ist. Sie hätte Lucy unter der Nase explodieren können. Ich hoffe nur, sie hätte nicht versucht, sie selbst aus dem Briefkasten zu nehmen. Bei ihr kann man nie wissen.«

»Bei ihr zu Hause?«, hakt Marino nach, und seine Wut wächst. »Die Bombe war in ihrer Villa in Florida?«

»Was hast du gestern Abend mit ihr besprochen?«

»Ich habe ihr nur von Frank Paulsson erzählt und ihr geschildert, was sich hier tut. Mehr nicht. Sie meinte, sie würde sich darum kümmern. In ihrem riesigen Haus, das von Kameras und solchem Mist nur so strotzt? Die Bombe war in ihrem Haus?«

»Komm«, erwidert Scarpetta und öffnet die Autotür. »Ich erkläre es dir auf dem Weg.«

38

Die Morgensonne bescheint warm den Schreibtisch, der am Fenster steht. Rudy sitzt daran und gibt etwas in den Computer ein. Er wartet, tippt hastig, wartet wieder, bewegt den Cursor, blättert Seiten durch und durchsucht das Internet nach etwas, das seiner Ansicht nach sicher dort zu finden sein wird. Es muss einfach da sein. Bestimmt hat der Psycho etwas im Internet gesehen, das ihm den Kick gegeben hat. Inzwischen weiß Rudy, dass die Bombe kein Zufall war.

Seit zwei Stunden sitzt er nun schon im Büro des Ausbildungslagers und tut nichts weiter, als sich durchs Internet zu wühlen, während einer der Forensiker im nahe gelegenen Privatlabor die vollständigen und die bruchstückhaften Fingerabdrücke in die Datenbank IAFIS einspeist. Es gibt bereits Neuigkeiten. Rudys Nerven jaulen auf wie einer von Lucys Ferraris im sechsten Gang. Er wählt eine Telefonnummer, klemmt den Hörer unters Kinn und starrt weiter auf den Flachbildschirm.

»Hallo, Phil«, meldet er sich. »Ein großer Plastikbecher, auf dem die Katze mit Hut aus dem Kinderbuch von Dr. Seuss ist. Ein Halb-Liter-Becher. Deckel ursprünglich weiß. Ja, ja, die Sorte von Becher, wie man sie im Supermarkt oder an Tankstellen zum Selbstbefüllen kriegt. Aber die Katze mit Hut? Das ist eher ungewöhnlich. Können wir das nachverfolgen? Nein, das ist kein Scherz. Das ist doch eine Lizenzsache? Der Film lief vor längerer Zeit, letztes Jahr zu Weihnachten, stimmt's? Nein, ich habe ihn mir nicht angeschaut, und verschon mich mit deinen Witzen. Jetzt mal im Ernst. Wo könnte es solche Becher nach so langer Zeit noch geben? Schlimmstenfalls hatte der Täter sie schon seit einer Weile. Aber wir müssen es versuchen. Ja, wir haben Fingerabdrücke darauf gefunden. Dieser Typ gibt sich nicht einmal Mühe. Offenbar ist es ihm scheißegal, ob er überall seine Spuren hinterlässt. Auf der Zeichnung, die er der Chefin an die Tür geklebt hat. Im Schlafzimmer, wo Henri angegriffen wurde. Und jetzt auf einer Bombe. Inzwischen haben wir einen Treffer bei IAFIS gelandet. Ja, kaum zu fassen. Nein, mit einem Namen kann ich noch nicht dienen. Vielleicht gibt es ja auch keinen. Die Übereinstimmung wurde bei einem Vergleich von latenten Fingerabdrücken gefunden, und zwar bei partiellen Spuren aus einem anderen Fall. Wir prüfen das nach. Mehr habe ich momentan noch nicht.«

Er legt auf und wendet sich wieder dem Computer zu. Lucy hat mehr Suchmaschinen im Internet laufen, als Pratt & Whitney Turbinen besitzt, aber sie hat sich noch nie Gedanken darüber gemacht, dass es im World Wide Web auch Informationen über sie geben könnte. Vor nicht allzu langer Zeit hatte sie auch keinen Grund dazu. Spezialagenten sind normalerweise nicht auf öffentliche Aufmerksamkeit aus, außer sie sind schon aus dem Dienst ausgeschieden und verspüren einen Drang nach Hollywood. Aber dann bekam es Lucy tatsächlich mit Hollywood zu tun. Sie ist in Henris Fänge geraten, und ihr Leben hat sich dadurch dramatisch verändert. Und zwar zum Schlechteren. Zum Teufel mit Henri, denkt Rudy, während er weitertippt. Zum Teufel mit dieser Möchtegern-Schauspielerin, die unbedingt Polizistin werden wollte. Zum Teufel mit Lucy, weil sie sie eingestellt hat.

Er beginnt eine neue Suche und gibt als Suchbegriffe »Kay Scarpetta« und »Nichte« ein. Jetzt wird es interessant. Rudy greift nach einem Stift, wirbelt ihn zwischen den Fingern wie einen Taktstock herum und liest den Artikel, der im letzten September bei AP veröffentlicht wurde. In dem kurzen Bericht steht nur, dass in Virginia ein neuer Chefpathologe, Dr. Joel Marcus aus St. Louis, ernannt worden ist. Weiterhin heißt es, er habe nach jahrelangen chaotischen Übergangslösungen Scarpettas Platz eingenommen. Allerdings fällt in dem kurzen Artikel auch Lucys Name. Seit ihrem Abschied aus Virginia, steht da, arbeitet Dr. Scarpetta als Beraterin für die Privatdetektei Das Letzte Revier, deren Gründerin ihre Nichte, die ehemalige FBI-Agentin Lucy Farinelli, ist.

Das stimmt nicht ganz, denkt Rudy. Scarpetta arbeitet eigentlich nicht für Lucy. Allerdings bedeutet das nicht, dass sie nicht hin und wieder mit denselben Fällen zu tun haben. Scarpetta würde niemals Lucys Angestellte werden, und er kann ihr das nicht zum Vorwurf machen. Er ist nicht einmal sicher, wie sein eigenes berufliches Verhältnis zu Lucy aussieht. Den Artikel hatte er ganz vergessen, und er erinnert sich, wie wütend er deshalb auf Lucy gewesen ist. Damals hat er sie gefragt, wie zum Teufel ihr Name und der des Letzten Reviers in einen dämlichen Bericht über Dr. Joel Marcus geraten konnten. Öffentliche Aufmerksamkeit kann Das Letzte Revier nämlich ganz und gar nicht gebrauchen, und es ist auch davon verschont geblieben, bis Lucy Kontakt zur Unterhaltungsindustrie bekam und plötzlich alle möglichen Gerüchte in den Zeitungen und Boulevardmagazinen im Fernsehen verbreitet wurden.

Er startet eine weitere Suche, starrt angestrengt auf den Bildschirm und bemüht sich, etwas zu finden, was ihm bis jetzt noch nicht eingefallen ist. Plötzlich scheinen seine Finger wie von selbst weiterzutippen, und er gibt den Suchbegriff »Henrietta Walden« ein. Zeitverschwendung, denkt er. Denn als sie noch arbeitslose Schauspielerin der zweiten Garnitur war, lief sie unter Jen Thomas oder einem ähnlichen Dutzendnamen. Ohne hinzuschauen, greift er nach seiner Pepsi und kann sein Glück kaum fassen. Die Suche liefert drei Ergebnisse.

»Hoffentlich bringt es was«, sagt er ins leere Büro hinein, während er den ersten Eintrag anklickt.

Eine Henrietta Taft Walden, die vor hundert Jahren gestorben ist, war eine wohlhabende Gegnerin der Sklaverei und lebte in Lynchburg, Virginia. Junge, Junge, die Frau hat sich bestimmt ganz schön unbeliebt gemacht. Er kann sich kaum vorstellen, wie es gewesen ist, zur Zeit des Bürgerkriegs in Virginia gegen die Sklaverei zu kämpfen. Eine Frau mit Courage, das muss er ihr lassen. Er klickt den zweiten Eintrag an. Diese Henrietta Walden lebt zwar noch, ist aber uralt, wohnt auf einer Farm ebenfalls in Virginia, züchtet Rassepferde und hat kürzlich eine Million Dollar an eine Menschenrechtsorganisation für Afroamerikaner gespendet. Vermutlich eine Nachfahrin der ersten Henrietta Walden, denkt er und fragt sich, ob Jen Thomas sich den Namen Henrietta Walden von diesen ehrenwerten noch lebenden oder schon verstorbenen Kämpferinnen für die Gleichberechtigung der Schwarzen ausgeborgt hat. Und wenn ja, warum? Er denkt an die attraktive blonde Henri und ihre aggressiv fordernde Haltung. Welchen Grund könnte sie haben, sich nach Frauen zu benennen, die sich leidenschaftlich gegen die Diskriminierung von Schwarzen engagieren? Vielleicht weil das im liberalen Hollywood schick ist, sagt er sich zynisch und klickt den dritten Eintrag an.

Es handelt sich um einen kurzen Artikel aus dem *Hollywood Reporter*, der Mitte Oktober erschienen ist.

Eine Rolle, die das Leben schrieb

Henri Walden, früher Schauspielerin und heute bei der Polizei von Los Angeles, hat bei der angesehenen international operierenden Privatdetektei Das Letzte Revier angeheuert. Inhaberin und Leiterin ist die ehemalige Spezialagentin Lucy Farinelli, Helikopterpilotin und Ferrarifahrerin und zufällig auch die Nichte der berühmten Dr. Kay Scarpetta, die Quincy als Vorbild gedient haben könnte. Das Letzte Revier, das kürzlich eine Filiale im weniger bedeutenden Hollywood, dem in Florida, eröffnet hat, hat seinen geheimnisvollen Wirkungskreis nun auch auf Personenschutz für Stars ausgeweitet. Obwohl die Namen der Kunden streng geheim sind, ist dem *Reporter* zu Ohren gekommen, dass einige der wichtigsten Schauspieler und Musiker der ersten Garnitur, zum Beispiel Top-Berühmtheiten wie Filmstar Gloria Rustic und der Rapper Rat Riddly, dazugehören.

»Meine bislang aufregendste und gewagteste Rolle«, merkt Walden zu ihrem jüngsten Job an. »Wer könnte einen Star besser schützen als jemand, der einmal selbst in der Branche gearbeitet hat?«

»Gearbeitet« ist möglicherweise ein wenig übertrieben, da die blonde Schönheit während ihres Abstechers in die Welt des Films jede Menge Freizeit hatte. Allerdings hat sie das Geld nicht nötig, da ihre Familie bekanntermaßen genug davon besitzt. Walden ist für kleine Rollen in großen Produktionen wie *Ein rascher Tod* und *Der Abschied* bekannt. Seien Sie auf der Hut vor Walden. Sie ist das Mädchen mit der Kanone.

Rudy druckt den Artikel aus. Er sitzt auf seinem Stuhl, und die Finger ruhen locker auf der Tastatur, während er auf den Bildschirm starrt und überlegt, ob Lucy wohl von dem Artikel weiß. Warum hat sie nicht getobt, als sie davon erfahren hat? Warum hat sie Henri nicht schon vor Monaten gefeuert? Und warum hat sie ihm nichts davon erzählt? Ein solcher Verstoß gegen die Regeln ist eigentlich undenkbar. Es erschreckt ihn, dass Lucy so etwas zulassen konnte, vorausgesetzt, sie war darüber im Bilde. Seines Wissens ist es noch nie dazu gekommen, dass ein Mitarbeiter des Letzten Reviers ein Medieninterview gegeben oder auch nur aus dem Nähkästchen geplaudert hätte, außer es war Bestandteil einer ausgeklügelt geplanten Operation. Es gibt nur einen Weg, das herauszufinden, denkt er und greift zum Telefon.

»Hallo«, sagt er, als Lucy sich meldet. »Wo bist du?«

»In St. Augustine. Beim Auftanken.« Ihr Tonfall ist ängstlich. »Ich habe schon von der Scheißbombe gehört.«

»Deshalb rufe ich nicht an. Vermutlich hast du mit deiner Tante geredet.«

»Marino hat sich bei mir gemeldet. Ich habe keine Zeit, darüber zu sprechen«, erwidert sie zornig. »Ist sonst noch was?«

»Wusstest du, dass deine Freundin ein Interview gegeben und erzählt hat, dass sie bei uns arbeitet?«

»Hier geht es nicht darum, dass sie meine Freundin ist.«

»Darüber streiten wir uns später«, entgegnet Rudy. Er gibt sich viel ruhiger, als er sich fühlt, denn innerlich kocht er. »Antworte mir. Wusstest du davon?«

»Ich weiß nichts von einem Artikel. Was für ein Artikel soll das denn sein?«

Rudy liest ihn ihr am Telefon vor. Nachdem er fertig ist, wartet er auf ihre Reaktion. Ihm ist klar, dass sie reagieren muss, und deshalb fühlt er sich ein bisschen besser. Als sie nicht antwortet, fragt er: »Bist du noch dran?«

»Ja«, gibt sie barsch zurück. »Ich hatte keine Ahnung.«

»Tja, nun weißt du's, und wir müssen uns mit einem völlig anderen Sonnensystem auseinander setzen. Mit ihrer reichen Familie zum Beispiel, und was zum Teufel sonst noch dahintersteckt. Aber die wichtigste Frage ist, ob der Psycho diesen Artikel kennt und worum es hier überhaupt geht. Übrigens hat sie den Namen einer Kämpferin gegen die Sklaverei als Künstlernamen angenommen, und sie kommt aus Virginia. Du eigentlich auch. Vielleicht war euer Treffen ja doch nicht ganz zufällig.«

»Das ist ja albern. Jetzt geht die Phantasie mit dir durch«, protestiert Lucy zornig. »Sie stand auf der Liste der Polizisten aus Los Angeles, die schon einmal im Personenschutz ...«

»Ach, Schwachsinn«, ruft Rudy aus, und inzwischen merkt man auch ihm die Wut an. »Scheiß auf die Liste. Du hast Vorstellungsgespräche mit verschiedenen Polizisten geführt, und sie ist einfach erschienen. Du wusstest genau, wie wenig Erfahrung sie im Personenschutz hatte, aber du hast sie trotzdem eingestellt.«

»Ich möchte darüber nicht am Telefon sprechen.«

»Ich auch nicht. Rede mit dem Seelenklempner.« Das ist der Spitzname für Benton Wesley. »Warum rufst du ihn nicht an? Das meine ich ernst. Vielleicht fällt ihm ja etwas ein. Sag ihm, ich maile ihm den Artikel. Wir haben Fingerabdrücke. Der Psycho, der die hübsche kleine Zeichnung gemacht hat, hat dir auch das Geschenk im Briefkasten hinterlassen.«

»Große Überraschung. Wie ich schon sagte, wären zwei von diesen Typen wirklich zu viel des Guten. Ich habe schon mit dem Seelenklempner gesprochen«, fährt sie fort. »Er wird mir am Funk soufflieren.«

»Gute Idee. Ach, das hätte ich fast vergessen: Ich habe an dem Isolierband, das an der Bombe war, ein Haar gefunden.«

»Beschreib es.«

»Etwa zwanzig Zentimeter lang, lockig, dunkel. Sieht eindeutig aus wie Kopfhaar. Mehr später. Ruf mich auf dem Festnetz an. Ich habe viel zu tun«, meint er. »Vielleicht weiß deine Freundin etwas, für den Fall, dass du es schaffst, sie dazu zu bringen, einmal im Leben die Wahrheit zu sagen.«

»Nenn sie nicht meine Freundin«, erwidert Lucy. »Lass uns nicht mehr darüber streiten.«

39

Kay Scarpetta betritt, gefolgt von Marino, der sein Bestes tut, um aufrecht zu gehen, die Gerichtsmedizin. Bruce an der Pforte richtet sich mit erschrockener Miene auf.

»Äh, ich habe neue Anweisungen«, beginnt er und weicht ihrem Blick aus. »Der Chef sagt, keine Besucher. Vielleicht sind ja nicht Sie damit gemeint. Erwartet er Sie vielleicht?«

»Nein, tut er nicht«, entgegnet Scarpetta lässig. Inzwischen wundert sie gar nichts mehr. »Und wahrscheinlich meint er ausschließlich mich.«

»Oh, das tut mir aber Leid.« Mit seinen hochroten Wangen sieht Bruce aus, als würde er gleich vor Scham im Erdboden versinken. »Wie geht's denn so, Pete?«

Marino lehnt sich an den Tresen. Seine Beine sind gespreizt, und die Hose hängt ihm tiefer als gewöhnlich. Bei einer Verfolgungsjagd zu Fuß würde er sie vermutlich verlieren. »War schon mal besser«, erwidert er. »Also will der kleine Häuptling, der sich für den Größten hält, uns nicht reinlassen. Möchtest du das damit ausdrücken, Bruce?«

»Dieser Typ ...«, beginnt Bruce und reißt sich dann zusammen. Wie die meisten Menschen hängt er an seinem Job. Er trägt eine hübsche Uniform in Preußischblau und eine Waffe und arbeitet in einem schönen Gebäude. Deshalb geht er lieber kein Risiko ein, auch wenn er Dr. Marcus nicht ausstehen kann.

»Hmm«, brummt Marino und tritt von der Theke zurück. »Ich enttäusche den kleinen Häuptling ja nur ungern, aber wir wollen sowieso nicht zu ihm. Wir müssen Beweisstücke im kriminaltechnischen Labor abgeben. Trotzdem würde mich interessieren, was für Anweisungen du genau gekriegt hast. Die Formulierung macht mich neugierig.«

»Dieser Typ ...«, wiederholt Bruce und fängt an, den Kopf zu schütteln. Aber dann beherrscht er sich.

»Schon gut«, erwidert Scarpetta. »Botschaft erhalten. Danke, dass Sie mir Bescheid geben. Schön, dass das überhaupt jemand tut.«

»Er hätte es Ihnen selbst sagen müssen.« Erneut hält Bruce inne und blickt sich um. »Sie sollten wissen, dass sich alle anderen mächtig gefreut haben, Sie zu sehen, Dr. Scarpetta.«

»Wenigstens fast alle.« Sie schmunzelt. »Kein Problem. Könnten Sie Mr. Eise melden, dass wir da sind? *Er* erwartet uns nämlich«, fügt sie hinzu.

»Ja, Ma'am«, entgegnet Bruce, ein wenig vergnügter. Er greift zum Telefon, wählt eine Nummer und gibt die Nachricht weiter.

Ein oder zwei Minuten lang stehen Scarpetta und Marino wartend am Aufzug. Man kann hier den ganzen Tag lang vergeblich auf den Knopf drücken, wenn man keine Magnetkarte besitzt und einem niemand den Aufzug hinunterschickt. Die Türen gehen auf, und sie steigen ein. Scarpetta, die ihre schwarze Tatorttasche geschultert hat, betätigt den Knopf für den zweiten Stock.

»Offenbar hat der Schweinehund dich abserviert«, merkt Marino an, während sich der Aufzug mit einem leichten Ruck auf den kurzen Weg nach oben macht.

»Offensichtlich.«

»Und? Was wirst du dagegen unternehmen? Du kannst ihm das doch nicht durchgehen lassen. Erst fleht er dich an, nach Richmond zu kommen, und dann behandelt er dich wie den letzten Dreck. Ich würde dafür sorgen, dass er fliegt.«

»Das wird er früher oder später auch selbst hinkriegen. Ich habe Besseres zu tun«, erwidert sie, als sich die Türen aus Edelstahl öffnen und den Blick auf Junius Eise freigeben, der sie auf einem weißen Flur erwartet.

»Danke, Junius«, sagt Scarpetta und hält ihm die Hand hin. »Schön, Sie wiederzusehen.«

»Ach, ich tue Ihnen doch gern einen Gefallen«, erwidert Eise leicht verlegen.

Er ist ein merkwürdiger Mann mit farblosen Augen. Seine Oberlippe geht in der Mitte in eine dünne Narbe über, die bis zur Nase reicht, die typischen Spuren einer verpfuschten Operation, die Scarpetta schon oft bei Menschen mit Hasenscharte gesehen hat. Allerdings ist er nicht nur äußerlich seltsam, was Scarpetta schon vor Jahren fand, wenn sie ihm hin und wieder im Labor begegnet ist. Damals hat sie kaum ein Wort mit ihm gewechselt und ihn nur gelegentlich in einem Fall um Rat gefragt. Als Chefpathologin war sie immer höflich und darauf bedacht, den Mitarbeitern im Labor den Respekt zu erweisen, den sie ihrer Ansicht nach ehrlich verdienten. Jedoch war sie nie übermäßig freundlich. Während sie Eise durch das Labyrinth weißer Flure und großer Glasfenster folgt, durch die man den Wissenschaftlern in den Labors bei der Arbeit zusehen kann, wird ihr klar, dass sie damals kühl und einschüchternd gewirkt hat. Als Chefpathologin wurde sie zwar geachtet, aber nicht unbedingt geliebt. Das hat sie sehr belastet, doch sie hat damit gelebt, da ihre Position es eben mit sich brachte. Nun braucht sie es nicht mehr zu ertragen.

»Wie ist es Ihnen in der Zwischenzeit ergangen, Junius?«, fragt sie. »Ich habe gehört, dass Sie und Marino fast die Letzten im Polizeiclub waren. Hoffentlich macht Ihnen dieser seltsame Zwischenfall mit den Spuren nicht allzu sehr zu schaffen. Wenn es jemandem gelingt, das Rätsel zu lösen, dann Ihnen.«

Eise wirft ihr einen ungläubigen Blick zu. »Hoffentlich«, erwidert er verlegen. »Tja, ich bin ganz sicher, dass ich nichts verwechselt habe. Ganz gleich, was auch behauptet wird, ich weiß genau, dass ich es nicht war.«

»Sie wären auch der Letzte, dem so ein Fehler unterlaufen würde«, antwortet sie.

»Danke. Es bedeutet mir sehr viel, dass Sie das sagen.« Er nimmt die Magnetkarte, die an einer Kordel um seinen Hals hängt, und schwenkt sie vor einem Sensor an der Wand, bis das Schloss mit einem Klicken aufspringt. Dann öffnet er die Tür. »Es steht mir nicht an, Schlussfolgerungen zu ziehen«, fügt er hinzu, während sie das Labor betreten. »Aber ich weiß, dass ich die Probe nicht falsch beschriftet habe. So etwas ist mir noch nie passiert. Nicht ein einziges Mal.«

»Ich verstehe.«

»Erinnern Sie sich noch an Kit?«, fragt Eise, als ob Kit neben ihm stünde, aber sie ist nirgendwo zu sehen. »Sie ist nicht hier.

Hat sich krank gemeldet. Ich sage Ihnen, die halbe Welt hat die Grippe. Aber ich soll Ihnen Grüße von ihr ausrichten. Es wird ihr Leid tun, dass sie Sie verpasst hat.«

»Sagen Sie ihr, es täte mir auch Leid«, erwidert Scarpetta. Sie stehen vor einer langen schwarzen Theke in Eises Arbeitsbereich.

»Noch eine Frage«, meint Marino. »Gibt es hier ein ruhiges Plätzchen mit einem Telefon?«

»Na klar: das Büro der Abteilungsleiterin gleich um die Ecke. Sie ist heute bei Gericht. Fühlen Sie sich wie zu Hause. Ich weiß, sie hätte nichts dagegen.«

»Dann lasse ich euch jetzt in Ruhe im Matsch spielen«, verkündet Marino und schlendert davon. Er geht ein bisschen o-beinig wie ein Cowboy, der gerade von einem langen, anstrengenden Ritt zurückkommt.

Eise bedeckt einen Teil des Tresens mit sauberem weißem Papier, während Scarpetta ihre schwarze Tasche öffnet und die Erdproben herausholt. Er zieht einen zweiten Stuhl heran, damit sie neben ihm am Mikroskop sitzen kann, und reicht ihr ein Paar Untersuchungshandschuhe. Der erste Schritt ist der einfachste. Eise nimmt einen winzigen Stahlspatel, taucht ihn in eine der Tüten, streicht ein winziges Bröckchen roten Ton und sandige Erde auf einen sauberen Objektträger und legt ihn auf den Objekttisch des Mikroskops. Dann späht er durch die Linse, stellt die Schärfe ein und bewegt den Objektträger langsam hin und her, während Scarpetta zusieht. Sie kann nichts erkennen als einen rötlichen Erdschmierer auf dem Glasplättchen. Nachdem er den Objektträger wieder entfernt und ihn auf einem weißen Papierhandtuch abgelegt hat, bereitet er auf dieselbe Weise weitere Proben vor.

Erst in der zweiten Tüte mit Erde, die Scarpetta an der Abrissstelle eingesammelt hat, wird Eise fündig.

»Wenn ich es nicht mit eigenen Augen sehen würde, würde ich es nicht glauben«, sagt er und blickt vom Mikroskop auf. »Schauen Sie selbst.« Er rollt seinen Stuhl zurück, um ihr Platz zu machen.

Scarpetta rückt näher ans Mikroskop heran und betrachtet durch die Linse eine winzige Geröllhalde aus Sand und anderen

Mineralien, Stückchen von Pflanzen und Insekten und Tabakkrümeln – alles typisch für einen verschmutzten Parkplatz. Dann bemerkt sie einige Metallsplitter, die zum Teil matt silbrig schimmern. Das ist ziemlich ungewöhnlich. Als sie sich nach einem spitzen Werkzeug umsieht, entdeckt sie einige in ihrer Reichweite. Vorsichtig bewegt sie die Metallsplitter und trennt sie von der restlichen Probe. Auf diesem Objektträger befinden sich genau drei davon, alle ein klein wenig größer als die größten Bröckchen Silizium, Stein oder Schutt. Zwei sind rot, eines ist weiß. Als sie mit der Wolframnadel weiterstochert, fördert sie noch etwas zu Tage, das ihr Interesse weckt. Sie erkennt sofort, was es ist, spricht es aber nicht gleich aus, weil sie erst auf Nummer sicher gehen will.

Es ist etwa so groß wie der kleinste Farbsplitter, graugelb, merkwürdig geformt und weder mineralisch noch aus Kunststoff. Das Teilchen erinnert an einen prähistorischen Vogel mit einem hammerförmigen Kopf, einem Auge, einem mageren Hals und einem kugeligen Körper.

»Die flachen Platten der Lamellen. Sie sehen aus wie konzentrische Kreise und sind Knochenschichten, die angeordnet sind wie die Jahresringe eines Baumes«, erklärt sie und schiebt das Teilchen ein wenig herum. »Dazu die Rillen und Kanäle der Canaliculi. Das sind die Löcher, die wir hier sehen, also die Havers'schen Kanäle oder Canaliculi, wo winzige Blutgefäße verlaufen. Wenn Sie dieses Ding unter ein Mikroskop mit Polavisator legen, müssten Sie wellenförmige, fächrige Verlängerungen feststellen. Vermutlich wird es sich unter gebrochenen Röntgenstrahlen als Kalziumphosphat entpuppen. In anderen Worten als Knochenstaub. Angesichts des Fundorts überrascht mich das nicht weiter. In dem alten Gebäude gab es sicher Knochenstaub in rauen Mengen.«

»Du heiliger Strohsack!«, ruft Eise beglückt aus. »Und ich habe mich deswegen verrückt gemacht. So ein Ding habe ich auch bei dem kranken Mädchen, also im Fall Paulsson, gefunden, wenn wir dasselbe meinen. Darf ich mal schauen?«

Sie rollt ihren Stuhl zurück und ist erleichtert, allerdings ebenso verdattert wie zuvor. Lacksplitter und Knochenstaub mögen im Fall des Traktorfahrers Sinn ergeben, jedoch nicht bei Gilly Paulsson. Wie kann es sein, dass in ihrer Mundhöhle die identischen Spuren sichergestellt wurden?«

»Es ist dasselbe gottverdammte Zeug«, verkündet Eise mit dem Brustton der Überzeugung. »Ich zeige Ihnen die Proben vom toten Mädchen. Sie werden Ihren Augen nicht trauen.« Er nimmt einen dicken Umschlag von einem Stapel an seinem Schreibtisch, löst das Klebeband an der Lasche und nimmt einen Pappordner mit Dias heraus. »Ich habe sie immer in Griffweite, weil ich sie mir immer wieder angeschaut habe. Das können Sie mir glauben.« Er legt ein Dia unter das Mikroskop. »Rote, weiße und blaue Partikel, einige an Metallsplittern anhaftend, andere nicht.« Er schiebt das Dia herum und stellt die Schärfe ein. »Die Farbe ist in einer Schicht aufgetragen. Es handelt sich um einen harzhaltigen Lack, der allerdings nicht rein ist. Das heißt, dass der fragliche Gegenstand vermutlich ursprünglich nur weiß war und irgendwann rot, weiß und blau überlackiert wurde. Schauen Sie.«

Eise hat alle Partikel im Fall Paulsson sorgfältig isoliert, sodass sich nur rote, weiße und blaue Farbsplitter auf dem Objektträger befinden. Sie sehen so groß und bunt aus wie Bauklötzchen, sind jedoch unregelmäßig geformt. Einige haften an matt schimmerndem silbrigem Metall, andere scheinen nur aus Lack zu bestehen. In Farbe und Beschaffenheit sind sie offenbar mit denen identisch, die Scarpetta gerade in ihrer Erdprobe entdeckt hat. Scarpetta versteht die Welt nicht mehr und hat das Gefühl, dass ihr Verstand streikt. Sie kann nicht mehr klar denken, und ihr Gehirn wird immer langsamer, wie ein Computer, dem allmählich der Speicherplatz ausgeht. Sie kommt einfach nicht hinter die logischen Zusammenhänge.

»Und hier sind die Partikel, die Sie als Knochenstaub bezeichnen.« Er vertauscht die Probe mit einer anderen.

»Das stammt tatsächlich von den Proben, die von Gillys Leiche genommen wurden?« Sie muss sich noch einmal vergewissern, so unglaublich ist es.

»Keine Frage. Daran ist nicht zu rütteln.«

»Derselbe Staub.«

»Überlegen Sie nur, wie viel von diesem Zeug am alten Gebäude herumliegen muss. Mehr Staub, als es Sterne im Weltall gibt, wenn Sie erst mal anfangen, den ganzen Dreck da zusammenzukratzen«, meint Eise.

»Einige dieser Partikel scheinen alt zu sein, das Ergebnis natürlichen Abblätterns oder von Abschilferung, wenn sich die Knochenhaut zersetzt«, erklärt Scarpetta. »Sehen Sie, wie abgerundet und allmählich zulaufend die Ränder sind? Mit derartigem Staub rechne ich bei skelettierten Überresten, das heißt bei vergrabenen oder im Wald gefundenen Knochen. Aus nicht-traumatisierten Knochen wird auch nicht-traumatisierter Staub. Aber einige davon«, sie isoliert ein Knochenstaubpartikel, das schartig, gebrochen und einige Farbtöne heller ist, »wirken auf mich, als wären sie zerschmettert worden.«

Er beugt sich vor, um sich zu vergewissern, und macht ihr dann Platz, damit sie durch die Linse spähen kann.

»Ich glaube, dass dieses Teilchen hier verbrannt wurde. Haben Sie bemerkt, wie dünn es ist? Ich sehe einen kleinen geschwärzten Rand, der einen verkohlten und angesengten Eindruck macht. Ich wette, dass das Teilchen am Hautfett meines Fingers kleben bleiben würde, wenn ich darauf drücke, was bei normalem Knochenstaub nicht der Fall wäre«, fährt sie fasziniert fort. »Ich denke, bei einem Teil dieser Partikel handelt es sich um Überreste von eingeäscherten menschlichen Leichen.« Sie betrachtet das bläulich weiße, schartige Partikel mit den verkohlten Rändern im hellen Lichtkegel. »Es sieht kalkig und abgebrochen aus, aber nicht notwendigerweise durch Hitze. Ich weiß nicht. Bis jetzt hatte ich nie Grund, mich mit Knochenstaub zu befassen, insbesondere mit verbranntem. Eine Elementaranalyse wird Ihnen mehr sagen. Bei verbrannten Knochen müssten Sie verschiedene Kalziumanteile und einen höheren Phosphoranteil feststellen«, spricht sie weiter, ohne den Blick von den binokularen Linsen des Mikroskops abzuwenden. »Ach, übrigens ist im Schutt des alten Gebäudes mit Krematoriumsstaub zu rechnen, weil es dort einen

Verbrennungsofen gab. Der Himmel weiß, wie viele Leichen dort im Laufe der Jahrzehnte eingeäschert wurden. Allerdings erstaunt es mich ein wenig, dass die Erde, die ich Ihnen mitgebracht habe, Knochenstaub enthält. Ich habe diese Erde auf dem Asphalt an der Hintertür sichergestellt. Der hintere Teil des Gebäudes ist noch nicht abgerissen worden, und auch der Parkplatz dort wurde noch nicht umgegraben. Eigentlich müsste die Anatomieabteilung noch stehen. Erinnern Sie sich an die Hintertür des alten Gebäudes?«

»Na klar.«

»Daher stammt er. Wie kann Staub aus dem Krematorium nach oben auf den Parkplatz geraten, wenn er nicht aus dem Gebäude dorthin verschleppt wurde?«

»Meinen Sie, jemand ist unten in der Anatomie gewesen und hat den Staub an den Schuhen auf den Parkplatz getragen?«

»Keine Ahnung, durchaus möglich. Und offenbar hat Mr. Whitbys blutiges Gesicht den schmutzigen Asphalt berührt, sodass die Spuren in der Wunde und in seinem Blut haften geblieben sind.«

»Das mit dem zerbrochenen Knochenstaub müssen Sie mir noch einmal erklären«, meint Eise verwirrt. »Wodurch können verbrannte Knochen brechen, wenn nicht durch die Hitze?«

»Wie ich schon sagte, weiß ich das nicht genau. Aber es ist möglich, dass Staub aus dem Krematorium sich mit der Erde auf dem Asphalt vermischt hat und dann von einem Traktor oder einem Auto überrollt oder sogar von Menschen zertreten wurde. Allerdings habe ich keine Ahnung, ob Knochenstaub, der einer solchen Behandlung ausgesetzt wird, genauso aussieht wie nach Gewalteinwirkung.«

»Und wie zum Teufel kommt der verbrannte Knochenstaub an die Leiche des kranken Mädchens?«, fragt Eise.

»Richtig.« Sie versucht, einen klaren Kopf zu bekommen und ihre Gedanken zu ordnen. »Stimmt. Das sind ja keine Proben vom Fall Whitby. Der verbrannte und gebrochen aussehende Staub wurde ja gar nicht bei ihm, sondern bei Gilly Paulsson entdeckt.«

»Staub aus dem Krematorium im Mund des kranken Mädchens? Heilige Muttergottes, das kann ich mir einfach nicht erklären. Sie vielleicht?«

»Keine Ahnung, warum wir in ihrem Fall überhaupt mit Knochenstaub zu tun haben«, erwidert Scarpetta. »Was haben Sie sonst noch gefunden? Soweit ich informiert bin, wurde eine Reihe von Gegenständen aus Gilly Paulssons Elternhaus hier abgegeben.«

»Nur ihr Bettzeug. Kit und ich haben zehn Stunden im Schaberaum verbracht. Und dann musste ich eine halbe Ewigkeit lang Baumwollfasern herauspicken, weil Dr. Marcus eine Schwäche für Wattestäbchen hat. Vermutlich besitzt er Q-Tips-Aktien«, beschwert sich Eise. »Die DNS-Leute haben natürlich auch einen Blick auf die Bettwäsche geworfen.«

»Das weiß ich«, meint Scarpetta. »Sie haben Schleimhautepithelzellen gefunden.«

»Außerdem haben wir auf den Laken schwarz gefärbte Haare sichergestellt. Die haben Kit ziemliches Kopfzerbrechen bereitet.«

»Menschlich, wie ich annehme. DNS?«

»Ja, menschlich. Sie wurden zur Mitochondrienanalyse ins Bode-Labor geschickt.«

»Was ist mit Tierhaaren? Von einem Hund zum Beispiel?«

»Nein«, antwortet er.

»Weder in ihren Laken noch auf ihrem Pyjama oder auf sonst etwas, das aus dem Haus stammt?«

»Nein. Was ist mit Staub von der Autopsiesäge?«, fragt er, denn der Knochenstaub lässt ihm einfach keine Ruhe. »Der könnte auch aus dem alten Gebäude sein.«

»Der sieht ganz anders aus.« Sie lehnt sich zurück und blickt ihn an. »Staub von einer Säge würde aus feinen Körnchen, vermischt mit Bröckchen, bestehen. Vielleicht wären auch noch feine Metallspäne vom Sägeblatt selbst dabei.«

»Gut. Ich würde gern über etwas sprechen, das mir im Kopf herumgeht, bevor mir der Schädel platzt.«

»Nur zu.«

»Vielen Dank. Zugegeben, Sie sind die Knochenspezialistin.« Er legt die Dias zurück in Gilly Paulssons Akte. »Aber mit Lacken kenne ich mich aus. Sowohl beim toten Mädchen als auch beim Traktorfahrer war die Spur einer Schutzschicht oder eines Poliermittels vorhanden. Also wissen wir, dass es kein Autolack sein kann. Außerdem sind die darunter liegenden Metallpartikel nicht magnetisch, was heißt, dass sie nicht aus Eisen bestehen. Das habe ich gleich am ersten Tag ausprobiert. Wir haben es hier mit Aluminium zu tun.«

»Ein Gegenstand aus Aluminium, der rot, weiß und blau lackiert ist«, denkt Scarpetta laut. »Gemischt mit Knochenstaub.«

»Ich gebe mich geschlagen«, sagt Eise.

»Ich mich im Augenblick auch«, erwidert sie.

»Menschlicher Knochenstaub?«

»Wenn er nicht frisch ist, werden wir es nie erfahren.«

»Wie frisch ist frisch?«

»Einige Jahre im Gegensatz zu Jahrzehnten«, antwortet sie. »Wir können Fingerabdrücke nehmen und Struktur und Mitochondrien untersuchen, also ist es nicht zu anspruchsvoll, vorausgesetzt, die Probe ist nicht zu alt oder in zu schlechtem Zustand. Bei der DNS geht es um Qualität versus Quantität, aber wenn ich eine Wette abschließen müsste, würde ich sagen, dass wir vermutlich kein Glück haben werden. Erstens kann man bei Krematoriumsresten die DNS sowieso vergessen. Was den nicht verbrannten Knochenstaub angeht, kommt er mir alt vor, ich weiß nicht, warum. Natürlich können Sie einen Teil des unverbrannten Staubs in die Bode-Labors zum Mitochondrientest schicken oder eine Strukturanalyse veranlassen. Aber dabei würde eine winzige Probe wie diese verbraucht werden. Wollen wir das riskieren, in dem Wissen, dass wahrscheinlich nichts dabei herauskommen wird?«

»DNS ist nicht meine Abteilung. Ansonsten wäre mein Budget um einiges größer.«

»Tja, die Entscheidung liegt ohnehin nicht bei mir«, meint sie und steht auf. »Anderenfalls würde ich wahrscheinlich dafür stimmen, die Beweisstücke aufzubewahren, nur für den Fall, dass sie später noch einmal gebraucht werden. Das Interessante ist doch, dass der Knochenstaub in zwei Fällen aufgetreten ist, die eigentlich nicht das Geringste miteinander zu tun haben.«

»Eindeutig.«

»Ich überlasse es Ihnen, Dr. Marcus die frohe Botschaft zu überbringen«, sagt sie.

»Er liebt meine E-Mails. Ich schicke ihm gleich wieder eine«, antwortet Eise. »Schade, dass ich keine bessere Nachricht für Sie habe, Dr. Scarpetta. Aber diese Tüten mit Erde werden mich einige Zeit, wenn nicht gar mehrere Tage, auf Trab halten. Ich verteile alles auf Objektträger, lasse es gut trocknen und siebe es dann durch, um die Partikel zu isolieren. Das ist ziemlich lästig, weil man mit den verdammten Sieben alle zwei Minuten auf den Tresen klopfen muss, damit der Inhalt in den Auffangbehälter rieselt. Ich habe es aufgegeben, um einen Teilchentrenner mit automatischer Schüttelvorrichtung zu betteln, weil diese Dinger bis zu sechs Riesen kosten. Also kann ich es vergessen. Das Trocknen und das Sieben wird ein paar Tage dauern, und dann sitze ich hier allein vor meinem Mikroskop. Ich kann es auch noch mit dem Elektronenmikroskop versuchen. Habe ich Ihnen übrigens schon eines meiner selbst gemachten Werkzeuge gegeben? Sie werden hier Eise-Nadeln genannt.«

Er entdeckt einige auf seinem Schreibtisch, wählt eines aus und dreht es langsam in der Hand, um sich zu vergewissern, dass das Wolfram nicht verbogen ist und auch nicht geschärft werden muss. Stolz hält er das Instrument hoch und reicht es ihr mit einer eleganten Geste, als würde er ihr eine langstielige Rose verehren.

»Das ist aber sehr nett von Ihnen, Junius«, sagt sie. »Vielen Dank. Nein, Sie haben mir noch nie eines geschenkt.«

40

Da es Scarpetta einfach nicht gelingen will, das Problem aus einem Blickwinkel anzugehen, der Klarheit schafft, hört sie auf, über das lackierte Aluminium und den Knochenstaub nachzugrübeln. Sie befürchtet, vor Erschöpfung zusammenzubrechen, wenn sie weiter an rote, weiße und blaue Farbsplitter und kaum wahrzunehmende Partikel vermutlich menschlicher Knochen denkt.

Es ist früher Nachmittag. Das Wetter ist grau und die Luft so schwer, dass sie in sich zusammenzusacken droht wie eine vom Regen durchweichte Zimmerdecke. Als Scarpetta und Marino aus dem Geländewagen steigen und die Türen zufallen lassen, klingt das Geräusch gedämpft. Ihre Hoffnung schwindet, als sie kein Licht in dem Backsteinhaus mit dem mit Moos bewachsenen Dach sieht, das jenseits des Gartenzauns der Paulssons steht.

»Bist du sicher, dass er kommen wollte?«, fragt Scarpetta.

»Er hat es jedenfalls versprochen. Außerdem weiß ich, wo der Schlüssel liegt. Er hat es mir gesagt, also ist es offenbar kein Staatsgeheimnis.«

»Wir werden nicht in dieses Haus einbrechen, falls du das damit meinst«, protestiert sie und betrachtet den geborstenen Gartenweg, der zu der Sturmtür aus Aluminium und der Holztür dahinter führt. Die Fenster auf beiden Seiten sind dunkel. Das Haus ist klein und alt und wirkt auf traurige Weise vernachlässigt. Es wird von vorwitzigen Magnolien, jahrelang nicht mehr gestutzten Dornenbüschen und Nadelbäumen bedrängt, die so hoch und dicht sind, dass ihre Nadeln und Zapfen in Schichten die Rinnsteine verstopfen und die kläglichen Überreste des Rasens unter sich ersticken.

»Ich habe gar nichts gemeint«, entgegnet Marino und blickt die ruhige Straße entlang. »Ich wollte dir nur mitteilen, dass er mir gesagt hat, wo der Schlüssel ist, und auch, dass das Haus keine

Alarmanlage hat. Warum, glaubst du, könnte er mir das wohl verraten haben?«

»Das spielt keine Rolle«, gibt sie zurück, obwohl sie weiß, dass es das sehr wohl tut, denn sie ahnt bereits, was sie erwartet.

Dem Makler ist es offenbar zu lästig, persönlich zu erscheinen. Vielleicht hat er dieses Objekt ja schon innerlich abgeschrieben. Und deshalb hat er es ihnen mehr oder weniger freigestellt, sich selbst im Haus umzusehen. Scarpetta steckt die Hände in die Manteltaschen. Die Tatorttasche hat sie über der Schulter hängen. Ohne die Tüten mit Erde, die inzwischen in der Kriminaltechnik getrocknet werden, ist sie erheblich leichter.

»Ich werfe wenigstens mal einen Blick durch die Fenster.« Marino setzt sich, den Gartenweg entlang, in Bewegung. Er geht langsam und passt auf, wo er hintritt. »Kommst du mit, oder bleibst du am Auto?«, fragt er, ohne sich umzudrehen.

Am Anfang ihrer Suche nach Informationen, von denen sie inzwischen einige wenige besitzen, stand ein Blick ins örtliche Telefonbuch. Dort hat Marino den Immobilienmakler gefunden, der das Haus offenbar seit über einem Jahr keinem Interessenten mehr gezeigt hat und dem dieser Umstand herzlich gleichgültig zu sein scheint. Besitzerin ist eine Frau namens Bernice Towle. Sie lebt in South Carolina und weigert sich, auch nur einen Penny in die Instandsetzung des Hauses zu investieren oder mit dem Preis weit genug herunterzugehen, sodass ein Verkauf in den Bereich des Möglichen rückt. Laut Makler wird das Gebäude nur benutzt, wenn Mrs. Towle es ihren Gästen überlässt, und niemand weiß, wie oft – oder ob überhaupt – das vorkommt. Die Polizei von Richmond hat sich nicht um das Haus oder seine Vorgeschichte gekümmert, weil es unbewohnt und deshalb im Fall Gilly Paulsson angeblich nicht relevant ist. Aus demselben Grund hatte auch das FBI kein Interesse am verfallenen Gebäude von Mrs. Towle. Marino und Scarpetta hingegen sind sehr neugierig darauf, denn in einem Mordfall ist alles von Bedeutung.

Scarpetta schlendert auf das Haus zu. Der Beton unter ihren

Füßen ist nach dem Regen mit einer glitschigen grünen Schleimschicht bedeckt. Wenn es ihr eigener Gartenweg wäre, würde sie ihn mit Bleiche schrubben, denkt sie, während sie Marino folgt. Er steht auf der kleinen, eingesackten Veranda und hält sich die Hände seitlich an die Augen, um durch ein Fenster zu spähen.

»Wenn wir hier schon herumschnüffeln, können wir uns genauso gut gleich strafbar machen«, sagt sie. »Wo also ist der Schlüssel?«

»Siehst du den Blumentopf da unter dem Busch?« Er weist mit dem Kopf auf einen riesigen ungepflegten Buchsbaum, unter dem, kaum sichtbar, ein schlammiger Blumentopf steht. »Der Schlüssel ist da drunter.«

Sie tritt von der Veranda, steckt die Hände zwischen die Zweige und stellt fest, dass der Blumentopf mit grünem, nach Morast stinkendem Regenwasser gefüllt ist. Als sie ihn beiseite rückt, entdeckt sie ein flaches, quadratisches, mit Schmutz und Spinnweben bedecktes Päckchen aus Alufolie. In der Alufolie befindet sich ein Kupferschlüssel, der angelaufen ist wie ein alter Penny. Diesen Schlüssel hat seit langer Zeit niemand mehr angefasst, mindestens seit ein paar Monaten, wenn nicht sogar länger, sagt sie sich. Sie kehrt zur Veranda zurück und reicht den Schlüssel Marino, weil sie nicht diejenige sein will, die das Haus aufschließt.

Die Tür öffnet sich quietschend, und ein muffiger Gestank schlägt ihnen entgegen. Drinnen ist es kalt, und Scarpetta glaubt, alten Zigarrenrauch zu riechen. Marino tastet nach dem Lichtschalter, doch als er ihn findet und betätigt, geschieht nichts.

»Hier.« Scarpetta gibt ihm ein Paar Baumwollhandschuhe. »Ich habe zufällig welche in deiner Größe dabei.«

»Hmm.« Er zwängt seine riesigen Hände hinein, während sie auch welche anzieht.

Auf einem Tisch an der Wand steht eine Lampe, die Scarpetta anknipst. »Wenigstens haben wir Strom«, meint sie. »Ich frage mich, ob das Telefon auch angeschlossen ist.« Sie hebt den Hörer eines alten schwarzen Wählscheibentelefons ab, hält ihn ans Ohr und hört nichts. »Es funktioniert nicht«, stellt sie fest. »Riechst du auch den abgestandenen Zigarrenrauch?«

»Tja, den Strom kann man nicht abschalten, sonst frieren die Wasserleitungen ein«, sagt Marino, schnuppert und blickt sich im Wohnzimmer um, das durch seine Anwesenheit winzig wirkt. »Ich rieche keine Zigarren, nur Staub und Moder. Aber du hattest schon immer eine bessere Nase als ich.«

Scarpetta steht im Lichtkegel der Lampe und blickt durch das kleine, dämmrige Zimmer zu der geblümten Couch unter den Fenstern und dem blauen Queen-Anne-Sessel, der in einer Ecke steht. Auf dem Couchtisch aus dunklem Holz liegen einige Zeitschriftenstapel. Sie geht hinüber, um sich die Magazine anzusehen. »Das hätte ich jetzt nicht erwartet!«, ruft sie und betrachtet eine Ausgabe von *Variety.*

»Was?« Marino kommt näher und starrt auf die Wochenzeitschrift in Schwarz-Weiß.

»Eine Fachzeitschrift für die Unterhaltungsindustrie«, sagt Scarpetta. »Seltsam. Vom November letzten Jahres«, liest sie das Erscheinungsdatum ab. »Wirklich eigenartig. Ich frage mich, ob Mrs. Towles, wer immer sie auch sein mag, Verbindungen zur Filmbranche hat.«

»Vielleicht ist sie ja auch nur promiverrückt wie die Hälfte der Menschheit.« Marino misst dem keine große Bedeutung bei.

»Aber diese Hälfte der Menschheit liest *People, Entertainment Weekly* oder ähnliche Blätter. Nicht *Variety*«, erwidert sie und greift nach weiteren Zeitschriften. »*Hollywood Reporter, Variety, Variety, Hollywood Reporter,* Ausgaben aus den letzten zwei Jahren. Die letzten sechs Monate fehlen. Vielleicht sind die Abonnements ausgelaufen. Der Adressaufkleber lautet auf Mrs. Edith Arnette, diese Adresse. Sagt dir dieser Name etwas?«

»Nein.«

»Hat der Immobilienmakler erwähnt, wer früher hier gewohnt hat? War es Mrs. Towle selbst?«

»Hat er nicht. Ich hatte nur den Eindruck, dass es Mrs. Towle war.«

»Wir sollten uns nicht auf unsere Eindrücke verlassen. Was hältst du davon, ihn anzurufen?« Sie öffnet ihre schwarze Tatorttasche, holt einen dicken Müllsack heraus, schüttelt ihn lautstark und packt die Ausgaben von *Variety* und *Hollywood Reporter* hinein.

»Nimmst du die etwa mit?« Marino steht in der Tür und hat ihr den Rücken zugekehrt. »Warum?«

»Kann nicht schaden, sie auf Fingerabdrücke zu untersuchen.«

»Diebstahl«, erwidert er, entfaltet einen Zettel und liest die Nummer ab.

»Hausfriedensbruch, Einbruch. Warum dann nicht auch Diebstahl?«, entgegnet sie.

»Falls sich die Sachen als wichtige Beweismittel entpuppen, können wir keinen Durchsuchungsbefehl vorweisen.« Offenbar will er sie ärgern.

»Soll ich sie zurücklegen?«, fragt sie.

Marino, immer noch in der Tür, zuckt die Achseln. »Wenn wir was finden, weiß ich ja, wo der Schlüssel ist. Ich schmuggle sie wieder ins Haus, und dann besorgen wir uns den Durchsuchungsbefehl eben nachträglich. Das hab ich auch schon früher so gemacht.«

»Das würde ich aber nicht öffentlich wiederholen«, meint sie, lässt die Tüte mit den Zeitschriften auf dem staubigen Dielenboden stehen und geht zu einem kleinen Tisch links von der Couch. Wieder glaubt sie Zigarrenrauch zu riechen.

»Es gibt vieles, was ich öffentlich nicht wiederholen sollte«, antwortet er und tippt eine Nummer in sein Mobiltelefon ein.

»Außerdem ist das hier nicht dein Zuständigkeitsbereich. Du würdest gar keinen Durchsuchungsbefehl kriegen.«

»Keine Sorge. Browning und ich sind dicke Kumpel.« Er starrt ins Leere und wartet, und sie erkennt an seinem Tonfall, dass die Mailbox dran ist, als er beginnt: »Hey, Jim. Marino hier. Mich würde nur interessieren, wer zuletzt hier gewohnt hat. Sagt Ihnen der Name Edith Arnette etwas? Bitte rufen Sie mich so schnell wie möglich zurück.« Er hinterlässt seine Nummer. »Hmm«, meint er dann zu Scarpetta. »Der gute alte Jim hatte keine Lust, sich hier mit uns zu treffen. Kann man ihm nicht zum Vorwurf machen. Was für eine Bruchbude!«

»Da hast du Recht«, erwidert Scarpetta und zieht die Schublade des Tischchens links vom Sofa auf. Sie ist voller Münzen. »Aber ich bin nicht sicher, ob er aus diesem Grund nicht gekommen ist ... Also sind du und Detective Browning dicke Kumpel. Letztens hattest du doch noch Angst, er könnte dich festnehmen.«

»Das war letztens.« Marino tritt in den dunklen Flur. »Er ist in Ordnung. Keine Sorge – wenn ich einen Durchsuchungsbefehl brauche, kriege ich einen. Viel Spaß bei der Hollywood-Lektüre. Wo sind denn hier die Lichtschalter, verdammt?«

»Das müssen fünfzig Dollar in Fünfundzwanzig-Cent-Münzen sein.« Die Münzen klimpern, als Scarpetta darin herumwühlt. »Nur Vierteldollars, keine Pennys und keine Fünf- oder Zehn-Cent-Stücke. Wozu braucht man hier Vierteldollars? Für den Zeitungsautomaten?«

»Der *Times-Dispatch*, dieses Schmierblatt, kostet fünfzig Cent. Als ich mir gestern einen aus dem Automaten vor dem Hotel geholt habe, musste ich zwei Vierteldollars einwerfen, doppelt so viel wie für die *Washington Post*.«

»Es ist ungewöhnlich, Geld in einem unbewohnten Haus aufzubewahren«, stellt Scarpetta fest und schließt die Schublade.

Durch den dunklen Flur folgt sie Marino in die Küche, wo ihr sofort auffällt, dass sich das schmutzige Geschirr in der Spüle türmt. Das Spülwasser ist ekelhaft; geronnenes Fett und Schimmel schwimmen darin. Als sie den Kühlschrank öffnet, wächst ihre Gewissheit, dass jemand in diesem Haus gewohnt hat, und zwar vor nicht allzu langer Zeit. Die Regale sind voller Orangensaft- und Sojamilchpackungen mit Verfallsdaten gegen Ende dieses Monats. Die Daten auf den Fleischpäckchen im Gefrierfach weisen darauf hin, dass sie vor etwa drei Wochen gekauft wurden. Je mehr Lebensmittel sie in den Schränken und in der Speisekammer entdeckt, desto größer wird ihre Anspannung, und ihre Intuition ist schneller als ihr Verstand. Als sie durch den Flur zum Schlafzimmer im hinteren Teil des Hauses geht und wieder

Zigarren riecht, ist sie ihrer Sache sicher, und das Herz klopft ihr bis zum Halse.

Auf dem Doppelbett liegt eine billige dunkelblaue Überdecke. Als sie diese zurückschlägt, ist die Bettwäsche darunter zerknittert und schmutzig und mit kurzen Haaren bedeckt, von denen einige rot und vermutlich Kopfhaare sind. Bei den anderen dunkleren lockigeren handelt es sich wahrscheinlich um Schamhaare. Sie bemerkt steif angetrocknete Flecken und weiß genau, was sie vor sich hat. Vom Bett hat man Blick auf ein Fenster, durch das sie über den Holzzaun sehen kann. Sie erkennt das dunkle Fenster, das einmal Gillys war. Auf dem Tisch am Bett befindet sich ein schwarzgelber Cohiba-Aschenbecher aus Keramik, der verhältnismäßig sauber ist. Auf den Möbeln ist mehr Staub als in diesem Aschenbecher.

Scarpetta macht sich an die Arbeit und bemerkt kaum, wie die Zeit vergeht, die Schatten sich verändern und der Regen aufs Dach prasselt. Sie durchsucht den Wandschrank und sämtliche Kommodenschubladen im Raum und findet eine welke Rose, noch in Plastikfolie gewickelt. Herrenmäntel, -jacken und -anzüge, alle altmodisch, streng und hochgeschlossen, hängen ordentlich aufgereiht auf Kleiderbügeln aus Draht. Dazu stapelweise akkurat gefaltete Herrenhosen und -hemden in gedeckten Farben, Herrenunterwäsche und Socken, alles alt und billig, und Dutzende schäbiger weißer Taschentücher, zu formvollendeten Vierecken zusammengelegt.

Dann setzt sie sich auf den Boden und zieht Pappkartons unter dem Bett hervor. Sie macht sie auf und blättert stapelweise alte Fachzeitschriften für die Bestattungsbranche durch. Es sind verschiedene Monatszeitschriften mit Abbildungen von Särgen, Leichenwäsche, Urnen und Gerätschaften zum Einbalsamieren. Die Zeitschriften sind mindestens acht Jahre alt. Der Adressaufkleber wurde bei allen, die sie bis jetzt in den Händen hatte, abgelöst, sodass nur ein paar Buchstaben hier und der Teil einer Postleitzahl da sichtbar sind, was im Moment nicht genügt, um ihre Fragen zu beantworten.

In der Hoffnung auf einen vollständigen Adressaufkleber durchsucht sie einen Karton nach dem anderen und betrachtet jede Zeitschrift. Schließlich entdeckt sie ein paar Exemplare ganz unten in einem Karton. Nachdem sie den Aufkleber gelesen hat, bleibt sie auf dem Boden sitzen, starrt auf die Zeitschriften und fragt sich, ob sie nicht mehr ganz richtig im Kopf ist oder ob es eine logische Erklärung dafür gibt. Dann ruft sie laut nach Marino. Sie schreit seinen Namen, während sie aufspringt und auf eine Zeitschrift blickt, deren Titelbild einen Sarg in Form eines Rennwagens zeigt.

»Marino! Wo bist du?« Sie tritt auf den Flur, sieht sich um und lauscht. Ihr Atem geht stoßweise, und das Herz klopft ihr bis zum Hals. »Verdammt!«, murmelt sie und eilt den Flur entlang. »Wo zum Teufel steckst du, Marino?«

Er steht auf der Veranda und telefoniert. Als ihre Blicke sich treffen, erkennt sie, dass auch er neue Informationen hat. Sie hält ihm die Zeitschrift dicht unter die Nase. »Ja, wir sind da«, sagt er ins Telefon. »Ich habe das Gefühl, dass wir die ganze Nacht hier verbringen werden.«

Er beendet das Gespräch. In seinen Augen malt sich der undurchdringliche Ausdruck, den sie schon früher bei ihm gesehen hat, wenn er seine Beute wittert und die Jagd beginnt. Dann kann ihn nichts und niemand mehr aufhalten. Er nimmt ihr die Zeitschrift aus der Hand und mustert sie schweigend. »Browning ist unterwegs hierher«, verkündet er. »Im Moment besorgt er sich bei Gericht einen Durchsuchungsbefehl.« Er dreht die Zeitschrift um und liest den Adressaufkleber auf der Rückseite. »Scheiße!«, stößt er hervor. »Dein altes Büro. Gütiger Himmel.«

»Ich weiß nicht, was das zu bedeuten hat«, sagt sie, während ein kalter Nieselregen auf das alte Schieferdach fällt. »Außer es war einer meiner früheren Mitarbeiter.«

»Oder jemand, der einen deiner früheren Mitarbeiter kannte. Das ist die Adresse des Büros des Chefpathologen.« Er schaut noch einmal hin. »Ja, eindeutig. Nicht die der Labors. Juni 1996. Also während deiner Amtszeit. Das bedeutet, dass dein Büro diese Zeitschrift abonniert hatte.« Er kehrt zurück ins Wohnzimmer und blättert sie im Schein der Tischlampe durch. »Dann musst du doch wissen, wer sie bestellt hatte.«

»Ich habe niemals ein solches Abonnement genehmigt«, erwidert sie. »Eine Zeitschrift für Bestattungsunternehmer. Auf gar keinen Fall. Entweder hat der Betreffende es ohne meine Erlaubnis getan, oder er hat das Abonnement aus eigener Tasche bezahlt.«

»Hast du einen Verdacht?« Marino legt die Zeitschrift neben die Lampe auf den staubigen Tisch.

Ihr fällt plötzlich der ruhige junge Mann aus der Anatomie ein. Der schüchterne Bursche mit dem roten Haar, der in Frührente gegangen ist. Seit seinem Abschied hat sie kein einziges Mal mehr an ihn gedacht. Es gab ja auch keinen Grund dazu.

»Mir ist da jemand eingefallen«, sagt sie bedrückt. »Er heißt Edgar Allan Pogue.«

41

In der lachsfarbenen Villa ist niemand zu Hause, und er muss sich der traurigen Wahrheit stellen, dass sein Plan aus irgendeinem Grund gescheitert ist. Eine andere Möglichkeit gibt es nicht, denn sonst würde es jetzt überall hier von Leuten wimmeln. Zumindest müssten Hinweise darauf zu erkennen sein, dass sich eine zuvor vorhandene Menschenmenge inzwischen verlaufen hat. Absperrband der Polizei zum Beispiel. Außerdem wäre bestimmt etwas darüber in den Nachrichten gekommen. Aber als er langsam an der Villa des großen Fischs vorbeifährt, sieht der

Briefkasten unbeschädigt aus. Der kleine Signalwimpel aus Metall ist heruntergeklappt, und nichts deutet darauf hin, dass jemand zu Hause sein könnte.

Er kurvt um den Block, biegt wieder in den Highway A1A ein und kann der Versuchung nicht widerstehen, noch einmal vorbeizufahren. Dabei denkt er an den Signalwimpel am Briefkasten. Er war hochgeklappt, als er die Große Orange in den Briefkasten gelegt hat, da ist er ganz sicher. Dann fällt ihm ein, dass die Chlorbombe vielleicht immer noch in dem Briefkasten ruht, angeschwollen von Gasen und im Begriff zu explodieren. Was, wenn es so ist? Er muss es wissen. Sonst kann er weder essen noch schlafen. Tief in ihm regt sich eine Wut, die so vertraut und gegenwärtig ist wie seine kurzen Atemzüge. Im Bay Drive, gleich am Highway A1A, steht eine Reihe weißer einstöckiger Mietshäuser. Er biegt auf den Parkplatz ein und steigt aus seinem weißen Auto. Als er sich in Bewegung setzt, hängen ihm die gelockten langen Strähnen seiner schwarzen Perücke in die Augen. Er schiebt sie zurück und geht im Schein der niedrig stehenden Sonne die Straße hinunter.

Manchmal kann er die Perücke riechen, für gewöhnlich, wenn er an etwas anderes denkt oder beschäftigt ist. Dann steigt ihm der schwer zu beschreibende Geruch in die Nase. Plastik ist vielleicht der beste Vergleich, und das verwirrt ihn, weil die Perücke doch aus menschlichem Haar besteht. Also dürfte sie eigentlich nicht nach neuem Plastik riechen, außer er erschnuppert irgendeine Chemikalie, mit der sie bei der Herstellung behandelt worden ist. Palmwedel schwanken im dämmrigen Himmel, und die zarten Wolkenbänder haben hell erleuchtete, blassorangefarbene Ränder, als die Sonne untergeht. Er folgt dem Gehweg und betrachtet die Risse darin und die Gräser, die daraus hervorsprießen. Dabei achtet er darauf, nicht die schönen Häuser anzusehen, an denen er vorbeikommt, da die Leute in Stadtvierteln wie diesem Angst vor Verbrechern haben und jeden Fremden mit Argusaugen beobachten.

Kurz bevor er die lachsfarbene Villa erreicht, passiert er ein großes weißes Haus, das massiv in den Sonnenuntergang ragt. Er macht sich Gedanken über die Frau, die darin wohnt. Dreimal hat er sie jetzt schon gesehen, und sie hat es verdient, vernichtet zu werden. Eines Nachts, als er sich noch spät am Wellenbrecher hinter der lachsfarbenen Villa herumgedrückt hat, hat er sie in ihrem Schlafzimmerfenster im zweiten Stock beobachtet. Die Jalousien waren hochgezogen, und er konnte das Bett, andere Möbelstücke und einen riesigen Plasmafernseher erkennen. Im Fernsehen rannten Menschen, und dann flackerte eine Verfolgungsjagd auf Rennmotorrädern über den Bildschirm. Die Frau stand nackt am Fenster und presste sich dagegen. Ihre an der Scheibe platt gedrückten Brüste sahen abstoßend aus, als sie das Glas mit der Zunge berührte und ekelhafte, unmoralische Bewegungen machte. Zuerst befürchtete er, sie könnte ihn auf dem Wellenbrecher bemerken. Doch sie wirkte wie im Halbschlaf, als sie für die Leute, die nachts noch mit dem Boot unterwegs waren, und für die Männer von der Küstenwache auf der anderen Seite der Bucht ihre Privatvorführung abzog. Pogue ist neugierig, wie sie wohl heißt.

Er fragt sich, ob sie ihre Hintertür offen lässt und die Alarmanlage nicht einschaltet, wenn sie hinaus zum Swimmingpool geht, oder ob sie es beim Zurückkehren ins Haus vielleicht vergisst. Aber möglicherweise benutzt sie den Pool ja auch gar nicht, denkt er weiter. Er hat sie noch kein einziges Mal draußen auf der Terrasse oder bei ihrem Boot gesehen. Falls sie wirklich nie das Haus verlässt, wird es schwierig für ihn werden. Er betastet das weiße Taschentuch in seiner Tasche, zieht es heraus und wischt sich damit das Gesicht ab. Dann blickt er sich um und huscht zur Auffahrt und zum Briefkasten nebenan. Er tut ganz lässig, als würde er hierher gehören, aber er weiß, dass er mit seinen langen dunklen, verfilzten Haarsträhnen auffällt. Haare, die von einer Schwarzen oder Jamaikanerin stammen, passen nicht in diese Gegend, in der ausschließlich Weiße wohnen.

Er war schon einmal in dieser Straße. Auch damals hat er die Perücke getragen und sich Sorgen gemacht, sie könnte Aufmerksamkeit erregen. Aber es ist besser, die Perücke aufzusetzen, als auszusehen wie er selbst. Als er den Briefkasten des großen Fischs öffnet, ist er weder enttäuscht noch erleichtert, ihn leer vorzufinden. Er riecht keine Chemikalien und kann keine Beschädigungen entdecken, nicht einmal eine Verfärbung des schwarzen Lackes an der Innenseite. Also muss er sich mit der Tatsache abfinden, dass seine Bombe nicht die geringste Wirkung gehabt hat. Er ist ein wenig froh darüber, dass die Bombe weg ist, was heißt, dass jemand sie gefunden haben muss. Also weiß sie zumindest davon, und das ist vermutlich besser als gar nichts.

Es ist sechs Uhr abends, und das Haus der nackten Dame beginnt, gegen die herannahende Dunkelheit anzuleuchten. Er riskiert einen Blick auf ihren Gartenweg aus rosafarbenem Beton und schaut durch den schmiedeeisernen Zaun in den Vorgarten und durch die Eingangstür aus dickem Glas. Pogue schlendert weiter und denkt daran, wie sie am Fenster gestanden hat. Er hasst sie dafür, dass sie sich an die Scheibe gepresst hat, dafür, dass sie hässlich und abstoßend ist, und dafür, dass sie ihren hässlichen und abstoßenden Körper auf diese Weise präsentiert. Leute wie sie glauben, dass ihnen die Welt gehört und dass sie ihm und seinesgleichen einen Gefallen tun, wenn sie ihn gnädigerweise an ihrem Körper oder ihren Wohltaten teilhaben lassen. Die nackte Dame ist geizig. Bei ihr ist alles nur Theater.

Weiber wie die führen die Männer bloß an der Nase herum. So lautete die Anmerkung von Pogues Mutter zu Frauen wie der nackten Dame. Seine Mutter war genauso, ein ganz schwerer Fall sogar, weshalb sein Vater sich irgendwann im Suff eingeredet hat, es sei wohl die beste Idee, sich an einem Balken in der Garage aufzuhängen. Pogue kennt sich also aus mit Weibern wie der da. Und falls einmal ein Mann mit Werkzeuggürtel und Arbeitsstiefeln an die Tür der nackten Dame klopfen und verlangen sollte, dass sie ihr Versprechen auch einlöst, würde sie vor Angst wahrscheinlich schreien und die Polizei rufen. Das ist typisch für Leute wie die nackte Dame. Sie tun so etwas jeden Tag, ohne sich was dabei zu denken.

Inzwischen sind zu viele Tage vergangen, und er hat sein Werk noch nicht vollendet. Das ist zu lang. Vor diesen Tagen waren es

Wochen, und davor sogar drei Monate. Allerdings müsste er dann auch die Male mitzählen, als er jemanden ausgegraben hat, der bereits erledigt war. Und außerdem all die Male, die er andere bereits Erledigte in ihren rieselnden, staubigen Kartons aus der unterirdischen Anatomieabteilung nach oben geschleppt hat. Er hat sie aus seinem Geheimversteck geholt, sich Kiste um Kiste abgemüht und sie, immer zwei oder drei Erledigte auf einmal, die Treppe hinaufgetragen. Seine steifen Lungen brannten, und er bekam kaum noch Luft, als er die Kartons auf den Parkplatz wuchtete, sie dort abstellte, weitere nach oben schleppte und alle ins Auto hievte, um sie zu guter Letzt in Müllsäcken zu verstauen. Das war im September, als er in den Nachrichten gehört hatte, dass sein Gebäude abgerissen werden sollte.

Allerdings sind ausgegrabene Knochen und staubige Kartons einfach nicht dasselbe. Schließlich sind diese Leute bereits erledigt, und das ist etwas völlig anderes, als das Erledigen selbst zu übernehmen. Denn dann fühlt sich Pogue mächtig, übermenschlich und für einen Moment erlöst. Er nimmt die Perücke vom Kopf und schließt sich im Auto ein. Dann verlässt er den Parkplatz vor den weißen Häusern und kehrt auf die dunklen, frühabendlichen Straßen von Südflorida zurück. Seine Gedanken tragen ihn zur Other Way Lounge.

42

Die Lichtstrahlen von Taschenlampen stochern wie lange gelbe Bleistifte im schwarzen Garten herum. Scarpetta steht am Fenster und blickt hinaus. Sie hofft, dass die Polizei um diese Uhrzeit noch Glück haben wird, hat aber ihre Zweifel. Ihr Vorschlag erscheint ihr an den Haaren herbeigezogen, wenn nicht gar paranoid, was vielleicht an ihrer Übermüdung liegt.

»Also erinnern Sie sich nicht daran, ob er bei Mrs. Arnette gewohnt hat?«, fragt Detective Browning. Er sitzt auf einem schlichten Holzstuhl im Schlafzimmer, klopft mit einem Stift auf seinen Notizblock und kaut Kaugummi.

»Ich kannte ihn nicht«, erwidert sie und beobachtet, wie sich die langen Lichtstrahlen durch die Dunkelheit tasten. Sie spürt die kalte Luft, die durch die Fensterrahmen hereinzieht. Wahrscheinlich werden sie nichts finden, aber sie befürchtet, dass sie doch auf etwas stoßen. Sie denkt an den Knochenstaub in Gillys Mund und an der Leiche des Traktorfahrers und hat Angst, die Polizei könnte eine Entdeckung machen. »Ich habe keine Ahnung, mit wem er zusammengelebt oder ob er allein gewohnt hat. Schließlich kann ich mich kaum daran erinnern, je ein Wort mit ihm gewechselt zu haben.«

»Was soll man mit so einem verdrucksten Typen auch reden?«

»Leider galten die Mitarbeiter in der Anatomie beim übrigen Personal als ziemlich verschroben. Die Leute ekelten sich vor dem, was sie taten. Sie wurden zwar zu Partys, Picknicks und dem Grillfest am 4. Juli, das ich immer bei mir zu Hause veranstaltete, eingeladen, aber man wusste nie, ob sie auch auftauchen würden«, erklärt Scarpetta.

»War er je dabei?« Sie hört, wie Browning den Kaugummi heftig mit den Zähnen bearbeitet, während sie weiter dasteht und aus dem Fenster starrt.

»Das weiß ich beim besten Willen nicht mehr. Edgar Allan kam und ging, ohne dass es jemandem auffiel. Auch wenn es unfreundlich klingt, war er der farbloseste Mensch, der je für mich gearbeitet hat. Ich erinnere mich kaum daran, wie er aussah.«

»*Aussehen* ist der Schlüsselbegriff. Wir haben nämlich keine Ahnung, wie er heute aussieht.« Browning überlegt laut und blättert in seinem Notizbuch herum. »Sie sagten, er sei damals klein und rothaarig gewesen. Wie groß etwa? Eins achtundsechzig, eins siebzig? Fünfundsiebzig Kilo?«

»Eher eins fünfundsechzig und vielleicht fünfundsechzig Kilo«, erinnert sie sich. »Welche Augenfarbe er hatte, kann ich nicht sagen.«

»Laut Führerscheinstelle sind sie braun. Aber möglicherweise stimmt das nicht, weil er auch Körpergröße und Gewicht falsch angegeben hat. Auf seinem Führerschein ist er eins fünfundsiebzig und wiegt fünfundachtzig Kilo.«

»Warum fragen Sie mich dann?« Sie dreht sich um und sieht ihn an.

»Um Ihnen die Chance zu geben, sich zu erinnern, bevor ich Sie mit vermutlich falschen Informationen beeinflusse.« Er zwinkert ihr zu und kaut weiter Kaugummi. »Außerdem hat er behauptet, er hätte braunes Haar.« Er klopft mit dem Stift auf den Notizblock. »Was hat ein Typ, der in der Anatomie Leichen einbalsamiert hat, denn damals so verdient?«

»Vor acht oder zehn Jahren?« Wieder schaut sie aus dem Fenster in die Nacht hinaus und betrachtet die Lichter, die in Gilly Paulssons Haus auf der anderen Seite des Zauns brennen. Die Polizei ist auch in *ihrem* Garten und in *ihrem* Zimmer. Sie kann sehen, wie sich hinter den Vorhängen Schatten bewegen. Wahrscheinlich hat Edgar Allan Pogue durch dasselbe Fenster hineingestarrt, wann immer er die Möglichkeit dazu hatte. Er hat beobachtet, phantasiert, vielleicht sogar den Spielen zugeschaut, die in diesem Haus getrieben wurden, und dabei Flecken auf seinen Laken hinterlassen. »Meiner Schätzung nach können es nicht mehr als zweiundzwanzigtausend Dollar pro Jahr gewesen sein.«

»Und dann hat er plötzlich gekündigt und behauptet, er sei aus irgendeinem Grund arbeitsunfähig. So was kommt wohl häufiger vor.«

»Kontakt mit Formaldehyd. Er hat nicht simuliert. Ich musste damals seine Arztberichte überprüfen und habe vermutlich auch mit ihm gesprochen. Es muss so gewesen sein. Wegen des Formaldehyds hatte er eine Erkrankung der Atmungsorgane, eine Lungenfibrose, die durch Röntgenbilder und eine Biopsie nachgewiesen wurde. Soweit ich mich erinnere, ergaben die Untersuchungen, dass mit dem Sauerstoffgehalt seines Blutes einiges im Argen lag, und das Spirometer zeigte eine eindeutig eingeschränkte Atmung.«

»Spirowas?«

»Das ist ein Gerät, in das man hineinatmet, um die Atmungsfunktion zu messen.«

»Verstanden. Als ich noch geraucht habe, wäre ich wahrscheinlich durchgefallen.«

»Wenn Sie weitergeraucht hätten, wäre es irgendwann sicher so weit gewesen.«

»Gut. Also hatte Edgar Allan wirklich ein Problem. Muss ich annehmen, dass er immer noch krank ist?«

»Tja, sobald er keinen Kontakt mit Formaldehyd oder anderen reizenden Stoffen mehr hatte, hätte die Krankheit eigentlich nicht weiter fortschreiten dürfen. Das heißt allerdings nicht, dass er geheilt ist, weil sich Narbengewebe gebildet hat, und das ist irreversibel. Ja, er ist sicher immer noch nicht gesund, aber wie schwer seine Erkrankung ist, kann ich nicht sagen.«

»Dann müsste er doch regelmäßig zum Arzt gehen. Glauben Sie, wir finden den Namen seines Arztes in seiner alten Personalakte?«

»Sofern sie noch existiert, liegt sie in der Registratur. Genau genommen müssen Sie Dr. Marcus fragen. Ich bin nicht zuständig.«

»Aha. Aber mich interessiert Ihre Meinung als Ärztin, Dr. Scarpetta. Ich möchte wissen, wie krank dieser Typ ist. Geht er regelmäßig zum Arzt oder in eine Klinik, und muss er verschreibungspflichtige Medikamente einnehmen?«

»Wahrscheinlich nimmt er Medikamente. Es muss aber nicht so sein, solange er auf seine Gesundheit achtet und einen großen

Bogen um Leute macht, die erkältet sind oder die Grippe haben, damit er sich nicht ansteckt. Einen Infekt der oberen Atemwege sollte er nämlich unter allen Umständen vermeiden, da er, anders als Sie oder ich, kaum noch gesundes Lungengewebe hat. Also könnte er schwer erkranken und sich zum Beispiel eine Lungenentzündung zuziehen. Wenn er zu Asthma neigt, wird er alles meiden, was einen Anfall auslösen könnte. Vielleicht nimmt er verschreibungspflichtige Medikamente wie zum Beispiel Steroide. Er könnte auch Spritzen gegen Allergien bekommen. Möglicherweise schluckt er auch frei verkäufliche Arzneimittel. Alles kommt in Frage, auch dass er seine Erkrankung einfach ignoriert.«

»Okay, okay«, erwidert Browning, klopft mit dem Stift und kaut heftig. »Aber bei einem Kampf würde ihm doch sicher rasch die Puste ausgehen.«

»Wahrscheinlich.« Dieses Gespräch dauert nun schon über eine Stunde, und Scarpetta ist sehr müde. Sie hat den ganzen Tag lang kaum etwas gegessen und fühlt sich erschöpft. »Es kann zwar sein, dass er über Muskelkraft verfügt, aber er ist in seiner körperlichen Aktivität eingeschränkt. Zum Kurzstreckenläufer oder Tennisspieler eignet er sich sicherlich nicht. Falls er jahrelang immer wieder Stereoide eingenommen hat, ist er vielleicht zu dick und hat keine gute Kondition.« Die langen hellen Strahlen der Taschenlampen gleiten über den Holzschuppen hinter dem Haus und bleiben an der Tür hängen. Ein uniformierter Polizist, der gerade mit einem Bolzenschneider das Schloss bearbeitet, steht mitten im Lichtkegel.

»Finden Sie es dann nicht seltsam, dass er Gilly Paulsson überfallen hat, obwohl sie die Grippe hatte? Hätte er denn nicht befürchten müssen, sich anzustecken?«, fragt Browning.

»Nein«, erwidert sie und beobachtet den Polizisten mit dem Bolzenschneider. Plötzlich schwingt die Tür weit auf, und die Lichtstrahlen durchbohren die Dunkelheit im Inneren des Schuppens.

»Warum nicht?«, hakt Browning nach. Scarpettas Mobiltelefon vibriert.

»Drogensüchtige mit Entzugserscheinungen denken auch nicht an Hepatitis und AIDS. Serienvergewaltiger und Mörder machen sich keine Sorgen über Geschlechtskrankheiten, wenn sie Lust haben, jemanden zu vergewaltigen oder zu ermorden«, entgegnet sie und nimmt das Telefon aus der Tasche. »Nein, ich glaube nicht, dass Edgar Allan sich den Kopf über die Grippe zerbrechen würde, wenn ihn der Drang überkommt, ein junges Mädchen umzubringen ... Entschuldigen Sie bitte.« Sie nimmt das Gespräch an.

»Ich bin es«, sagt Rudy. »Es ist etwas passiert, das du wissen solltest. Es geht um den Fall, den du gerade in Richmond bearbeitest. Latente Fingerabdrücke aus diesem Fall stimmen mit denen aus einem Fall überein, an dem wir hier in Florida dran sind. IAFIS hat die Übereinstimmung festgestellt. Allerdings ist der Besitzer unbekannt.«

»Wer ist wir?«

»Ein Fall, mit dem Lucy und ich beschäftigt sind. Du weißt nicht, worum es geht, und es ist zu kompliziert, um es dir jetzt zu erklären. Lucy wollte nicht, dass du davon erfährst.«

Scarpetta hört ungläubig zu, und ihre Benommenheit schwindet. Durch das Fenster sieht sie, wie sich eine große, dunkel gekleidete Gestalt vom Schuppen hinter dem Haus entfernt. Seine Taschenlampe bewegt sich im Gleichtakt mit seinen Schritten. Marino kommt auf das Haus zu.

»Ich darf nicht drüber reden.« Er hält inne und holt Luft. »Aber ich kann Lucy nicht erreichen. Ihr gottverdammtes Telefon. Keine Ahnung, was sie gerade treibt, aber sie geht wieder mal nicht ran. Schon seit zwei Stunden nicht. Ein Mordversuch an einer unserer Mitarbeiterinnen. Sie war in Lucys Haus, als es geschah.«

»O Gott.« Scarpetta schließt kurz die Augen.

»Es ist echt seltsam. Zuerst dachte ich, sie will sich nur wichtig machen, aber die Fingerabdrücke auf der Flaschenbombe sind identisch mit denen im Schlafzimmer. Und auch dieselben wie in deinem Fall in Richmond, dem des toten Mädchens, zu dem man dich hinzugezogen hat.«

»Was genau ist der Frau in deinem Fall zugestoßen?«, erkundigt sich Scarpetta.

»Sie lag krank im Bett. Die Grippe. Wir wissen nicht genau, was dann passiert ist, nur dass er durch eine unverschlossene Tür eingedrungen sein muss. Vermutlich wurde er dadurch verscheucht, dass Lucy nach Hause gekommen ist. Das Opfer war bewusstlos, stand unter Schock und ist dann völlig ausgerastet. Keine Ahnung. Sie erinnert sich an nichts mehr, aber sie lag nackt und bäuchlings auf dem Bett. Die Decken waren heruntergezogen.«

»Verletzungen?«

»Nur ein paar Blutergüsse. Benton sagt, auf ihren Händen, ihrer Brust und auf dem Rücken.«

»Also weiß Benton davon. Jeder außer mir ist informiert«, sagt Scarpetta wütend. »Lucy hat es mir verschwiegen. Warum?«

Rudy zögert und weiß nicht, wie er sich ausdrücken soll. »Vermutlich aus persönlichen Gründen.«

»Ich verstehe.«

»Entschuldige. Ich sage lieber nichts mehr dazu. Aber es tut mir wirklich Leid. Ich hätte es dir gar nicht erzählen sollen, aber du musst es wissen, weil offenbar ein Zusammenhang zu deinem Fall besteht. Frag mich nicht, welcher. Mein Gott, so etwas Merkwürdiges ist mir noch nie untergekommen. Womit haben wir es hier zu tun, verdammt? Einem Spinner?«

»Mehr als das«, meint sie zu Rudy. »Aller Wahrscheinlichkeit nach handelt es sich um einen weißen Mann namens Edgar Allan Pogue, etwa Mitte dreißig. Es gibt Datenbanken für Apotheken«, fährt sie fort. »Er könnte in einer oder mehreren davon verzeichnet sein, weil er möglicherweise wegen einer Erkrankung der Atmungsorgane Stereoide einnimmt. Mehr kann ich dazu nicht sagen.«

»Brauchst du auch nicht«, entgegnet Rudy und klingt ein wenig aufgemuntert.

Scarpetta beendet das Gespräch und ihr schießt dabei durch den Kopf, dass sich ihre Einstellung zu Regeln verändert, wie Licht es abhängig vom Wetter und von der Jahreszeit tut. Dinge, die früher ein bestimmtes Gesicht hatten, sehen heute ganz anders aus und werden sich in den kommenden Tagen und Jahren weiter wandeln. Es gibt auf der Welt kaum eine Datenbank, auf die Das Letzte Revier keinen Zugriff hätte. Und im Moment geht es darum, ein Ungeheuer zu schnappen. Zum Teufel mit den Regeln. Zum Teufel mit den Schuldgefühlen und Zweifeln, die sie spürt, als sie im Schlafzimmer steht und das Telefon wieder in die Tasche steckt.

»Von seinem Schlafzimmerfenster konnte er in ihres hineinschauen«, führt Scarpetta das Gespräch mit Browning fort. »Falls Mrs. Paulsson ihre so genannten Spielchen im Haus veranstaltet hat, hat er sie möglicherweise durch die Scheiben beobachtet. Und wenn, Gott behüte, ein Teil davon in Gillys Zimmer stattfand, hat er das auch gesehen.«

Marino tritt ins Schlafzimmer und blickt Scarpetta eindringlich an. »Doc?«

»Ich will darauf hinaus, dass es mit der menschlichen Natur, genauer der beschädigten menschlichen Natur, eine seltsame Bewandtnis hat«, spricht sie weiter. »Jemand, der sieht, wie jemand zum Opfer gemacht wird, kann Lust bekommen, sich auch an dieser Person zu vergehen. Durch ein Fenster Zeuge sexueller Gewalt zu werden, kann provozierend auf jemanden wirken, der bereits Tendenzen ...«

»Was für Spiele?«, fällt Browning ihr ins Wort.

»Doc?«, wiederholt Marino, und sein Blick ist hart. Es lodert die Wut darin, die ein Bestandteil der Jagd ist. »Offenbar haben wir es da draußen im Schuppen mit einer ziemlichen Menschenansammlung zu tun. Lauter Tote. Ich glaube, das solltest ihr euch mal anschauen.«

»Sie haben gerade von einem anderen Fall gesprochen«, hakt Browning nach, als sie den schmalen, dämmrigen und kalten Flur entlanggehen. Plötzlich hat Scarpetta das Gefühl, dass der Geruch nach Staub und Moder ihr den Atem raubt, und sie versucht, nicht an Lucy zu denken. Auch nicht daran, was ihre Nichte als persönlich und geheim einstuft. Scarpetta berichtet Browning und Marino, was sie gerade von Rudy erfahren hat. Browning reagiert aufgeregt, Marino verstummt.

»Dann ist Pogue vermutlich in Florida«, sagt Browning. »Darauf würde ich jede Wette eingehen.« Er wirkt verwirrt, während die verschiedensten Gedanken in seinen Augen aufblitzen. In der Küche bleibt er stehen und fügt hinzu: »Ich komme gleich nach.« Mit diesen Worten nimmt er das Telefon vom Gürtel.

Ein Spurensicherungsexperte in einem marineblauen Overall und mit Baseballkappe nimmt Fingerabdrücke von der Abdeckung des Lichtschalters in der Küche. Scarpetta hört die anderen Polizisten im Wohnzimmer des bedrückenden kleinen Hauses. An der Hintertür stehen große schwarze Müllsäcke, verschlossen und als Beweisstücke etikettiert. Junius Eise fällt ihr ein. Er wird alle Hände voll damit zu tun haben, den wirren Müll aus Edgar Allan Pogues wirrem Leben zu sortieren.

»Hat der Kerl je in einem Beerdigungsinstitut gearbeitet?«, fragt Marino Scarpetta. Hinter dem Haus ist der Garten überwuchert, tot und mit feuchtem Laub bedeckt. »In dem Schuppen stapeln sich Unmengen von Kartons, in denen sich offenbar menschliche Asche befindet. Sie scheinen zwar schon ein paar Jahre alt zu sein, stehen meiner Ansicht nach aber noch nicht lange hier. So als ob er sie erst vor kurzem in den Schuppen gebracht hätte.«

Sie schweigt, bis sie den Schuppen erreicht haben. Dort angekommen, leiht sie sich von einem Polizisten die Taschenlampe und leuchtet mit dem starken Strahl in den Raum. Das Licht fällt auf große Müllsäcke aus Plastik, die die Polizisten geöffnet haben. Daraus ergießen sich weiße Asche, kalkige Knochenstückchen und billige Blechschachteln und Zigarrenkistchen, die mit weißem Staub bedeckt sind. Einige davon sind verbeult. Neben der offenen Tür steht ein Polizist, deutet mit einem Schlagstock hinein und stochert in einem offenen Sack mit Asche herum.

»Glauben Sie, er hat diese Leute selbst verbrannt?«, will der Polizist von Scarpetta wissen. Der Lichtstrahl ihrer Lampe gleitet durch das Innere des Schuppens und bleibt an langen Knochen und einem Schädel hängen, der die Farbe von altem Pergament hat.

»Nein«, erwidert sie. »Dazu hätte er sein eigenes Krematorium haben müssen. Das sind typische Krematoriumsreste.« Sie weist mit dem Lichtstrahl auf einen staubigen und verbeulten Karton, der halb unter der Asche in einem Müllsack begraben ist. »Die Asche des Verstorbenen wird den Angehörigen in einem einfachen Karton wie diesem ausgehändigt. Wer etwas Eleganteres will, muss es kaufen.« Sie beleuchtet die unverbrannten langen Knochen und den Schädel, der ihnen aus schwarzen leeren Augenhöhlen und mit einer zahnlückigen Grimasse entgegenstarrt. »Um eine menschliche Leiche zu Asche zerfallen zu lassen, sind Temperaturen von mehr als tausend Grad nötig.«

»Was ist mit den unverbrannten Knochen?« Er deutet mit dem Schlagstock auf die langen Knochen und den Schädel. Obwohl der Schlagstock in seiner Hand nicht zittert, merkt sie ihm sein Entsetzen an.

»Ich würde nachprüfen, ob es in dieser Gegend kürzlich Fälle von Grabraub gegeben hat«, sagt sie. »Die Knochen machen einen ziemlich alten Eindruck auf mich. Frisch sind sie ganz sicher nicht. Außerdem rieche ich nichts, was auf verwesende Leichen hinweist.« Sie sieht den Schädel an, der ihren Blick erwidert.

»Nekrophilie«, verkündet Marino, lässt den Lichtstrahl seiner Lampe durch den Schuppen tanzen und beleuchtet den weißen Staub von unzähligen Menschen, der offenbar jahrelang irgendwo gesammelt wurde und vor kurzem in diesen Schuppen gebracht worden ist.

»Ich weiß nicht«, antwortet Scarpetta, knipst ihre Lampe aus und entfernt sich vom Schuppen. »Allerdings könnte er durchaus eine Betrugsmasche am Laufen haben. Er nimmt die Asche Verstorbener gegen eine Gebühr an und behauptet, den letzten Wunsch des armen Teufels zu erfüllen, indem er seine Überreste auf einem Berg, über dem Meer, in einem Garten oder an seinem liebsten Fischteich verstreut. Nachdem er das Geld kassiert hat, lagert er die Asche einfach irgendwo ein, vermutlich in diesem Schuppen. Niemand weiß davon. So etwas ist schon öfter vorgekommen. Vielleicht hatte er ja bereits damit anfangen, als er noch für mich gearbeitet hat. Ich würde mich auch mit den hiesigen Krematorien in Verbindung setzen und mich erkundigen, ob er sich dort herumgedrückt hat, um Kundschaft anzuwerben. Natürlich wird das wahrscheinlich niemand zugeben.« Sie stapft durch das feuchte tote Laub davon.

»Also geht es um Geld?« Der Polizist mit dem Schlagstock folgt ihr. Seine Stimme klingt ungläubig.

»Möglicherweise hat ihn der Tod irgendwann so fasziniert, dass er angefangen hat, ihn selbst herbeizuführen«, antwortet sie und marschiert weiter durch den Garten. Der Regen hat aufgehört. Der Wind hat sich gelegt, und der Mond lugt hinter den Wolken hervor. Er ist dünn und fahl und steht wie eine Glasscherbe hoch über dem vermoosten Schieferdach des Hauses, in dem Edgar Allan Pogue gelebt hat.

43

Draußen auf der nebligen Straße genügt der Lichtkegel der nächsten Straßenlaterne gerade, um Scarpettas Schatten auf den Alphalt zu werfen, als sie über den feuchten, dunklen Garten hinweg die Fenster zu beiden Seiten der Tür betrachtet.

Die Bewohner dieser Gegend oder die Leute in vorbeifahrenden Autos hätten eigentlich das Licht im Haus und das Kommen und Gehen eines rothaarigen Mannes bemerken müssen. Vielleicht ist er ja auch motorisiert. Doch wie Browning ihr gerade mitgeteilt hat, weist nichts darauf hin, dass Pogue irgendein Fahrzeug besitzt, was seltsam klingt. Es bedeutet, dass der Wagen, den er vermutlich fährt, nicht auf ihn zugelassen ist. Entweder gehört ihm das Auto nicht, oder er verwendet gestohlene Nummernschilder. Allerdings ist es auch möglich, dass er gar kein Auto hat.

Das Mobiltelefon in ihrer Tasche fühlt sich schwer und lästig an, obwohl es eigentlich recht klein ist und nicht viel wiegt. Aber ihre Gedanken an Lucy bedrücken sie, und unter den gegebenen Umständen wagt sie es kaum, ihre Nichte anzurufen. Ganz gleich, wie Lucys persönliche Situation auch aussehen mag, graut es Scarpetta davor, Einzelheiten zu erfahren. Über das Privatleben ihrer Nichte gibt es nur selten etwas Erfreuliches zu berichten, und der Teil von Scarpetta, der offenbar nichts Besseres zu tun hat, als sich Sorgen zu machen und zu grübeln, verbringt ziemlich viel Zeit damit, sich die Schuld an Lucys Beziehungsunfähigkeit zu geben. Benton ist in Aspen, und sicher weiß Lucy darüber Bescheid. Bestimmt ist ihr auch klar, dass es zwischen Scarpetta und Benton nicht gut läuft, und zwar schon, seit sie wieder zusammen sind.

Scarpetta wählt gerade Lucys Nummer, als die Tür aufschwingt und Marino auf die dunkle Veranda hinaustritt. Scarpetta findet es merkwürdig, dass er mit leeren Händen einen Tatort verlässt. Als Detective in Richmond ist er nie gegangen, ohne so viele Beutel mit Beweisstücken mitzunehmen, wie in seinen Kofferraum passten. Nun jedoch hat er nichts bei sich, denn er ist in Richmond nicht mehr zuständig, weshalb es das Sinnvollste ist, wenn die Polizei die Beweismittel sicherstellt, beschriftet und gegen Aushändigung einer Quittung im Labor abgibt. Vielleicht werden diese Polizisten ihre Arbeit ja gut machen, nichts Wichtiges vergessen und auch nichts einsammeln, was nicht von Bedeutung ist. Doch während Scarpetta Marino beobachtet, der langsam den Backsteinweg entlang auf sie zukommt, fühlt sie sich machtlos und beendet den Anruf bei Lucy, bevor sich die Mailbox meldet.

»Was hast du vor?«, fragt sie Marino, als er bei ihr angekommen ist.

»Ich hätte jetzt gerne eine Zigarette«, erwidert er und blickt die unregelmäßig erleuchtete Straße entlang. »Jimmy, der furchtlose Immobilienmakler, hat mich zurückgerufen. Er hat Bernice Towle erreicht. Sie ist die Tochter.«

»Die Tochter von dieser Mrs. Arnette?«

»Genau. Und Mrs. Towle wusste nichts davon, dass jemand in dem Haus wohnt. Sie glaubt, dass es schon seit einigen Jahren leer steht. Es gibt da irgendein bescheuertes Testament, das ich nicht ganz kapiere. Die Familie darf das Haus nicht unterhalb eines gewissen Preises verkaufen, und Jim sagt, dass sie den nie im Leben bekommen werden. Keine Ahnung. Ich könnte jetzt wirklich eine Zigarette brauchen. Vielleicht liegt es ja an dem Zigarrenrauch da drin.«

»Was ist mit Gästen? Hat Mrs. Towle das Haus Gästen überlassen?«

»In dieser Bruchbude hat angeblich schon seit Menschengedenken niemand mehr übernachtet. Möglicherweise hat er es ja gemacht wie die Obdachlosen, die sich in verlassenen Gebäuden einnisten. Sie richten sich dort häuslich ein, wenn jemand kommt, verdrücken sie sich, und sobald die Luft wieder rein ist, kehren sie zurück. Wäre durchaus möglich. Und was willst du jetzt tun?«

»Ich denke, wir sollten ins Hotel fahren.« Sie schließt den Geländewagen auf und wirft noch einen Blick auf das erleuchtete Haus. »Heute Nacht können wir sowieso nicht mehr viel ausrichten.«

»Ich frage mich, wie lange die Hotelbar wohl geöffnet hat«, meint er, öffnet die Beifahrertür, zieht die Hosenbeine hoch, als er aufs Trittbrett steigt, und klettert vorsichtig in den Wagen. »Inzwischen bin ich hellwach. So ist das immer, verdammt. Eine einzige Zigarette wird mir schon nicht schaden. Und ein paar Bier. Dann kann ich vielleicht schlafen.«

Sie zieht die Tür zu und lässt den Motor an. »Hoffentlich ist die Bar geschlossen«, erwidert sie. »Wenn ich was trinke, wird die Sache nur noch schlimmer, weil ich dann nicht mehr denken kann. Was ist passiert, Marino?« Als sie losfährt, tanzen hinter ihr die Lichter von Edgar Allan Pogues Haus. »Er hat hier gewohnt. Hat jemand davon gewusst? Sein Holzschuppen ist voller menschlicher Überreste, und niemand hat ihn je im Garten oder in der Nähe dieses Schuppens gesehen? Willst du behaupten, dass er Mrs. Paulsson niemals dort aufgefallen ist? Oder vielleicht Gilly?«

»Warum fahren wir nicht kurz bei ihr vorbei und fragen sie selbst?«, gibt Marino zurück und schaut aus dem Fenster. Seine riesigen Hände liegen auf dem Schoß, als wolle er seine Verletzung schützen.

»Es ist fast Mitternacht.«

Er lacht höhnisch auf. »Die liebe Höflichkeit.«

»Einverstanden.« Sie biegt in der Grace Street links ab. »Aber mach dich auf etwas gefasst. Schwer zu sagen, was sie dir an den Kopf wirft, wenn sie dich sieht.«

»Sie sollte sich lieber auf etwas von mir gefasst machen, nicht umgekehrt.«

Scarpetta wendet und parkt hinter dem dunkelblauen Minivan vor dem Haus. Nur im Wohnzimmer brennt Licht, das durch die zarten Vorhänge schimmert. Sie überlegt, wie sie Mrs. Paulsson dazu bringen soll, an die Tür zu kommen, und beschließt, dass es wohl das Klügste ist, sie anzurufen. Also blättert sie auf dem Mobiltelefon die kürzlich geführten Anrufe durch und hofft, dass Mrs. Paulssons Nummer noch gespeichert ist, aber sie ist schon gelöscht. Also wühlt sie den Zettel, den sie seit ihrer ersten Begegnung mit Suzanna Paulsson besitzt, aus ihrer Tasche hervor, tippt die Nummer ins Telefon ein und schickt sie in den Äther oder wohin Anrufe sonst geschickt werden. Sie stellt sich vor, wie neben Mrs. Paulssons Bett das Telefon läutet.

»Hallo?« Mrs. Paulssons Stimme klingt argwöhnisch und benommen.

»Hier spricht Kay Scarpetta. Ich stehe vor Ihrem Haus. Es ist etwas geschehen, und ich muss mit Ihnen sprechen. Bitte kommen Sie an die Tür.«

»Wie viel Uhr ist es?«, fragt sie verwirrt und verängstigt.

»Bitte kommen Sie an die Tür«, erwidert Scarpetta nur und steigt aus. »Ich bin draußen.«

»Schon gut, schon gut.« Sie legt auf.

»Bleib im Auto«, sagt Scarpetta in den Wagen hinein. »Warte, bis sie aufmacht. Wenn sie dich durchs Fenster sieht, wird sie uns nicht reinlassen.«

Sie schließt die Tür. Marino sitzt reglos in der Dunkelheit, während sie zur Veranda geht. Lichter gehen an, als Mrs. Paulsson sich durchs Haus in Richtung Tür bewegt. Scarpetta wartet. Ein Schatten huscht hinter dem Wohnzimmervorhang vorbei. Mrs. Paulsson späht dazwischen hervor, dann fällt der Vorhang wieder zu, und die Tür öffnet sich. Mrs. Paulsson trägt einen Morgenmantel aus rotem Flanell mit Reißverschluss. Ihr Haar ist vom Liegen zerdrückt, ihre Augen sind verschwollen.

»Mein Gott, was ist denn jetzt schon wieder?«, fragt sie und lässt Scarpetta herein. »Was wollen Sie hier? Was ist passiert?«

»Kannten Sie den Mann, der in dem Haus hinter Ihrem Zaun gewohnt hat?«, erkundigt sich Scarpetta.

»Welchen Mann?« Sie wirkt durcheinander und erschrocken. »Welcher Zaun?«

»Das Haus dort hinten.« Scarpetta zeigt mit dem Finger und wartet auf Marino. »Ein Mann hat da gewohnt. Nun sagen Sie schon. Sie müssen doch gewusst haben, dass da jemand gelebt hat, Mrs. Paulsson.«

Als Marino an die Tür klopft, zuckt Mrs. Paulsson zusammen und fasst sich ans Herz. »Mein Gott! Was ist denn jetzt los?«

Scarpetta macht die Tür auf, und Marino kommt herein. Sein Gesicht ist gerötet, und er weicht Mrs. Paulssons Blick aus, als er die Tür schließt und ins Wohnzimmer tritt.

»Oh, Mist!«, ruft Mrs. Paulsson verärgert. »Diesen Kerl will ich nicht im Haus haben«, sagt sie zu Scarpetta. »Schicken Sie ihn weg!«

»Erzählen Sie uns von dem Mann hinter Ihrem Zaun«, beharrt Scarpetta. »Sie müssen doch gesehen haben, dass im Haus Licht brannte.«

»Hat er sich Edgar Allan oder Al oder irgendwie anders genannt?«, ergänzt Marino. Sein Gesicht ist immer noch rot, seine

Miene ist hart. »Tisch uns hier keine Märchen auf, Suz. Dazu sind wir jetzt nicht in der Stimmung. Wie hat er sich genannt? Ich wette, ihr beide wart gute Kumpel.«

»Ich schwöre, dass ich nichts von einem Mann dort hinten weiß«, protestiert sie. »Warum? Hat er …? Glauben Sie …? O Gott.« Angst leuchtet in ihren tränennassen Augen auf, und sie wirkt absolut aufrichtig, so wie jeder gute Lügner. Aber Scarpetta glaubt ihr nicht.

»War er je hier im Haus?«, erkundigt sich Marino.

»Nein!« Sie schüttelt den Kopf und krampft die Hände in Taillenhöhe ineinander.

»Ach, wirklich?«, höhnt Marino. »Woher willst du das wissen, wenn du nicht einmal eine Ahnung hast, von wem wir reden? Vielleicht ist er ja der Milchmann. Vielleicht hat er mal reingeschaut, um bei deinen Spielchen mitzuspielen. Wie kannst du behaupten, dass er niemals bei dir im Haus war, ohne zu wissen, vom wem überhaupt die Rede ist?«

»Ich lasse mich nicht so behandeln«, wendet sie sich an Scarpetta.

»Beantworten Sie die Frage«, gibt Scarpetta nur zurück und blickt sie an.

»Ich habe doch schon gesagt …«

»Und ich sage dir, dass seine gottverdammten Fingerabdrücke in Gillys Zimmer gefunden wurden«, zischt Marino und macht einen Schritt auf sie zu. »Hast du den rothaarigen kleinen Schweinehund zu einem deiner Spielchen eingeladen? War es so, Suz?«

»Nein!« Tränen laufen ihr die Wangen hinunter. »Nein! Da hinten wohnt niemand! Nur die alte Frau, und die ist schon seit Jahren fort! Es kann sein, dass hin und wieder jemand im Haus ist, aber richtig wohnen tut niemand dort. Ich schwöre! Seine Fingerabdrücke? O Gott, mein kleines Kind. Mein kleines Kind …« Schluchzend schlingt sie die Arme um ihren Leib und weint so heftig, dass ihre Unterlippe die Zähne freigibt. Dann presst sie die zitternden Hände an die Wangen. »Was hat er mit meinem kleinen Kind gemacht?«

»Er hat sie umgebracht«, entgegnet Marino. »Erzähl uns von ihm, Suz.«

»O nein«, jammert sie. »O Gilly …«

»Setz dich, Suz.«

Schluchzend bleibt sie stehen und schlägt die Hände vors Gesicht.

»Setz dich!«, befiehlt Marino streng. Scarpetta kennt dieses Spiel. Sie lässt ihn gewähren, weil sie weiß, dass er es kann, auch wenn es ihr schwer fällt zuzusehen.

»Setz dich!« Er weist aufs Sofa. »Und sag einmal in deinem Leben die Wahrheit. Gilly zuliebe.«

Mrs. Paulsson sinkt auf das karierte Sofa, das zwischen den Fenstern steht. Ihre Hände bedecken immer noch ihr Gesicht, die Tränen laufen ihr den Hals hinunter und durchnässen die Vorderseite ihres Bademantels. Scarpetta stellt sich, Mrs. Paulsson gegenüber, vor den kalten Kamin.

»Erzähl mir von Edgar Allan Pogue«, beginnt Marino langsam und mit lauter Stimme. »Hörst du mich, Suz? Hallo? Suz? Er hat dein kleines Mädchen auf dem Gewissen. Aber vielleicht interessiert dich das ja nicht. Sie war doch so lästig. Du hast selbst gesagt, wie schlampig sie war. Du warst nur damit beschäftigt, hinter der verwöhnten Göre herzuräumen …«

»Hör auf!«, kreischt sie. Aus großen, geröteten Augen starrt sie ihn hasserfüllt an. »Hör auf damit, du verdammter … Du …« Schluchzend wischt sie sich mit einer zitternden Hand über die Nase. »Meine Gilly …«

Marino setzt sich in den Lehnsessel. Beide scheinen Scarpetta völlig vergessen zu haben, auch wenn das bei ihm ganz sicher nicht der Fall ist. Er hat diese Szene oft genug gespielt. »Willst du, dass wir ihn fassen, Suz?«, fragt er, plötzlich freundlicher und ruhiger. Er beugt sich vor und stützt seine massigen Unterarme auf die dicken Knie. »Was willst du? Verrat es mir.«

»Ja.« Sie nickt unter Tränen. »Ja.«

»Dann hilf uns.«

Weinend schüttelt sie den Kopf.

»Du willst uns also nicht helfen?« Er lehnt sich im Sessel zurück und blickt Scarpetta an, die immer noch vor dem Kamin steht. »Sie will uns nicht helfen, Doc. Sie will nicht, dass wir ihn kriegen.«

»Nein«, schluchzt Mrs. Paulsson. »Ich … ich weiß nicht. Ich habe ihn nur gesehen. Ich glaube, es war … Ich bin mal abends rausgegangen … rüber zum Zaun … Ich bin zum Zaun, um Sweetie zu holen, und da war ein Mann hinten im Garten.«

»Im Garten hinter diesem Haus?«, meint Marino. »Auf der anderen Seite des Zauns?«

»Er war hinter dem Zaun. Zwischen den Brettern sind Ritzen, und er hatte die Finger durchgestreckt, um Sweetie zu streicheln. Ich habe hallo gesagt. Mehr nicht … Oh, Mist.« Sie schnappt nach Luft. »Oh, Mist. Er war es. Er hat Sweetie gestreichelt.«

»Was hat er dir geantwortet?«, fragt Marino mit ruhiger Stimme. »Hat er überhaupt was gesagt?«

»Er sagte …« Ihre Stimme wird höher und erstirbt. »Er … er sagte: ›Ich mag Sweetie.‹«

»Woher kannte er den Namen deines Hundes?«

»›Ich mag Sweetie‹, sagte er.«

»Woher wusste er, dass dein Hund so heißt?«, wiederholt Marino.

Sie holt tief Luft, starrt auf den Boden, und ihr Schluchzen wird schwächer.

»Tja, möglichweise hat er dein Hündchen ja auch mitgenommen«, spricht Marino weiter. »Schließlich mochte er es. Oder hast du Sweetie in letzter Zeit gesehen?«

»Also hat er Sweetie mitgenommen.« Sie verkrampft die Hände im Schoß, bis sich ihre Knöchel weiß verfärben. »Er hat alles mitgenommen.«

»Was hast du an dem Abend, als er Sweetie durch den Zaun gestreichelt hat, gedacht? Was hast du davon gehalten, dass da hinten ein fremder Mann war?«

»Er hatte eine leise Stimme, hat ganz langsam geredet und klang weder freundlich noch unfreundlich. Mehr weiß ich nicht über ihn.«

»Und sonst hast du nicht mit ihm gesprochen?«

Sie starrt zu Boden. Ihre Hände auf dem Schoß sind zu Fäusten geballt. »Ich glaube, ich habe ›Ich heiße Suz‹ gesagt. ›Wohnen Sie hier?‹ Er antwortete, er sei nur zu Besuch. Mehr nicht. Ich habe Sweetie auf den Arm genommen und bin zurück zum Haus. Und beim Reingehen habe ich durch die Küchentür Gilly gesehen. Sie hat aus ihrem Zimmerfenster geschaut und beobachtet, wie ich Sweetie reingeholt habe. Sobald ich an der Tür war, ist sie mir entgegengelaufen, um mir Sweetie abzunehmen. Sie hat diesen Hund geliebt.« Mit zitternden Lippen blickt sie zu Boden. »Sie hätte sich schrecklich aufgeregt.«

»Waren die Vorhänge offen, als Gilly aus dem Fenster geschaut hat?«, fragt Marino.

Mrs. Paulsson starrt unbewegt zu Boden. Ihre Fäuste sind so verkrampft, dass ihr die Nägel in die Handflächen schneiden.

Als Marino ihr einen Blick zuwirft, sagt Scarpetta: »Schon gut, Mrs. Paulsson. Beruhigen Sie sich. Versuchen Sie, sich ein wenig zu entspannen. Wie lange vor Gillys Tod hat der Mann Sweetie durch den Zaun gestreichelt?«

Mrs. Paulsson wischt sich die Augen ab und kneift sie fest zu.

»Tage? Wochen? Monate?«

Sie hebt den Blick und sieht Scarpetta an. »Ich weiß nicht, warum Sie schon wieder hier sind. Ich habe Ihnen doch gesagt, dass Sie wegbleiben sollen.«

»Hier geht es um Gilly«, erwidert Scarpetta, die Mrs. Paulsson dazu zwingen will, sich mit etwas auseinander zu setzen, was sie lieber vergessen will. »Wir müssen alles über den Mann erfahren, den Sie durch den Zaun gesehen haben. Den Mann, der Sweetie gestreichelt hat.«

»Sie haben kein Recht, einfach wiederzukommen, obwohl ich es Ihnen verboten habe.«

»Tut mir Leid, dass Sie mich nicht hier haben wollen«, entgegnet Scarpetta, ohne sich vom Kamin wegzurühren. »Auch wenn Sie es mir nicht glauben, ich versuche Ihnen zu helfen. Wir alle wollen herausfinden, was Ihrer Tochter zugestoßen ist. Und Sweetie.«

»Nein«, erwidert Mrs. Paulsson, nun mit trockenen Augen, und wirft Scarpetta einen verschlagenen Blick zu. »Ich will, dass Sie jetzt gehen.« Sie verlangt nicht, dass Marino ebenfalls geht, und scheint nicht einmal zu bemerken, dass er links vom Sofa, keinen halben Meter entfernt von ihr, im Sessel sitzt. »Wenn nicht, rufe ich jemanden an. Die Polizei. Ich rufe die Polizei.«

Du willst nur mit ihm allein sein, denkt Scarpetta. Du willst wieder Spielchen spielen, weil das leichter ist, als sich der Realität zu stellen. »Erinnern Sie sich, was die Polizei aus Gillys Schlafzimmer mitgenommen hat?«, fragt sie. »Die Bettwäsche zum Beispiel. Es wurden eine ganze Menge Gegenstände ins Labor gebracht.«

»Ich will, dass Sie gehen«, wiederholt Mrs. Paulsson nur, bleibt reglos auf dem Sofa sitzen und starrt Scarpetta an.

»Wissenschaftler haben nach Spuren gesucht. Gillys sämtliche Bettwäsche, ihr Pyjama und alles andere, was die Polizei aus Ihrem Haus mitgenommen hat, wurde überprüft. Sie selbst wurde auch untersucht. Ich habe es getan«, spricht Scarpetta weiter und blickt Mrs. Paulsson unverwandt an. »Aber die Wissenschaftler haben keine Hundehaare gefunden. Kein einziges.«

Ein Gedanke huscht durch Mrs. Paulssons Blick wie ein Stichling durch seichtes braunes Wasser.

»Kein einziges Hundehaar. Nicht ein Haar von einem Basset«, fährt Scarpetta im selben nachdrücklichen und ruhigen Tonfall fort und blickt auf Mrs. Paulsson hinunter. »Sweetie ist fort, das stimmt. Und zwar weil sie nie existiert hat. Es gibt keinen Hund, und es hat auch nie einen gegeben.«

»Sag ihr, dass sie gehen soll«, meint Mrs. Paulsson zu Marino, ohne ihn anzusehen. »Sag ihr, sie soll aus meinem Haus verschwinden«, beharrt sie, als wäre er ihr Verbündeter oder ihr Mann. »Ihr Ärzte macht doch mit den Leuten, was ihr wollt«, wendet sie sich dann an Scarpetta. »Ihr macht mit ihnen, was ihr wollt.«

»Warum hast du gelogen und behauptet, dass du einen Hund hattest?«, will Marino wissen.

»Sweetie ist fort«, beharrt sie. »Fort.«

»Wir würden es wissen, wenn in deinem Haus je ein Hund gelebt hätte«, entgegnet er.

»Gilly hat immer öfter aus dem Fenster geschaut. Wegen Sweetie. Sie hat Sweetie gesucht, das Fenster aufgemacht und nach ihr gerufen«, antwortet Mrs. Paulsson und betrachtet ihre ineinander verkrampften Hände.

»Es hat nie ein Hündchen gegeben, richtig, Suz?«, hakt Marino nach.

»Sie hat wegen Sweetie ihr Fenster geöffnet. Wenn Sweetie im Garten war, hat Gilly ihr Fenster aufgemacht und gelacht und nach ihr gerufen. Der Riegel ist kaputtgegangen.« Langsam öffnet Mrs. Paulsson ihre Fäuste und mustert die halbmondförmigen Wunden, die ihre Nägel hinterlassen haben. »Ich hätte es reparieren sollen.«

44

Am nächsten Morgen um zehn schlendert Lucy im Raum umher, greift hier und da nach einer Zeitschrift und gibt sich ungeduldig und gelangweilt. Sie hofft, dass der Helikopterpilot, der neben dem Fernseher sitzt, endlich aufsteht und zu seinem Termin geht oder einen wichtigen Anruf bekommt und verschwindet. Dabei durchquert sie das Wohnzimmer des Hauses neben dem Krankenhauskomplex und bleibt vor einem Fenster mit alter, geschwungener Scheibe stehen, um die Barre Street und die historischen Gebäude dort zu betrachten. Die Touristen werden erst im Frühling in Charleston einfallen; im Moment ist draußen kaum jemand zu sehen.

Vor etwa einer Viertelstunde hat Lucy an der Tür geklingelt. Eine mollige ältere Frau hat sie hereingelassen und ins Wartezimmer geführt, das gleich neben der Eingangstür liegt und in den Glanzzeiten des Hauses vermutlich ein Empfangssalon war. Dann hat ihr die Frau ein Formular von der Bundesbehörde für Flugsicherung gegeben und sie gebeten, es auszufüllen. Es ist das gleiche Formular, das Lucy im letzten Jahrzehnt alle zwei Jahre ausgefüllt hat. Anschließend ist die mollige Assistentin über eine lange Treppe aus poliertem Holz entschwunden. Lucys Formular liegt auf dem Couchtisch. Sie hat mit dem Ausfüllen begonnen, aber dann damit aufgehört. Sie nimmt eine andere Zeitschrift vom Tisch, wirft einen Blick darauf und legt sie zurück auf den Stapel, während der Hubschrauberpilot sein Formular bearbeitet und sie hin und wieder ansieht.

»Ich möchte Ihnen ja keine Vorschriften machen«, meint er freundlich. »Aber Dr. Paulsson hat es gar nicht gerne, wenn man drankommt und das Formular noch nicht fertig ausgefüllt ist.«

»Also kennen Sie sich hier schon aus«, sagt Lucy und setzt sich. »Dieser verdammte Papierkrieg. Daran bin ich schon immer gescheitert. Als wir in der Schule die Formulare durchgenommen haben, habe ich wohl gefehlt.«

»Ich kann die Dinger auch nicht ausstehen«, stimmt der Helikopterpilot zu. Er ist jung und durchtrainiert und hat kurz geschorenes dunkles Haar und dicht beieinander stehende dunkle Augen. Als er sich vor ein paar Minuten vorgestellt hat, hat er erklärt, er flöge Black Hawks für die Nationalgarde und Jet Rangers bei einer Charterfirma. »Das letzte Mal habe ich vergessen, das Kästchen für Allergien anzukreuzen, weil ich dagegen Spritzen bekomme. Meine Frau hat eine Katze, und deshalb musste ich mit den Spritzen anfangen. Sie haben so prima gewirkt, dass ich meine Allergien ganz vergessen habe, und der Computer hat meinen Antrag rausgeschmissen.«

»Es ist zum Kotzen«, erwidert Lucy. »Ein Fehler, und der Computer macht einem monatelang das Leben zur Hölle.«

»Diesmal habe ich eine Durchschrift des alten Formulars mitgebracht«, verkündet er und hält einen gefalteten gelben Zettel hoch. »Damit ich auch alle Fragen identisch beantworte. Das ist der Trick. Aber an Ihrer Stelle würde ich das Formular ausfüllen. Wenn Sie ohne ausgefülltes Formular reingehen, wird ihm das gar nicht gefallen.«

»Ich habe mich verschrieben«, antwortet Lucy und greift nach ihrem Formular. »Und die Stadt in die falsche Zeile eingetragen. Ich muss noch einmal von vorne anfangen.«

»Oh, oh.«

»Wenn die Dame zurückkommt, bitte ich sie um ein neues Formular.«

»Sie arbeitet schon seit einer Ewigkeit hier«, meint der Helikopterpilot.

»Woher wissen Sie das?«, erkundigt sich Lucy. »Sie sind doch viel zu jung, um beurteilen zu können, ob jemand schon seit einer Ewigkeit hier arbeitet.«

Er grinst und fängt an, ein wenig mit ihr zu flirten. »Sie wären überrascht, was ich schon alles gesehen habe. Wo fliegen Sie denn? Ich habe Sie noch nie hier gesehen. Und Sie haben es mir noch nicht verraten. Ihr Fliegeroverall sieht nicht nach Militär aus. Zumindest nicht nach einer Waffengattung, die ich kenne.«

Ihr Fliegeroverall ist schwarz und trägt auf einer Schulter die amerikanische Flagge. Auf der anderen prangt ein ungewöhnlicher Aufnäher in Blau und Gold, den sie selbst entworfen hat und der von einem Adler umgeben wird, den Sterne zieren. Auf ihrem ledernen Namensschild steht »P. W. Winston«. Es ist mit Klettband befestigt, sodass sie es je nach Situation auswechseln kann. Da ihr leiblicher Vater Kubaner war, kann sich Lucy als Latina, Italienerin oder Portugiesin ausgeben, ohne sich dafür schminken zu müssen. Heute, in Charleston, South Carolina, ist sie nichts weiter als eine hübsche weiße Frau mit einem leichten Südstaatenakzent, der ihrer sonst unauffälligen Aussprache eine reizende Note verleiht.

»Ich bin lizenzierte Pilotin gemäß Vorschrift Nummer 91«,

antwortet sie. »Der Typ, für den ich fliege, hat einen Bell Textron 430.«

»So ein Glückspilz«, erwidert der Pilot beeindruckt. »Der muss ganz schön Kohle haben. Der Bell Textron 430 ist ein toller Vogel. Was halten Sie vom Sichtwinkel? Haben Sie lange gebraucht, um sich dran zu gewöhnen?«

»Ich finde ihn prima«, entgegnet sie und wünscht, er würde den Mund halten. Obwohl sie den ganzen Tag lang über Helikopter fachsimpeln könnte, möchte sie momentan lieber herausfinden, wie und wo sie Frank Paulssons Haus am besten verwanzen kann.

Die mollige Assistentin, die Lucy ins Wartezimmer geführt hat, kehrt zurück und fordert den Piloten auf, sie zu begleiten. Sie verkündet, Dr. Paulsson habe jetzt Zeit für ihn, und fragt, ob er sein Formular vollständig und korrekt ausgefüllt habe.

»Falls Sie mal bei Mercury Air vorbeikommen: Wir haben ein Büro im Hangar, das Sie schon vom Parkplatz aus sehen. Ich habe dort eine Harley Softail stehen«, meint er zu Lucy.

»Ein Mann nach meinem Geschmack«, sagt sie von ihrem Sessel aus. »Ich brauche ein neues Formular«, wendet sie sich dann an die Assistentin. »Ich habe mich verschrieben.«

Die Frau blickt sie argwöhnisch an. »Tja, lassen Sie mich sehen, was sich tun lässt. Aber werfen Sie das alte nicht weg, sonst bringen Sie die Seriennummern durcheinander.«

»Ja, Ma'am. Es liegt hier auf dem Tisch.« Zu dem Piloten meint sie: »Ich habe meine Harley Sportster gerade gegen eine V-Rod eingetauscht. Sie ist noch nicht mal eingefahren.«

»Du meine Güte! Ein Bell Textron 430 und eine V-Rod. Genau meine Kragenweite«, gibt er bewundernd zurück.

»Vielleicht machen wir mal zusammen eine Spazierfahrt. Viel Glück mit der Katze.«

Er lacht auf. Sie hört, wie er die Treppe hinaufgeht und dabei der verbiesterten molligen Assistentin erklärt, dass sich seine Frau von Anfang an geweigert habe, ihre Katze wegzugeben. Das Tier schlafe bei ihr im Bett, worauf er früher in den unpassendsten Momenten Hautausschläge bekommen habe. Lucy hat die untere Etage mindestens eine Minute lang für sich, zumindest so lange, wie die Assistentin braucht, um ein neues Formular zu holen und wieder ins Wartezimmer zu kommen. Sie zieht Baumwollhandschuhe an und wischt hastig jede Zeitschrift im Raum ab, die sie angefasst hat.

Die erste Wanze, die sie anbringt, hat die Größe einer Zigarettenkippe. Es ist ein drahtloser Mikrofon-Audiotransmitter, den sie selbst in einer wasserdichten, unauffälligen grasgrünen Plastikröhre verpackt hat. Eigentlich sollte eine Wanze so getarnt sein, dass man sie mit einem anderen Gegenstand verwechselt, aber manchmal ist es das beste, wenn man sie einfach gar nicht sieht. Lucy versteckt das grüne Röhrchen in dem bunten Keramiktopf der üppig grünen Seidenpflanze auf dem Couchtisch. Dann schleicht sie in den hinteren Teil des Hauses und versenkt eine weitere unsichtbare Wanze in einer anderen Seidenpflanze, die auf einem Tisch in der Wohnküche steht. Die Schritte der Assistentin sind auf der Treppe zu hören.

45

Benton sitzt im zweiten Stock seines Stadthauses in dem Zimmer, das er als Büro benutzt, am Schreibtisch vor dem Laptop und wartet darauf, dass Lucy die versteckte Videokamera aktiviert. Diese ist als Schreibstift getarnt und mit einer Schnittstelle verbunden, die wie ein Piepser aussieht. Anschließend muss sie noch den hochsensiblen Sender einschalten, der das Aussehen eines Drehbleistifts hat. Auf dem Schreibtisch rechts von seinem Laptop befindet sich eine tragbare Empfangsstation, die in einen Aktenkoffer eingebaut ist. Der Aktenkoffer ist offen, Kassettenrecorder und Empfänger stehen auf Standby.

In Charleston ist es achtundzwanzig Minuten nach zehn Uhr morgens, hier in Aspen zwei Stunden früher. Benton starrt auf den schwarzen Bildschirm seines Laptops und sitzt geduldig, die Kopfhörer auf dem Kopf, da. Seit fast einer Stunde wartet er nun schon. Lucy hat ihn gestern am späten Abend Ortszeit nach ihrer Landung angerufen und ihm mitgeteilt, sie habe noch einen Termin bekommen. Dr. Paulsson sei zwar absolut ausgebucht, doch sie habe der Dame am Telefon erklärt, es sei dringend. Sie müsse sich sofort flugärztlich untersuchen lassen, da ihre Zulassung in zwei Tagen auslaufe. Warum sie bis zur letzten Minute gewartet habe, wollte die Frau in Dr. Paulssons Praxis wissen.

Stolz hat Lucy Benton ihre oscarverdächtige Darbietung geschildert: Mit zitternder Stimme habe sie herumgedruckst und gestammelt, sie sei einfach nicht dazu gekommen. Der Besitzer des Helikopters, den sie flöge, habe sie ununterbrochen in der Gegend herumgehetzt, sodass ihr keine Zeit geblieben sei, sich untersuchen zu lassen. Und, ja, sie habe persönliche Probleme, habe sie zu der Frau gesagt. Wenn sie die Bescheinigung nicht bekäme, dürfe sie nicht mehr fliegen und würde dann zu allem Unglück auch noch ihren Job verlieren. Daraufhin habe die Frau Lucy aufgefordert zu warten. Als sie wieder an den Apparat gekommen sei, habe sie verkündet, Dr. Paulsson werde sie um zehn Uhr am nächsten Morgen, also heute, dazwischenschieben. Damit tue er ihr einen großen Gefallen, da er wegen ihrer misslichen Lage sein wöchentliches Tennis-Doppel absagen müsse. Also sollte Lucy sich hüten, den Termin zu versäumen oder zu spät zu kommen, denn schließlich sei Dr. Paulsson ein wichtiger und viel beschäftigter Mann.

Bis jetzt klappt also alles wie am Schnürchen. Lucy ist als P. W. Winston angemeldet. Inzwischen befindet sie sich im Haus des Flugarztes. Benton wartet an seinem Schreibtisch und betrachtet durch das Fenster den Himmel, wo die Schneewolken tiefer und dichter hängen als noch vor einer knappen halben Stunde.

Laut Wetterbericht soll bei Einbruch der Dunkelheit Schneefall einsetzen und die ganze Nacht lang anhalten. Allmählich hat er den Schnee satt. Er hat genug von seiner Heimatstadt und von Aspen. Seit Henri sich in sein Leben gedrängt hat, hat er eigentlich die Nase voll von allem.

Henri Walden ist eine Soziopathin, eine Narzisstin und ein Mensch, der sich wie eine Klette an andere heftet. Sie verschwendet seine Zeit. Über seine Versuche, ihre traumatische Erfahrung therapeutisch zu verarbeiten, macht sie sich nur lustig. Wenn er nicht so wütend auf Lucy wäre, weil sie zugelassen hat, dass Henri so viel Schaden anrichtet, würde er Mitleid mit Scarpettas Nichte haben. Henri hat sie verführt und benutzt und bekommen, was sie wollte. Vielleicht hat sie nicht damit gerechnet, dass sie in Lucys Haus in Florida überfallen werden könnte. Doch auch wenn nicht alles nach Plan gelaufen ist, hat sich Henri Lucy herausgepickt, um sie auszubeuten. Nun verspottet sie Benton. Er hat seinen Aspen-Urlaub mit Scarpetta geopfert, um sich von einer Möchtegern-Schauspielerin und Möchtegern-Privatdetektivin namens Henri an der Nase herumführen und zum Narren machen zu lassen. Und das, obwohl er es sich eigentlich nicht leisten kann, da es zwischen ihm und Scarpetta sowieso schon kriselt. Möglicherweise ist nun alles vorbei. Er könnte es ihr nicht zum Vorwurf machen. Der Gedanke ist zwar unerträglich, aber Scarpetta trifft keine Schuld.

Benton greift nach einem Sender, der aussieht wie ein kleines Polizeifunkgerät. »Hörst du mich?«, erkundigt er sich bei Lucy.

Wenn nicht, wird sie seinen Funkspruch nicht mit dem winzigen drahtlosen Empfänger in ihrem Ohrkanal hören. Das Gerät ist zwar unsichtbar, allerdings nicht in jeder Situation tragbar. Zum Beispiel, wenn Dr. Paulsson ihr in die Ohren leuchtet. Deshalb wird Lucy sehr schnell und geschickt sein müssen. Benton hat sie gewarnt, dass dieser Empfänger zwar hilfreich ist, aber auch ein Risiko bedeutet. Ich würde dir gern soufflieren, hat er gemeint. Es wäre wirklich sehr praktisch, wenn du Stichwörter von mir empfangen könntest. Aber du kennst das Risiko. Irgendwann während der Untersuchung wird er das Ding entdecken.

Lucys Antwort lautete, dass sie in diesem Fall lieber auf die Stichwörter verzichten würde, aber er hat darauf bestanden.

»Lucy? Bist du auf Empfang?«, sendet er wieder. »Ich wollte mich nur vergewissern, weil ich dich weder sehe noch höre.«

Plötzlich wird die Videokamera aktiviert. Benton empfängt Bilder auf dem Laptop und hört Lucys Schritte. Vor ihr vibriert eine Holztreppe, die sie gerade hinaufsteigt, und ihre Schritte und Atemzüge hallen durch die Kopfhörer.

»Ich empfange dich laut und deutlich«, spricht er in das Mikrofon, das er sich dicht vor den Mund hält. Stimm- und Videorecorder sind von Standby auf Record umgesprungen.

Nun kommt Lucys Faust ins Bild, die laut an eine Tür klopft. An seinem Schreibtisch sitzend beobachtet Benton, wie sich die Tür öffnet und ein Arztkittel den Bildschirm ausfüllt. Dann sieht er den Hals eines Mannes und schließlich Dr. Paulssons strenges Gesicht. Er begrüßt Lucy, weicht zurück und fordert sie auf, sich zu setzen. Als sie sich bewegt, gleitet die Linse der Stiftkamera durch das kleine, nüchtern eingerichtete Behandlungszimmer und zu einem mit weißem Papier bedeckten Untersuchungstisch.

»Das ist das erste Formular. Und hier das zweite, das ich ausgefüllt habe«, sagt Lucy und reicht ihm einige Blätter. »Tut mir Leid. Hoffentlich habe ich Ihr System nicht durcheinander gebracht. Ich komme einfach nicht klar mit Formularen. Als die durchgenommen wurden, habe ich wohl in der Schule gefehlt.« Sie lacht nervös, während Dr. Paulsson die beiden Formulare mit ernster Miene studiert.

»Laut und deutlich«, spricht Benton ins Mikrofon.

Auf dem Bildschirm erscheint ihre Hand, die sie vor der Stiftkamera bewegt, um ihm mitzuteilen, dass sie ihn durch den winzigen Empfänger im Ohr verstehen kann.

»Waren Sie auf dem College, Miss Winston?«, erkundigt sich Dr. Paulsson.

»Nein, Sir. Eigentlich wollte ich, aber ...«

»Das ist schade«, fällt er ihr, ohne zu lächeln, ins Wort. Er trägt eine kleine randlose Brille und ist sehr attraktiv. Einige würden ihn sogar als schönen Mann bezeichnen. Er ist nur unwesentlich größer als Lucy, etwa eins fünfundsiebzig oder eins achtundsiebzig, und schlank und macht einen muskulösen Eindruck. Allerdings kann Benton nur das sehen, was die Stiftkamera in der Brusttasche von Lucys Fliegeroverall von ihm zeigt.

»Tja, um einen Helikopter zu fliegen, brauchte ich nicht aufs College«, erwidert Lucy mit unsicherer Stimme. Sie schauspielert großartig und mimt glaubhaft eine eingeschüchterte, wenig selbstbewusste Frau, die mit dem Leben nicht zurechtkommt.

»Meine Assistentin hat mir gesagt, Sie hätten persönliche Probleme«, meint Dr. Paulsson, ohne den Blick von den Formularen zu heben.

»Ein bisschen.«

»Sagen Sie mir, was los ist«, fordert er sie auf.

»Ach, die üblichen Schwierigkeiten mit meinem Freund«, erwidert sie nervös und verlegen. »Eigentlich wollten wir heiraten, aber dann hat es doch nicht geklappt. Sie können sich das bei meinen Arbeitszeiten sicher denken. Im letzten halben Jahr war ich insgesamt bestimmt fünf Monate unterwegs.«

»Also wollte Ihr Freund Ihre ständige Abwesenheit nicht mehr tolerieren und hat sich aus dem Staub gemacht«, stellt Dr. Paulsson fest und legt die Formulare auf einen Tisch, auf dem auch ein Computer steht. Lucy stellt sich geschickt so hin, dass die als Stift getarnte Videokamera auf ihn gerichtet ist.

»Sehr gut«, sendet Benton ihr mit einem Blick auf die abgeschlossene Tür seines Arbeitszimmers. Obwohl Henri einen Spaziergang macht, will er nicht riskieren, dass sie einfach hereinplatzt. Sie begreift nicht, was Grenzen bedeuten, weil es in ihrem Denken so etwas nicht gibt.

»Wir haben uns getrennt«, erwidert Lucy. »Eigentlich geht es mir gut. Aber dann kam eines zum anderen … Es war alles recht stressig, aber jetzt geht es wieder.«

»Und deshalb haben Sie mit der flugärztlichen Untersuchung bis zur letzten Minute gewartet?«, fragt Dr. Paulsson und kommt näher.

»Ja, wahrscheinlich.«

»Das war nicht sehr klug von Ihnen. Ohne Bescheinigung

Ihrer Flugtauglichkeit dürfen Sie nicht fliegen. Im ganzen Land gibt es Flugärzte, Sie hätten sich früher darum kümmern müssen. Was wäre gewesen, wenn ich heute keine Zeit für Sie gehabt hätte? Heute Morgen habe ich dem Sohn eines Freundes einen Nottermin gegeben und wollte mir eigentlich den restlichen Tag freinehmen. Aber für Sie habe ich eine Ausnahme gemacht. Was wäre, wenn ich nein gesagt hätte? Ihre Bescheinigung läuft morgen aus, vorausgesetzt, Sie haben das richtige Datum eingetragen.«

»Ja, Sir. Das war sehr dumm von mir. Ich kann Ihnen gar nicht sagen, wie dankbar …«

»Ich bin sehr unter Zeitdruck. Also bringen wir die Sache so schnell wie möglich hinter uns.« Er nimmt die Blutdruckmanschette vom Tisch, legt sie ihr um den Oberarm und beginnt zu pumpen. »Sie sind ziemlich muskulös. Treiben Sie viel Sport?«

»Ich gebe mir Mühe«, erwidert sie mit zitternder Stimme, während seine Hand ihre Brust streift. Benton kann den Übergriff förmlich spüren, obwohl er ihn nur auf seinem Laptop im mehr als fünfzehnhundert Kilometer entfernten Aspen sieht. Niemand würde Benton eine Reaktion anmerken, ein Funkeln in seinen Augen oder eine Anspannung der Lippen wahrnehmen. Doch er empfindet die Erniedrigung ebenso stark wie Lucy.

»Er fasst dich an«, sendet Benton, damit es auch auf Band festgehalten wird. »Er hat gerade angefangen, dich zu betatschen.«

»Ja.« Lucy scheint Dr. Paulsson zu antworten, aber in Wirklichkeit meint sie Benton. Wieder bewegt sie die Hand bestätigend vor der Linse. »Ja, ich treibe viel Sport«, sagt sie.

46

Hundertdreißig zu achtzig«, verkündet Dr. Paulsson und berührt wieder ihre Brust, während er den Klettverschluss der Manschette aufreißt. »Ist Ihr Blutdruck immer so hoch?«

»Nein, ganz und gar nicht«, antwortet Lucy in gespieltem Erstaunen. »Ist er das wirklich? Ich meine, Sie müssen es ja wissen. Aber normalerweise habe ich immer hundertzehn zu siebzig. Meistens ist mein Blutdruck eher zu niedrig.«

»Sind Sie nervös?«

»Ich bin noch nie gern zum Arzt gegangen«, antwortet sie, und da sie auf dem Untersuchungstisch sitzt und er vor ihr aufragt, muss sie sich ein wenig zurücklehnen. Sie möchte, dass Benton Dr. Paulssons Gesicht sieht, während er mit ihr spricht und versucht, sie einzuschüchtern und unter Druck zu setzen. »Kann sein, dass ich ein bisschen nervös bin.«

Er legt die Hände auf ihren Hals dicht unterhalb des Kiefers. Ihre Haut ist warm und trocken, als er die weichen Stellen unter ihren Ohren betastet. Da ihr Haar die Ohren bedeckt, kann er den Empfänger unmöglich bemerken. Er fordert sie auf zu schlucken, befühlt ihre Lymphknoten und lässt sich Zeit dabei. Während dieser Prozedur sitzt Lucy aufrecht da und versucht, sich einzureden, dass sie nervös ist. Sie weiß, dass er den kräftigen Puls in ihrem Hals spürt.

»Schlucken«, sagt er wieder, tastet nach ihrer Schilddrüse und überprüft, ob die Luftröhre auch in der Mitte sitzt. Ihr schießt durch den Kopf, dass sie bestens über ärztliche Untersuchungen im Bilde ist. Immer wenn sie als Kind zum Arzt musste, hat sie ihre Tante Kay mit Fragen gelöchert und war erst zufrieden, wenn sie die Gründe für jede Berührung und Bemerkung des Arztes kannte.

Erneut betastet er ihre Lymphknoten und rutscht näher an sie heran. Sie spürt seinen Atem leicht auf ihrem Kopf.

»Ich sehe nur den Arztkittel«, hört sie Bentons Stimme deutlich im linken Ohr.

Dagegen kann ich nichts tun, denkt sie.

»Haben Sie sich in letzter Zeit öfter müde oder unwohl gefühlt?«, fragt Dr. Paulsson auf seine kühle und einschüchternde Art.

»Nein. Na ja, ich meine, ich habe viel gearbeitet und bin eine Menge gereist. Kann sein, dass ich ein bisschen müde bin«, stammelt sie und tut so, als wäre sie so verängstigt, wie sie klingt, während er sich an ihre Knie drückt. Sie spürt seine Erektion erst am einen, dann am anderen Knie, doch leider kann die Kamera ihre Gefühle nicht aufzeichnen.

»Ich muss auf die Toilette«, sagt sie. »Tut mir Leid, ich beeile mich auch.«

Als er zurückweicht, kommt plötzlich wieder das Zimmer in Sicht. Es ist, als wäre von einem Erdloch der Deckel abgenommen worden, sodass sie endlich hinausklettern kann. Lucy rutscht vom Untersuchungstisch und eilt zur Tür, während er zum Computer geht und nach ihrem Formular, dem korrekt ausgefüllten, greift. »Am Waschbeckenrand steht ein Becher in einer Plastiktüte«, meint er, als sie den Raum verlassen will.

»Ja, Sir.«

»Lassen Sie ihn einfach auf der Toilette stehen, wenn Sie fertig sind.«

Allerdings benutzt Lucy die Toilette nicht, betätigt nur die Spülung und bittet Benton um Verständnis. Dann nimmt sie ohne weitere Erklärung den Empfänger aus dem Ohr und steckt ihn in die Tasche. Einen Becher mit Urin hinterlässt sie nicht, weil sie nicht die Absicht hat, Dr. Paulsson biologische Spuren zu liefern. Obwohl ihre DNS vermutlich in keiner Datenbank gespeichert ist, muss das noch lange nichts heißen. In den vergangenen Jahren hat Lucy die notwendigen Maßnahmen ergriffen, um sicherzugehen, dass weder ihre genetischen noch ihre tatsächlichen Fingerabdrücke in irgendeiner amerikanischen oder ausländischen Datenbank vermerkt sind. Doch da sie immer vom Schlimmsten ausgeht, rückt sie diesem Arzt lieber nicht ihren Urin heraus. Er wird nämlich bald große Lust bekommen, Miss P. W. Winston ein wenig auf den Zahn zu fühlen. Seit sie sein

Haus betreten hat, hat sie sämtliche von ihr berührten Flächen abgewischt, damit niemand am Ende doch noch ihre Fingerabdrücke als die von Lucy Farinelli, früher Agentin beim FBI und bei der Behörde für Alkohol, Tabak und Feuerwaffen, identifizieren kann.

Als sie ins Behandlungszimmer zurückkehrt, redet sie sich ein, dass Gefahr droht. Ihr Puls reagiert entsprechend.

»Ihre Lymphknoten scheinen leicht vergrößert zu sein«, verkündet Dr. Paulsson, und sie weiß, dass er lügt. »Wann waren Sie das letzte Mal ... Aber Sie sagten ja selbst, dass Sie nicht gern zum Arzt gehen, und Sie haben sich vermutlich schon seit einer Weile nicht mehr gründlich untersuchen lassen. Darf ich annehmen, dass Ihr letzter Bluttest auch schon eine Zeit her ist?«

»Sie sind vergrößert?«, erwidert Lucy in dem panischen Tonfall, den er offenbar von ihr erwartet.

»Haben Sie sich in letzter Zeit wohl gefühlt? Keine Erschöpfungszustände? Kein Fieber? Überhaupt nichts dergleichen?« Wieder nähert er sich, um ihr das Otoskop ins linke Ohr zu stecken. Sein Gesicht ist ganz dicht an ihrer Wange.

»Ich war nicht krank«, entgegnet sie, während er ihr auch ins andere Ohr sieht.

Dann legt er das Otoskop weg und greift zum Ophthalmoskop. Als er ihr damit in die Augen späht, ist sein Gesicht nur wenige Zentimeter von ihrem entfernt. Anschließend ist das Stethoskop dran. Lucy versucht sich einzureden, dass sie Angst hat, obwohl sie eigentlich eher wütend ist. Genau genommen fürchtet sie sich überhaupt nicht, als sie auf der Kante des Untersuchungstisches sitzt. Das Papier knistert leise, wenn sie sich bewegt.

»Wenn Sie jetzt bitte Ihren Overall aufmachen und bis zur Taille hinunterziehen könnten«, fordert er sie in unverändert sachlichem Ton auf.

Lucy blickt ihn an. »Ich glaube, ich muss noch mal aufs Klo ... Tut mir Leid.«

»Beeilen Sie sich«, antwortet er ungeduldig. »Ich habe nicht ewig Zeit.«

Lucy geht zur Toilette. Eine knappe Minute später kommt sie, gefolgt vom Spülgeräusch und mit dem Empfänger im Ohr, wieder heraus.

»Verzeihung«, entschuldigt sie sich noch einmal. »Ich habe vor dem Termin eine große Cola light getrunken. War wohl ein Fehler.«

»Ziehen Sie den Overall hinunter«, weist er sie an.

Sie zögert. Jetzt ist der Moment da, aber sie weiß, was sie tun muss. Als sie ihren Overall öffnet und ihn bis zur Taille herunterrollt, zupft sie den Stoff so zurecht, dass sich der Stift im richtigen Winkel befindet und weiter durch einen Draht mit der Funk-Schnittstelle verbunden ist, die unsichtbar an der Innenseite des Kleidungsstücks klebt.

»Nicht so senkrecht«, hört sie Bentons Stimme im Ohr. »Etwa zehn Grad nach unten.«

Unauffällig rückt sie den oberen Rand des Overalls zurecht, der um ihre Taille liegt.

»Den BH auch«, sagt Dr. Paulsson.

»Muss ich den wirklich ausziehen?«, fragt Lucy ängstlich und verschüchtert. »Das habe ich bis jetzt noch nie …«

»Miss Winston. Ich habe es wirklich eilig. Bitte.« Er steckt sich die Ohrstöpsel des Stethoskops in die Ohren und nähert sich mit strenger Miene, um ihr Herz und ihre Lungen abzuhören. Sie streift den Sport-BH über den Kopf und sitzt reglos und wie erstarrt auf dem Untersuchungstisch.

Er drückt ihr das Stethoskop erst unter die eine, dann unter die andere Brust und fasst sie dabei an. Lucy verharrt stocksteif. Sie atmet schnell, und ihr Herz klopft rasend vor Wut. Doch sie weiß, dass er es als Furcht deuten wird, und fragt sich, was für Bilder Benton wohl empfängt. Vorsichtig zupft sie den Overall um ihre Taille zurecht und positioniert die Kamera, während Dr. Paulsson sie berührt und so tut, als interessiere ihn das, was er sieht und betastet, nicht im Geringsten.

»Zehn Grad abwärts und dann nach rechts«, weist Benton sie an.

Unauffällig schiebt sie den Stift zurecht. Dr. Paulsson beugt sich vor und lässt das Stethoskop über ihren Rücken gleiten. »Tief einatmen.« Er ist sehr geschickt darin, seine Arbeit zu machen und sie gleichzeitig anzufassen. Es gelingt ihm sogar, die Hand um ihre Brust zu legen, während er sich gegen sie presst. »Haben Sie irgendwelche Narben oder Muttermale? Ich sehe nämlich keine.« Prüfend streicht er mit den Händen über ihren Körper.

»Nein, Sir«, erwidert sie.

»Eigentlich müssten Sie welche haben. Eine Blinddarmoperation vielleicht?«

»Nein.«

»Es reicht«, sagt Benton in Lucys Ohr, und sie kann aus seinem ruhigen Tonfall den Zorn heraushören.

Aber es reicht noch nicht.

»Ich möchte jetzt, dass Sie aufstehen und auf einem Bein balancieren«, meint Dr. Paulsson.

»Kann ich mich vorher anziehen?«

»Noch nicht.«

»Es reicht«, wiederholt Benton.

»Stehen Sie auf!«, befiehlt Dr. Paulsson.

Lucy bleibt auf dem Untersuchungstisch sitzen, zieht ihren Overall hoch, schlüpft in die Ärmel und schließt den Reißverschluss. Mit dem BH hält sie sich nicht auf, weil das zu lange dauern würde. Als sie ihn wieder ansieht, wirkt sie nicht mehr befangen und nervös. In seinen Augen ist zu erkennen, dass er diese Veränderung bemerkt hat. Lucy steht vom Tisch auf und geht auf ihn zu.

»Setzen Sie sich!«, weist sie ihn an.

»Was soll das?« Seine Augen weiten sich.

»Hinsetzen!«

Er rührt sich nicht von der Stelle und starrt sie an. Er hat Angst wie alle anderen Tyrannen, denen sie je begegnet ist. Sie tritt auf ihn zu, um ihn noch stärker einzuschüchtern, nimmt den Stift aus der Tasche und zeigt ihm den daran befestigten Draht. »Frequenztest«, sagt sie zu Benton, damit er die im Wartezimmer und in der Küche versteckten Wanzen überprüft.

»Die Luft ist rein«, erwidert er.

Sehr gut, denkt sie. Benton empfängt von unten keine Signale.

»Wenn Sie wüssten, was für einen Ärger Sie sich gerade eingehandelt haben«, sagt Lucy zu Dr. Paulsson. »Es wurde nämlich alles live mitgeschnitten. Also setzen Sie sich endlich!« Sie steckt den Stift wieder ein, sodass die verborgene Linse direkt auf ihn gerichtet ist.

Sein Schritt wird unsicher, als er sich einen Stuhl vom Schreibtisch heranzieht, Platz nimmt und sie mit bleichem Gesicht ansieht. »Wer sind Sie? Was soll das?«

»Ich bin Ihr Schicksal, Sie Scheißkerl«, erwidert Lucy und versucht, ihre Wut zu zügeln. Allerdings scheint es leichter zu sein, sich Angst einzureden, als den eigenen Zorn zu unterdrücken. »Haben Sie diesen Mist auch mit Ihrer Tochter gemacht? Mit Gilly? Haben Sie sie ebenfalls belästigt, Sie Schwein?«

Er blickt sie verwirrt an.

»Sie haben mich sehr wohl verstanden, Sie Arschloch. Und die Flugsicherungsbehörde wird auch bald von Ihnen erfahren.«

»Verlassen Sie sofort meine Praxis!« An seinen angespannten Muskeln und seinem Blick erkennt sie, dass er überlegt, ob er sie angreifen soll.

»Lassen Sie das lieber«, warnt sie ihn. »Sie rühren sich erst von diesem Stuhl, wenn ich es sage. Wann haben Sie Gilly zuletzt gesehen?«

»Was wollen Sie von mir?«

»Die Rose«, gibt Benton ihr das Stichwort.

»Ich stelle hier die Fragen«, entgegnet sie Dr. Paulsson, und am liebsten würde sie Benton dasselbe sagen. »Ihre Ex-Frau verbreitet Gerüchte. Wussten Sie das, Dr. Spitzel-für-den-Heimatschutz?«

Er fährt sich mit der Zunge über die Lippen. Seine Augen sind weit aufgerissen, Angst spiegelt sich in ihnen.

»Mrs. Paulssons Behauptungen, Sie seien schuld an Gillys Tod, klingen recht überzeugend. Wussten Sie das?«

»Die Rose«, sagt Benton ihr ins Ohr.

»Sie erzählt überall herum, Sie hätten Gilly kurz vor ihrem plötzlichen Tod besucht und ihr eine Rose geschenkt. Ja, wir sind darüber im Bilde. Das Zimmer des armen Mädchens wurde nämlich auf den Kopf gestellt, darauf können Sie Gift nehmen.«

»In ihrem Zimmer war eine Rose?«

»Er soll sie beschreiben«, meint Benton.

»Die Antwort darauf will ich von Ihnen hören«, entgegnet Lucy. »Woher hatten Sie die Rose?«

»Sie war nicht von mir. Ich habe keine Ahnung, wovon Sie reden.«

»Sie verschwenden meine Zeit.«

»Sie werden nicht zur Flugsicherungsbehörde gehen …«

Lachend schüttelt Lucy den Kopf. »Ach, ihr kleinen Arschlöcher seid doch alle gleich. Offenbar glauben Sie allen Ernstes, dass Sie ungeschoren davonkommen werden. Erzählen Sie mir von Gilly. Dann können wir uns anschließend über die Flugsicherungsbehörde unterhalten.«

»Schalten Sie das Ding ab.« Er zeigt auf die Stiftkamera.

»Werden Sie mit mir über Gilly sprechen, wenn ich es tue?«

Er nickt.

Sie berührt den Stift und tut, als schalte sie ihn ab. Sein Blick bleibt ängstlich und argwöhnisch.

»Die Rose«, wiederholt sie.

»Ich schwöre bei Gott, dass ich nichts von einer Rose weiß«, antwortet er. »Ich hätte Gilly nie etwas angetan. Was hat diese Schlampe behauptet?«

»Ach, Suzanna.« Lucy blickt ihn an. »Die redet wie ein Wasserfall. Und wenn man ihr Glauben schenkt, sind Sie schuld an Gillys Tod. An ihrer Ermordung.«

»Nein! Gütiger Himmel, nein!«

»Haben Sie mit Gilly auch Soldat gespielt? Haben Sie sie in einen Tarnanzug und Stiefel gesteckt, Arschloch? Haben Sie andere Perverse zu Ihren kranken Spielchen zu sich nach Hause eingeladen?«

»O Gott«, stöhnt er auf und schließt die Augen. »Diese Schlampe. Das war etwas, das nur zwischen uns lief.«

»Uns?«

»Suz und mir. Paare tun manchmal solche Dinge.«

»War sonst noch jemand dabei? Haben auch andere Leute mitgespielt?«

»Alles fand in meinem Privathaus statt.«

»Was sind Sie bloß für ein Schwein!«, sagt Lucy bedrohlich. »So widerliches Zeug in Gegenwart eines kleinen Mädchens zu treiben.«

»Sind Sie vom FBI?« Als er die Augen öffnet, sind sie stumpf vor Hass und erinnern an die Augen eines Hais. »Ich liege doch richtig, oder? Ich hätte mir denken können, dass so etwas irgendwann passieren wird. Als ob mein Privatleben etwas mit dieser Sache zu tun hätte. Offenbar will mich jemand reinlegen.«

»Ich verstehe. Das FBI hat Sie also gezwungen, von mir zu verlangen, dass ich mich für eine ganz alltägliche flugärztliche Untersuchung ausziehe.«

»Das hat nichts damit zu tun. Es spielt keine Rolle.«

»Da bin ich aber anderer Ansicht«, höhnt sie. »Es spielt sehr wohl eine Rolle. Und zwar eine ziemlich große, wie Sie gleich herausfinden werden. Allerdings bin ich nicht vom FBI, Pech gehabt.«

»Geht es um Gilly?« Inzwischen ist seine Sitzhaltung etwas lockerer. Er bewegt sich kaum und scheint sich mit seinem Schicksal abgefunden zu haben. »Ich habe meine Tochter geliebt. Seit Thanksgiving habe ich sie nicht gesehen, und das ist, bei Gott, die Wahrheit.«

»Der Hund«, gibt Benton ihr ein neues Stichwort. Lucy überlegt ernsthaft, ob sie sich den Empfänger aus dem Ohr reißen soll.

»Glauben Sie, jemand hat Ihre Tochter umgebracht, weil Sie für den Heimatschutz spionieren?« Lucy weiß zwar, dass dem nicht so ist, aber irgendwie muss sie ihn ja kriegen. »Kommen Sie, Frank. Raus mit der Wahrheit! Machen Sie es nicht noch schlimmer für sich.«

»Jemand hat sie umgebracht?«, wiederholt er. »Das kann nicht sein.«

»Es ist aber so.«

»Unmöglich.«

»Wer war bei den Spielchen in Ihrem Haus sonst noch dabei?

Kennen Sie einen gewissen Edgar Allan Pogue? Das ist der Typ, der in Mrs. Arnettes früherem Haus wohnt.«

»Mrs. Arnette kannte ich«, erwidert er. »Sie war meine Patientin. Hypochondrisch veranlagt und eine ziemliche Nervensäge.«

»Das ist wichtig«, sagt Benton, als ob Lucy das nicht selbst wüsste. »Er vertraut sich dir an. Sei seine Freundin.«

»Ihre Patientin in Richmond?«, fragt Lucy ihn. Obwohl sie nicht die geringste Lust hat, seine Freundin zu mimen, ist ihr Tonfall versöhnlicher, und sie gibt sich interessiert. »Wann?«

»Wann? O Gott, vor einer Ewigkeit. Ich habe unser Haus in Richmond von ihr gekauft. Sie besaß einige Häuser. Um die Jahrhundertwende gehörte ihrer Familie ein ganzer Straßenzug. Es war ein riesiges Grundstück, das irgendwann unter den Familienmitgliedern aufgeteilt und später verkauft wurde. Unser Haus war ein richtiges Schnäppchen. Wenn ich nur gewusst hätte, was ich mir dadurch einhandelte.«

»Klingt, als hätten Sie sie nicht sehr gemocht«, erwidert Lucy. Sie tut, als würden sie und Dr. Paulsson sich wunderbar vertragen; so als hätte er sie nicht erst vor ein paar Minuten sexuell belästigt.

»Ständig kam sie zu mir nach Hause oder in die Praxis, um zu jammern. Sie war eine Landplage.«

»Was ist aus ihr geworden?«

»Sie ist gestorben. Vor acht oder zehn Jahren. Lange her.«

»Woran?«, will Lucy wissen.

»Sie litt schon seit einer Weile an Krebs. Sie ist zu Hause gestorben.«

»Einzelheiten«, sagt Benton.

»Was wissen Sie darüber?«, fragt Lucy. »War sie allein, als sie starb? Hatte sie eine große Beerdigung?«

»Warum wollen Sie das alles wissen?« Dr. Paulsson sitzt auf seinem Stuhl und blickt sie an. Doch er fühlt sich sichtlich besser, weil sie freundlich zu ihm ist.

»Es könnte etwas mit Gilly zu tun haben. Ich weiß mehr als Sie, also lassen Sie mich meine Fragen stellen.«

»Vorsicht«, warnt Benton. »Verärgere ihn nicht.«

»Tja, dann fragen Sie«, meint Dr. Paulsson spöttisch.

»Waren Sie auf der Beerdigung?«

»Ich kann mich nicht erinnern, dass eine stattgefunden hätte.«

»Sie muss doch beerdigt worden sein«, beharrt Lucy.

»Sie hat Gott gehasst und ihn für ihre Schmerzen und Leiden verantwortlich gemacht. Auch dafür, dass es niemand lange in ihrer Nähe aushielt, was Sie verstehen könnten, wenn Sie sie gekannt hätten. Eine unangenehme alte Frau. Einfach unerträglich. Ärzte verdienen nicht genug, um sich mit Patientinnen wie ihr herumzuärgern.«

»Und sie ist zu Hause gestorben? Sie hatte Krebs und ist allein zu Hause gestorben?«, wundert sich Lucy. »Wurde sie von einem Pflegedienst betreut?«

»Nein.«

»Eine wohlhabende Frau wie sie stirbt allein zu Hause, ohne die geringste medizinische Hilfe zu erhalten?«

»Mehr oder weniger. Warum ist das so wichtig?« Sein Blick schweift durch das Behandlungszimmer.

»Weil es wichtig ist. Und weil Sie sich selbst damit helfen.« Das ist gleichzeitig Beruhigung und Drohung. »Ich möchte Mrs. Arnettes Krankenakte sehen. Zeigen Sie sie mir. Rufen Sie sie auf Ihrem Computer auf.«

»Ihre Daten habe ich mit Sicherheit gelöscht. Sie ist tot.« Er sieht sie spöttisch an. »Das Komischste daran ist, dass Mrs. Arnette ihre Leiche der Wissenschaft gespendet hat. Sie wollte keine Beerdigung, weil sie Gott hasste. Mir tut der arme Medizinstudent Leid, der sich mit ihrer Leiche herumplagen musste. Manchmal denke ich daran und bedaure den armen Teufel, der das Pech hatte, an ihren hässlichen, verschrumpelten alten Körper zu geraten.« Inzwischen ist Dr. Paulsson ruhiger und selbstsicherer. Und je wohler er sich in seiner Haut fühlt, desto mehr spürt Lucy Hass in sich aufsteigen wie bittere Galle.

»Der Hund«, sagt Benton ihr ins Ohr. »Frag ihn.«

»Was ist aus Gillys Welpen geworden?«, erkundigt sich Lucy. »Ihre Frau sagt, der Hund sei verschwunden, und Sie hätten etwas damit zu tun.«

»Sie ist nicht mehr meine Frau«, entgegnet er. Sein Blick ist hart und kalt. »Und Gilly hatte nie einen Hund.«

»Sweetie«, hakt Lucy nach.

Als er sie ansieht, blitzt etwas in seinen Augen auf.

»Wo ist Sweetie?«, will Lucy wissen.

»Die einzigen Sweeties, die ich kenne, sind Gilly und ich«, antwortet er mit einem höhnischen Grinsen.

»Lassen Sie die Witze«, warnt Lucy. »Hier gibt es nichts zu lachen.«

»Suz nennt mich Sweetie. Das hat sie immer getan. Und ich habe zu Gilly Sweetie gesagt.«

»Das ist die Antwort«, meint Benton. »Es reicht. Verschwinde.«

»Es gab nie einen Hund«, sagt Dr. Paulsson. »Dieses Gefasel ist nichts als Mist.« Als er sich vorbeugt, ahnt sie, was jetzt kommt. »Wer sind Sie?«, fragt er. »Geben Sie mir den Stift.« Er steht auf. »Sie sind nur ein dummes kleines Mädchen, das geschickt worden ist, um mich vor den Richter zu zerren, stimmt's? Sie denken wohl, Sie könnten Geld aus mir herauspressen. Aber Sie müssen doch einsehen, dass das zwecklos ist. Her mit dem Stift!«

Lucy steht mit hängenden Armen da. Ihre Hände sind bereit.

»Da haben sich wohl einige Flittchen verbündet, um ein paar Dollar zu kassieren.« Als er sich vor ihr aufbaut, weiß sie, was gleich passieren wird.

»Verschwinde«, warnt Benton. »Es ist vorbei.«

»Sie wollen also die Kamera?«, meint Lucy. »Und den Mikro-Recorder?« Allerdings hat sie gar keinen Recorder, der steht nämlich bei Benton. »Wollen Sie die wirklich haben?«

»Wir können ja einfach so tun, als wäre nie etwas vorgefallen«, schlägt Dr. Paulsson lächelnd vor. »Geben Sie mir die Sachen. Sie haben die Informationen, die Sie haben wollten. Also vergessen wir das Ganze einfach. Geben Sie schon her.«

Sie tastet nach dem Funkgerät, das an einer Gürtelschlaufe befestigt ist. Der Draht verläuft durch ein winziges Loch in ihrem Overall. Mit einem Knopfdruck schaltet sie das Gerät aus, und

Bentons Bildschirm wird dunkel. Er kann zwar noch hören und sprechen, aber nichts mehr sehen.

»Nicht!«, zischt er ihr ins Ohr. »Du musst sofort verschwinden.«

»Sweetie«, meint Lucy höhnisch zu Dr. Paulsson. »Was für ein Witz. Ich kann mir nicht vorstellen, dass je ein Mensch zu Ihnen Sweetie gesagt hat. Wenn Sie die Kamera und den Recorder wollen, müssen Sie sie sich schon holen.«

Als er sich auf sie stürzen will, läuft er ihr direkt in die Faust. Seine Beine knicken weg, und er sinkt mit einem Stöhnen zu Boden. Im nächsten Moment kauert sie schon auf seinem Rücken. Ein Knie fixiert seinen rechten Arm, während ihre linke Hand seinen linken Arm festhält. Sie dreht ihm die Arme schmerzhaft auf den Rücken.

»Lassen Sie mich los!«, brüllt er. »Sie tun mir weh!«

»Lucy! Nein!«, ruft Benton, aber sie hört nicht auf ihn.

Ihr Atem geht stoßweise, und sie schmeckt ihre eigene Wut, als sie Dr. Paulsson an den Haaren packt und seinen Kopf hochreißt. »Hoffentlich haben Sie sich heute gut amüsiert, Sweetie«, sagt sie und zerrt ihn noch einmal heftig an den Haaren. »Ich sollte Ihnen den gottverdammten Schädel einschlagen. Haben Sie Ihre Tochter missbraucht? Haben Sie sie an die anderen Perversen, die zu Ihnen kamen, als Sexspielzeug verliehen? Haben Sie sie in ihrem eigenen Zimmer belästigt, bevor Sie im letzten Sommer ausgezogen sind?« Sie presst sein Gesicht auf den Boden und drückt so fest zu, als wolle sie ihn in den weißen Fliesen ertränken. Seine Wange schabt am Boden. »Wie vielen Menschen haben Sie das Leben ruiniert, Sie Dreckschwein?« Sie schlägt seinen Kopf kräftig auf den Boden, damit er merkt, dass sie ihm ernsthaft Schaden zufügen könnte. Er stöhnt und schreit.

»Lucy! Hör auf!« Bentons Stimme lässt ihr Trommelfell vibrieren. »Geh jetzt!«

Lucy blinzelt, und plötzlich wird ihr klar, was sie da tut. Sie darf ihn nicht umbringen. Also steht sie auf. Sie will ihn schon gegen den Kopf treten, hält aber mitten in der Bewegung inne. Schwer atmend und in Schweiß gebadet, weicht sie zurück, obwohl sie ihn am liebsten zertrampeln und totschlagen würde und das auch mühelos könnte. »Rühren Sie sich nicht von der Stelle!«, zischt sie, und ihr Herz rast, als sie erkennt, wie gerne sie ihn töten würde. »Liegen bleiben und nicht bewegen!«

Sie nimmt ihre Formulare mit den falschen Daten vom Tisch, geht zur Tür und öffnet sie. Er bleibt reglos auf dem Boden liegen. Blut tropft ihm aus der Nase und sammelt sich auf den weißen Fliesen.

»Sie sind am Ende«, sagt sie, schon auf der Schwelle, zu ihm und fragt sich, wo wohl seine mollige Assistentin steckt. Als sie in Richtung Treppe späht, kann sie niemanden entdecken. Das Haus ist totenstill. Sie ist mit Dr. Paulsson allein, genau wie er es geplant hat. »Sie sind am Ende. Ihr Glück, dass Sie noch leben«, sagt sie zu ihm und zieht die Tür hinter sich zu.

47

In den engen Straßen des Ausbildungslagers schleichen fünf männliche und weibliche Agents, ausgerüstet mit Neun-Millimeter-Sturmgewehren von Beretta, Bushnell-Sichtgeräten und Taschenlampen, aus verschiedenen Richtungen auf ein kleines verputztes Haus mit Betondach zu.

Das Gebäude ist alt und verfallen, und der winzige überwucherte Vorgarten strotzt von kitschigen aufblasbaren Nikoläusen, Schneemännern und Zuckerstangen. Bunte Lichterketten sind nachlässig in die Kronen der Palmen geschlungen. Drinnen im Haus bellt unablässig ein Hund. Die Agents tragen die Sturmgewehre an Riemen, die quer über ihren Oberkörper verlaufen, und halten die Mündungen so, dass sie in einem Vierzig-Grad-Winkel zu Boden zeigen. Sie sind schwarz gekleidet, haben allerdings auf kugelsichere Westen verzichtet, was beim Sturm eines Gebäudes eher ungewöhnlich ist.

Rudy Musil wartet in aller Seelenruhe im Haus. Er hat sich hinter einer hohen Barrikade aus umgestürzten Tischen und Stühlen verschanzt, die den schmalen Durchgang zur Küche blockieren. Er hat eine tarnfarbene Hose und Turnschuhe an und ist mit einer AR-15 ausgerüstet. Das ist keine leichte Waffe wie das Sturmgewehr, sondern eine schlagkräftige Kriegswaffe mit einem sechzig Zentimeter langen Lauf, die einen Feind auf bis zu dreihundert Metern Entfernung aufhalten kann. Er braucht die Waffe nicht, um das Haus zu räumen, weil er sich bereits darin befindet. Vom Türbogen geht er zu dem zerbrochenen Fenster über der Spüle und blickt hinaus. Hinter einem Müllcontainer, etwa fünfzig Meter vom Haus entfernt, bewegt sich etwas.

Er stützt die AR-15 auf den Spülbeckenrand, sodass der Lauf auf dem morschen Fensterbrett ruht. Durch das Sichtgerät erkennt er sein erstes Opfer, das hinter dem Müllcontainer kauert und nur ein Stück seines in Schwarz gekleideten Körpers sehen lässt. Rudy drückt ab, ein Knall ertönt, und der Agent schreit auf. Dann springt ein zweiter Agent aus dem Nichts hervor und wirft sich auf den Boden. Rudy schießt ihn ebenfalls ab. Der Agent schreit nicht und gibt auch sonst keinen Laut von sich, den Rudy hören könnte. Vom Fenster geht er zu der Barrikade in der Tür und stößt ärgerlich Tische und Stühle beiseite. Nachdem er seine eigene Barrikade durchbrochen hat, schlägt er das Wohnzimmerfenster ein und eröffnet das Feuer. Es dauert nur fünf Minuten, bis alle fünf Agents ein Gummigeschoss abbekommen haben. Doch sie rücken weiter vor, bis Rudy ihnen per Funk den Befehl zum Abbrechen gibt.

»Ihr seid die absoluten Flaschen«, spricht er ins Funkgerät, während er schwitzend in dem Haus sitzt, in dem im Trainingslager Kampfsituationen simuliert werden. »Ihr seid tot. Alle miteinander. Herkommen.«

Er tritt aus der Vordertür, als sich die schwarz gekleideten Agents dem weihnachtlich dekorierten Garten nähern. Rudy muss ihnen zugute halten, dass sie sich ihre Schmerzen wenigstens nicht anmerken lassen. Denn wie er weiß, tut es höllisch weh, wenn einen ein Gummigeschoss am ungeschützten Körper trifft. Nach einigen solcher Treffer möchte man sich am liebsten hinwerfen und weinen wie ein Baby, aber diese neuen Rekruten sind wenigstens hart im Nehmen und können etwas aushalten. Als Rudy eine kleine Fernbedienung betätigt, verstummt das Hundegebell im Haus.

Rudy steht in der Tür und betrachtet die Agents. Sie stehen keuchend und schwitzend da und sind wütend auf sich selbst. »Was ist passiert?«, fragt Rudy. »Die Antwort ist einfach.«

»Wir haben es vermasselt«, erwidert ein Agent.

»Warum?«, will Rudy wissen. Er hat immer noch die AR-15 in der Hand. Der Schweiß läuft ihm über die nackte, muskulöse Brust, und an seinen gebräunten, wohlgeformten Armen treten die Venen hervor. »Ich will auf etwas Bestimmtes hinaus. Es liegt an einem einzigen Fehler, dass ihr jetzt alle tot seid.«

»Wir haben nicht damit gerechnet, dass Sie eine Kriegswaffe haben. Höchstens mit einer Pistole«, sagt ein weiblicher Agent. Sie wischt sich das tropfnasse Gesicht mit dem Ärmel ab und keucht vor Nervosität und Anspannung.

»Ihr dürft euch nie auf Mutmaßungen verlassen«, sagt Rudy laut zu der Gruppe. »Ich hätte ein vollautomatisches Maschinengewehr hier drinnen haben oder mit Kaliber-Fünfzig-Patronen um mich schießen können. Aber ihr habt einen anderen verhängnisvollen Fehler gemacht. Kommt schon. Ihr wisst, was ich meine. Wir haben schon einmal drüber gesprochen.«

»Wir haben uns mit dem Boss angelegt«, erwidert einer, und alle lachen.

»Kommunikation«, meint Rudy langsam. »Sie, Andrews.« Er betrachtet einen Agent, dessen schwarze Uniform mit Dreck beschmiert ist. »Sobald Sie den Treffer an der linken Schulter abgekriegt hatten, hätten Sie Ihre Kameraden warnen müssen, dass ich hinten aus dem Küchenfenster schieße. Haben Sie das getan?«

»Nein, Sir.«

»Warum nicht?«

»Wahrscheinlich, weil es das erste Mal war, dass auf mich geschossen wurde.«

»Tut weh, stimmt's?«

»Höllisch, Sir.«

»Richtig. Und Sie haben nicht damit gerechnet.«

»Nein, Sir. Niemand hat uns gesagt, dass richtige Geschosse verwendet werden.«

»Und genau deshalb tun wir das hier im Schmerz- und Elendlager«, entgegnet Rudy. »Wenn einem im wirklichen Leben etwas Unangenehmes zustößt, kriegt man normalerweise auch keine Vorankündigung, stimmt's? Also sind Sie getroffen worden. Es tat höllisch weh und hat Ihnen einen ordentlichen Schrecken eingejagt. Das Ergebnis war, dass Sie nicht sofort zum Funkgerät gegriffen und Ihre Kameraden gewarnt haben. Und alle wurden getötet. Wer hat den Hund gehört?«

»Ich«, antworten einige Agents im Chor.

»Sie haben also gehört, wie ein verdammter Köter sich die Seele aus dem Leib bellt«, gibt Rudy ungeduldig zurück. »Hat einer von Ihnen den anderen Bescheid gegeben? Der Hund bellt, also weiß der Typ im Haus, dass wir kommen. Habt ihr verstanden?«

»Ja, Sir.«

»Ende der Durchsage.« Rudy schickt sie weg. »Ich muss mich für eure Beerdigung umziehen.«

Er geht zurück ins Haus und schließt die Tür. Während er mit den Rekruten gesprochen hat, hat das Funktelefon an seinem Gürtel zweimal vibriert, und er sieht nach, wer versucht hat, ihn zu erreichen. Beide Anrufe waren von seinem Computerspezialisten, und Rudy ruft ihn zurück.

»Was gibt's?«, erkundigt er sich.

»Sieht aus, als würde deinem Mann bald das Cortison ausgehen. Das letzte Rezept hat er vor sechsundzwanzig Tagen bei CVS eingelöst.« Er diktiert Adresse und Telefonnummer.

»Das Problem ist«, erwidert Rudy, »dass er meiner Ansicht nach nicht in Richmond ist. Also müssen wir rauskriegen, wo zum Teufel er sich das nächste Mal seine Medikamente besorgt. Vorausgesetzt, er macht sich die Mühe.«

»Er bringt seine Rezepte jeden Monat zur selben Apotheke in Richmond. Also braucht er das Zeug offensichtlich oder glaubt das zumindest.«

»Sein Arzt?«

»Dr. Stanley Philpott.« Er gibt Rudy die Nummer.

»Keine Aufzeichnungen darüber, dass er ein Rezept anderswo eingelöst hat? In Südflorida zum Beispiel?«

»Nur in Richmond, und ich habe mich bundesweit umgesehen. Wie ich schon sagte, reicht der Vorrat von seinem letzten Rezept noch fünf Tage. Dann hat er keine Medikamente mehr, außer er verfügt über eine andere Quelle.«

»Gut gemacht«, antwortet Rudy und öffnet den Kühlschrank in der Küche, um eine Wasserflasche herauszuholen. »Ich prüfe das nach.«

48

Die Privatflugzeuge stehen wie Spielzeuge vor den riesigen weißen Bergen, die sich aus feuchtem schwarzem Asphalt erheben. Der Flughafenmitarbeiter, der einen Overall und Ohrstöpsel trägt, winkt mit orangefarbenen Kegeln und dirigiert dadurch einen Beechjet, der langsam und mit surrenden Turbinen rangiert. Im Inneren des Privat-Terminals hört Benton, wie Lucys Maschine ankommt.

Es ist Sonntagnachmittag in Aspen. Hinter ihm wimmelt es

von reichen Leuten in Pelzmänteln und mit teuren Koffern, die am riesigen offenen Kamin Kaffee oder heißen Apfelwein trinken. Sie wollen nach Hause und beklagen sich über die Verzögerung, weil sie vergessen haben, wie es war, als sie noch mit gewöhnlichen Linienmaschinen fliegen mussten – sofern sie diese Erfahrung überhaupt je gemacht haben. Sie lassen goldene Armbanduhren und große Diamanten aufblitzen und sind sonnengebräunt und schön. Einige reisen mit ihren Hunden, die wie die Privatflugzeuge ihrer Besitzer in allen Formen und Größen vorkommen und das Edelste sind, was man für Geld kaufen kann. Benton beobachtet, wie sich die Tür des Beechjet öffnet und die Treppe herabgelassen wird. Lucy springt, ihr Gepäck in der Hand, herunter. Sie bewegt sich mit der Anmut einer Sportlerin, selbstbewusst und ohne zu zögern, als wisse sie stets, wo sie hinwill, auch wenn sie das eigentlich gar nicht wissen dürfte.

Eigentlich sollte sie nicht hier sein. Er hat es ihr verboten. Nein, Lucy, komm nicht her, hat er gesagt, als sie anrief. Nicht jetzt. Der Zeitpunkt ist ungünstig.

Sie haben sich nicht gestritten, obwohl sie das stundenlang hätten tun können. Doch sie haben beide nicht mehr die Geduld für lange, ausufernde Auseinandersetzungen, die von unlogischen Ausbrüchen und Wiederholungen strotzen. Deshalb lassen sie es und feuern lieber kurze, schnelle Salven ab, um die Sache rasch hinter sich zu bringen. Benton ist nicht sicher, ob es ihm gefällt, dass Lucy und er sich im Laufe der Jahre immer ähnlicher werden. Aber es ist eindeutig der Fall und wird immer offensichtlicher. Der analytische Teil seines Verstandes, der unablässig sortiert, stapelt und verteilt, hat bereits in Erwägung gezogen oder sogar geschlussfolgert, dass die Erklärung für seine Beziehung mit Kay – sofern man diese überhaupt erklären kann – möglicherweise in den Gemeinsamkeiten zwischen ihm und Lucy zu suchen ist. Scarpetta liebt ihre Nichte sehr und absolut bedingungslos. Allmählich beginnt ihm der Zusammenhang zu dämmern.

Lucy schiebt die Tür mit der Schulter auf und kommt, eine Reisetasche in jeder Hand, herein. Sie ist erstaunt, ihn zu sehen.

»Warte, ich helfe dir.« Er nimmt ihr eine Tasche ab.

»Ich habe nicht mit dir gerechnet«, sagt sie.

»Tja, jetzt bin ich aber da. Und du offenbar auch. Wir machen das Beste daraus.«

Die Reichen in ihren Tierfellen und Tierhäuten halten Benton und Lucy vermutlich für ein unglückliches Paar, er der wohlhabende ältere Mann, sie die hübsche junge Freundin oder Ehefrau. Dann schießt ihm durch den Kopf, dass einige Leute auch denken könnten, sie sei seine Tochter. Allerdings verhält er sich nicht wie ihr Vater. Obwohl er sich auch nicht wie ihr Liebhaber benimmt, würde er, wenn er eine Wette abschließen müsste, darauf tippen, dass sie für Außenstehende ein typisches reiches Paar darstellen. Er trägt weder Pelz noch Gold und wirkt auch nicht auffällig wohlhabend. Doch die Reichen erkennen ihresgleichen, und er hat die gewisse Ausstrahlung, denn er braucht sich über Geld keine Sorgen zu machen. Benton hat viele Jahre lang ruhig und zurückgezogen gelebt und hatte Zeit, um Phantasien, Pläne und Ersparnisse anzuhäufen.

»Ich habe einen Mietwagen reserviert«, sagt Lucy, als sie zusammen durch den Terminal gehen, der mit seiner Ausstattung aus Holz und Stein, den Ledermöbeln und den indianischen Kunstgegenständen aussieht wie das Innere eines kleinen Landhauses. Draußen vor der Tür steht eine riesige Bronzefigur, die einen auffliegenden Adler darstellt.

»Dann hol deinen Mietwagen ab«, meint Benton. Sein Atem steigt in die helle, kalte Luft hinauf wie eine bleiche Rauchwolke. »Wir treffen uns bei Maroon Bells.«

»Was?« Sie bleibt auf der runden Auffahrt vor dem Eingang stehen, ohne auf die Parkwächter mit ihren langen Mänteln und Cowboyhüten zu achten.

Bentons markantes, gebräuntes und attraktives Gesicht wendet sich ihr zu. Zuerst lächeln seine Augen, dann kräuseln sich seine Lippen ein wenig, als amüsiere ihn etwas. Er steht in der Auffahrt neben dem großen Adler und mustert sie von oben bis unten. Sie trägt Stiefel, Cargohose und Skijacke.

»Ich habe Schneeschuhe im Auto«, sagt er.

Er sieht ihr in die Augen. Der Wind zaust ihr Haar, das länger ist als bei ihrer letzten Begegnung. Es ist dunkelbraun mit einem rötlichen Schimmer, als glömmen Funken darin. Die Kälte hat ihre Wangen gerötet. In ihre Augen zu blicken war schon immer so, als schaue man in den Kern eines Atomreaktors oder in den Krater eines aktiven Vulkans. Vielleicht auch, als sehe man dasselbe wie Ikarus, während er der Sonne entgegenflog. Ihre Augenfarbe verändert sich mit dem Licht und ihren schwankenden Stimmungen. Im Moment ist sie leuchtend grün. Kays Augen sind blau und ebenso intensiv, nur auf eine andere Weise. Ihre Farbe wechselt subtiler, und sie können so zart wie ein Dunsthauch oder so hart wie Metall dreinblicken. Er vermisst sie mehr, als er bis jetzt geahnt hat. Lucys Gegenwart hat ihn auf grausame Weise wieder daran erinnert.

»Ich dachte, wir machen einen Spaziergang und unterhalten uns«, meint er zu Lucy und schlendert auf den Parkplatz zu. An diesem Plan ist nicht zu rütteln. »Das ist wichtig. Also treffen wir uns bei Maroon Bells, oben bei der Schneemobilvermietung, wo die Straße endet. Kommst du mit der Höhe zurecht? Die Luft ist dünn.«

»Ich kenne die Luft«, sagt sie, obwohl er ihr schon den Rücken zugekehrt hat und davongeht.

49

Auf beiden Seiten des Passes erheben sich schneebedeckte Berge. In der späten Nachmittagssonne werden die Schatten tief und breit, und in den höheren Lagen schneit es. Nach halb vier ist es zwecklos, noch Skilaufen oder Schneeschuhfahren zu wollen, denn in den Rockies wird es früh dunkel. Der Weg, auf dem sie sich befinden, vereist schon, und die Luft ist bitterkalt.

»Wir hätten früher umkehren sollen«, meint Benton und stößt einen Skistock vor seinem vorangestellten Schneeschuh in den Boden. »Wir beide lieben das Risiko und wissen nie, wann man aufhören muss.«

Da sie keine Lust hatten, bei der vierten Lawinenmarkierung, wo Benton vorschlug, Schluss für heute zu machen, aufzugeben, sind sie weiter bergauf in Richtung Maroon Lake gegangen. Doch einen knappen Kilometer bevor der See in Sicht kam, waren sie trotzdem gezwungen, das Handtuch zu werfen. Jetzt werden sie es nur mit knapper Not zurück zu ihren Autos schaffen, bevor es zu dunkel ist, um etwas zu sehen. Außerdem sind sie durchgefroren und hungrig. Selbst Lucy ist erschöpft, obwohl sie es niemals zugeben würde, aber Benton merkt ihr an, dass ihr die Höhe zu schaffen macht. Sie ist um einiges langsamer geworden und hat kaum noch genug Luft zum Sprechen.

Eine Weile schaben ihre Schneeschuhe über den verkrusteten Schnee auf der Maroon Creek Road, und nur das Kratzen und Knirschen und das Geräusch, wie die Skistöcke den überfrierenden gefurchten Schnee durchbohren, sind zu hören. Wenn sie Luft holen, stehen ihnen Wolken vor den Mündern, auch wenn ihr Atem jetzt wieder regelmäßiger geht. Nur ab und zu atmet Lucy tief ein und wieder aus. Je länger sie über Henri gesprochen haben, desto weiter sind sie gegangen, und jetzt haben sie sich übernommen.

»Tut mir Leid«, sagt Benton. Der Aluminiumrahmen seines Schneeschuhs klappert auf dem Eis. »Ich hätte dich früher warnen sollen. Die Proteinriegel und das Wasser sind aufgebraucht.«

»Ich schaffe es schon«, erwidert Lucy, die unter gewöhnlichen Umständen durchaus mit ihm mithalten kann oder ihn sogar überflügelt. »Diese kleinen Flugzeuge. Ich habe noch nichts gegessen. In letzter Zeit bin ich viel gejoggt und Rad gefahren und habe eine Menge Sport getrieben. Ich dachte nicht, dass mir das zu viel wird.«

»Ich vergesse es jedes Mal, wenn ich herkomme«, antwortet er und betrachtet den Schneesturm links von ihnen, der sich immer tiefer über die weißen Gipfel senkt und sich wie ein Nebel langsam auf sie zubewegt. Er ist etwa anderthalb Kilometer entfernt und höchstens dreihundert Meter über ihnen. Benton hofft, dass sie es bis zu den Autos schaffen, bevor der Sturm sie erreicht. Allerdings ist die Straße gut zu sehen und führt stetig abwärts. Es besteht keine Lebensgefahr.

»Ich werde es mir merken«, keucht Lucy. »Beim nächsten Mal esse ich vorher etwas und steige nicht gleich aus dem Flieger auf die Schneeschuhe.«

»Tut mir Leid«, wiederholt er. »Manchmal denke ich nicht daran, dass auch du Grenzen hast.«

»In letzter Zeit entdecke ich ständig neue.«

»Wenn du mich gefragt hättest, hätte ich es dir vorhergesagt.« Er stößt den Stock in den Schnee und macht einen Schritt. »Aber du hättest mir ohnehin nicht geglaubt.«

»Ich höre auf dich.«

»Ich habe nicht behauptet, dass du nicht auf mich hörst, sondern dass du mir nicht glaubst. In diesem Fall hättest du es sicher nicht getan.«

»Mag sein. Wie weit ist es noch? Bei welcher Markierung sind wir?«

»Ich sage es dir ja nur ungern, aber erst bei Nummer drei. Es sind noch ein paar Kilometer«, erwidert Benton. Er blickt zu dem dichten, dunstigen Schneesturm hinauf. In nur wenigen Minuten hat er sich schon wieder ein Stück gesenkt. Die obere Hälfte des Berges ist darin verschwunden, und der Wind hat aufgefrischt.

»So ist es schon, seit ich hier bin. Fast jeden Tag, normalerweise am späten Nachmittag, gibt es fünfzehn bis zwanzig Zentimeter Neuschnee ...« Dann kommt er auf ihr eigentliches Thema zurück. »Wenn man selbst die Zielperson ist, kann man nicht objektiv sein. Im Krieg neigen wir dazu, unsere Gegner zu Objekten zu machen, genauso wie sie es umgekehrt auch mit uns tun. Doch es ist ganz anders, wenn man selbst zum Objekt und zum Opfer wird. Für Henri bist du ein Objekt. Und sosehr du das Wort auch hasst – du bist das Opfer. Sie hat dich zum Objekt gemacht, bevor sie dich überhaupt kennen gelernt hat. Du hast sie fasziniert, und sie wollte dich besitzen. Pogue hat dich ebenfalls zum Objekt gemacht, wenn auch auf eine völlig andere Weise und aus seinen eigenen Gründen, die sich völlig von Henris unterscheiden. Er will nicht mit dir schlafen, dein Leben leben oder gar du sein. Er will dir einfach nur schaden.«

»Denkst du wirklich, er ist hinter mir her, nicht hinter Henri?«

»Auf jeden Fall. Du bist das Opfer, auf das er es abgesehen hat. Du bist das Objekt.« Seine Worte werden vom Stochern der Skistöcke und vom Klappern der Schneeschuhe untermalt. »Macht es dir was aus, wenn wir eine kurze Pause einlegen?« Er braucht zwar keine, glaubt aber, dass sie eine nötig hat.

Sie halten an, stützen sich auf ihre Skistöcke, atmen große Wolken weißer Luft aus und beobachten, wie der Schneesturm in etwa anderthalb Kilometern Entfernung die Berge rechts von ihnen umhüllt und schon fast auf einer Höhe mit ihnen ist.

»Ich gebe ihm noch eine knappe halbe Stunde«, sagt Benton, nimmt die Sonnenbrille ab und verstaut sie in einer Tasche seiner Skijacke.

»Das Unheil kommt näher«, meint Lucy. »Irgendwie symbolisch.«

»Das ist das Gute an den Bergen und am Meer. Die Natur rückt einem den Kopf zurecht und hat einem einiges mitzuteilen«, antwortet er, während er zusieht, wie sich der graue, neblige Sturm herabsenkt. Er weiß, dass es hinter dieser Wolkenwand heftig schneit und dass sie bald mitten im Inferno stehen werden.

»Ich hoffe, Pogue versucht es mal bei mir.«

»Darauf würde ich es nicht anlegen, Lucy.«

»Ich hoffe es aber«, beharrt sie und setzt sich wieder in Bewegung. »Das wäre der größte Gefallen, den er mir tun könnte. Es wäre nämlich sein letzter Versuch.«

»Henri ist ziemlich gut in der Lage, sich selbst zu verteidigen«, erinnert er sie. Er macht große Schritte und setzt die Schneeschuhe nacheinander in den verkrusteten Schnee.

»Nicht so gut wie ich. Nicht annähernd. Hat sie dir erzählt, was sie im Trainingslager gemacht hat?«

»Ich glaube nicht.«

»Wir sind dort ziemlich gnadenlos und simulieren Kampfsituationen nach der Methode von Gavin de Becker«, erwidert sie. »Die Auszubildenden wissen nicht, was sie erwartet, weil wir das im wirklichen Leben schließlich auch nicht wissen. Wenn wir die Hundestaffel zum dritten Mal auf sie hetzen, kommt eine kleine Überraschung: Die Hunde haben plötzlich keinen Maulkorb mehr um. Natürlich trug Henri Schutzkleidung, doch als sie bemerkte, dass der Hund keinen Maulkorb mehr hatte, ist sie völlig durchgedreht. Sie versuchte schreiend wegzulaufen und wurde umgerissen. Anschließend war sie völlig außer sich und wollte kündigen.«

»Schade, dass sie es nicht getan hat. Hier ist die zweite Markierung.« Mit dem Skistock weist er auf die Lawinenmarkierung, auf der eine große 2 steht.

»Sie hat sich rasch wieder erholt«, fährt Lucy fort. Sie folgt alten Spuren im Schnee, weil es so weniger anstrengend ist. »Die Gummigeschosse hat sie auch überstanden. Aber sie konnte den simulierten Kampfsituationen nie viel abgewinnen.«

»Dazu müsste man auch verrückt sein.«

»Ich hatte mal mit ein paar Spinnern zu tun, die tatsächlich Spaß daran hatten. Vielleicht gehöre ich ja auch dazu. Es tut zwar höllisch weh, ist aber wie ein Rausch. Warum bedauerst du es, dass sie nicht gekündigt hat? Hätte sie das tun sollen? Eigentlich sollte ich sie jetzt rausschmeißen.«

»Weil sie in deinem Haus überfallen wurde?«

»Mir ist klar, dass ich sie nicht so leicht loswerde. Sie würde mich verklagen.«

»Ja«, antwortet er. »Ich finde, sie sollte gehen. Auf jeden Fall.« Er blickt sie an und geht weiter. »Als du sie bei der Polizei von Los Angeles abgeworben hast, war dein Blick etwa so klar wie die Luft über den Bergen da drüben.« Er zeigt auf den Schneesturm. »Möglicherweise war sie ja eine gute Polizistin, aber ihre Fähigkeiten reichen nicht für das Niveau, auf dem du arbeitest. Ich hoffe wirklich, dass sie kündigt, bevor noch etwas Schlimmes passiert.«

»Ja«, stimmt Lucy reumütig zu und stößt einen Schwall gefrorenen Atem aus. »Etwas wirklich Schlimmes.«

»Es ist noch niemand ums Leben gekommen.«

»Bis jetzt nicht«, entgegnet Lucy. »Mein Gott, ich kann bald nicht mehr. Machst du das etwa jeden Tag?«

»Fast. Wenn meine Zeit es zulässt.«

»Ein halber Marathon wäre weniger anstrengend.«

»Solange man dort läuft, wo genug Sauerstoff in der Luft ist«, erwidert Benton. »Hier ist die Markierung Nummer eins. Wie du sicher gerne hören wirst, liegen eins und zwei dicht beieinander.«

»Pogue ist nicht vorbestraft. Er ist einfach nur ein Verlierer. Ich kapiere das nicht«, sagt Lucy. »Ein Verlierer, der für meine Tante gearbeitet hat. Warum? Warum ich? Vielleicht ist er ja in Wirklichkeit hinter *ihr* her. Könnte es sein, dass er Tante Kay die Schuld an seiner Erkrankung oder an sonst etwas gibt?«

»Nein«, antwortet Benton. »Er gibt dir die Schuld.«

»Was? Das ist doch Wahnsinn!«

»Ja, es ist wirklich nicht logisch. Du passt eben in seine verdrehten Denkmuster, mehr kann ich dazu auch nicht sagen, Lucy. Er will dich bestrafen. Wahrscheinlich wollte er dich auch bestrafen, als er Henri überfallen hat. Unmöglich zu wissen, was in einem Kopf wie seinem vorgeht. Er hat seine eigene Logik, die sich nicht mit unserer vergleichen lässt. Ich kann dir nur sagen, dass er psychotisch, nicht psychopathisch, ist und dass er sich von seinen Impulsen treiben lässt, anstatt berechnend zu handeln. Vermutlich hat er Halluzinationen und glaubt an magische Kräfte. Mehr fällt mir nicht dazu ein. Jetzt geht es los«, fügt er hinzu, als plötzlich winzige Schneeflocken um sie wirbeln.

Lucy setzt die Schneebrille auf. Die Espen, die sich zart und dunkelgrau von den weißen Bergen abheben, beginnen sich im Wind zu biegen. Kleine, trockene Schneeflocken peitschen herab, und der Wind fegt von der Seite heran, sodass sie fast umgeblasen werden, als sie sich, einen Schneeschuh vor den anderen setzend, auf der vereisten Straße weitertasten.

50

Draußen liegt eine dicke Schneeschicht auf den Zweigen der schwarzen Fichte und in den Astgabeln der Espen. Durch ihr Zimmerfenster im zweiten Stock hört Lucy das Knirschen von Skistiefeln unten auf dem vereisten Gehweg. Das Hotel St. Regis ist ein ausladender Backsteinbau, der sie an einen kauernden Drachen am Fuße des Berges Ajax erinnert. Die Seilbahn fährt so früh am Morgen noch nicht, doch die Menschen sind bereits auf den Beinen. Die Berge verstellen der Sonne den Weg, und die Morgendämmerung ist ein blaugrauer Schatten. Nichts ist zu hören bis auf die knirschenden Schritte der Skifahrer auf dem Weg zu den Pisten und Bussen.

Nach ihrem verrückten Marsch auf der Maroon Creek Road am gestrigen Nachmittag sind Benton und Lucy zu ihren Autos zurückgekehrt und auf getrennten Wegen zurückgefahren. Er war von Anfang an dagegen gewesen, dass sie nach Aspen kam. Er hatte auch nie die Absicht, sich Henri, die er kaum kennt, ins Haus zu holen. Aber so ist es nun mal im Leben: Es steckt voller merkwürdiger und unangenehmer Überraschungen. Henri ist hier. Und Lucy ebenfalls. Also hat Benton zu Lucy gesagt, sie könne aus naheliegenden Gründen nicht bei ihm wohnen. Er möchte nicht, dass sie die Fortschritte stört, die er vielleicht, wenn überhaupt, mit Henri macht. Doch heute wird Lucy sie sehen, wenn es Henri in den Kram passt. Inzwischen sind zwei Wochen vergangen, und Lucy hält die Schuldgefühle und die unbeantworteten Fragen nicht mehr aus. Ganz gleich, was für ein Mensch Henri auch sein mag, Lucy muss selbst dahinterkommen.

Als der Morgen heller wird, gewinnt alles, was Benton getan und gesagt hat, an Klarheit. Erst hat er Lucy in die dünne Luft hinaufgejagt, sodass sie nicht genug Puste hatte, um zu früh zu viel auszusprechen oder ihre Angst und Wut auszutoben. Anschließend hat er sie einfach ins Bett geschickt. Sie ist kein Kind mehr, auch wenn er sie gestern so behandelt hat. Aber sie weiß, dass sie ihm wichtig ist; das hat sie schon immer gewusst. Er ist immer gut zu ihr gewesen, selbst als sie ihn gehasst hat.

Sie wühlt aus ihrer Reisetasche eine Skihose aus Stretchmaterial, einen Pullover, lange Seidenunterwäsche und Socken hervor und legt sie aufs Bett neben die Neun-Millimeter-Glock mit der Tritium-Visierung und den Magazinen, die siebzehn Kugeln fassen. Sie benutzt diese Waffe, wenn sie davon ausgeht, sich in einem geschlossenen Raum verteidigen zu müssen, also eine Pistole braucht, die aus nächster Nähe wirksam ist, und wenn Durchschlagskraft nicht gefragt ist. Schließlich möchte sie nicht mit .40- oder .45-kalibrigen Geschossen in einem Hotelzimmer herumballern. Sie hat sich noch nicht überlegt, was sie zu Henri sagen will und was sie bei ihrem Anblick empfinden wird.

Erwarte nichts Gutes, denkt sie. Rechne nicht damit, dass sie sich freut, dich zu sehen, oder dass sie nett und freundlich zu dir ist. Lucy setzt sich aufs Bett, zieht die Jogginghose aus und zerrt sich das T-Shirt über den Kopf. Vor dem Spiegel, der bis zum Boden reicht, bleibt sie stehen und betrachtet sich, um sicherzugehen, dass Alter und Schwerkraft noch nicht ihren Tribut gefordert haben. Das haben sie nicht, was auch kein Wunder ist, denn sie hat ihren dreißigsten Geburtstag noch vor sich.

Ihr Körper ist muskulös und mager, aber nicht knabenhaft. Eigentlich hat sie keinen Grund, über ihr Aussehen zu klagen, doch sie wird stets von einem merkwürdigen Gefühl ergriffen, wenn sie sich selbst im Spiegel sieht. Ihr Körper wird ihr dann fremd und unterscheidet sich äußerlich von dem, was sie innerlich ist. Sie fühlt sich eigentlich nicht unattraktiv, sondern einfach nur anders. Und ihr schießt der Gedanke durch den Kopf, dass sie nie erfahren wird, wie ein Gegenüber wohl ihren Körper und ihre Berührung empfindet, ganz gleich, wie oft sie mit ihm ins Bett geht. Einerseits würde sie es gerne wissen, andererseits ist sie froh über ihre Ahnungslosigkeit.

Dein Aussehen ist in Ordnung, denkt sie, während sie vom Spiegel zurückweicht. Dein Aussehen genügt vollkommen, sagt sie sich, als sie in die Dusche steigt. Dein Aussehen wird heute nicht die geringste Rolle spielen. Du wirst heute niemanden anfassen, hält sie sich vor Augen und dreht das Wasser an. Morgen auch nicht. Oder übermorgen. »Mein Gott, was soll ich nur tun?«, fragt sie sich laut, während das heiße Wasser heftig gegen Marmorfliesen und Glastür und gegen ihre Haut prasselt. Was habe ich getan, Rudy? Was habe ich getan? Bitte verlass mich nicht. Ich schwöre, dass ich mich ändern werde.

Fast ihr halbes Leben lang hat sie heimlich in Duschen geweint. Als sie beim FBI anfing, war sie noch eine Schülerin, die dank ihrer einflussreichen Tante in den Sommerferien Jobs und Praktika bekam. Sie war eigentlich noch viel zu jung, um in Quantico in einem Schlafsaal zu leben, Waffen abzufeuern und sich mit Agents, die nie in Panik gerieten oder weinten, durch Hindernisparcours zu kämpfen. Zumindest hat sie sie nie panisch oder weinend gesehen und deshalb angenommen, dass sie es auch nie waren. Damals hat sie noch viele Mythen geschluckt, weil sie jung, leichtgläubig und voller Ehrfurcht war. Inzwischen weiß sie es vielleicht besser, doch die Programmierung der frühen Jahre ist nicht mehr rückgängig zu machen. Wenn sie weint, was sie nur selten tut, weint sie allein. Und wenn sie Schmerzen hat, verheimlicht sie es.

Sie ist schon fast angezogen, als ihr die Stille auffällt. Leise vor sich hin fluchend und plötzlich hektisch, kramt sie aus einer Tasche ihrer Skijacke das Mobiltelefon hervor. Der Akku ist leer. Gestern Abend war sie zu müde und unglücklich, um an ihr Telefon zu denken. Sie hat es in der Tasche vergessen, was ihr bis jetzt noch nie passiert ist. Rudy weiß nicht, wo sie ist. Ihre Tante ebenso wenig. Da sie beide den falschen Namen, unter dem sie abgestiegen ist, nicht kennen, würden sie sie auch nicht finden, wenn sie es im St. Regis versuchten. Benton ist als Einziger im Bilde. Es ist unfair und unprofessionell, Rudy so auszuschließen, und er wird sicher wütend auf sie sein. Ausgerechnet jetzt darf sie ihn nicht noch mehr verärgern. Was ist, wenn er kündigt? Keinem ihrer Mitarbeiter vertraut sie so sehr wie ihm. Sie nimmt das Ladegerät, steckt das Telefon hinein und schaltet es ein. Sie hat elf Nachrichten. Die meisten davon wurden um sechs Uhr morgens Ostküstenzeit hinterlassen und stammen von ihm.

»Ich dachte schon, du wärst vom Erdboden verschluckt worden«, lauten Rudys erste Worte. »Seit drei Stunden versuche ich, dich zu erreichen. Was machst du bloß? Sag jetzt nicht, das Telefon funktioniert nicht. Das würde ich dir nicht glauben. Es funktioniert überall, und ich habe es auch über Funk probiert. Du hattest das Scheißding abgeschaltet, stimmt's?«

»Beruhige dich, Rudy«, erwidert sie. »Mein Akku war leer. Telefon und Funkgerät funktionieren nicht ohne Akku. Entschuldige.«

»Hast du kein Ladegerät dabei?«

»Ich habe mich entschuldigt, Rudy.«

»Tja, ich habe ein paar Informationen. Wäre gut, wenn du so schnell wie möglich zurückkommst.«

»Was ist los?« Lucy setzt sich neben der Steckdose, in die ihr Telefon eingestöpselt ist, auf den Boden.

»Leider bist du nicht die Einzige, die ein kleines Geschenk bekommen hat. Eine bedauernswerte alte Frau hat auch eine Bombe von Pogue gekriegt, und sie hatte weniger Glück als du.«

»Mein Gott«, sagt Lucy und schließt die Augen.

»Sie ist Kellnerin in einer Kaschemme in Hollywood, gleich gegenüber von einer Shell-Tankstelle. Und weißt du was? Dort gibt es Halb-Liter-Becher, auf denen die Katze mit Hut abgebildet ist. Das Opfer hat ziemlich schwere Verbrennungen erlitten, wird aber durchkommen. Offenbar war Pogue Gast in dem Laden, in dem sie arbeitet, der Other Way Lounge. Sagt dir das was?«

»Nein«, antwortet Lucy mit fast unhörbarer Stimme und denkt an die Frau mit den Brandverletzungen. »O mein Gott«, murmelt sie.

»Wir befragen gerade sämtliche Anwohner. Ich habe ein paar von unseren Leuten losgeschickt, aber keinen von den Neuen. Die sind nämlich nicht sehr hell.«

»Mein Gott«, wiederholt sie nur. »Klappt denn überhaupt nichts mehr?«

»Allmählich bessert sich die Lage. Ach, da wären noch zwei Dinge. Deine Tante meint, dass Pogue möglicherweise eine Perücke trägt, und zwar eine mit langen schwarzen Locken. Gefärbtes menschliches Haar. Die Mitochondrien-DNS sieht da sicher ziemlich komisch aus und lässt sich vermutlich auf irgendeine Nutte zurückverfolgen, die ihr Haar an einen Perückenmacher verhökert hat, um sich Crack zu kaufen.«

»Was sagst du da? Eine Perücke?«

»Edgar Allan Pogue ist rothaarig. Deine Tante hat rote Haare im Bett seines Hauses gefunden, das heißt, in dem Haus in Richmond, wo er gewohnt hat. Eine Perücke könnte die Erklärung für die langen, gewellten gefärbten Haare sein, die in Gilly Paulssons Bettwäsche, in deinem Schlafzimmer und auch an dem Isolierband der Bombe in deinem Briefkasten entdeckt wurden. Nach Ansicht deiner Tante würde eine Perücke auch viele andere Fragen beantworten. Außerdem suchen wir sein Auto. Offenbar hat die alte Frau, die verstorbene Bewohnerin des Hauses, in dem er sich versteckt hatte, einen weißen 91er Buick gefahren. Niemand hat eine Ahnung, was nach ihrem Tod aus dem Wagen geworden ist. Die Familie hat sich nicht darum gekümmert. Scheint so, als wäre die Frau selbst ihnen auch egal gewesen. Wir glauben, dass Pogue diesen Buick benutzt, der immer noch auf Mrs. Arnette zugelassen ist. Es wäre gut, wenn du so bald wie möglich zurückkommst. Allerdings solltest du besser nicht bei dir zu Hause übernachten.«

»Keine Sorge«, erwidert sie. »In dieses Haus setze ich keinen Fuß mehr.«

51

Edgar Allan Pogue schließt die Augen. Er sitzt in seinem weißen Buick auf einem Parkplatz am Highway A1A und hört Musik, die heutzutage Classic Rock heißt. Die Augen fest geschlossen, versucht er, den Husten zu unterdrücken. Wenn er hustet, brennen ihm die Lungen, und ihm wird schwindelig und kalt. Er weiß nicht, wo das Wochenende geblieben ist, aber alles ist gut gelaufen. Der Radiosprecher sagt etwas von Berufsverkehr. Montagmorgen. Pogue hustet, und Tränen treten ihm in die Augen, als er mühsam durchatmet.

Er hat eine Erkältung. Bestimmt hat er sich bei der rothaarigen Kellnerin in der Other Way Lounge angesteckt. Als er sich am Freitagabend verabschieden wollte, ist sie nah an seinen Tisch getreten. Sie hat sich die Nase mit einem Papiertaschentuch geputzt und stand viel zu dicht bei ihm, weil sie sichergehen wollte, dass er auch bezahlt. Wie immer musste er zuerst seinen Stuhl zurückschieben und aufstehen, bevor sie ihn eines Blickes würdigte. Eigentlich hätte er Lust auf einen weiteren Bleeding Sunset gehabt und hätte auch noch einen bestellt, aber das war der rothaarigen Kellnerin offenbar zu lästig. Diesen Weibern ist alles zu lästig. Deshalb hat sie auch die Große Orange bekommen, die sie verdient.

Die Sonne scheint durch die Windschutzscheibe und wärmt Pogues Gesicht. Er hat den Sitz zurückgeschoben und die Augen geschlossen und hofft, dass die Sonne seine Erkältung kurieren wird. Seine Mutter hat immer gesagt, dass Sonnenlicht Vitamine enthält und fast alles heilen kann. Deshalb ziehen die Leute im Alter ja auch nach Florida. Das hat sie ihm immer gepredigt. Eines Tages, Edgar Allan, ziehst du nach Florida. Noch bist du jung, doch eines Tages wirst du alt und abgearbeitet sein wie ich und die meisten anderen Leute, und dann kannst du nach Florida ziehen. Wenn du nur eine anständige Arbeit hättest, Edgar Allan. Bei deinem Gehalt bezweifle ich, dass du dir Florida je leisten kannst.

Seine Mutter hat ständig über Geld gejammert und lag ihm damit pausenlos in den Ohren. Schließlich ist sie gestorben und hat ihm viel Geld hinterlassen, damit er eines Tages nach Florida ziehen kann, falls er das will. Dann ist er in Frührente gegangen, und alle zwei Wochen kam ein Scheck mit der Post. Wahrscheinlich liegt der letzte Scheck inzwischen in seinem Postfach, weil er nicht in Richmond ist, um ihn abzuholen. Aber auch ohne seine Schecks hat er etwas Geld. Momentan genügt es noch. Er kann sich seine teuren Zigarren leisten, also reicht es. Wenn seine Mutter hier wäre, würde sie ihm Vorhaltungen machen, weil er trotz seiner Erkältung raucht. Aber er wird jetzt eine Zigarre rauchen. Er denkt daran, dass er die Grippeimpfung verpasst hat, und das nur deshalb, weil er gehört hatte, dass sein altes Gebäude abgerissen werden solle und dass der große Fisch ein Büro in Hollywood eröffnen wolle. In Florida.

Zuerst erfuhr er, dass Virginia einen neuen Chefpathologen eingestellt habe und dass das alte Gebäude abgerissen werde und einem Parkhaus weichen müsse. Und Lucy ist in Florida. Wenn Scarpetta Pogue und Richmond nicht im Stich gelassen hätte, wäre ein neuer Chefpathologe überflüssig gewesen. Dem alten Gebäude wäre nichts passiert, da alles unverändert geblieben wäre, und er hätte seine Grippeimpfung nicht verpasst. Der Abriss seines alten Gebäudes ist falsch und ungerecht, doch niemand hat ihn nach seiner Meinung gefragt. Es war sein Gebäude. Er bekommt immer noch alle zwei Wochen einen Gehaltsscheck, besitzt immer noch einen Schlüssel zur Hintertür und arbeitet immer noch in der Anatomie, hauptsächlich nachts.

Er hat dort nach Herzenslust gearbeitet, bis er gehört hat, dass das Gebäude abgerissen werden soll. Er war der Einzige, der es noch nutzte. Sonst interessierte sich niemand dafür, und nun musste er plötzlich seine Sachen ausräumen. All die Leute, die er da unten in kleinen zerdrückten Kartons aufbewahrte, mussten spät nachts verlegt werden, wenn niemand ihn beobachtete. Was für eine Plackerei, die Treppe hinauf und hinunter und auf dem Parkplatz zum Wagen und zurück zu gehen. Seine Lungen brannten, während die Asche auf den Asphalt rieselte. Ein Karton rutschte beim Tragen vom Stapel, sodass sich die Asche auf den Parkplatz ergoss. Es war sehr schwierig, sie zusammenzufegen, denn sie schien leichter als Luft zu sein und verteilte sich überall. Was für eine schreckliche Plackerei. Es ist ungerecht. Und ehe er es sich versah, war ein Monat vorbei, und er hatte seine Grippeimpfung verpasst. Es gab keinen Impfstoff mehr. Er hustet, seine Lunge brennt, und Tränen treten ihm in die Augen. Völlig reglos sitzt er in der Sonne, saugt Vitamine auf und denkt an den großen Fisch.

Wenn sie ihm einfällt, fühlt er sich niedergeschlagen und wütend. Sie weiß nichts über ihn und hat ihn niemals gegrüßt. Seine steifen Lungen hat er nur ihr zu verdanken. Sie ist schuld, dass er ruiniert ist. Sie besitzt eine Villa und dazu Autos, die mehr gekostet haben als jedes Haus, in dem er je gewohnt hat. An dem Tag, als es geschah, war es ihr zu lästig, sich bei ihm zu entschuldigen. Sie hat sogar gelacht. Offenbar fand sie es lustig, dass er zur Seite sprang und einen leisen Schrei ausstieß wie ein kleiner

Hund, als er aus dem Einbalsamierraum kam und sie auf einem Rollwagen an ihm vorbeiraste. Sie stand auf einer Sprosse des Wagens und sauste lachend vorüber, während ihre Tante neben einer offenen Wanne stand und mit Dave über irgendein Problem bei der Generalversammlung sprach.

Scarpetta ließ sich nur blicken, wenn es Probleme gab. An diesem Tag, es war etwa um dieselbe Jahreszeit wie heute, also kurz vor Weihnachten, hatte sie die verwöhnte, altkluge Lucy mitgebracht. Er hatte wie alle hier schon von Scarpettas Nichte gehört und wusste, dass sie aus Florida war und bei Scarpettas Schwester in Miami wohnte. Pogue kennt zwar nicht alle Einzelheiten, aber er ist im Bilde. Auch damals war ihm schon klar, dass Lucy Vitamine aufsaugen konnte, ohne dass ständig jemand jammerte und nörgelte, sie würde es nie weit genug bringen, um nach Florida zu ziehen.

Weil sie nämlich schon dort lebte und dort geboren war, ohne je etwas getan zu haben, um es sich zu verdienen. Und dann hat sie Pogue ausgelacht. Sie sauste auf dem Rollwagen vorbei und fuhr ihn fast um, als er, ein leeres Zweihundert-Liter-Formaldehydfass auf einem Karren, vorbeikam. Wegen Lucy sprang er zur Seite. Der Karren kippte um, das Fass fiel herunter und rollte davon, und Lucy raste weiter wie eine freche Göre in einem Supermarkt, die mit einem Einkaufswagen spielt. Nur dass sie kein Kind mehr war, sondern ein Teenager, eine ausgesprochen freche, hübsche, arrogante Siebzehnjährige. Pogue erinnert sich noch genau an ihr Alter. Er weiß, wann sie Geburtstag hat. Jahrelang hat er ihr an ihrem Geburtstag anonyme Beileidskarten geschickt, und zwar an Scarpettas Adresse im alten Büro der Gerichtsmedizin Fourteenth Street North Nummer 9, auch nachdem das Gebäude bereits geräumt war. Er bezweifelt, dass Lucy die Karten je erhalten hat.

An jenem verhängnisvollen Tag stand Scarpetta an der offenen Wanne. Sie trug einen Labormantel über einem sehr eleganten dunklen Kostüm, weil sie, wie sie Dave erzählte, einen Termin mit einem Politiker hatte, um das besagte Problem zu erörtern. Sie wollte mit diesem Politiker über irgendeine dämliche Gesetzesinitiative sprechen. Pogue hat vergessen, worum es dabei ging, weil die Gesetzesinitiative damals für ihn keine Rolle spielte. Er holt Luft, und in seinen steifen Lungen rasselt es, während er in der Sonne sitzt. Scarpetta sah sehr gut aus, wenn sie so elegant gekleidet war wie an diesem Morgen. Es hat Pogue immer geschmerzt, sie ansehen zu müssen, während sie ihn nicht beachtete, und wenn er sie aus der Ferne beobachtete, spürte er einen Stich im Herzen, den er nicht beschreiben konnte. Was er für Lucy empfindet, steht auf einem anderen Blatt. Er erahnt Scarpettas tiefe Gefühle für sie, und deshalb ist auch Lucy ihm nicht gleichgültig. Aber es ist dennoch etwas anderes.

Das leere Fass verursachte beim Rollen über den Fliesenboden einen Höllenlärm. Pogue lief los, um es aufzuhalten, als es sich Lucy und dem Wagen näherte. Da es unmöglich war, ein Zweihundert-Liter-Fass Formaldehyd bis auf den letzten Tropfen zu leeren, schwappte der Rest der Flüssigkeit am Boden hin und her, während das Fass weiterkullerte. Einige Tropfen spritzten Pogue ins Gesicht, als er nach dem Fass griff, und einer geriet in seinen Mund, sodass er ihn herunterschluckte. Als er sich hustend und kotzend über der Toilette krümmte, hat niemand nach ihm gesehen. Scarpetta nicht. Und Lucy ganz bestimmt nicht. Durch die geschlossene Toilettentür hörte er, wie sie wieder auf dem Rollwagen herumfuhr und lachte. Niemand ahnte, dass Pogues Leben in diesem Augenblick endgültig zerstört worden war.

»Ist alles in Ordnung? Ist alles in Ordnung, Edgar Allan?«, fragte Scarpetta durch die geschlossene Tür, allerdings ohne hereinzukommen.

Er hat ihre Worte inzwischen so oft Revue passieren lassen, dass er nicht mehr weiß, ob er sich wirklich noch richtig an ihre Stimme erinnert.

Ist alles in Ordnung, Edgar Allan?

Ja, Ma'am, ich wasche mich nur.

Als Pogue schließlich aus der Toilette kam, stand Lucys Rollwagen mitten im Raum, und sie war fort. Scarpetta ebenfalls. Dave war auch weg. Nur Pogue war noch da, und er würde sterben, an einem einzigen Tropfen Formaldehyd, den er in seinen

Lungen explodieren und rot glühende Funken sprühen fühlte. Er war allein.

Wissen Sie, ich kenne mich also aus, erklärte er später Mrs. Arnette, während er sechs Flaschen mit rosafarbener Flüssigkeit zum Einbalsamieren neben ihrem Edelstahltisch aufreihte. Manchmal muss man eben leiden, um das Leid anderer spüren zu können, sagte er und schnitt dabei Schnurstücke von einer Rolle auf dem Wagen ab. Natürlich erinnern Sie sich daran, wie viel Zeit ich mit Ihnen verbracht habe, als wir über Ihre Unterlagen, Ihre Absichten und die Frage geredet haben, ob Sie lieber ans Medical Center of Virginia oder an die University of Virginia gespendet werden wollten. Sie sagten, Sie liebten Charlottesville, und ich habe Ihnen deshalb versprochen, dafür zu sorgen, dass Sie an die University of Virginia kämen. Stundenlang habe ich bei Ihnen gesessen und Ihnen zugehört. Ich bin immer gekommen, wenn Sie mich angerufen haben. Zuerst wegen Ihrer Papiere und dann, weil Sie jemanden zum Reden brauchten und befürchteten, sich nicht gegen Ihre Familie durchsetzen zu können.

Ihre Angehörigen sind machtlos, habe ich Ihnen erklärt. Bei diesen Papieren handelt es sich um rechtsgültige Dokumente. Es ist Ihr letzter Wille, Mrs. Arnette. Wenn Sie möchten, dass Ihre Leiche der Wissenschaft gespendet und später von mir verbrannt wird, ist Ihre Familie machtlos dagegen.

Pogue betastet die sechs aus Messing und Blei bestehenden .38er Patronen tief in seiner Tasche. Er sitzt in seinem weißen Buick in der Sonne und erinnert sich, dass er sich nie im Leben so mächtig gefühlt hat wie während seiner Gespräche mit Mrs. Arnette. Bei ihr war er Gott. Bei ihr war er das Gesetz.

Ich bin eine unglückliche alte Frau, und nichts klappt mehr, Edgar Allan, meinte sie bei ihrer letzten Begegnung. Mein Arzt wohnt auf der anderen Seite dieses Zauns und findet es lästig, nach mir zu sehen, Edgar Allan. Werden Sie bloß nie so alt.

Das werde ich nicht, versprach Pogue.

Die Leute auf der anderen Seite des Zauns sind komisch, erzählte sie mit einem anzüglichen Lachen, das wohl etwas andeuten sollte. Seine Frau ist eine richtige Schlampe. Kennen Sie sie?

Nein, Ma'am. Ich glaube nicht.

Da haben Sie nichts versäumt. Sie schüttelte den Kopf und warf ihm einen vielsagenden Blick zu. Gehen Sie ihr aus dem Weg.

Das werde ich, Mrs. Arnette. Wirklich schrecklich, dass Ihr Arzt sich nicht um Sie kümmert. So was sollte verboten werden.

Leute wie er kriegen, was sie verdienen, sagte sie vom Bett im Hinterzimmer ihres Hauses aus. Glauben Sie mir, Edgar Allan: Wie man in den Wald hineinruft, so schallt es heraus. Ich kenne ihn jetzt schon so lange, und ich bin ihm lästig. Ganz bestimmt wird er nicht für mich unterschreiben.

Was meinen Sie damit?, fragte Pogue. Sie sah so klein und zerbrechlich aus, wie sie da in ihrem Bett lag, unter vielen Schichten von Laken und Decken, weil ihr einfach nicht mehr warm wurde.

Na ja, wenn man geht, muss doch jemand unterschreiben, oder?

Natürlich. Der Hausarzt unterschreibt den Totenschein. Mit dem Sterben kannte Pogue sich aus.

Er wird zu beschäftigt sein. Denken Sie an meine Worte. Und dann? Schickt der liebe Gott mich dann wieder weg? Sie lachte, ein freudloses, raues Lachen. Das tut er sicher. Der liebe Gott und ich verstehen uns nämlich nicht sehr gut.

Das kann ich nachvollziehen, versicherte ihr Pogue. Aber machen Sie sich keine Sorgen, fügte er in dem Wissen, dass er in diesem Moment Gott war, hinzu. Gott war nämlich nicht Gott, Pogue war es. Wenn dieser Arzt auf der anderen Seite des Zauns nicht für Sie unterschreibt, Mrs. Arnette, kümmere ich mich darum.

Wie?

Es gibt Wege.

Sie sind der netteste junge Mann, den ich je kennen gelernt habe, sagte sie vom Bett aus. Ihre Mutter hat großes Glück mit Ihnen gehabt.

Da war sie aber anderer Ansicht.

Dann war sie eine böse Frau.

Ich unterschreibe selbst für Sie, versprach Pogue. Ich sehe diese Dokumente jeden Tag, und die Hälfte davon ist von Ärzten unterschrieben, denen alles gleichgültig ist.

Alles ist heutzutage gleichgültig, Edgar Allan.

Ich fälsche die Unterschrift, wenn es sein muss. Zerbrechen Sie sich also nicht den Kopf darüber.

Sie sind so ein Schatz. Was hätten Sie denn gerne von meinen Sachen? In meinem Testament steht, dass meine Verwandten dieses Haus nicht verkaufen können. Damit habe ich sie ordentlich drangekriegt. Sie können in meinem Haus wohnen, aber verraten Sie es meinen Verwandten nicht. Natürlich können Sie auch mein Auto haben, aber ich bin so lange nicht damit gefahren, dass vermutlich die Batterie leer ist. Ich weiß, dass es nicht mehr lange dauern wird. Was wollen Sie? Sagen Sie es einfach. Ich wünschte, ich hätte einen Sohn wie Sie.

Ihre Zeitschriften, antwortete er. Die Filmzeitschriften.

Ach, du meine Güte. Die Dinger auf meinem Couchtisch? Habe ich Ihnen nie von meiner Zeit im Beverly Hills Hotel erzählt und von den Filmstars, die ich in der Polo Lounge und rings um die Bungalows gesehen habe?

Erzählen Sie es mir noch einmal. Ich liebe Hollywood mehr als alles andere auf der Welt.

Dieser Mistkerl, mit dem ich verheiratet war, ist einmal mit mir nach Beverly Hills gereist. Das muss ich ihm lassen. Wir haben uns wirklich großartig amüsiert. Ich liebe das Kino, Edgar Allan. Ich hoffe, dass Sie auch oft ins Kino gehen. Es gibt nichts Schöneres als einen guten Film.

Ja, Ma'am. Da haben Sie ganz Recht. Eines Tages will ich auch nach Hollywood.

Ja, dort sollten Sie hin. Wenn ich nicht so alt und wertlos wäre, würde ich mit Ihnen nach Hollywood fahren. Wir hätten solchen Spaß.

Sie sind nicht alt und wertlos, Mrs. Arnette. Möchten Sie meine Mutter kennen lernen? Ich könnte sie einmal mitbringen.

Dann trinken wir einen schönen Gin Tonic und essen dazu ein paar Quiches mit Würstchen, die ich so gerne mache.

Sie ist in einer Schachtel, erwiderte er.

Sie sagen aber seltsame Sachen.

Sie ist gestorben, aber ich habe sie in eine Schachtel getan.

Oh! Sie meinen ihre Asche.
Ja, Ma'am. Ich würde mich nie davon trennen.
Wie reizend. Um meine Asche wird sich keine Menschenseele kümmern, das garantiere ich Ihnen. Wissen Sie, was mit meiner Asche geschehen soll, Edgar Allan?
Nein, Ma'am.
Verstreuen Sie sie auf der anderen Seite dieses verdammten Zauns. Wieder lachte sie rau auf. Wenn ich Dr. Paulsson schon lästig war, kann ich wenigstens seinen Rasen düngen.
Oh, nein, Ma'am, dafür wäre Ihre Asche viel zu schade.
Tun Sie es. Sie werden es nicht bereuen. Gehen Sie ins Wohnzimmer, und holen Sie mir meine Handtasche.
Sie schrieb ihm einen Scheck über fünfhundert Dollar aus, einen Vorschuss, dass er ihre Wünsche erfüllte. Nachdem er den Scheck eingelöst hatte, kaufte er ihr eine Rose und plauderte nett mit ihr, während er sich die ganze Zeit die Hände mit einem Taschentuch abwischte.
Warum wischen Sie sich ständig Ihre Hände ab, Edgar Allan?, fragte sie vom Bett aus. Wir sollten die Plastikfolie von der hübschen Rose abmachen und die Blume in eine Vase stellen. Weshalb legen Sie sie in die Schublade?, erkundigte sie sich.
Damit Sie sie für immer behalten können. Und jetzt möchte ich, dass Sie sich kurz umdrehen.
Warum?
Tun Sie es einfach. Sie werden schon sehen.
Er half ihr beim Umdrehen. Sie wog fast nichts mehr. Dann setzte er sich auf ihren Rücken und steckte ihr das weiße Taschentuch in den Mund, damit sie still war.
Sie reden zu viel, sagte er. Und jetzt ist nicht der richtige Zeitpunkt dafür.
Sie hätten nicht so viel reden sollen, fuhr er fort, während er ihre Hände auf dem Bett festhielt. Er spürt immer noch, wie ihr Kopf zuckte, und auch ihr schwaches Sträuben, als er ihr den Atem raubte. Als sie sich nicht mehr bewegte, ließ er ihre Hände los und entfernte vorsichtig das weiße Taschentuch aus ihrem Mund. Er saß auf ihr und vergewisserte sich, dass sie ruhig blieb

und nichts mehr sagte, während er genauso mit ihr sprach wie mit dem Mädchen, der Tochter des Arztes, der im Haus komische Dinge tat. Dinge, die Pogue nie hätte sehen dürfen.

Er zuckt zusammen, als jemand laut an die Fensterscheibe seines Wagens pocht. Pogue öffnet die Augen und ringt hustend nach Luft. Draußen steht grinsend ein großer Schwarzer, klopft mit seinem Ring an die Scheibe und hält eine große Schachtel M&M-Schokolinsen hoch.

»Fünf Dollar«, ruft der Mann. »Es ist für meine Kirche.«

Pogue lässt den Motor an und legt den Rückwärtsgang ein.

52

Dr. Stanley Philpotts Praxis in Fan, dem »Fächer« von Richmond, ist in einem weiß verputzten Reihenhaus aus Backstein in der Main Street untergebracht. Er ist Allgemeinmediziner und war entgegenkommend, als Scarpetta ihn spät am gestrigen Abend anrief, um mit ihm über Edgar Allan Pogue zu sprechen.

»Sie wissen doch, dass ich keine Auskünfte über meine Patienten geben darf«, war seine erste Reaktion.

»Die Polizei kann sich auch eine richterliche Anordnung besorgen«, erwiderte sie. »Wäre Ihnen das lieber?«

»Eigentlich nicht.«

»Ich muss mit Ihnen über ihn reden. Kann ich gleich morgen früh in Ihre Praxis kommen?«, meinte sie. »Ich fürchte, sonst würde die Polizei Mittel und Wege finden, Sie zu befragen.«

Dr. Philpott hat keine Lust auf einen Besuch der Polizei. Er möchte keine Streifenwagen in der Nähe seiner Praxis sehen und auch nicht riskieren, dass Cops in sein Wartezimmer spazieren und seine Patienten erschrecken. Der Arzt ist ein sanft wirkender Herr mit schlohweißem Haar und anmutigen Bewegungen, der Scarpetta höflich begrüßt, nachdem seine Assistentin sie zur Hintertür hereingelassen und in die winzige Küche geführt hat, wo er sie erwartet.

»Ich habe einige Vorträge von Ihnen gehört«, sagt Dr. Philpott und schenkt ihr eine Tasse Kaffee ein. »Einmal an der Richmond Academy und einmal im Commonwealth Club. Aber bestimmt erinnern Sie sich nicht an mich. Wie trinken Sie Ihren Kaffee?«

»Schwarz, bitte. Danke.« Scarpetta nimmt an einem Tisch am Fenster Platz, aus dem man auf eine kopfsteingepflasterte Seitengasse blickt. »Der Vortrag im Commonwealth Club ist schon lange her.«

Nachdem er die Tassen auf den Tisch gestellt hat, zieht er sich einen Stuhl heran, sodass er mit dem Rücken zum Fenster sitzt. Das Licht, das durch die Wolken fällt, lässt sein ordentlich gekämmtes, dichtes weißes Haar und seinen gestärkten Arztkittel aufleuchten. Ein Stethoskop hängt um seinen Hals, als sei es dort vergessen worden. Seine Hände sind groß und ruhig. »Soweit ich mich erinnere, haben Sie einige amüsante Geschichten erzählt«, meint er nachdenklich. »Allerdings immer geschmackvoll. Damals fand ich, dass Sie eine couragierte Frau sind. In jener Zeit wurden nicht allzu viele Frauen vom Commonwealth Club eingeladen. Eigentlich hat sich bis heute nicht viel daran geändert. Wissen Sie, ich habe sogar mit dem Gedanken gespielt, mich als Leichenbeschauer zu melden, so sehr haben Sie mich inspiriert.«

»Dafür ist es noch nicht zu spät«, entgegnet sie lächelnd. »Soweit ich im Bilde bin, werden noch etwa hundert Kollegen gesucht. Die Personalknappheit wirft ziemliche Probleme auf, weil die Leichenbeschauer, insbesondere auf dem flachen Land, die meisten Totenscheine ausstellen, auf Notrufe reagieren und gleich vor Ort entscheiden, ob eine Leiche ein Fall für die Autopsie ist. Während meiner Amtszeit hatten wir im ganzen Bundesstaat ungefähr fünfhundert Ärzte auf der Liste, die sich freiwillig gemeldet hatten. Unsere Truppen – so habe ich sie immer genannt. Ich weiß nicht, was ich ohne diese Leute gemacht hätte.«

»Heutzutage engagieren sich Ärzte nicht mehr gern ehrenamtlich«, sagt Dr. Philpott und umfasst die Kaffeetasse mit beiden Händen. »Insbesondere nicht die jungen Kollegen. Ich fürchte, auf der Welt geht es immer egoistischer zu.«

»Ich versuche, nicht daran zu denken. Es schlägt mir aufs Gemüt.«

»Wahrscheinlich ist das die vernünftigste Philosophie ... Wie genau kann ich Ihnen helfen?« Ein trauriger Ausdruck tritt in seine hellblauen Augen. »Ich ahne, dass Sie keine guten Nachrichten für mich haben. Was hat Edgar Allan denn angestellt?«

»Vermutlich Mord. Mordversuch. Sprengstoffanschlag. Vorsätzliche Körperverletzung«, zählt Scarpetta auf. »Bestimmt haben Sie von dem vierzehnjährigen Mädchen gehört, das vor einigen Wochen hier in der Nähe gestorben ist.« Sie möchte nicht weiter ins Detail gehen.

»O Gott«, sagt er kopfschüttelnd und starrt in seine Tasse. »Gütiger Himmel.«

»Wie lange ist er schon Ihr Patient, Dr. Philpott?«

»Eine Ewigkeit«, antwortet er. »Seit seiner Kindheit. Seine Mutter habe ich auch schon behandelt.«

»Ist sie noch am Leben?«

»Sie ist vor ungefähr zehn Jahren gestorben. Eine ziemlich herrschsüchtige Person und recht anstrengend. Edgar Allan ist Einzelkind.«

»Und der Vater?«

»Alkoholiker. Hat vor langer Zeit Selbstmord begangen. Es muss ungefähr zwanzig Jahre her sein. Ich möchte Ihnen gleich sagen, dass ich Edgar Allan nicht gut kenne. Von Zeit zu Zeit kommt er wegen alltäglicher Dinge zu mir, hauptsächlich um sich gegen Grippe und Lungenentzündung impfen zu lassen. Das tut er jeden September, pünktlich wie die Uhr.«

»Auch in diesem Jahr?«, will Scarpetta wissen.

»Offen gestanden nein. Ich habe mir, kurz bevor Sie kamen, seine Akte angesehen. Er war am 14. Oktober hier und hat sich gegen Lungenentzündung impfen lassen, allerdings nicht gegen Grippe. Ich fürchte, mir war der Impfstoff ausgegangen. Sie wissen ja, dass es da einen Engpass gab. Deshalb hat er sich nur gegen Lungenentzündung impfen lassen und ist wieder gegangen.«

»War an seinem Besuch etwas auffällig?«

»Er kam rein, sagte guten Tag, und ich fragte ihn, wie es seiner Lunge gehe. Er leidet an einer schweren interstitiellen Lungenfibrose, ausgelöst durch fortwährenden Kontakt mit Konservierungsflüssigkeit. Offenbar hat er in einem Beerdigungsinstitut gearbeitet.«

»Nicht ganz«, erwidert sie. »Er war mein Mitarbeiter.«

»Verflixt und zugenäht!«, ruft der Arzt überrascht aus. »Das habe ich nicht gewusst. Warum hat er nur …? Tja, zumindest hat er behauptet, er sei stellvertretender Direktor eines Beerdigungsinstituts.«

»Er hat gelogen. In Wahrheit war er in der Anatomie beschäftigt, und zwar schon, als ich in den späten Achtzigern dort anfing. 1997 ist er wegen Arbeitsunfähigkeit in Frührente gegangen, kurz bevor wir in das neue Gebäude in der East Fourth Street umgezogen sind. Was hat er Ihnen über seine Lungenkrankheit erzählt? Kontakt mit Konservierungsmitteln?«

»Er sagte, er habe eines Tages ein paar Spritzer Formaldehyd abbekommen und eingeatmet. Die Geschichte ist ziemlich bizarr. Edgar Allan ist zugegebenermaßen ein wenig seltsam, das war mir schon immer klar. Seiner Darstellung nach hat er eine Leiche im Beerdigungsinstitut einbalsamiert und vergessen, ihr den Mund zu verstopfen. So lautete wenigstens seine Version. Die Flüssigkeit sei zu schnell geflossen und der Leiche aus dem Mund gequollen, weil der Schlauch gerissen sei. Wirklich grotesk. Aber was erzähle ich Ihnen? Wenn er für Sie gearbeitet hat, kennen Sie ihn besser als ich, und ich brauche seine abstrusen Geschichten nicht zu wiederholen.«

»Diese ist mir völlig neu«, meint sie. »Ich erinnere mich nur daran, dass er mit Formaldehyd in Kontakt gekommen ist und Fibrose hatte. Oder besser Lungenfibrose.«

»Daran besteht kein Zweifel. Sein interstitielles Gewebe ist vernarbt, und eine Biopsie ergab eine erhebliche Schädigung des Lungengewebes. Er simuliert nicht.«

»Wir müssen ihn finden«, meint Scarpetta. »Haben Sie vielleicht einen Tipp für uns, wo wir suchen sollten?«

»Was ist mit seinen ehemaligen Kollegen?«

»Die überprüft die Polizei bereits. Allerdings verspreche ich mir nicht viel davon. Als er für mich arbeitete, war er ein Einzelgänger«, antwortet sie. »Ich weiß, dass er in ein paar Tagen ein neues Rezept für sein Prednison braucht. Ist er in dieser Hinsicht zuverlässig?«

»Meiner Erfahrung nach läuft es bei ihm phasenweise, was die Medikamente angeht. Ein Jahr lang mag er gewissenhaft sein, und dann setzt er das Zeug wieder monatelang ab, weil er davon dick wird.«

»Ist er denn übergewichtig?«

»Bei seinem letzten Besuch war er es.«

»Wie groß ist er, und wie viel hat er gewogen?«

»Etwa eins siebzig groß. Im Oktober sah er aus, als wöge er mindestens neunzig Kilo. Ich habe ihm erklärt, wie sehr das seine Atmung belastet, ganz zu schweigen von seinem Herzen. Mit den Kortikosteroiden ist es bei ihm wegen seiner Gewichtsprobleme ein ewiges Hin und Her. Außerdem kann er recht paranoid werden, wenn er die Medikamente nimmt.«

»Befürchten Sie eine Steroidpsychose?«

»Darauf sollte man immer achten. Wenn Sie so was je miterlebt haben, tun Sie das ganz automatisch. Allerdings ist bei Edgar Allan schwer zu sagen, ob er wegen der Medikamente so merkwürdig ist oder ob er es auch ohne sie wäre. Wie hat er es denn getan, wenn ich mir die Frage erlauben darf? Wie hat er das Mädchen getötet?«

»Haben Sie schon mal von Burke und Hare gehört? Zwei Männer im Schottland des frühen neunzehnten Jahrhunderts, die Menschen töteten und ihre Leichen an die Anatomie verkauften.

Damals waren Leichen zum Sezieren ziemlich knapp, und die Medizinstudenten mussten frische Gräber schänden oder sich Leichen auf sonstige illegale Weise beschaffen, wenn sie anatomische Kenntnisse erwerben wollten.«

»Grabschändung«, sagt Dr. Philpott. »Das so genannte *Burking* ist mir ein Begriff, obwohl mir nie ein moderner Fall zu Ohren gekommen ist. Ich glaube, die Männer, die die Gräber schändeten, um Leichen zum Sezieren zu beschaffen, nannte man damals Resurrektionisten.«

»Heutzutage geht es nicht mehr darum, jemanden zu töten, um seine Leiche zu verkaufen. Doch *Burking* kommt immer noch vor. Es ist schwer festzustellen, und die Dunkelziffer ist ziemlich hoch.«

»Tritt der Tod durch Ersticken oder Arsen ein?«

»In der forensischen Pathologie bezeichnet *Burking* einen Mord durch mechanische Asphyxie. Der Legende zufolge pflegte Burke sich ein schwaches Opfer auszusuchen, für gewöhnlich einen alten Menschen, ein Kind oder einen Kranken, sich auf die Brust des Betreffenden zu setzen und ihm gleichzeitig Mund und Nase zuzuhalten.«

»Und ist das auch mit dem armen Mädchen passiert?«, fragt Dr. Philpott, und tiefe, bedrückte Falten zeigen sich auf seinem Gesicht. »Ist es das, was er ihm angetan hat?«

»Wie Ihnen sicher bekannt ist, stellt man häufig eine Diagnose auf der Basis dessen, dass es keine gibt. Ein Ausschlussverfahren sozusagen«, entgegnet Scarpetta. »Bei ihr wurde nichts weiter als frische Blutergüsse festgestellt, die durchaus darauf hinweisen, dass jemand auf ihrer Brust saß und die Hände festhielt. Außerdem hatte sie Nasenbluten.« Viel mehr möchte sie nicht sagen. »Natürlich ist das streng vertraulich.«

»Ich habe keine Ahnung, wo er stecken könnte«, sagt Dr. Philpott mit finsterer Miene. »Falls er aus irgendeinem Grund anruft, verständige ich Sie sofort.«

»Ich gebe Ihnen die Nummer von Pete Marino.« Sie schreibt sie auf.

»Edgar Allan gehört wie gesagt nicht zu den Menschen, die ich gut kenne. Offen gestanden war er mir nie sehr sympathisch. Er ist seltsam und kam mir unheimlich vor. Als seine Mutter noch lebte, begleitete sie ihn stets zu den Terminen, auch dann noch, als er bereits ein erwachsener Mann war, bis kurz vor ihrem Tod.«

»Woran ist sie gestorben?«

»Wenn Sie mich so direkt fragen, fand ich die Umstände ihres Todes ein bisschen merkwürdig«, sagt er bedrückt. »Sie war fettsüchtig und lebte ausgesprochen ungesund. Eines Winters erkrankte sie an der Grippe und starb zu Hause. Damals erschien mir das nicht weiter verdächtig. Inzwischen habe ich so meine Zweifel.«

»Darf ich mir seine Akte ansehen? Und auch ihre, falls Sie die noch haben?«, erkundigt sich Scarpetta.

»Ihre habe ich nicht griffbereit, weil sie schon so lange tot ist. Aber in seine können Sie einen Blick werfen. Warten Sie hier, ich hole sie. Sie liegt auf meinem Schreibtisch.« Als er aufsteht und die Küche verlässt, wirken seine Bewegungen langsamer als zuvor, und er macht einen erschöpften Eindruck.

Scarpetta schaut aus dem Fenster und beobachtet, wie ein blauer Eichelhäher ein Vogelhäuschen plündert, das am kahlen Ast einer Eiche hängt. Er wirkt wie ein blau gefiedertes Wutbündel, und das Vogelfutter fliegt in alle Richtungen, als er sich darüber hermacht, bis er sich schließlich mit einem Schwirren seiner blauen Schwingen abstößt und verschwindet. Edgar Allan Pogue könnte ungeschoren davonkommen. Fingerabdrücke beweisen nicht viel, und man wird Art und Ursache der Todesfälle in Zweifel ziehen. Unmöglich zu sagen, wie viele Menschen er auf dem Gewissen hat. Und sie muss sich jetzt darüber Gedanken machen, was er getrieben hat, als er noch für sie tätig war. Was hat er in den unterirdischen Räumen angestellt? Sie sieht ihn in seinem Arbeitsanzug vor sich. Damals war er blass und mager. Sie weiß noch, wie sich sein bleiches Gesicht ihr zuwandte und er ihr verstohlene Blicke zuwarf, wenn sie aus dem grässlichen Lastenaufzug stieg, um sich mit Dave zu unterhalten. Der konnte Edgar Allan nicht leiden und hat sicher keine Ahnung, wo er stecken mag.

Wegen der bedrückenden Atmosphäre dort unten ist Scarpetta so selten wie möglich in die Anatomie gegangen. Außerdem bekam die Abteilung so geringe staatliche Mittel und derart wenig Geld von den Universitäten, die die Leichen anforderten, dass für die Würde der Toten nicht mehr viel getan werden konnte. Das Krematorium war ständig defekt. In einer Ecke lehnten Baseballschläger, denn wenn die Verbrennungsreste aus dem Ofen genommen wurden, mussten einige Knochenfragmente zerschmettert werden, damit sie in die billigen, vom Staat gestellten Urnen passten. Eine Mühle wäre zu teuer gewesen, während ein Baseballschläger sich großartig dazu eignet, Knochenstücke in handliche Teile oder in Pulver zu verwandeln. Scarpetta möchte nicht daran denken, was dort unten vor sich ging. Sie ließ sich in dieser Abteilung nur blicken, wenn es nicht anders ging, und machte einen großen Bogen um das Krematorium, um die Baseballschläger nicht sehen zu müssen.

Ich hätte eine Mühle kaufen sollen, denkt sie, als sie dasitzt und das leere Vogelhäuschen betrachtet. Ich hätte eine von meinem eigenen Geld anschaffen müssen. Die Baseballschläger hätte ich nie erlauben dürfen. Inzwischen würde ich sie verbieten.

»Hier«, sagt Dr. Philpott. Er kehrt in die Küche zurück und reicht ihr eine dicke Akte, auf der in Druckbuchstaben Pogues Name steht. »Ich muss mich jetzt um meine Patienten kümmern. Aber ich komme später nochmal zu Ihnen.«

Offen gestanden hatte Scarpetta von Anfang an eine Abneigung gegen die Anatomie. Sie ist forensische Pathologin und Anwältin, nicht Inhaberin eines Bestattungsunternehmens. Stets ging sie davon aus, dass die Toten in der Anatomie ihr nichts mitzuteilen hatten, weil sich um ihr Ableben kein Geheimnis rankte. Falls es so etwas wie einen friedlichen Tod gibt, war er bei diesen Menschen eingetreten. Scarpettas Mission hingegen sind diejenigen Toten, die nicht friedlich aus dem Leben geschieden sind. Und da sie nicht mit den Leichen in den Wannen sprechen wollte, hat sie den unterirdischen Teil ihrer Welt damals gemieden. Sie hat um die Leute, die dort arbeiteten, sowie um die Verstorbenen einen Bogen gemacht. Sie wollte sich nicht mit Dave oder mit Edgar Allan abgeben. Nein, auf keinen Fall. Wenn rosafarbene Leichen an Winden und Ketten hochgezogen wurden, wollte sie nicht dabei sein.

Ich hätte aufmerksamer sein müssen, denkt sie, während sie vom Kaffee ein saures Gefühl im Magen hat. Ich hätte mehr tun können. Bedächtig studiert sie Pogues Krankenakte. Ich hätte eine Mühle anschaffen sollen, sagt sie sich erneut, während sie nachsieht, welche Adresse Pogue angegeben hat. Laut Akte hat er bis 1996 in Ginter Park im Norden der Stadt gewohnt und dann ein Postfach als Adresse genannt. In seiner Akte steht nirgends, wo er seit 1996 wohnt, und sie fragt sich, ob er damals in das Haus hinter dem Gartenzaun der Paulssons eingezogen ist. In Mrs. Arnettes Haus. Vielleicht hat er sie ja auch umgebracht und anschließend ihr Haus benutzt.

Eine Meise landet auf dem Vogelhäuschen vor dem Fenster. Scarpetta beobachtet sie, während ihre Hand reglos auf Pogues Akte ruht. Sonnenlicht streift warm die linke Seite ihres Gesichts, als sie zusieht, wie der kleine graue Vogel mit funkelnden Augen und zuckendem Schwanz das Futter aufpickt. Ihr ganzes Berufsleben lang ist sie vor den Bemerkungen geflohen, die unwissende Menschen über Ärzte machen, deren Patienten tot sind. Sie sei morbide veranlagt. Sie sei seltsam und komme mit den Lebenden nicht zurecht. Forensische Pathologen seien Eigenbrötler, schrullig, kalt und bar jeglichen Mitgefühls, da sie als Ärzte, Väter, Mütter, Liebhaber und Menschen versagt hätten.

Wegen solcher Vorurteile unwissender Menschen hat sie die dunklen Seiten ihres Berufs ignoriert, und sie möchte das auch weiterhin tun. Sie versteht Edgar Allan Pogues Schrulligkeit. Auch wenn sie nicht so empfindet wie er, kann sie sie nachvollziehen. Sie sieht sein bleiches Gesicht und die verstohlenen Blicke in ihre Richtung, und sie erinnert sich an den Tag, als sie Lucy einmal mit nach unten nahm. Ihre Nichte verbrachte die Weihnachtsferien bei ihr und begleitete sie gern ins Büro. Da Scarpetta an diesem Tag etwas mit Dave zu besprechen hatte, kam sie mit in die Anatomie. Und sie benahm sich – typisch Lucy – wild, ungebärdig und pietätlos. Irgendetwas ist an besagtem Tag geschehen. Was war es nur?

Die Meise pickt das Futter auf und beobachtet Scarpetta unentwegt durch die Scheibe. Als sie die Kaffeetasse hebt, flattert der Vogel davon. Fahles Sonnenlicht spiegelt sich in der weißen Tasse, die das Wappen des Medical College of Virginia trägt. Scarpetta steht von Dr. Philpotts Küchentisch auf und wählt Marinos Mobilfunknummer.

»Ja«, meldet er sich.

»Er kommt nicht mehr nach Richmond«, sagt sie. »Er ist schlau genug, um zu wissen, dass wir ihn suchen. Außerdem eignet sich Florida großartig für Lungenkranke.«

»Dann sollte ich besser bald hinfliegen. Was ist mit dir?«

»Ich muss noch etwas erledigen, dann bin ich fertig mit dieser Stadt.«

»Brauchst du meine Hilfe?«

»Nein danke«, erwidert sie.

53

Die Bauarbeiter machen Mittagspause, sitzen auf Betonklötzen oder auf den Sitzen ihrer großen gelben Maschinen und essen. Schutzhelme und wettergegerbte Gesichter wenden sich Scarpetta zu, als sie durch den dicken roten Morast watet und dabei ihren langen dunklen Mantel rafft wie einen langen Rock.

Sie sieht weder den Vorarbeiter, mit dem sie letztens gesprochen hat, noch jemand anderen, der hier das Sagen haben könnte. Die Arbeiter beobachten sie, ohne dass jemand nach ihrem Anliegen fragt. Einige Männer in staubiger dunkler Kleidung haben sich um einen Bulldozer geschart. Sie essen ihre Sandwiches, trinken Cola und starren sie an, während sie mit gerafftem Mantel durch den Schlamm auf sie zugeht.

»Ich suche den Vorarbeiter«, sagt sie, als sie die Männer erreicht hat. »Ich muss ins Gebäude.«

Sie wirft einen Blick auf die Überreste ihres ehemaligen Büros. Inzwischen ist der vordere Teil halb abgerissen, doch der hintere Flügel ist noch intakt.

»Unmöglich«, antwortet einer der Arbeiter mit vollem Mund. »Hier kommt keiner rein.« Er kaut weiter und betrachtet sie, als wäre sie nicht ganz richtig im Kopf.

»Der hintere Teil des Gebäudes scheint noch in Ordnung zu sein«, erwidert sie. »Als ich Chefpathologin war, lag dort mein Büro. Ich war letztens schon hier, um wegen Mr. Whitbys Tod zu ermitteln.«

»Sie können da nicht rein«, wiederholt derselbe Mann. Er wirft seinen Kollegen, die schweigend dastehen und dem Gespräch lauschen, einen Blick zu, der wohl besagen soll, dass er sie für verrückt hält.

»Wo ist Ihr Vorarbeiter?«, fragt sie. »Ich möchte mit ihm sprechen.«

Der Mann nimmt ein Telefon vom Gürtel und wählt eine Nummer. »Hey, Joe«, sagt er. »Hier ist Bobby. Erinnerst du dich an die Frau, die letztens hier war? Die Frau mit dem dicken Cop aus Los Angeles? … Ja, ja, richtig. Sie ist wieder da und will mit dir reden … Okay.« Er beendet das Gespräch und sieht sie an. »Warum wollen Sie denn da rein? Da ist doch nichts mehr.«

»Nur Gespenster«, meint ein anderer Mann, und seine Kollegen lachen.

»Wann genau haben Sie mit den Abrissarbeiten angefangen?«, fragt Scarpetta.

»Vor etwa einem Monat. Kurz vor Thanksgiving. Aber wir

mussten etwa eine Woche Schlechtwetterpause machen. Wegen dem Eissturm.«

Die Männer diskutieren, an welchem Tag die Abrissbirne zum ersten Mal zugeschlagen hat. Scarpetta sieht einen Mann um die Hausecke kommen. Er trägt khakifarbene Arbeitshosen, eine dunkelgrüne Jacke und Stiefel. Den Helm unter den Arm geklemmt und eine Zigarette rauchend, kommt er auf sie zu.

»Das ist Joe«, sagt der Bauarbeiter namens Bobby. »Aber der wird Sie auch nicht reinlassen. Und das ist besser so – es ist nämlich gefährlich.«

»Mussten Sie den Strom noch abschalten lassen, als Sie mit dem Abriss anfingen, oder war das bereits erledigt?«, fragt sie.

»Wir würden doch kein Haus abreißen, wo noch Saft drauf ist.«

»Aber er war noch nicht lange abgeklemmt«, wendet ein anderer Mann ein. »Bevor wir losgelegt haben, ist doch das ganze Gebäude nochmal durchsucht worden. Dazu haben sie bestimmt Licht gebraucht, oder nicht?«

»Keine Ahnung.«

»Guten Tag«, wendet sich Joe, der Vorarbeiter, an Scarpetta. »Was kann ich für Sie tun?«

»Ich muss in das Gebäude. Durch die Hintertür neben dem Rolltor.«

»Kommt nicht in Frage«, sagt er entschieden und schüttelt mit einem Blick auf das Gebäude den Kopf.

»Kann ich Sie kurz unter vier Augen sprechen?«, meint Scarpetta. Sie entfernen sich ein paar Schritte von den anderen Arbeitern.

»Nein, zum Teufel! Ich lasse Sie da nicht rein. Was wollen Sie überhaupt in dem Gebäude?«, sagt Joe, nachdem sie etwa drei Meter weit weg und mehr oder weniger außer Hörweite sind. »Es ist gefährlich. Was suchen Sie dort?«

»Passen Sie auf«, erwidert sie. Inzwischen steht sie mit beiden Füßen im Schlamm und hat es aufgegeben, ihren Mantelsaum schützen zu wollen. »Ich war bei Mr. Whitbys Obduktion anwesend, und wir haben merkwürdige Spuren an seiner Leiche gefunden. Mehr darf ich nicht sagen.«

»Das soll wohl ein Witz sein.«

Sie hat gewusst, dass sie damit sein Interesse wecken würde, und fügt hinzu: »Ich muss da drin etwas überprüfen. Ist es wirklich so gefährlich, oder haben Sie nur Angst vor einer Klage, Joe?«

Er starrt auf das Gebäude, kratzt sich am Kopf und fährt mit den Fingern durch sein Haar. »Na ja, es wird nicht gleich über uns zusammenstürzen, wenigstens nicht dort hinten. Vorne würde ich aber wirklich nicht reingehen.«

»Das will ich auch gar nicht«, entgegnet sie. »Hinten genügt mir. Wir können die Hintertür neben dem Rolltor benutzen. Rechts am Ende des Flurs ist eine Treppe, über die wir eine Etage tiefer ins unterste Geschoss kommen. Da muss ich hin.«

»Die Treppe kenne ich. Ich war schon mal drin. Sie wollen also ins erste Untergeschoss? Gütiger Himmel! Das wird nicht leicht.«

»Wie lange ist der Strom schon abgeschaltet?«

»Ich habe mich vergewissert, bevor wir losgelegt haben.«

»Dann gab es bei Ihrer ersten Begehung noch Strom?«, hakt sie nach.

»Man konnte Licht machen. Es war Sommer, als ich das erste Mal im Gebäude war. Inzwischen ist es da drin stockfinster. Was für Spuren meinen Sie? Ich verstehe das nicht. Glauben Sie, dass er nicht nur vom Traktor überfahren worden ist? Ich meine, seine Frau veranstaltet ein Riesentheater und erhebt alle möglichen Vorwürfe. Alles Schwachsinn. Ich war dabei. Er ist einfach nur zur falschen Zeit am falschen Ort gewesen und hat am Anlasser rumgespielt.«

»Ich muss trotzdem nachsehen«, erwidert sie. »Sie können ja mitkommen. Das wäre mir sogar lieber. Ich will wirklich nur einen kurzen Blick hineinwerfen. Die Hintertür ist vermutlich abgeschlossen, und ich habe keinen Schlüssel.«

»Tja, davon lassen wir uns nicht aufhalten.« Er blickt zwischen dem Gebäude und seinen Männern hin und her. »Hey, Bobby!«, ruft er. »Kannst du ein Loch in die Hintertür bohren? Und zwar sofort … Also gut«, meint er zu Scarpetta. »Meinetwegen begleite ich Sie hinein. Die Bedingung ist, dass wir uns vom vorderen Teil fernhalten und es kurz machen.«

54

Lichter huschen über die Wände und die beige lackierten Betonstufen. Ihre Schritte machen schlurfende Geräusche, als sie in die Tiefen hinabsteigen, wo Edgar Allan Pogue während Scarpettas Amtszeit gearbeitet hat. In den ersten beiden Etagen des Gebäudes gibt es keine Fenster, da sie durch die ehemalige Leichenhalle eingetreten sind und Leichenhallen normalerweise keine Fenster haben. Weil unter der Erde ohnehin keine Fenster existieren, ist das Treppenhaus stockfinster. In der feuchten Luft liegt der beißende Geruch von Staub.

»Als ich hier herumgeführt wurde«, sagt Joe, der vor ihr die Treppe hinuntergeht, sodass der Schein seiner Taschenlampe bei jedem Schritt wippt, »haben sie diesen Teil ausgespart. Sie haben mir nur die oberen Stockwerke gezeigt. Ich dachte, hier käme bloß der Keller. Unten war ich noch nie.« Sein Tonfall klingt beklommen.

»Sie hätten es Ihnen zeigen sollen«, erwidert Scarpetta. Der Staub kratzt in ihrer Kehle und juckt auf der Haut. »Dort unten sind zwei Bodenwannen, etwa sechs mal sechs Meter groß und drei Meter tief. Es wäre nicht gut, wenn Sie mit einem Traktor dort hineingerieten oder gar hineinfielen.«

»So ein Mist!«, sagt er wütend. »Sie hätten mir wenigstens Fotos zeigen müssen. Sechs mal sechs Meter. Verdammt! Jetzt bin ich wirklich sauer. Hier kommt die letzte Stufe. Vorsicht.« Er leuchtet die Umgebung ab.

»Wir sollten jetzt in einem Flur sein. Gehen Sie nach links.«

»Sieht aus, als gäbe es keinen anderen Weg.« Langsam setzt er sich in Bewegung. »Warum zum Teufel haben sie uns diese Wannen verschwiegen?« Er kann es nicht fassen.

»Keine Ahnung. Hängt davon ab, wer Sie herumgeführt hat.«

»Irgendein Typ. Den Namen weiß ich nicht mehr. Ich erinnere mich nur, dass er von der Stadtverwaltung war und sich hier ziemlich unwohl fühlte. Wahrscheinlich kannte er sich selbst nicht im Gebäude aus.«

»Durchaus möglich«, meint Scarpetta und betrachtet den schmutzig weißen Fliesenboden, der im Schein ihrer Taschenlampe stumpf schimmert. »Sie wollten einfach nur, dass der Laden abgerissen wird. Der Mann von der Stadtverwaltung hatte vermutlich nichts von den Bodenwannen gehört. Bestimmt hat er nie einen Fuß in die Anatomie gesetzt. Es sind nur wenige Leute je hier heruntergekommen. Gleich da drüben sind sie.« Sie weist mit der Taschenlampe geradeaus. Der Lichtstrahl verdrängt die undurchdringliche Dunkelheit in dem leeren Raum und beleuchtet schwach die rechteckigen Abdeckungen der Bodenwannen, die aus dunklem Metall bestehen. »Tja, die Deckel sind drauf. Ich weiß nicht, ob das gut ist oder nicht«, sagt sie. »Jedenfalls lagern hier unten gefährliche biologisch kontaminierte Abfälle. Seien Sie vorsichtig, wenn Sie diesen Teil des Gebäudes abreißen.«

»Da machen Sie sich mal keine Sorgen … Ich fasse es nicht«, entgegnet er ärgerlich und nervös, während er die Umgebung ableuchtet.

Scarpetta geht von den Wannen zum hinteren Bereich der Anatomieabteilung, der sich auf der anderen Seite des großen Raums befindet, vorbei an der kleinen Kammer, wo die Einbalsamierungen durchgeführt wurden. Mit der Taschenlampe leuchtet sie hinein. Ein Stahltisch, an den dicke, in den Boden führende Rohre angeschlossen sind, ein stählernes Waschbecken und

Schränke gleiten im Lichtstrahl vorbei. An der Wand lehnt ein verrosteter Rollwagen, auf dem eine zusammengefaltete Plastikhülle liegt. Links von dem Raum befindet sich eine Nische, und sie hat das Krematorium aus Betonblöcken bereits vor Augen, noch bevor sie es wirklich sieht. Dann fällt ihr Lichtstrahl auf die lange Eisentür in der Wand, und sie erinnert sich, wie sie das Feuer durch den Spalt in der Tür beobachtet hat. Staubige Stahlbahren mit Leichen darauf wurden hineingeschoben, und wenn sie herauskamen, waren nur noch Asche und Knochenstücke übrig. Sie denkt an die Baseballschläger, mit denen die Stücke zermalmt wurden, und wird von Scham ergriffen.

Der Lichtstrahl huscht über den Boden, der immer noch weiß von Staub und kleinen Knochensplittern ist, die wie Kreide aussehen. Beim Gehen spürt sie ein Knirschen unter den Sohlen. Joe ist ihr nicht gefolgt. Er wartet vor der Nische und hilft ihr aus der Entfernung, indem er den Boden und die Ecken ausleuchtet. Ihr Schatten, im Mantel und mit Schutzhelm, zeichnet sich riesengroß an der Betonwand ab. Dann gleitet das Licht über das Auge. Es ist mit schwarzem Sprühlack auf der beigefarbenen Betonwand angebracht. Ein großes schwarzes, starrendes Auge mit Wimpern.

»Was zum Teufel ist das?«, fragt Joe. Sie ahnt, dass er ebenfalls das Auge an der Wand betrachtet, obwohl sie das nicht sehen kann. »Mein Gott, was ist das?«

Scarpetta antwortet nicht und lässt den Lichtstrahl weiterwandern. Die Baseballschläger stehen nicht mehr in der Ecke, in der sie gelehnt haben, als sie noch Chefpathologin war. Doch sie erkennt einen großen Haufen Asche und Knochen. Eine ziemliche Menge, denkt sie. Das Licht fällt auf eine Sprühdose mit schwarzem Lack und zwei Lackdosen, eine rot, die andere blau und beide leer, die sie in einem Plastikbeutel verstaut. Die Sprühdose steckt sie in einen anderen Beutel. Außerdem entdeckt sie einige alte Zigarrenkisten mit Ascheresten darin, Zigarrenstummel auf dem Boden und eine zerknitterte braune Papiertüte. Ihre behandschuhten Hände greifen in den Lichtkegel und heben die Tüte auf. Papier knistert, als sie sie öffnet, und ihr ist klar, dass diese

Tüte nicht schon seit acht Jahren hier unten liegt, nein, noch nicht einmal seit zwölf Monaten.

Ein leichter Geruch nach Zigarren steigt ihr in die Nase, und zwar nicht nach gerauchten Zigarren, sondern nach unverbranntem Tabak. Als sie in die Tüte leuchtet, entdeckt sie Tabakkrümel und eine Quittung. Joe beobachtet sie und richtet seine Lampe auf die Tüte in ihrer Hand. Sie betrachtet die Quittung und fühlt sich verwirrt und wie im Traum, als sie das Datum abliest. Es ist der 14. September, der Tag, an dem Edgar Allan Pogue – und sie ist sicher, dass er es war – in einem Tabakladen gleich die Straße hinunter im James Center mehr als einhundert Dollar für zehn Zigarren der Marke Romeo y Julieta ausgegeben hat.

55

Das James Center gehört nicht zu den Orten, die Marino während seiner Zeit als Polizist in Richmond besucht hat. Seine Marlboros hat er nicht in schicken Tabakläden gekauft, und Zigarren hat er sich nie geleistet, weil selbst eine billige Zigarre ziemlich teuer für ein einziges Raucherlebnis ist. Außerdem hätte er sie ohnehin nicht gepafft, sondern inhaliert. Da er inzwischen fast gar nicht mehr raucht, kann er es zugeben: Er hätte Zigarrenrauch inhaliert.

Das Atrium wird von Glas, Lichtern und Pflanzen dominiert, und das Plätschern von Brunnen und Wasserfällen folgt Marino, als er zu dem Laden eilt, wo Edgar Allan Pogue knapp drei Monate vor dem Mord an der kleinen Gilly Zigarren gekauft hat.

Es ist noch vor zwölf Uhr mittags, und in den Läden ist nicht viel los. Einige Leute in schicken Anzügen trinken Kaffee oder hasten umher, als würden sie irgendwo dringend erwartet und wären mit wichtigen Dingen beschäftigt. Marino kann Leute wie die im James Center nicht ausstehen. Er kennt ihresgleichen. Und zwar schon seit seiner Kindheit, auch wenn er keine persönlichen Erfahrungen mit ihnen gemacht hat. Aber er hat schon viel von ihnen gehört. Sie gehören zu der Sorte von Menschen, die sich nie die Mühe gemacht haben, sich mit Marinos Kreisen auseinander zu setzen. Er geht schnell und ärgert sich. Als ein Mann in einem eleganten Nadelstreifenanzug an ihm vorbeirauscht, ohne ihn wahrzunehmen, denkt er: Du hast ja keine Ahnung. Leute wie du verstehen einen Scheißdreck vom Leben.

Im Tabakladen ist die Luft mit einer süßlichen Symphonie von Tabakdüften geschwängert, die Sehnsucht in Marino weckt. Da er nicht weiß, was das bedeutet, schiebt er es sofort aufs Rauchen, das er schrecklich vermisst. Er ist traurig und aufgebracht, weil ihm die Zigaretten fehlen. Das Herz tut ihm weh, und er fühlt sich tief in seinem Innersten erschüttert, weil er weiß, dass er nie mehr wieder so rauchen können wird wie früher. Es ist unmöglich. Er hat sich etwas vorgemacht, als er glaubte, er könnte sich hin und wieder eine Zigarette gönnen, doch diese Hoffnung war eine Illusion. Seine unstillbare Gier nach Tabak und seine verzweifelte Liebe zu ihm ist Wahnwitz und ohne Zukunft. Marino wird schlagartig von Trauer ergriffen, weil er nie wieder eine Zigarette anzünden, tief inhalieren und den Rausch empfinden wird, diese Glückseligkeit, die seinen ständigen Begleiter, den Schmerz, lindert. Es schmerzt, wenn er aufwacht, es schmerzt, wenn er sich schlafen legt, es schmerzt in seinen Träumen, und es schmerzt, wenn er hellwach ist. Er blickt auf die Uhr, denkt an Scarpetta und fragt sich, ob ihr Flug wohl Verspätung hatte. Heutzutage haben ja die meisten Flüge Verspätung.

Marinos Arzt hat ihn gewarnt, dass er mit sechzig einen Sauerstofftank auf dem Rücken tragen würde wie ein Indianerbaby, wenn er so weiterrauchte. Irgendwann wird er dann nach

Luft schnappend sterben wie die arme Gilly, die nach Atem rang, als dieser Verrückte auf ihr saß und ihr die Hände festhielt. Voller Panik lag sie unter ihm, während jede Zelle in ihrer Lunge nach Luft schrie und ihr Mund versuchte, nach Mama und Papa zu rufen. Aber Gilly konnte keinen Mucks von sich geben. Und was hat sie getan, um einen solchen Tod zu verdienen? Nichts, denkt Marino, während er die Zigarrenkisten in den dunklen Regalen dieses kühlen und duftenden Tabakladens für Reiche betrachtet. Wahrscheinlich steigt Scarpetta gerade ins Flugzeug, sagt er sich und entdeckt die Kistchen mit Romeo-y-Julieta-Zigarren. Wenn der Flug keine Verspätung hat, sitzt sie vermutlich schon in der Maschine, die nach Westen, nach Denver, fliegt. Nach Scarpettas Entdeckung in ihrem alten Gebäude haben sie verabredet, dass Marino noch diesen einen Auftrag in Richmond erledigt, während sie schon mal vorfliegt.

»Sagen Sie Bescheid, wenn ich Ihnen helfen kann«, sagt ein Mann in grauem V-Ausschnitt-Pullover und brauner Cordhose hinter der Theke. Die Farbe seiner Kleidung und sein graues Haar erinnern Marino an Rauch. Der Mann arbeitet in einem Tabakladen voller Rauchwaren und hat die Farbe von Rauch angenommen. Wahrscheinlich geht er am Ende des Arbeitstags nach Hause und qualmt nach Herzenslust, während Marino allein in ein Hotelzimmer zurückkehrt und sich nicht einmal eine anzünden, geschweige denn Rauch inhalieren darf. Inzwischen kennt er die Wahrheit. Er weiß es. Er muss verzichten. Er hat sich etwas vorgemacht und sich eingeredet, dass es doch einen Ausweg gibt, und er wird von Trauer und Scham ergriffen.

Marino holt die Quittung aus der Jackentasche, die Scarpetta auf dem mit Knochenstaub bedeckten Boden in der Anatomieabteilung ihres alten Gebäudes gefunden hat. Das Stück Papier steckt in einem durchsichtigen Plastikbeutel. Er legt es auf die Theke.

»Wie lange arbeiten Sie schon hier?«, fragt Marino den Mann hinter der Theke.

»Bald zwölf Jahre«, erwidert er lächelnd. Doch in seinen rauchgrauen Augen steht ein gewisser Blick. Marino erkennt Angst und tut nichts, um sie zu zerstreuen.

»Dann kennen Sie sicher Edgar Allan Pogue. Er war am 14. September dieses Jahres hier und hat diese Zigarren gekauft.«

Stirnrunzelnd beugt der Mann sich vor und mustert das Stück Papier in der Tüte. »Die Quittung ist von uns«, stellt er fest.

»Gratuliere, Sherlock. Ein kleiner, rundlicher Typ mit rotem Haar«, fährt Marino fort und macht auch weiterhin nicht die geringsten Anstalten, den Mann zu beruhigen. »Mitte dreißig. Hat früher drüben in der Gerichtsmedizin gearbeitet.« Er weist auf die Fourteenth Street. »Wahrscheinlich hat er sich komisch benommen, als er hier war.«

Der Mann wirft einen Blick auf Marinos LAPD-Baseballkappe. Er ist bleich und nervös. »Wir verkaufen keine kubanischen Zigarren.«

»Was?« Marino verzieht finster das Gesicht.

»Falls das Ihre Frage ist. Er könnte welche verlangt haben, aber so etwas führen wir nicht.«

»Er kam rein und hat kubanische Zigarren verlangt?«

»Er war sehr beharrlich, vor allem bei seinem letzten Besuch«, antwortet der Mann stockend. »Aber wir führen keine kubanischen Zigarren und auch sonst nichts Illegales.«

»Das habe ich auch gar nicht behauptet, und außerdem bin ich weder von der Behörde für Alkohol, Tabak und Feuerwaffen noch von der Lebens- und Arzneimittelaufsicht, vom Gesundheitsamt oder vom Büro des gottverdammten Osterhasen«, entgegnet Marino. »Es ist mir scheißegal, ob Sie unter der Ladentheke mit kubanischen Zigarren handeln.«

»Ich schwöre Ihnen, dass es nicht so ist.«

»Ich interessiere mich nur für Pogue. Erzählen Sie mir von ihm.«

»Ich erinnere mich an ihn«, antwortet der Mann, dessen Gesicht inzwischen auch die Farbe von Rauch hat. »Ja, er wollte kubanische Zigarren. Cohibas, nicht die dominikanischen, die wir im Sortiment haben. Ich habe ihm erklärt, dass wir keine kubanischen Zigarren führen. Das ist nämlich verboten … Sie sind nicht von hier, richtig? Sie klingen nämlich, als wären Sie von auswärts.«

»Von hier bin ich ganz sicher nicht«, gibt Marino zurück. »Was hat Pogue sonst noch gesagt? Und wann war das? Wann war er zum letzten Mal hier?«

Der Mann betrachtet die Quittung auf der Theke. »Vermutlich danach noch einmal. Ich glaube, es muss im Oktober gewesen sein. Er kam etwa einmal im Monat. Ein wirklich sehr merkwürdiger Mensch.«

»Im Oktober? Gut. Was wollte er sonst noch?«

»Er hat kubanische Zigarren verlangt und gemeint, er würde jeden Preis dafür bezahlen. Ich habe beteuert, dass wir keine haben. Er wusste das, weil er schon öfter danach gefragt hatte. Aber so beharrlich wie beim letzten Mal war er noch nie gewesen. Ein komischer Mann. Immer wieder hat er dieselbe Frage gestellt und ließ sich einfach nicht abweisen. Er behauptete, kubanischer Tabak sei besser für die Lungen, oder einen ähnlichen Blödsinn. Man könne so viele kubanische Zigarren rauchen, wie man wolle, ohne sich zu schaden. Sie seien sogar gesund und rein und hätten eine heilsame Wirkung. Alberner Kram eben.«

»Was haben Sie ihm geantwortet? Lügen Sie mich bloß nicht an. Es ist mir scheißegal, ob Sie ihm kubanische Zigarren verkauft haben. Ich muss diesen Mann finden. Falls er überzeugt davon ist, dass das Zeug gut für seine kaputte Lunge ist, wird er versuchen, es sich anderweitig zu besorgen. Und wenn er so darauf fixiert ist, kriegt er es auch irgendwo.«

»Er ist wirklich darauf fixiert. Bei seinem letzten Besuch war es unmöglich, ihn davon abzubringen. Fragen Sie mich nicht, warum«, erwidert der Mann und starrt auf die Quittung. »Es gibt doch auch andere gute Zigarren in rauen Mengen. Warum müssen es denn unbedingt kubanische sein? Ich verstand zwar den Grund nicht, aber er wollte sie unbedingt haben. Ich musste an manche Kranken denken, die sich auf irgendein Zauberkraut oder Marihuana versteifen, oder an Leute, die an Arthritis leiden und sich Gold spritzen lassen. Sehr seltsam. Ich habe ihn zu einem anderen Laden geschickt und ihn gebeten, mich nicht mehr nach kubanischen Zigarren zu fragen.«

»Zu welchem Laden?«

»Tja, eigentlich ist es ein Restaurant, wo, wie ich gehört habe, so manches verkauft wird oder man zumindest weiß, wie es zu beschaffen ist. An der Bar. Alles, was Sie wollen. So habe ich es wenigstens aufgeschnappt. Ich verkehre selbst nicht dort und habe nichts damit zu tun.«

»Wo?«

»Unten im Slip«, antwortet er. »Nur ein paar Straßen von hier.«

»Kennen Sie Läden in Südflorida, die kubanische Zigarren führen? Haben Sie ihm vielleicht einen Laden in Florida empfohlen?«

»Nein«, entgegnet der Mann und schüttelt den grauen Kopf. »Davon weiß ich nichts. Fragen Sie im Slip nach. Da kann man Ihnen bestimmt weiterhelfen.«

»Gut. Und jetzt kommt die Eine-Million-Dollar-Frage.« Marino steckt den Plastikbeutel wieder ein. »Sie haben Pogue also von dem Lokal im Slip erzählt, wo er möglicherweise kubanische Zigarren bekommen kann?«

»Ich habe ihm erklärt, dass einige Leute in der Bar dort Zigarren kaufen«, sagt der Mann.

»Und wie heißt das Lokal?«

»Stripes. Die Bar heißt Stripes und ist in der Cary Street. Ich wollte ihn abwimmeln, weil er so seltsam war. Ich fand ihn schon immer komisch. Seit Jahren kam er alle paar Monate her und redete eigentlich nicht viel«, erzählt der Mann. »Aber beim letzten Mal, im Oktober, war er noch merkwürdiger als sonst. Er hatte einen Baseballschläger bei sich. Ich fragte ihn nach dem Grund dafür, aber er hat mir nicht geantwortet. Außerdem war er früher nicht so beharrlich, was die kubanischen Zigarren anging. Doch an diesem Tag ist er beinahe durchgedreht. Cohibas, wiederholte er nur, und dass er welche haben wolle.«

»War der Baseballschläger rot, weiß und blau?«, erkundigt sich Marino. Er denkt an Scarpetta, Mühlen, Knochenstaub und alles, was sie ihm berichtet hat, als sie Dr. Philpotts Praxis verließ.

»Kann sein«, erwidert der Mann mit einem argwöhnischen Blick. »Worum, zum Teufel, geht es hier eigentlich?«

56

In den Wäldern rings um die Stadthäuser sind die fleckig weißen und grauen Espen in dunkle, kalte Schatten gehüllt. Die kahlen Bäume stehen dicht, sodass Lucy und Henri sich ducken und Zweige und winterstarre Schösslinge aus dem Weg schieben müssen, um voranzukommen. Ihre Schneeschuhe verhindern nicht, dass der Schnee ihnen bis zu den Knien reicht. Die glatte weiße Oberfläche ist, wohin das Auge blickt, frei von menschlichen Fußspuren.

»Das ist doch Wahnsinn«, sagt Henri und stößt keuchend Dampfwolken aus. »Warum tun wir das?«

»Weil wir frische Luft und Bewegung brauchen«, entgegnet Lucy und gerät in eine Schneewehe, die ihr fast bis zum Oberschenkel geht. »Wow! Schau dir das an. Unbeschreiblich schön!«

»Ich finde, du hättest nicht herkommen sollen«, meint Henri, bleibt stehen und sieht sie im hereinbrechenden Dämmerlicht an, das den Schnee bläulich verfärbt. »Ich habe es überwunden. Außerdem habe ich genug von hier und kehre nach Los Angeles zurück.«

»Es ist dein Leben.«

»Ich weiß, dass du das nicht so meinst. Immer wenn du so cool daherredest, kriegst du eine lange Nase.«

»Lass uns noch ein bisschen weitergehen«, schlägt Lucy vor und stürmt los. Dabei achtet sie darauf, dass keine Zweige oder zarten jungen Bäume zurückschnellen und Henri im Gesicht treffen, obwohl sie es möglicherweise verdient hat. »Dort liegt ein alter umgestürzter Baum. Ich bin ziemlich sicher, dass ich ihn vom Weg aus gesehen habe, als ich herkam. Wir können den Schnee abwischen und uns setzen.«

»Wir werden erfrieren«, protestiert Henri. Sie macht einen langen Schritt und pustet eine Wolke gefrorenen Atem aus.

»Du frierst doch jetzt nicht etwa?«

»Mir ist warm.«

»Wenn uns kalt wird, stehen wir einfach auf und kehren um.«

Henri antwortet nicht. Seit ihrer Grippe und dem Überfall hat sie deutlich an Kondition verloren. Als Lucy ihr in Los Angeles zum ersten Mal begegnete, war sie in ausgezeichneter körperlicher Verfassung, zwar nicht sehr groß, aber dafür kräftig. Sie konnte Hanteln stemmen, die so viel wogen wie sie selbst, und schaffte zehn Klimmzüge, während die meisten Frauen schon mit einem Drittel ihres Körpergewichts und einem einzigen Klimmzug überfordert sind. Sie lief anderthalb Kilometer in sieben Minuten. Jetzt würde sie gerade einmal anderthalb Kilometer Gehen hinkriegen. In einem knappen Monat hat Henri abgebaut, und es wird täglich schlimmer, weil sie etwas verloren hat, das noch wichtiger ist als ihre Körperkraft: ihre Mission. Sie hat keine Mission mehr. Lucy befürchtet allerdings, dass Henri noch nie eine hatte und nur eitel war. Das Feuer der Eitelkeit brennt rasch und heiß und verglüht schnell.

»Gleich da oben«, sagt Lucy. »Da ist er. Siehst du den großen Baumstamm? Dahinter liegt ein kleiner gefrorener Bach, und da drüben ist die Schönheitsfarm.« Sie deutet mit dem Skistock. »Fitnessraum und anschließend Dampfbad, das wäre jetzt das Größte.«

»Ich kriege keine Luft mehr«, keucht Henri. »Seit der Grippe habe ich das Gefühl, dass meine Lungen auf die Hälfte geschrumpft sind.«

»Du hattest eine Lungenentzündung«, hält Lucy ihr vor Augen. »Oder hast du das vergessen? Du hast eine Woche lang Antibiotika geschluckt. Als diese Sache passierte, hast du immer noch welche genommen.«

»Ja, als die Sache passierte. Ständig geht es um diese Sache.« Sie betont das Wort *Sache.* »Fängt jetzt die Sprachkosmetik an?« Sie tritt in Lucys Fußstapfen, weil ihre Kräfte erlahmen und ihr der Schweiß ausbricht. »Mir tut die Lunge weh.«

»Wie sollen wir uns denn sonst ausdrücken?« Lucy hat den umgestürzten Stamm erreicht. Früher einmal gehörte er zu einem großen Baum, doch nun ist er nur noch eine Hülle, der Überrest eines gewaltigen Schiffes. Sie fängt an, die dicke Schneeschicht abzuwischen. »Wie würdest du es bezeichnen?«

»Dass ich beinahe umgebracht worden wäre.«

»Hier. Setz dich.« Lucy nimmt Platz und klopft auf eine freigeräumte Stelle neben sich. »Eine kleine Pause kann nicht schaden.« Ihr gefrorener Atem steigt wie Dampf in den Himmel auf, und ihr Gesicht ist vor Kälte schon fast taub. »Fast umgebracht im Gegensatz zu fast ermordet?«

»Das ist doch dasselbe.« Zögernd steht Henri neben dem Baumstamm, blickt sich um und betrachtet den verschneiten Wald und die tiefer werdenden Schatten. Durch die kalten, dunklen Zweige sind buttergelb die Lichter der Häuser und der Schönheitsfarm zu sehen. Rauch kräuselt aus den Kaminen.

»Ich würde es nicht unbedingt als dasselbe bezeichnen«, entgegnet Lucy. Als sie zu ihr aufblickt, bemerkt sie, wie mager sie geworden ist, und sie erkennt etwas in ihren Augen, das ihr anfangs nicht aufgefallen ist. »Fast umgebracht worden zu sein, das klingt so distanziert. Wahrscheinlich suche ich eher nach Gefühlen.«

»Es ist besser, nicht nach etwas zu suchen.« Widerstrebend setzt sich Henri auf den Baumstamm, hält aber Abstand zu Lucy.

»Du hast nicht nach ihm gesucht, er hat dich gefunden«, sagt Lucy und blickt, die Arme auf die Knie gestützt, geradeaus in den Wald.

»Gut, ich wurde verfolgt. Halb Hollywood wird verfolgt.

Wahrscheinlich gehöre ich jetzt auch zum Club«, gibt sie zurück und klingt recht erfreut darüber, dass sie jetzt Mitglied des Clubs der von Stalkern verfolgten Filmstars ist.

»Das dachte ich bis vor kurzem auch.« Lucys behandschuhte Hände greifen in den Schnee zwischen ihren Füßen. Sie hebt eine Hand voll weißes Pulver auf und betrachtet es. »Du hast ein Interview gegeben und gesagt, dass ich dich eingestellt habe, ohne mir je davon zu erzählen.«

»Was für ein Interview?«

»Im *Hollywood Reporter.* Du wirst darin zitiert.«

»Ich bin schon so oft falsch zitiert worden«, erwidert sie gereizt.

»Es geht nicht um Dinge, die du angeblich nie gesagt hast, sondern um das Interview als solches. Ich bin überzeugt, dass du eines gegeben hast. Der Name meiner Firma kommt darin vor. Nicht dass die Existenz des Letzten Reviers ein dunkles Geheimnis wäre, aber die Tatsache, dass ich mit der Zentrale nach Florida umgezogen bin, geht niemanden etwas an. Diesen Umstand habe ich absolut geheim gehalten, hauptsächlich wegen des Ausbildungslagers. Und dennoch stand es in der Zeitung, und wenn etwas erst einmal publik ist, wird es ständig wiedergekäut.«

»Offenbar hast du keine Ahnung von der Klatschpresse und Zeitungsenten«, entgegnet Henri. Lucy weigert sich, sie anzusehen, als sie weiterredet. »Wenn du je im Filmgeschäft gearbeitet hättest, würdest du begreifen, was dahintersteckt.«

»Ich fürchte, davon verstehe ich eine ganze Menge. Aus irgendeiner Quelle hat Edgar Allan Pogue erfahren, dass meine Tante angeblich in meinem neuen Büro in Hollywood, Florida, arbeitet. Und rate mal, was er gemacht hat?« Sie beugt sich vor und hebt noch mehr Schnee auf. »Er ist nach Hollywood gekommen. Um mich zu suchen.«

»Er war nicht hinter dir her«, widerspricht Henri, und ihr Tonfall ist so kalt wie der Schnee. Wegen ihrer Handschuhe kann Lucy den Schnee zwar nicht spüren, aber sie fühlt die Kälte, die von Henri ausgeht.

»Ich fürchte, er war es doch. Es ist schwer festzustellen, wer gerade in einem der Ferrari sitzt. Dazu muss man nah herankommen, und sie sind leicht zu verfolgen. Es ist ganz einfach. Pogue hat mich auf irgendeine Weise aufgespürt. Vielleicht hat er sich durchgefragt und das Lager entdeckt und ist dann dem Ferrari zu meinem Haus gefolgt. Möglicherweise war es der schwarze Ferrari. Keine Ahnung.« Sie lässt den Schnee durch die behandschuhten Finger gleiten, hebt ein wenig davon wieder auf und weicht Henris Blick aus. »Er hat meinen schwarzen Ferrari gefunden und ihn zerkratzt. Also wissen wir, dass er das Auto bereits kannte, als du es ohne Erlaubnis und trotz meines Verbots, es jemals zu fahren, benutzt hast. Möglicherweise ist er an diesem Abend auf mein Haus gestoßen. Keine Ahnung. Jedenfalls war er nicht hinter dir her.«

»Du bist so egoistisch«, sagt Henri.

»Weißt du was, Henri?« Lucy öffnet den Handschuh, sodass der Schnee herunterfällt. »Bevor ich dich eingestellt habe, haben wir deine Vergangenheit gründlich überprüft. Es gibt vermutlich keinen Artikel über dich, den wir nicht kennen. Leider sind es ja nicht sehr viele. Also würde ich mich freuen, wenn du diesen Filmstar-Blödsinn lassen könntest. Warum hörst du nicht auf, darauf zu pochen, dass du ein großer Star sein musst, weil dich jemand verfolgt hat? Es langweilt mich.«

»Ich gehe rein.« Sie steht vom Baumstamm auf und verliert fast das Gleichgewicht. »Ich bin wirklich müde.«

»Er wollte dich töten, um sich an mir für etwas zu rächen, das passiert ist, als ich noch ein Teenie war«, erklärt Lucy. »Soweit man einem Spinner wie ihm logische Motive unterstellen kann. Die Sache ist, dass ich mich nicht einmal an ihn erinnere. Wahrscheinlich würde er dich gar nicht wiedererkennen, Henri. Offenbar sind wir alle irgendwann nur Mittel zum Zweck.«

»Ich wünschte, ich wäre dir nie begegnet. Du hast mein Leben ruiniert.«

Tränen treten Lucy in die Augen. Wie festgefroren bleibt sie auf dem Baumstamm sitzen. Sie hebt noch mehr Schnee auf und wirft ihn hoch, sodass das Pulver durch die Dämmerung schwebt.

»Außerdem stehe ich sowieso schon immer mehr auf Männer«,

verkündet Henri und kehrt zurück zu der Spur, die sie vorhin auf ihrem Weg zum Baumstamm mit ihren Schneeschuhen hinterlassen haben. »Keine Ahnung, warum ich das mit dir mitgemacht habe. Vielleicht war ich einfach nur neugierig. Vermutlich würden die meisten Leute dich für eine Weile sehr interessant finden. Wo ich herkomme, sind Experimente schließlich nichts Außergewöhnliches. Eigentlich spielt es ja auch gar keine Rolle.«

»Wo hast die Blutergüsse her?«, fragt Lucy. Doch Henri hat ihr schon den Rücken zugekehrt und stolziert mit weiten, übertrieben langen Schritten in den Wald hinein. Schwer atmend stößt sie ihre Stöcke in den Boden. »Ich weiß, dass du dich noch ganz genau daran erinnerst.«

»Ach, die Blutergüsse, die du fotografiert hast, Miss Super-Cop?«, höhnt Henri keuchend und bohrt einen Skistock in den tiefen Schnee.

»Ich weiß, dass du dich erinnerst.« Lucy sitzt auf dem Baumstamm und blickt ihr mit tränennassen Augen nach. Doch es gelingt ihr, ihre Stimme zu beherrschen.

»Er hat sich auf mich draufgesetzt.« Henri stößt den zweiten Skistock in den Schnee und hebt einen Schneeschuh. »Dieser Spinner mit den langen lockigen Haaren. Zuerst dachte ich, er wäre die Frau, die den Pool pflegt, kein Mann. Ich hatte ihn schon vor ein paar Tagen dort gesehen, als ich oben krank im Bett lag. Aber ich habe geglaubt, er wäre eine dicke Frau mit krausen Haaren, die Laub aus dem Pool schöpft.«

»Er hat Laub aus dem Wasser geschöpft?«

»Ja. Deshalb bin ich davon ausgegangen, dass es eine andere Poolpflegerin ist, eine Aushilfe vielleicht. Und weißt du, was das Komische ist?« Als Henri sich zu Lucy umdreht, sieht ihr Gesicht ganz anders aus als sonst und wirkt wie das einer Fremden. »Diese bescheuerte Schnapsdrossel, die bei dir nebenan wohnt, hat fotografiert, wie sie es immer tut, sobald sich auf deinem Grundstück etwas rührt.«

»Schön, dass du diese Informationen doch noch weitergibst«, meint Lucy. »Ich bin sicher, dass du sie Benton gegenüber nicht erwähnt hast, obwohl er so viel Zeit damit verbracht hat, dir zu helfen. Wirklich reizend, dass wir jetzt erst von der Existenz dieser Fotos erfahren.«

»An mehr erinnere ich mich nicht. Er saß auf mir. Ich wollte es nicht erzählen.« Sie bekommt kaum Luft, als sie einen Schritt macht. Sie bleibt stehen und dreht sich wieder um. Ihr Gesicht wirkt in der Dämmerung bleich und grausam. »Es war mir peinlich«, keucht sie. »Dass plötzlich ein fetter, hässlicher Spinner an meinem Bett stand. Und nicht etwa, um es mir zu besorgen, sondern um sich auf mich draufzusetzen.« Sie macht kehrt und stapft weiter.

»Danke für die Informationen, Henri. Du bist wirklich eine Spitzenermittlerin.«

»Das war einmal. Ich kündige. Ich fliege zurück«, japst sie. »Nach Los Angeles. Ich kündige.«

Lucy sitzt auf dem Baumstamm, hebt Schnee auf und betrachtet ihn in ihrem schwarzen Handschuh. »Du kannst nicht kündigen«, meint sie. »Weil du nämlich schon gefeuert bist.«

Henri hört sie nicht.

»Du bist gefeuert«, sagt Lucy und verharrt auf dem Baumstamm.

Henri macht große Schritte durch den Wald und stößt ihre Skistöcke in den Schnee.

57

In der Waffenhandlung und Pfandleihe am U.S. Highway 1 schlendert Edgar Allan Pogue die Gänge entlang und sieht sich in aller Gemütsruhe um. Seine Finger liebkosen die Patronen aus Kupfer und Blei tief in seiner rechten Hosentasche. Ein Halfter nach dem anderen nimmt er vom Haken, studiert das Etikett und hängt das Halfter dann wieder zurück. Heute braucht er keines. Welcher Tag ist heute? Er ist nicht sicher. Die Tage sind vergangen und haben nichts weiter zurückgelassen als verschwommene Erinnerungen an Licht und Schatten, als er in seinem Liegestuhl schwitzte und das große Auge ansah, das ihm von der Wand entgegenstarrte.

Alle paar Minuten fängt er an, tief und trocken zu husten. Danach ist er erschöpft, atemlos und fühlt sich noch elender. Seine Nase läuft, und seine Gelenke schmerzen. Er weiß, was das bedeutet. Dr. Philpott hatte keinen Grippeimpfstoff mehr. Er hatte keinen Impfstoff für Pogue reserviert. Dabei hätte er ihm eigentlich eine Dosis zurücklegen müssen. Aber Dr. Philpott hat keinen Gedanken an ihn verschwendet. Er sagte, es tue ihm Leid, doch er habe nichts mehr übrig. Soweit er wisse, sei in der gesamten Stadt der Impfstoff ausgegangen, und damit müsse man sich eben abfinden. Versuchen Sie es in einer Woche noch einmal, aber versprechen Sie sich nicht zu viel davon, lauteten Dr. Philpotts Worte.

Und was ist in Florida?, hat Pogue gefragt.

Ich bezweifle, dass es dort welchen gibt, erwiderte Dr. Philpott, der beschäftigt war und Pogue kaum zuhörte. Ich denke nicht, dass Sie noch irgendwo Grippeimpfstoff auftreiben können, falls Sie nicht großes Glück haben. Und wenn Sie so ein Glückspilz sind, sollten Sie es mal mit Lotto versuchen. In diesem Jahr ist ein landesweiter Engpass aufgetreten. Es wurde einfach nicht genug hergestellt, und die Nachproduktion dauert drei bis vier Monate. Also ist der Zug für dieses Jahr abgefahren. Offen gestanden können Sie sich aber auch gegen einen Grippevirus impfen lassen und sich trotzdem einen anderen einfangen. Das Beste ist, wenn Sie sich von Kranken fern halten und auf Ihre Gesundheit achten. Meiden Sie Flugzeuge und Fitnesscenter. Im Fitnesscenter kann man sich eine Menge holen.

Ja, Sir, hat Pogue erwidert, obwohl er noch nie im Leben geflogen ist und seit seiner Schulzeit keine Turnhalle mehr betreten hat.

Edgar Allan Pogue hustet so heftig, dass ihm die Tränen in die Augen treten. Er steht vor einem Regal mit Waffenreinigungsgeräten und betrachtet fasziniert all die kleinen Bürstchen, Fläschchen und Etuis. Da er heute keine Waffen reinigen wird, schlendert er weiter den Gang entlang und prägt sich alle Menschen im Laden ein. Wenig später ist er der einzige Kunde. An der Theke beobachtet er den großen schwarz gekleideten Mann, der gerade eine Pistole zurück in die Vitrine legt.

»Kann ich Ihnen helfen?«, fragt der Mann, der schätzungsweise Ende fünfzig ist, einen rasierten Schädel hat und den Eindruck macht, als könnte er jemandem ernsthaften Schaden zufügen.

»Ich habe gehört, dass Sie auch Zigarren verkaufen«, antwortet Pogue und unterdrückt ein Husten.

»Hmm.« Der Mann blickt ihn herausfordernd an. Dann gleitet sein Blick von Pogues Perücke zu seinen Augen. Der Mann hat etwas an sich, das Pogue auf die Schulter zu tippen scheint. »Wo wollen Sie das gehört haben?«

»Ich habe es eben gehört«, entgegnet Pogue, während das um Aufmerksamkeit heischende Tippen auf seine Schulter weitergeht. Er fängt an zu husten, und Tränen treten ihm in die Augen.

»Sie klingen, als sollten Sie besser gar nicht rauchen«, meint der Mann, der auf der anderen Seite der gläsernen Vitrine steht. Hinten im Bund seiner Cargohose steckt eine schwarze Baseballkappe. Pogue kann nicht erkennen, was darauf steht.

»Das ist doch wohl meine Sache«, gibt er zurück und bemüht sich, ruhig zu atmen. »Ich hätte gerne Cohibas. Bei sechs Zigarren würde ich zwanzig pro Stück bezahlen.«

»Was zum Teufel ist eine Cohiba?«, erkundigt sich der Mann mit unbewegter Miene.

»Dann also fünfundzwanzig.«

»Ich habe keine Ahnung, wovon Sie reden.«

»Dreißig«, sagt Pogue. »Das ist mein letztes Angebot. Aber sie müssen aus Kuba sein. Ich merke den Unterschied. Außerdem würde ich mir gerne einen Achtunddreißiger Smith & Wesson anschauen. Den Revolver da drüben.« Er zeigt auf die Vitrine. »Den möchte ich mir mal ansehen. Also geben Sie mir die Cohibas und den Achtunddreißiger.«

»Schon verstanden«, erwidert der Mann. Er blickt an Pogue vorbei, als sehe er jemanden hinter ihm. Sein Tonfall und seine Miene verändern sich, und er hat immer noch etwas an sich, das Pogue beharrlich auf die Schulter klopft.

Pogue dreht sich um, weil er glaubt, dass da tatsächlich jemand wäre. Aber da ist kein Mensch. Nur zwei Gänge voller Waffen und Zubehör und Tarnkleidung und Schachteln mit Munition. Er betastet die .38er Patronen in seiner Tasche, fragt sich, wie es sich wohl anfühlen mag, den dicken Mann in Schwarz zu erschießen, und kommt zu dem Schluss, dass es ihm wahrscheinlich gefallen würde. Als er sich wieder zu der gläsernen Vitrine umdreht, zielt der Mann dahinter mit einer Pistole genau zwischen Pogues Augen.

»Wie geht's denn so, Edgar Allan?«, sagt er. »Ich bin Marino.«

58

Scarpetta sieht, wie Benton den freigeschaufelten Pfad entlangkommt, der von seinem Haus zu der frisch geräumten Straße führt. Unter den dunkelgrünen, duftenden Bäumen bleibt sie stehen, um auf ihn zu warten. Seit seiner Abreise nach Aspen hat sie ihn nicht gesehen. Nachdem Henri bei ihm eingezogen war, hat er sie kaum noch angerufen. Damals wusste Scarpetta noch nichts davon, und während ihrer Telefonate hatte er ihr nicht viel zu sagen. Inzwischen versteht sie es. Das hat sie mittlerweile gelernt, und es fällt ihr auch nicht mehr allzu schwer.

Als er sie küsst, schmecken seine Lippen salzig.

»Was hast du gegessen?«, fragt sie, drückt ihn fest an sich und küsst ihn noch einmal unter den schneebedeckten, schweren Zweigen der immergrünen Bäume.

»Erdnüsse. Mit deiner Nase hättest du eigentlich Bluthund werden müssen«, erwidert er, blickt ihr in die Augen und legt den Arm um sie.

»Ich habe von Geschmack gesprochen, nicht von Geruch.« Lächelnd schlendert sie mit ihm den Pfad zu seinem Haus hinauf.

»Ich habe an Zigarren gedacht«, antwortet er und zieht sie an sich. Sie versuchen, im Gleichtakt zu gehen, als wären ihre vier Beine nur zwei. »Erinnerst du dich an die Zeit, als ich noch Zigarren geraucht habe?«

»Das hat gar nicht gut geschmeckt«, sagt sie. »Der Geruch war angenehm, der Geschmack nicht.«

»Du bist mir die Richtige. Du hast damals Zigaretten geraucht.«

»Also habe ich auch nicht gut geschmeckt.«

»Das habe ich nie behauptet. Ganz bestimmt nicht.«

Er hält sie fest, und ihr Arm ist eng um seine Taille geschlungen, als sie auf das erleuchtete, halb im Wald versteckte Haus zugehen.

»Das war wirklich schlau. Du und die Zigarren, Kay«, meint er und wühlt in der Tasche seiner Skijacke nach dem Schlüssel. »Falls ich es noch nicht erwähnt habe, wollte ich dir noch einmal sagen, wie schlau das war.«

»Es war nicht mein Verdienst«, entgegnet sie und fragt sich, was Benton nach dieser Zeit wohl empfindet. Gleichzeitig versucht sie, hinter ihre eigenen Gefühle zu kommen. »Sondern Marinos.«

»Ich hätte nur zu gern gesehen, wie er in einem schicken Tabakladen in Richmond kubanische Zigarren kauft.«

»Dort führen sie aber keine kubanischen Zigarren, weil die schließlich verboten sind. Auch wenn es Schwachsinn ist, dass kubanische Zigarren in diesem Land behandelt werden wie Marihuana«, antwortet sie. »In dem schicken Tabakladen hat er einen Tipp bekommen, der ihn über ein paar Umwege zu diesem Waffenladen mit Pfandleihe in Hollywood geführt hat. Du kennst doch Marino. Der lässt nicht so leicht locker.«

»Schon gut.« Benton ist nicht besonders an den Einzelheiten interessiert. Sie ahnt, was er wirklich will, und ist nicht sicher, wie sie darauf reagieren soll.

»Also musst du Marino loben, nicht mich. Mehr sage ich dazu nicht. Er hat eine Menge mitgemacht, und ein bisschen Lob würde ihm gut tun. Ich habe Hunger. Was hast du für mich gekocht?«

»Ich habe einen Grill. Am liebsten grille ich draußen im Schnee neben dem Whirlpool.«

»Du und dein Whirlpool. In der Kälte und Dunkelheit, nur mit einer Pistole bekleidet.«

»Ich weiß. Ich habe den verdammten Whirlpool immer noch nicht benutzt.« Er bleibt an der Eingangstür stehen und schließt sie auf.

Sie klopfen sich den Schnee von den Schuhen, obwohl wegen des frisch geräumten Pfades nicht viel daran klebt. Doch aus Gewohnheit und vielleicht auch ein wenig aus Verlegenheit tun sie es trotzdem, bevor sie hineingehen. Benton schließt die Tür und zieht Scarpetta an sich. Dann küssen sie sich leidenschaftlich. Scarpetta schmeckt kein Salz mehr, sondern spürt nur noch seine warme, kräftige Zunge und sein glatt rasiertes Gesicht.

»Du lässt dir die Haare wachsen«, sagt sie, ohne die Lippen von seinen zu entfernen, und fährt mit den Fingern hindurch.

»Ich war beschäftigt. Keine Zeit, sie schneiden zu lassen«, antwortet er. Sie fangen an, einander zu streicheln, aber die Mäntel sind im Weg.

»Damit beschäftigt, mit einer anderen Frau zusammenzuwohnen«, meint sie, während sie einander aus den Mänteln helfen und sich dabei weiter küssen und liebkosen. »Ich habe es gehört.«

»Hast du?«

»Ja. Schneid dir die Haare nicht.«

Als sie an der Eingangstür lehnt, stört es sie nicht, dass kalte Luft durch den Türrahmen hereindringt. Es fällt ihr kaum auf, als sie ihn an den Armen nimmt, ihn ansieht und sein zerzaustes silbergraues Haar und den Ausdruck in seinen Augen betrachtet. Er streichelt ihr Gesicht, und während er sie mustert, erkennt sie etwas in seinem Blick, das immer eindringlicher und strahlender wird. Im ersten Moment kann sie nicht sagen, ob er glücklich oder traurig ist.

»Komm rein«, meint er, ohne dass der Ausdruck in seinen Augen sich verändert. Er greift nach ihrer Hand und zieht sie von der Tür weg. Plötzlich wird es wärmer. »Ich besorge dir etwas zu trinken. Oder zu essen. Bestimmt bist du hungrig und müde.«

»So müde nun auch wieder nicht«, antwortet sie.